*Ordre professionnel
des diététistes
du Québec*

Faites partie d'une profession en évolution
DIÉTÉTISTE/NUTRITIONNISTE

Grâce à leur bagage scientifique, les diététistes/
nutritionnistes participent activement au maintien et
au rétablissement de la santé de la population.

Elles contribuent au quotidien à la promotion de
la saine alimentation et au plaisir de manger.

Avec un taux de placement de 97,5 %,
les diététistes/nutritionnistes ont accès à
une carrière qui offre de multiples
possibilités d'avancement.

Elles sont présentes partout :
milieu hospitalier
milieu scolaire
milieu sportif
communication
agroalimentaire
...

OPDQ.ORG

L'ORIENT·EXPERT

Un guide d'orientation pour surmonter l'indécision

AUTEURE:

ISABELLE FALARDEAU

Conseillère d'orientation et psychologue

Un parcours
d'orientation
scolaire et
professionnelle
en 28 exercices
pratiques

Septembre
éditeur

Les évaluateurs agréés

Les **seuls experts** reconnus **pour** établir la **valeur** de votre propriété

- achat / vente
- financement de travaux de rénovation
- pourcentage d'avancement des travaux
- nouvelle valeur assurable

mais aussi :

- liquidation d'une succession
- partage du patrimoine
- établissement du gain en capital

Seule une signature **É.A.** garantit une opinion **indépendante** et **motivée** de la valeur des biens immobiliers.

LE GUIDE
CH●ISIR 2014
UNIVERSITÉ
Pour bien choisir et réussir

Tous les programmes de baccalauréat et le processus d'admission

Septembre
éditeur

13e édition

SEPTEMBRE ÉDITEUR

Président-directeur général et éditeur
Martin Rochette

Production

Recherche et mise à jour des données
LOGISEP Lise Levasseur
logisep@videotron.ca

Coordination et gestion des données
Annie Pelletier

Collaboration spéciale
Dossier Cote de rendement au collégial
Dominique Saucier

Révision
Lise Turgeon

Page couverture et infographie
Francine Bélanger

Photo (page couverture)
iStockphoto

Publicité
Catherine Brochu

Dépôt légal – 4e trimestre 2013
Dépôt légal – Bibliothèque et Archives nationales du Québec, 2013
Dépôt légal – Bibliothèque et Archives Canada, 2013

ISBN 978-2-89471-443-0
Imprimé et relié au Canada

Téléphone : 418 658-7272
Sans frais : 1 800 361-7755
Télécopieur : 418 652-0986
www.septembre.com

Remerciements

Nous tenons à remercier les personnes-ressources des établissements collégiaux et universitaires qui ont participé à la validation des données qui sont présentées dans cette édition.

Note de l'éditeur

Dans le présent ouvrage, le genre masculin est utilisé sans aucune discrimination.

Pour la mise à jour, nous utilisons habituellement les données reçues des valideurs dans les établissements d'enseignement collégial et universitaire ainsi que la carte des enseignements du ministère de l'Éducation, du Loisir et du Sport.

Des commentaires?

C'est avec plaisir que nous recevons vos commentaires et vos suggestions.

Veuillez nous les faire parvenir à l'adresse suivante : **info.choisir@septembre.com**

LE GUIDE CHOISIR – UNIVERSITÉ 2014

Toute personne qui désire entreprendre des études universitaires doit d'abord trouver les renseignements requis pour effectuer correctement son choix de carrière, son choix de programme et d'établissement et par la suite sa démarche d'admission. Pour y parvenir, elle devra aussi, fort probablement, consulter une multitude de documents, toute l'information fournie sur le sujet étant dispersée dans les divers guides d'admission publiés par les établissements universitaires, sur les sites Internet dont **monemploi.com**, dans le logiciel REPÈRES et dans la Relance du ministère de l'Éducation, du Loisir et du Sport. *Le Guide Choisir – Université* s'adresse non seulement aux candidats aux études universitaires, mais également aux spécialistes de l'orientation et de l'information scolaire et professionnelle qui soutiennent la démarche exploratoire des élèves du secondaire et du collégial et qui viennent en aide chaque année aux personnes désireuses de formuler une demande d'admission à l'université.

Cet ouvrage traite notamment des étapes de l'admission à l'université, des conditions d'admission aux différents programmes de baccalauréat, ainsi que de l'admission dans les programmes contingentés. On y aborde également les questions relatives au coût et au financement des études de même que celles concernant l'hébergement. Des dossiers traitant de la cote de rendement au collégial et des structures offertes pour faciliter les études à l'étranger sont également présentés. Nous souhaitons que ce Guide soit pour les utilisateurs un outil d'information de premier choix.

Dans la section « Admission » des fiches techniques du présent guide, nous référons à des codes de cours et à des objectifs. Voici un tableau de leurs équivalences.

Tableau des équivalences – Cours / Objectifs

DISCIPLINE	CODE DE COURS DANS LES COLLÈGES	SUJET	OBJECTIFS DEC SCIENCES		
			de la nature	lettres et arts	humaines
Biologie	301 ou NYA	Évolution du vivant	00UK	01Y5	
	401 ou NYB	Organismes pluricellulaires / Évolution et diversité du vivant	00XU	01YJ	022V
	901	Biologie humaine			022V
	911	Biologie humaine I			022V
	921	Biologie humaine II			022V
Chimie	101 ou NYA	Chimie générale	00UL	01Y6	
	201 ou NYB	Chimie des solutions	00UM	01YH	
	202 ou DYD	Chimie organique	00XV		
Mathématiques	103 ou NYA	Calcul différentiel	00UN	01Y1	022X
	203 ou NYB	Calcul intégral	00UP	01Y2	022Y
	105 ou NYC	Algèbre linéaire et géométrie vectorielle	00UQ	01Y4	022Z
	307	Probalité et statistique			022W-022P
	257	Statistique			022P
	300 ou 337	Statistique avancée		01Y3	022W
Physique	101 ou NYA	Mécanique	00UR	01Y7	
	201 ou NYB	Électricité et magnétisme	00US		
	301 ou NYC	Ondes et physique moderne	00UT	01YG	
Psychologie	102	Psychologie générale		01Y9	022K

SOMMAIRE

PAGES

Le Guide Choisir – Université 2014 3
TABLEAU DES ÉQUIVALENCES – COURS / OBJECTIFS 3
NOS ANNONCEURS 6

LE MONDE UNIVERSITAIRE 7
L'année universitaire 7
Les catégories d'étudiants 7
Le régime des études 7
La structure des programmes universitaires 7
    Études de premier cycle 7
    Études de deuxième cycle 8
    Études de troisième cycle 8
Les catégories de baccalauréat 8
L'admission et l'inscription 9
Les étapes de l'admission 10
    Étape 1 : La préparation 10
    Étape 2 : L'admission 10
    Étape 3 : La sélection 13
    Étape 4 : La réponse des universités 14
    Étape 5 : L'inscription 15
Les programmes contingentés 15
    Les critères de sélection 15
L'enseignement coopératif 16
L'aide financière et l'hébergement 16
    Le coût des études 16
    Le financement des études 17
    L'hébergement 18

**Les fiches descriptives des programmes de baccalauréat
par domaines d'études et par disciplines** 20
Comment lire une fiche de programme universitaire 21
« Lauréat » du *Palmarès des carrières 2013* 22
Index alphabétique des programmes de baccalauréat 25
Arts 39
    Beaux-arts et arts appliqués 39
Droit 52
    Droit 52
Lettres 55
    Lettres et langues 55
Sciences appliquées 68
Agriculture, foresterie et géomatique 68
    Architecture, urbanisme et design 76
    Génie 83
    Informatique 107
Sciences de l'administration 120
    Sciences de l'administration 121
Sciences de l'éducation 153
    Sciences de l'éducation 153
Sciences de la santé 168
    Sciences de la santé humaine et animale 168
Sciences humaines 194
    Sciences humaines et sciences sociales 195
Sciences pures 242
    Biologie, microbiologie, biochimie 242
    Mathématiques, statistiques, actuariat 251
    Sciences physiques 256
Études plurisectorielles 266
    Études plurisectorielles 267

DOSSIERS

PAGES

La cote de rendement au collégial 291
Ce qu'est la cote « R » 291
Le calcul de la cote de rendement au collégial. 292
Où peut-on obtenir sa cote de rendement au collégial?. 292
Une cote qui situe l'élève par rapport à la moyenne du groupe 293
Les risques associés à une mauvaise compréhension de la cote R 293
La cote R et l'élaboration de son projet professionnel 293
La cote R et le passage du secondaire au collégial 293
Les éléments à ne pas confondre avec la cote R 295
La cote R et la réalisation du projet professionnel 295
Réagir à un refus à la suite d'une demande d'admission dans un programme contingenté. 296
Accéder à un programme contingenté par un changement de programme. 296
La condition d'admission incontournable 297

Étudier ailleurs dans le monde. 299
Les programmes d'études universitaires à l'étranger 299
Les modalités de fonctionnement 300
Les avantages d'un séjour d'études à l'étranger 300
Les conditions de participation 300
Les destinations 301
Les modalités d'inscription 301
La carte des pays participants. 302
Les coûts et l'aide financière. 303
Les adresses utiles 304
L'appel à l'étranger – reportage 305

Index alphabétique des établissements d'enseignement universitaire 310

NOS ANNONCEURS

École de technologie supérieure (ÉTS) .... Couverture intérieure avant

Ordre professionnel des diététistes du Québec .... Encart publicitaire du début

Septembre éditeur.. Encart publicitaire du début

Université du Québec à Trois-Rivières (UQTR) .... Encart publicitaire du début

Ordre des évaluateurs agréés du Québec .... Encart publicitaire du début

Ordre des conseillers et conseillères d'orientation du Québec .... Page 23

Salon Carrière Formation de Québec .... Page 24

Université Laval .... 1er carton / recto après page 24

Université du Québec à Montréal (UQÀM) .... 1er carton / verso après page 24

Septembre éditeur... 2e carton / recto après page 120

Comptables professionnels agréés (CPA) .... 2e carton / verso après page 120

TÉLUQ L'université à distance de l'UQÀM... 3e carton / recto après page 286

Agence de la santé et des services sociaux de la Montérégie .... 3e carton / verso après page 286

Septembre éditeur .... pages 287 et 288

Université d'Ottawa .... Encart publicitaire (4 pages) après page 312

Université de Sherbrooke .... Couverture intérieure arrière

Université de Montréal .... Couverture arrière

LE MONDE UNIVERSITAIRE

L'année universitaire

L'année universitaire est divisée en trois trimestres, appelés aussi sessions. Généralement, seuls ceux d'automne et d'hiver sont considérés comme des trimestres réguliers d'enseignement pour le premier cycle. Ils s'étendent respectivement du début de septembre à la fin de décembre et du début de janvier à la fin d'avril. Chacun de ces trimestres compte 15 semaines d'études. Le nombre de cours au trimestre d'été est plus limité qu'aux deux trimestres précédents.

Les catégories d'étudiants

Les personnes inscrites dans un établissement universitaire sont administrativement regroupées selon les trois catégories suivantes :
- l'**étudiant régulier** est une personne admise dans un programme d'enseignement en vue d'obtenir une sanction des études et inscrite à une ou à plusieurs activités de ce programme;
- l'**étudiant libre** est une personne qui, sans être admise dans un programme d'enseignement, est inscrite à une ou à plusieurs activités de l'enseignement ordinaire et doit se soumettre au processus d'évaluation prévu pour ces activités;
- l'**auditeur** est une personne qui, sans être admise à un programme d'enseignement, est inscrite à une ou à plusieurs activités de l'enseignement ordinaire. Elle n'est pas soumise au processus d'évaluation prévu pour ces activités et ne reçoit aucun crédit de formation.

Le régime des études

Les universités accueillent des étudiants qui poursuivent des études à temps plein ou à temps partiel. À chacune des activités (cours, laboratoires, etc.) sont rattachées des unités appelées « crédits ». Chaque crédit requiert des étudiants quelque 45 heures de travail personnel. La plupart des programmes peuvent être suivis à temps plein ou à temps partiel. Le critère qui détermine le régime des études est le nombre de crédits auquel s'inscrit l'étudiant :
- le régime d'études à **temps plein** correspond à une charge d'activités de 12 crédits ou plus pour un trimestre;
- le régime d'études à **temps partiel** correspond à une charge d'activités de moins de 12 crédits pour un trimestre.

La structure des programmes universitaires

Le système universitaire comporte trois cycles d'études, dont voici une brève description.

ÉTUDES DE PREMIER CYCLE

Premier niveau de l'enseignement universitaire qui fait habituellement suite aux études collégiales. Les principaux programmes d'études universitaires de premier cycle se divisent en trois catégories.

- **Les microprogrammes ou programmes courts de perfectionnement**
  Il s'agit de programmes comportant un minimum de 6 crédits et un maximum de 18 crédits portant sur un thème donné.

• Les programmes de certificat

Il s'agit de programmes courts de 30 crédits conduisant, en deux trimestres, à l'obtention d'un certificat. Dans certains cas, le certificat peut constituer la mineure d'un baccalauréat.

• Les programmes de diplôme

Il s'agit de programmes uniques de cours de 60 crédits conduisant, en quatre trimestres, à l'obtention d'un diplôme. Dans certains cas, le diplôme peut constituer la majeure d'un baccalauréat.

• Les programmes de baccalauréat

Il s'agit de programmes totalisant de 90 à 120 crédits (le nombre pouvant varier d'un programme à l'autre et d'une université à l'autre) conduisant à l'obtention du grade de bachelier. Il existe différentes catégories de baccalauréat et les cheminements proposés pour accumuler le nombre de crédits requis sont très diversifiés (voir ci-dessous).

• Les programmes de doctorat

Il s'agit de programmes de premier cycle d'une durée variant entre 8 et 11 trimestres et conduisant à l'obtention d'un doctorat. On dénombre sept programmes de doctorat de premier cycle. Ce sont : Chiropratique, Médecine, Médecine dentaire, Médecine podiatrique, Médecine vétérinaire, Optométrie et Pharmacie.

ÉTUDES DE DEUXIÈME CYCLE

Deuxième niveau de l'enseignement universitaire. Les programmes d'études de 2e cycle, d'une durée de un à deux ans, comportent entre 45 et 60 crédits et conduisent à l'obtention d'une maîtrise.

ÉTUDES DE TROISIÈME CYCLE

Troisième niveau de l'enseignement universitaire. Les programmes d'études de 3e cycle, d'une durée de deux ans et plus, comportent entre 60 et 90 crédits et conduisent à l'obtention d'un doctorat.

Les catégories de baccalauréat

• Baccalauréat spécialisé ou disciplinaire

Programme d'études universitaires de premier cycle totalisant de 90 à 120 crédits portant sur une même discipline ou un même champ d'études et d'une durée de trois à quatre ans.

• Baccalauréat « Honours »

Dans les universités anglophones, l'appellation « Honours » désigne l'équivalent du baccalauréat spécialisé. Cependant, ce programme n'est accessible qu'après une première année d'études réussie avec des résultats supérieurs.

• Baccalauréat avec majeure ou mineure

Programme universitaire de premier cycle totalisant 60 crédits dans une discipline ou un champ d'études, ce qui constitue la majeure (deux ans), et 30 crédits dans une autre discipline ou un autre champ d'études, ce qui constitue la mineure (un an). Une mineure peut également être remplacée par un bloc complémentaire. Il est à noter que le nombre de crédits pour une mineure ou une majeure est variable dans les universités anglophones.

• Baccalauréat général ou multidisciplinaire ou par cumul

Programme universitaire de premier cycle comprenant trois mineures ou trois certificats de 30 crédits chacun et portant sur trois disciplines ou champs d'études différents **ou** deux mineures et un bloc complémentaire de 30 crédits répartis dans différentes disciplines.

- **Baccalauréat personnalisé ou individualisé ou sur mesure**

   Programme universitaire de premier cycle comprenant 90 crédits choisis par l'étudiant et lui permettant d'acquérir une formation conçue en fonction de ses propres champs d'intérêts et des objectifs qu'il s'est fixés lorsque aucun autre programme ni aucune autre combinaison de programmes ne peut répondre à son besoin. Les choix de l'étudiant doivent être préalablement approuvés par les autorités compétentes.

- **Baccalauréat bidisciplinaire**

   Programme universitaire de premier cycle offrant un contenu portant en parts égales (au moins 42 crédits chacun) sur deux disciplines ou deux champs d'études apparentés.

- **Baccalauréat intégré**

   Programme universitaire de premier cycle permettant d'acquérir une formation dans au moins deux domaines ou une formation générale à l'intérieur d'un domaine (ex. : baccalauréat intégré en langue française et en rédaction professionnelle ou baccalauréat intégré en sciences humaines).

- **Baccalauréat avec concentration ou cheminement**

   Programme universitaire de premier cycle composé de cours conduisant à des études plus poussées dans un champ d'études ou une discipline (ex. : baccalauréat en administration des affaires – concentration comptabilité).

L'admission et l'inscription

L'admission constitue la première étape administrative préalable à la poursuite des études universitaires. Pour pouvoir s'inscrire à un trimestre d'études ou à des cours, une personne doit d'abord avoir été admise officiellement par l'université. Elle y sera dûment inscrite lorsqu'elle aura satisfait à toutes les exigences qui se rapportent, par exemple, aux études, au choix de cours et au paiement des frais de scolarité.

Pour être admise à un programme de premier cycle universitaire, une personne doit normalement être titulaire d'un diplôme d'études collégiales (DEC). Par ailleurs, un adulte peut également y avoir accès s'il fait preuve de connaissances qui lui permettent de poursuivre des études universitaires et s'il est en mesure de répondre aux exigences propres à l'établissement d'enseignement où il veut s'inscrire. Ces exigences ont généralement trait à un âge minimal (en général 21 ans) et à une expérience pertinente de quelques années sur le marché du travail.

> **Le DEC en Sciences, lettres et arts**
>
> **Les titulaires d'un DEC intégré en Sciences, lettres et arts sont admissibles à tous les programmes universitaires de premier cycle, exception faite de certains programmes en arts, en musique et en danse. Voilà pourquoi cette exigence ne figure pas à la rubrique ADMISSION des fiches descriptives des programmes.**

L'admission au deuxième cycle exige un grade de baccalauréat ou l'équivalent. Pour être admise à un programme de troisième cycle, une personne doit, en général, avoir un grade de deuxième cycle, soit une maîtrise.

Les titulaires de titres étrangers peuvent être admis après étude de leur dossier scolaire. Chaque université détermine les équivalences s'appliquant au diplôme en fonction du programme dans lequel la personne demande d'être admise. Il faut noter que les équivalences peuvent varier d'une université à une autre.

Les étapes de l'admission

ÉTAPE 1 : LA PRÉPARATION

Les documents de référence à consulter

Voici les principales sources de renseignements à consulter au centre de documentation et d'information scolaire et professionnelle des établissements d'enseignement :

- Les **guides d'admission des universités**. Préparés par chacune des universités, ces guides contiennent principalement de l'information sur les conditions d'admission et les critères de sélection.
- Les **annuaires des universités**. Chacun de ces annuaires fournit divers renseignements sur le contenu des programmes et une description des cours offerts. On y trouve de l'information sur les services et sur certaines particularités propres à chaque université.
- Le **réseau Internet**. Les établissements universitaires ont maintenant un site Web (voir l'**Index alphabétique des établissements d'enseignement universitaire**, page 310. Il s'agit là d'une bonne source d'information, constamment mise à jour, portant sur les programmes, les cours et les services offerts. Certains sites offrent même la possibilité de remplir une demande d'admission.
- Le **système REPÈRES**. Le système REPÈRES permet de mieux connaître les programmes de formation et fournit des données sur le marché du travail, les établissements, les professions, etc. REPÈRES est accessible sur le Web lorsque l'établissement est abonné à ce service.

ÉTAPE 2 : L'ADMISSION

Il va sans dire que l'admission est une étape de la plus grande importance, puisque c'est à ce moment que se prennent effectivement les décisions relatives aux choix des programmes et des établissements.

Les décisions importantes à prendre au cours de cette étape doivent tenir compte de nombreux éléments, entre autres des dates limites d'admission, des conditions d'admission et du contingentement de certains programmes.

Les dates limites pour les demandes d'admission

• L'admission aux trimestres d'automne et d'hiver

Dans la majorité des établissements universitaires, la date limite pour déposer une demande d'admission pour le trimestre d'automne est le 1er mars et pour le trimestre d'hiver, le 1er novembre (sauf McGill et l'ÉTS). On peut consulter à ce sujet les publications ou les sites Web des universités ou s'informer auprès des spécialistes de l'information et de l'orientation scolaires et professionnelles des établissements scolaires. Il est à noter que tous les programmes ne sont pas nécessairement offerts à la session d'hiver.

• Prolongation de la période d'admission

Certains établissements, notamment l'Université Concordia, l'Université de Montréal, l'Université du Québec à Chicoutimi, l'Université du Québec à Montréal, l'Université du Québec à Rimouski et l'Université Laval, prolongent parfois les périodes d'admission en reportant la date limite pour le dépôt des demandes d'admission dans les programmes où il n'y a pas de contingentement.

Les conditions d'admission

Les conditions d'admission varient selon que les candidats appartiennent à la catégorie « candidats réguliers » ou à la catégorie « candidats adultes ». Pour les candidats réguliers, c'est-à-dire ceux qui proviennent de la formation collégiale (secteur préuniversitaire, secteur technique ou secteur de la formation continue) et qui n'ont jamais interrompu leurs études, les conditions d'admission sont les suivantes :

- avoir terminé un diplôme d'études collégiales (DEC) en formation préuniversitaire ou technique ;
- respecter les exigences spécifiques d'admission aux programmes choisis ;
- satisfaire, s'il y a lieu, aux critères de sélection ;
- réussir l'épreuve uniforme de français.

De plus en plus d'établissements universitaires québécois ouvrent leurs portes aux titulaires d'un diplôme d'études collégiales techniques. Ils accueillent ces diplômés non seulement dans les programmes de spécialisation ou de formation continue, mais également dans des programmes de baccalauréat de l'enseignement régulier réservés auparavant aux titulaires d'un diplôme d'études collégiales préuniversitaires. Pour en savoir plus, consulter le dossier **Passerelles entre les programmes techniques (DEC) et les programmes universitaires de baccalauréat** du *Guide Choisir — La formule DEC-BAC*.

Pour les candidats adultes, c'est-à-dire ceux qui ont interrompu leurs études (en général depuis plus de deux ans) ou qui ont un âge déterminé, habituellement 21 ans ou plus, les conditions d'admission sont différentes. Le diplôme d'études collégiales ne constitue pas nécessairement un critère d'admission pour ces candidats. Les conditions d'admission, qui peuvent varier d'une université à l'autre, tiennent compte de différents facteurs dont la formation, les connaissances et l'expérience des candidats. Comme chaque université possède ses critères particuliers, il est suggéré de s'adresser au service de l'admission des adultes ou de consulter la brochure de l'université concernée pour obtenir plus d'information.

L'exception à la règle : l'admission conditionnelle

Depuis l'automne 1997, après entente entre les universités, l'étudiant doit avoir obtenu le diplôme d'études collégiales pour pouvoir entreprendre des études universitaires. Il existe cependant des cas d'exception à cette règle. À la suite d'un énoncé de politique générale commune en matière d'admission conditionnelle qui a été établi en mai 1998 entre les universités, il a été convenu que des cas d'exception valables pourraient être considérés pour des personnes ne pouvant faire la preuve de l'obtention du DEC au moment de leur première inscription à l'université. L'étudiant est alors admis à certaines conditions déterminées par l'université. C'est ce que l'on appelle une admission conditionnelle.

La demande d'admission : les formulaires d'admission

Chaque université possède un formulaire d'admission en ligne (sur Internet) ou papier qui lui est propre. Une demande d'admission peut être présentée dans plusieurs universités et, de façon générale, il est possible de faire plus d'un choix de programme par université. De plus, les universités ont parfois des formulaires spéciaux pour certains programmes. Ainsi, l'Université McGill possède des formulaires particuliers pour les programmes en médecine dentaire, droit, études religieuses, médecine et musique. Bien qu'elles soient affiliées à l'Université de Montréal, l'École des Hautes Études Commerciales et Polytechnique Montréal possèdent leurs propres formulaires. À l'Université Concordia, trois départements (Journalism, Communications et Early Childhood) exigent d'autres documents en plus du formulaire de demande d'admission.

Pour l'admission à une université ontarienne consulter le site du Centre au http://centre.ouac.on.ca.

En formation continue (adultes, programmes du soir, étudiants libres, auditeurs libres), les formulaires diffèrent généralement de ceux de l'enseignement régulier, sauf à Polytechnique Montréal et à l'Université du Québec à Chicoutimi (UQAC). Pour l'admission à l'Université du Québec à Rimouski (UQAR), les candidats peuvent utiliser le formulaire Admission-Inscription.

• Où se les procurer ?

- Le centre de documentation et d'information scolaire et professionnelle des collèges dispose, à compter du mois de janvier, des formulaires de demande d'admission papier de certaines universités des autres provinces. Le cas échéant, une personne-ressource pourra fournir l'information sur la façon de se procurer les formulaires non disponibles sur place.
- Il est également possible de se procurer les formulaires sur le site Internet des universités et, dans la majorité des cas, de faire sa demande en ligne.

N. B. : Il est suggéré de faire la demande d'admission en ligne car plusieurs universités demandent des frais supplémentaires pour les demandes faites sur formulaire papier.

• Comment les remplir?

Certains formulaires de demande d'admission sont accompagnés d'un guide et d'indications pour aider l'étudiant à les remplir. Il importe donc de prendre connaissance de ces instructions. Il est suggéré de remplir d'abord le brouillon lorsque ce dernier est disponible.

Le tableau qui suit indique, pour chacune des universités, le nombre de choix de programmes qui peuvent être inscrits sur le formulaire ainsi que le type d'analyse auquel ces choix sont soumis. Une règle à suivre concernant les choix de programmes : placer le choix « coup de cœur » en premier, même si le traitement des choix varie d'une université à l'autre.

UNIVERSITÉS	Nombre de choix	Analyse des choix
Bishop's	2	B
Concordia	3	B
École de technologie supérieure (ÉTS)	1	
HEC Montréal	1	
Laval	2	A
McGill*	2	A
Montréal	3	E
Sherbrooke	2	A
Polytechnique	C	B
Université du Québec à Chicoutimi (UQAC)	2	H
Université du Québec à Montréal(UQAM)	D	A
Université du Québec à Rimouski (UQAR)	2	B
Université du Québec à Trois-Rivières (UQTR)	C	A
Université du Québec en Abitibi-Témiscamingue (UQAT)	2	B
Université du Québec en Outaouais (UQO)	2	B
Université ontariennes incluant Ottawa	E	G

À titre indicatif, ces informations sont tirées des sites Internet des universités le 1er septembre 2013.
Nous vous invitons à vérifier l'exactitude de ces renseignements lors de votre demande d'admission.

LÉGENDE

A. Tous les choix inscrits sont analysés et vous recevrez une réponse pour chacun des choix.

B. Le deuxième choix est analysé s'il y a refus au premier. Dans le cas de Concordia, le troisième est analysé s'il y a refus au premier et au deuxième.

C. Le candidat peut faire deux choix de programmes si le premier programme est contingenté.

D. Le troisième choix doit être obligatoirement fait parmi les programmes non contingentés. Si le candidat veut faire 6 choix de programmes, il doit compléter une deuxième demande d'admission et payer à nouveau les frais d'admission.

E. Indiquez vos choix par ordre de préférence. Dès qu'une offre d'admission est émise, cela entraîne automatiquement la fermeture du dossier à tous les autres choix.

F. Vous pouvez faire une demande à autant d'universités ontariennes que vous le souhaitez. Vous pouvez indiquer jusqu'à un maximum de trois choix de programme selon l'université (y compris ses établissements affiliés). Certaines universités limitent davantage le nombre de programmes auxquels vous pouvez faire demande. Veuillez lire les détails et modalités précisés par les universités au www.ouac.on.ca.

G. Voir informations sur le site : www.ouac.on.ca.

H. Le candidat peut présenter une demande d'admission à deux programmes contingentés. Dans ce cas, les deux demandes sont considérées et le candidat recevra une réponse pour chacune d'elles. Si le deuxième choix est un programme non contingenté, ce dernier sera étudié seulement si le candidat refuse l'offre d'admission au premier choix ou encore, s'il est refusé.

I. Le candidat peut présenter une demande d'admission à deux programmes contingentés. Après avoir complété sa 1re demande, un étudiant peut retourner dans sa demande et ajouter des choix de programmes non contingentés (pour les mêmes frais d'admission).

* L'Université Mc Gill possède des formulaires distincts pour certaines facultés et écoles.

• Quelles pièces joindre?

– **Le certificat de naissance ou carte de l'état civil.** Les photocopies sont acceptées.

– **Le bulletin d'études collégiales (relevé de notes).** Les candidats qui ont terminé leur cours doivent annexer des photocopies de leur bulletin et demander au registraire de faire parvenir à l'université de leur choix leur bulletin officiel portant le sceau de l'établissement. Si le cours suivi se termine en mai, par exemple, il est suggéré de joindre au formulaire des photocopies du bulletin sans le sceau de l'établissement. Si le DEC est en cours, joindre des photocopies du relevé de notes sans le sceau du collège. Les registraires verront à obtenir la version finale et officielle de celui-ci.

- **Le relevé des cours suivis actuellement ou à suivre durant l'été.** Un candidat peut faire une photocopie de son choix de cours (formulaire d'inscription ou horaire) ou joindre au formulaire d'admission tout autre document qu'il aura préparé ou qui aura été préparé par l'établissement.
- **Les frais d'admission.** Les frais d'admission doivent être acquittés par mandat-poste, mandat bancaire, carte de crédit ou chèque certifié. Ils ne sont pas remboursables.

Ce tableau des pièces requises par université est sujet à changement. Il s'applique aux étudiants québécois. Certaines facultés peuvent demander d'autres pièces. **Vérifiez dans les guides d'admission des universités lors de la demande d'admission.**

UNIVERSITÉS	Certificat de naissance ou carte de l'état civil	Bulletin cumulatif collégial
Bishop's	1 A ou 2 A	
Concordia	B	B
École de technologie supérieure (ÉTS)	E	
HEC Montréal (pour B.A.A.)	B	B
Laval	B	B
McGill	B	B
Montréal	B	B
Polytechnique de Montréal	B	B
Sherbrooke	B	B
Université du Québec à Chicoutimi (UQAC)	B	B
Université du Québec à Montréal (UQAM)	B	B
Université du Québec à Rimouski (UQAR)	B	B
Université du Québec à Trois-Rivières (UQTR)	B	B
Université du Québec en Abitibi-Témiscamingue (UQAT)	1 A ou 2 A	A, C et D
Université du Québec en Outaouais (UQO)	B	B
Universités ontariennes	2 A	A

LÉGENDE

1. Certificat de naissance, carte de citoyenneté canadienne ou de résidence permanente pour les personnes nées hors Québec.
2. Certificat de naissance grand format.
A. Photocopie acceptée. Recto verso lorsque requis.
B. Si vous fournissez votre code permanent, aucune pièce à fournir.
C. Liste de cours du cégep pour lesquels vous êtes présentement inscrit.
D. Relevés de note officiels portant le sceau de l'établissement et la mention du diplôme obtenu, si l'étudiant n'étudie ou n'a pas étudié au Québec.
E. Liste de documents à fournir à la fin de la demande d'admission.

ÉTAPE 3 : LA SÉLECTION

Une fois que les formulaires d'admission, dûment remplis, ont été acheminés aux universités concernées, il ne reste plus qu'à attendre une réponse. Un délai est à prévoir, puisque chaque demande doit faire l'objet d'une analyse.

• L'accusé de réception

Certaines universités n'expédient pas d'accusé de réception (ÉTS, UQAR, UQAT et UQTR). D'autres le font, habituellement dans un délai de deux à trois semaines. D'autres le feront uniquement si la pièce qui accompagne le formulaire d'admission a été retournée dûment remplie et affranchie.

Au cours de cette étape, les agents d'admission vérifient si le dossier est complet. Certaines universités rejettent automatiquement les dossiers qui ne comportent pas toutes les pièces requises.

• L'analyse du dossier

Les universités procèdent à l'analyse du dossier en fonction des diverses conditions d'admission et des divers critères de sélection énoncés dans la section « Conditions d'admission » de la fiche descriptive du programme.

La majorité des universités utilisent la cote de rendement au collégial (CRC) comme méthode d'évaluation des dossiers scolaires pour l'admission dans les programmes contingentés. Pour plus d'information sur cette méthode d'évaluation, consulter le dossier **La cote de rendement au collégial** (page 291).

Selon l'université et le programme choisis, il se peut que d'autres critères s'ajoutent à la cote de rendement au collégial pour effectuer la sélection. Ces critères seront considérés dans l'évaluation de chaque dossier dans des proportions variables selon l'université concernée. La section concernant les programmes contingentés fournit une énumération plus exhaustive de ces critères.

ÉTAPE 4 : LA RÉPONSE DES UNIVERSITÉS

De façon générale, les universités expédient les réponses aux demandes d'admission entre le 1er mars et le 15 mai. Cependant, pour certains programmes contingentés, les réponses peuvent être expédiées après cette période.

- **Réponses possibles :**
  - **Admission conditionnelle.** La demande d'admission est acceptée à la condition d'obtenir le diplôme d'études collégiales (DEC) dans les délais prévus et de satisfaire, s'il y a lieu, aux conditions d'admission.
  - **Admission définitive.** La demande d'admission est acceptée car le candidat a satisfait aux formalités et aux conditions d'admission.
  - **Jugement différé.** La décision de l'université est reportée pour certaines raisons qui sont fournies dans l'avis.
  - **Liste d'attente.** La décision d'admission est positive, mais le nombre de places disponibles est insuffisant. Une offre d'admission pourra être acheminée ultérieurement à la condition que des candidats déjà admis se désistent ou ne franchissent pas toutes les étapes.
  - **Refus.** Les raisons du refus sont fournies dans l'avis.

- **Suite à donner :**
  - **Admission conditionnelle ou définitive :**
    - le candidat reçoit une offre d'admission correspondant à son premier choix ou une réponse positive;
    - le candidat accepte l'offre de l'université selon la procédure exigée. Il doit respecter les délais mentionnés dans l'avis, sans quoi l'offre d'admission risque d'être annulée;
    - le candidat reçoit deux offres d'admission pour deux programmes différents pour une même université. Il faut faire un choix et n'accepter qu'une seule offre d'admission;
    - le candidat reçoit deux offres d'admission pour deux programmes différents mais dans deux universités différentes. Il fait un choix et n'accepte qu'une seule offre d'admission.

Advenant le cas où, après avoir accepté une offre d'admission dans une université, le candidat décide de changer son choix pour une autre université, il doit alors en aviser par écrit l'université concernée et confirmer son choix auprès de l'autre université.

  - **Refus d'admission**
    Trois possibilités sont offertes :
    - accepter la décision et ne poser aucun geste;
    - faire un nouveau choix de programme selon les places disponibles;
    - décider d'aller en appel ou de faire une demande de révision de décision auprès du service des admissions de l'université. Le candidat doit exposer, par écrit, les motifs qui justifient cet appel. Il doit également respecter les délais prescrits par l'université pour la présentation de sa demande. Il est préférable de consulter un conseiller ou une conseillère en information scolaire et professionnelle ou de vous adresser à l'agent d'admission qui a traité votre demande.
  - **Admission sur liste d'attente ou par jugement différé.** L'offre peut être acceptée en étant conscient qu'il n'y a pas de date limite pour une liste d'attente. Il arrive même que des candidats se voient offrir une offre d'admission quelques jours avant le début du trimestre. **Il est important de répondre à l'offre dans les délais prescrits sinon l'université peut l'annuler.** Un candidat peut autoriser, par procuration écrite, une autre personne à répondre à l'offre s'il prévoit s'absenter.

ÉTAPE 5 : L'INSCRIPTION

Après avoir été accepté dans un programme, le candidat n'a plus qu'à effectuer son choix de cours. Cette étape est comparable à celle faite au cégep.

La documentation nécessaire pour l'inscription et le choix de cours sera expédiée par l'université concernée. La période d'inscription s'étend généralement du mois de juin au mois d'août, échéance qu'il est important de respecter, à défaut de quoi l'offre d'admission peut être annulée. Il est suggéré de communiquer avec le service d'admission de l'université concernée lorsqu'un doute persiste quant à la procédure.

Il est très important de respecter les dates limites car l'admission à un programme n'est valide que si elle est suivie d'une inscription à la session pour laquelle elle a été prononcée. Cela signifie que l'étudiant qui a été admis, mais qui ne s'est pas inscrit, doit présenter une nouvelle demande d'admission pour une session ultérieure et reprendre le processus comme s'il n'y avait jamais eu de demande.

Les programmes contingentés

Un programme est dit « contingenté » lorsque la capacité d'accueil est limitée et que, de ce fait, on ne peut accueillir tous ceux qui en font la demande. Dans ce cas, on doit procéder à une sélection parmi les candidats admissibles. Cette sélection est effectuée à partir de critères variés qui méritent une attention particulière.

LES CRITÈRES DE SÉLECTION

La plupart des universités québécoises ont recours à la cote de rendement au collégial (CRC) comme méthode d'évaluation de l'excellence du dossier scolaire en vue d'une admission à un programme contingenté. Pour en savoir plus, consulter le dossier **La cote de rendement au collégial** (page 291).

Les critères de sélection autres que la Cote R sont :
- le dossier scolaire;
- l'entrevue;
- l'expérience pertinente;
- la présélection;
- le test d'admission;
- les références et recommandations;
- les tests d'aptitude physique;
- le curriculum vitæ;
- l'appréciation par simulation (APS);
- la lettre autobiographique;
- la lettre de motivations personnelles;
- le portfolio ou dossier de travaux personnels;
- l'audition.

• L'entrevue
L'entrevue permet notamment :
- de vérifier si le candidat connaît l'université et les objectifs du programme pour lequel il a fait une demande d'admission;
- de cerner l'intérêt réel et les motivations du candidat relativement au programme choisi;
- de mieux connaître et d'évaluer la capacité du candidat de réussir des études universitaires au moyen de questions portant sur ses études, ses expériences et ses réalisations;
- de vérifier si le candidat connaît la profession et la nature du travail auquel prépare le programme d'études;
- de faire ressortir les traits de personnalité, les points forts dont les qualités liées à la profession visée, les points faibles, les valeurs, les aptitudes et les aspirations professionnelles du candidat.

• Le questionnaire

Même si le questionnaire comporte parfois des questions de type « vrai ou faux » ou de type « oui ou non », il se caractérise principalement par des questions ouvertes appelant des réponses plus approfondies. Pour s'assurer de fournir une bonne performance, il est recommandé de bien se documenter sur le programme d'études concerné et sur les professions auxquelles il mène.

– **Le test.** Le test est composé d'un ensemble de questions auxquelles le candidat doit répondre et de problèmes qui doivent être régler le plus souvent à l'intérieur d'un temps limité. Ces activités consistent en des exercices de jugement, de raisonnement, d'habileté verbale, etc.
– **L'appréciation par simulation (APS).** L'appréciation par simulation se déroule en groupe. Elle consiste à évaluer les caractéristiques personnelles d'un candidat au moyen de mises en situation.
– **Le portfolio (ou dossier visuel ou dossier de travaux personnels).** Le portfolio exigé pour certains programmes doit contenir un certain nombre de recherches ou de réalisations personnelles ou scolaires, pouvant parfois aller jusqu'à une vingtaine de travaux.

Lorsqu'une demande d'admission est présentée pour un programme dont l'admission est contingentée, il est fortement suggéré de prendre les mesures suivantes :

– faire plus d'un choix de programme (deux ou trois);
– faire le même choix de programme dans plusieurs universités;
– faire un deuxième ou troisième choix dans un programme dont l'admission n'est pas contingentée;
– faire un choix de programme technique directement lié au premier choix.

L'enseignement coopératif

Les programmes offerts en régime coopératif se caractérisent par l'alternance de trimestres d'études et de stages rémunérés en milieu de travail. Un programme de baccalauréat peut comprendre jusqu'à quatre stages. La personne qui choisit un de ces programmes a la chance d'acquérir une expérience de travail équivalant à une année tout en recevant au cours de cette période un salaire des plus intéressants. Le régime coopératif constitue donc un mode d'organisation de la formation à considérer au moment de l'admission.

L'aide financière et l'hébergement

LE COÛT DES ÉTUDES

Les études universitaires entraînent différents frais qui peuvent être regroupés selon quatre catégories :
– les frais de scolarité;
– les frais afférents;
– les dépenses générales;
– les dépenses personnelles.

• Les frais de scolarité

Les montants relatifs aux frais de scolarité sont établis par le gouvernement du Québec. Actuellement, sur la base de 30 crédits répartis sur deux trimestres, il faut prévoir au minimum 1 970 $ par année pour couvrir l'ensemble des frais de scolarité. Ce montant peut varier d'un établissement à l'autre et s'applique aux étudiants québécois.

Le montant est différent dans le cas des étudiants non résidents du Québec, des étudiants étrangers et des étudiants provenant d'une autre région. Pour plus de précision à ce sujet, il est suggéré de consulter les publications des universités concernées.

• Les frais afférents.

Les frais afférents sont constitués principalement des frais relatifs aux assurances, aux frais généraux et aux diverses cotisations. On compte également parmi ces frais la cotisation que prélève l'université à chaque étudiant et qui est par la suite versée à l'association étudiante, tel que l'impose la loi sur la reconnaissance des associations étudiantes.

Le total des frais afférents peut varier quelque peu d'une université à l'autre. Il faut habituellement prévoir environ entre 325 $ et 2 600 $ pour couvrir l'ensemble de ces frais, sur la base de 30 crédits répartis sur deux trimestres. Le montant varie d'une université à l'autre. Il est préférable de vérifier auprès de l'université.

• Les dépenses générales

Les dépenses générales sont liées à l'achat du matériel scolaire et aux frais de logement et d'alimentation. Ces dépenses varient évidemment selon les besoins de chacun. Dans le cas des étudiants hébergés gratuitement chez leurs parents, on doit prévoir un montant d'environ 500 $ pour l'achat de matériel scolaire pour un trimestre. Pour les étudiants qui doivent assumer le coût de leur alimentation et de leur logement, on estime que le total des dépenses générales peut varier entre 1 550 $ et 2 000 $ par trimestre.

• Les dépenses personnelles.

Les dépenses personnelles comprennent les frais reliés aux loisirs, au transport, etc. Il va sans dire que ces dépenses varient beaucoup selon les besoins de chacun. Aux fins de calcul, on estime généralement le montant de ces dépenses à environ 1 600 $ pour deux trimestres.

LE FINANCEMENT DES ÉTUDES

Il existe diverses possibilités de financement pour les étudiants inscrits à temps complet à un programme de baccalauréat. Les principales sources de ce financement sont les prêts et les bourses, qui comprennent le régime des prêts et bourses du gouvernement et les bourses d'études, et les ressources personnelles, qui comprennent le travail rémunéré et la contribution des parents.

• Le régime des prêts et bourses du gouvernement du Québec.

En vertu de ce régime, une aide est accordée à des étudiants selon leurs besoins financiers. Ce programme est donc conçu pour permettre aux étudiants de disposer des ressources financières nécessaires à la poursuite de leurs études à temps complet. Ce régime d'aide financière est cependant supplétif, en ce sens qu'il revient d'abord à l'étudiant, à son conjoint ou à ses parents d'assurer le financement de ses études, l'aide gouvernementale ne venant que compléter les ressources financières de ceux dont les revenus sont insuffisants.

Pour être admissible à un prêt ou à une bourse, la personne doit poursuivre des études à temps complet. Si elle se qualifie pour une aide financière, elle reçoit d'abord un prêt dont le montant peut atteindre 3 260 $ pour chacune des années du baccalauréat. Toute aide additionnelle est ensuite versée sous forme de bourse.

Les services de l'aide financière des universités, à l'instar de ceux des cégeps et des collèges, jouent un rôle d'intermédiaire entre la population étudiante et le Ministère, que ce soit pour la présentation des demandes ou pour y apporter des modifications. Ces services ont le mandat, pour le ministère de l'Éducation, du Loisir et du Sport, de remettre les certificats de prêts et les chèques de bourses selon les modalités de la Loi sur l'aide financière aux études, son règlement et ses règles d'attribution. Le personnel de l'aide financière fournit donc toute l'assistance nécessaire aux étudiants dans leurs démarches pour assurer le financement de leurs études.

Pour toute demande de renseignements concernant les formulaires, les dates limites et les formalités entourant les demandes d'aide financière, il est suggéré de s'adresser au service de l'aide financière de son établissement scolaire. On peut également consulter le site Web du Ministère : **www.afe.gouv.qc.ca**

• Les bourses d'études ou bourses d'entrée.

Outre l'aide accordée aux étudiants par le régime des prêts et bourses du ministère de l'Éducation, du Loisir et du Sport, il existe une autre source importante de financement pour l'ensemble des étudiants. Il s'agit des programmes de bourses d'études offertes par la plupart des universités, soit des bourses d'études octroyées par voie de concours, le plus souvent selon l'excellence du dossier scolaire des candidats.

Les personnes intéressées peuvent obtenir de l'information auprès de l'université concernée ou par le biais des sites Web des diverses universités.

L'HÉBERGEMENT

Toutes les universités offrent des services afin d'aider les étudiants dans leur recherche de logement. La plupart disposent de résidences et d'appartements sur le campus et elles tiennent à jour des listes de logements hors-campus disponibles pour les étudiants. Dans ce dernier cas, il faut communiquer avec les services aux étudiants des universités pour obtenir ces listes par la poste ou encore se rendre sur place.

Chaque université fonctionne selon ses propres critères, ses dates limites et ses formulaires d'inscription pour le logement. Dans tous les cas, cependant, il est important de procéder très tôt, avant le 1er mars. Il est suggéré de communiquer avec le service de logement de l'université dès le dépôt du formulaire de demande d'admission.

Les services de logement

Votre démarche doit être entreprise en même temps que votre demande d'admission. Chaque université a ses propres critères, ses dates et ses formulaires d'inscription pour le logement.

ÉCOLE DE TECHNOLOGIE SUPÉRIEURE (ÉTS)
• **Secrétariat des résidences de l'ÉTS**
255, rue Peel, Montréal (Québec) H3C 3R9
Téléphone : 514 396-8561
Télécopieur : 514 396-8610
residences@etsmtl.ca
www.etsmtl.ca/residences
• **Hors campus**
Service aux étudiants, local A-2700
Téléphone : 514 396-8942
sae@etsml.ca
www.etsml.ca/Futurs-etudiants/Baccalaureat/Logement-hors-campus
(Consultation d'annonces en ligne)

MACDONALD CAMPUS RESIDENCE
 (Université McGill)
• **Résidences campus**
Laird Hall / Ecoresidence
21 111 Lakeshore, Sainte-Anne-de-Bellevue (Quebec) H9X 3V9
Téléphone : 514 398-7716
Télécopieur : 514 398-7953
residences.macdonald@mcgill.ca
www.mcgill.ca/students/housing/macdonald/
• **Hors campus**
www.mcgill.ca/students/housing/offcampus/
(Consultation d'annonces en ligne)

UNIVERSITÉ BISHOP'S
• **Résidences campus**
2600, College Street, Sherbrooke (Québec) J1M 1Z7
Téléphone : 819 822-9600, poste 2685
Sans frais : 1 877 622-4900
Télécopieur : 819 822-9615
residence@ubishops.ca
www.ubishops.ca/residence/index.html
• **Hors campus**
www.ubishops.ca/residence/off-campus-housing.html

UNIVERSITÉ CONCORDIA
• **Résidences campus**
Pavillon Hingston, bureau 157
7141, Sherbrooke Ouest, Montréal (Québec) H4B 1R6
Téléphone : 514 848-2424, poste 4755
Réservation : residenceinfo@concordia.ca
http://residence.concordia.ca
• **Hors campus**
http://residence.concordia.ca/off-campus-housing/

UNIVERSITÉ D'OTTAWA
• **Résidences campus**
100, Thomas More Street, Room 308, Ottawa (Ontario) K1N 6N5
Téléphone : 613 562-5885
Télécopieur : 613 562-5109
residence@ottawa.ca
www.residence.uottawa.ca/fr/index.html
• **Hors campus**
90, rue Université, bureau 145, Ottawa (Ontario) K1N 1H3
Téléphone : 613 564-5400, poste 45061
Télécopieur : 613 782-6104
offcamp1@uottawa.ca
www.residence.uottawa.ca/fr/och/index.html ou
https://web5.uottawa.ca/rezweb/searchf.php
(Consultation d'un babillard électronique)

UNIVERSITÉ DE MONTRÉAL
• **Résidences campus**
Service des résidences
2350, boul. Édouard-Montpetit, Montréal (Québec) H3T 1J4
Téléphone : 514 343-6531
Télécopieur : 514 343-2353
residences@umontreal.ca
www.residences-etu.ca/
• **Hors campus**
Pavillon J.-A. De Sève, 3e étage, local B-3429
2332, boul. Édouard-Montpetit
(Métro Édouard-Montpetit ou autobus 51)
Téléphone : 514 343-6533
logement@sae.umontreal.ca
www.logement.umontreal.ca

UNIVERSITÉ DE SHERBROOKE
• **Résidences campus**
2500, boul. de l'Université, Sherbrooke (Québec) J1K 2R1
Téléphone : 819 821-7663
residences@usherbrooke.ca
www.usherbrooke.ca/hebergement/
• **Hors campus**
www.usherbrooke.ca/hebergement/liens-utiles/hebergement-hors-campus/

UNIVERSITÉ DU QUÉBEC À CHICOUTIMI (UQAC)
• **Service de résidences**
Bureau administratif P1-4072
555, boul. de l'Université, Chicoutimi (Québec) G7H 2B1
Téléphone : 418 545-5031
Télécopieur : 418 545-5012
residenceuq@uquebec.ca
http://www.uquebec.ca/residencesuqac/
• **Hors campus**
(Aide à la recherche)
www.uqac.ca/logementhorscampus/

UNIVERSITÉ DU QUÉBEC À MONTRÉAL (UQAM)
• **Résidences campus**
303, boul. René-Lévesque Est, Montréal (Québec) H2X 3Y3
Téléphone : 514 987-6669
Télécopieur : 514 987-0344
uqamres@netrevolution.com
www.residences-uqam.qc.ca/univ/accueil-est/?residence=est
• **Résidences campus des sciences biologiques**
2100, Saint-Urbain, Montréal (Québec) H2X 4E1
Téléphone : 514 987-7747
Télécopieur : 514 987-0159
delouest-residences@uqam.ca
http://residences-uqam.qc.ca/univ/accueil-ouest/?residence=ouest

UNIVERSITÉ DU QUÉBEC À RIMOUSKI (UQAR)
• **Résidences campus**
329-A, Allée des Ursulines, Rimouski (Québec) G5L 8X3
Téléphone : 418 723-4311
Télécopieur : 418 721-2817
logeuqar@uqar.qc.ca
http://logement.uqar.ca/
• **Hors campus – Rimouski**
http://hebergement.uqar.ca/
• **Hors campus – Lévis**
www.lelhc.qc.ca

UNIVERSITÉ DU QUÉBEC À TROIS-RIVIÈRES (UQTR)
• **Résidences du chemin Michel-Sarrazin**
3351, boul. des Forges, C.P. 500,
Trois-Rivières (Québec) G9A 5H7
Téléphone : 819 376-5011, poste 2508 ou 2525
Télécopieur : 819 376-5061
www.uqtr.ca/etudiant/logement.shtml
• **Hors campus**
www.uqtr.ca/etudiant/logement.shtml

UNIVERSITÉ DU QUÉBEC EN ABITIBI-TÉMISCAMINQUE (UQAT)
• **Résidences campus de Rouyn-Noranda**
445, boul. de l'Université, local D-114,
Rouyn-Noranda (Québec) J9X 5E4
Téléphone : 819 762-0971, poste 4395
Sans frais : 1 877 870-8728, poste 4395
residences-rn@uqat.ca
www.uqat.ca/services/residences/
• **Résidences campus de Val-d'Or**
Pavillon des Premiers Peuples
675, 1re Avenue, local 4123, Val-d'Or (Québec) J9P 1Y3
Téléphone : 819 874-8728, poste 4395
Sans frais : 1 866 891-8728, poste 4395
residences-vd@uqat.ca
www.uqat.ca/services/residences/

• **Hors campus**
Rouyn-Noranda
Line Morrissette
Téléphone : 819 762-0971, poste 0
Sans frais : 1 877 870-8728, poste 0
line.morrissette@uqat.ca
Val-d'Or
Christine Desrochers
Téléphone : 819 874-8728, poste 6329
Sans frais : 1 866 891-8728, poste 6329
Christine.desrochers2@uqat.ca
Amos
Maryline Arcand
Téléphone : 819 732-8809, poste 8221
Sans frais : 1 866 798-8728, poste 8221
maryline.arcand@uqat.ca

UNIVERSITÉ DU QUÉBEC EN OUTAOUAIS (UQO)
• **Résidences campus**
283, boul. Alexandre-Taché, bureau C-0340
C.P. 1250, succ. Hull, Gatineau (Québec) J8X 3X7
Téléphone : 819 595-2393
Sans frais : 1 800 567-1283, poste 2393
Télécopieur : 819 595-3821
residences@uqo.ca
http://uqo.ca/residences
• **Hors campus**
(Autorisation requise)
logement.horscampus@uqo.ca

UNIVERSITÉ LAVAL
• **Résidences campus**
Téléphone : 418 656-2921, poste 4444
Télécopieur : 418 656-2801
sres@sres.ulaval.ca
www.residences.ulaval.ca/
Le formulaire de réservation est disponible à : www.residences.
ulaval.ca/choisir_les_residences/faire_une_reservation/
etudiants_a_temps_complet/
*(Vous devez choisir la ou les sessions auxquelles s'appliquent votre
demande dans le menu de gauche)*
• **Service des résidences**
Pavillon Alphonse-Marie-Parent
2255, rue de l'Université, local 1604, Québec (Québec) G1K 7P4
• **Hors campus**
www.residences.ulaval.ca/logement_hors_campus/
(Pour consulter les annonces ou faire une recherche)

UNIVERSITÉ McGILL
• **Résidences campus**
Le bureau de logement des étudiants
3473, rue Université, Montréal (Québec) H3A 2A8
Téléphone : 514 398-6368
Télécopieur : 514 398-2305
housing.residences@mcgill.ca
http://www.mcgill.ca/students/housing/
*(Demande de logement : cocher la case dans le formulaire de
demande d'admission ou remplir la demande sur le site Web.)*
• **Hors campus**
3473, rue Université, Montréal (Québec) H3A 2A8
Téléphone : 514 398-6010
Télécopieur : 514 398-2305
offcampus.housing@mcgill.ca
www.mcgill.ca/students/housing/offcampus/

Ⓐ Ⓑ 15340 Création numérique / Sciences de l'image et médias numériques / Computation Arts / Imaging and Digital Media

Ⓢ

Ⓒ BAC 8 TRIMESTRES **Ⓓ** CUISEP 153-340

Ⓔ Compétences à acquérir

– Définir, gérer et mettre en œuvre des projets d'envergure intégrant un ou plusieurs supports numériques d'information.
– Définir, gérer et mettre en œuvre des projets spécifiques à l'infographie, au traitement d'images, à la vision par ordinateur, aux interfaces, à la réalité virtuelle et à la réalité augmentée.
– Développer sa capacité à concevoir et à réaliser des logiciels fiables, généraux et lisibles et acquérir une expérience de l'utilisation de logiciels modernes et de laboratoires adaptés.

Ⓕ Éléments du programme

– Acquisition des médias numériques
– Analyse et programmation
– Calcul différentiel et intégral
– Gestion des médias numériques
– Infographie
– Structures de données
– Traitement de l'audionumérique
– Transmission et codage des médias numériques

Ⓖ Admission (voir p. 21 G)

Concordia : DEC ou l'équivalent et Mathématiques 103, 105, 203 (ou 201-NYA, 201-NYB, 201-NYC) **ET** fournir une lettre d'intention et un portfolio.
Sherbrooke : DEC en Sciences informatiques et mathématiques **OU** DEC ou l'équivalent et Mathématiques NYA, NYB, NYC (ou 103, 105, 203 ou 00UN, 00UP, 00UQ ou 022X, 022Y, 022Z ou 01Y1, 01Y2, 01Y4).
UQAT : DEC ou l'équivalent **OU** avoir complété un minimum de 30 crédits universitaires avec une moyenne cumulative d'au moins 2,3 sur 4,3.

Ⓗ Endroits de formation (voir p. 390)

	Contingentement	Coop	Cote R*
Concordia**	■ Ⓘ	■ Ⓙ	✕ Ⓚ 27.000
Sherbrooke	■	■	—
UQAT	■	☐	—

** Le nombre inscrit indique la **Cote R** qui a été utilisée pour l'**admission de l'année 2012 ou 2013** par l'université concernée.*
** La Cote R ne s'applique que pour le régime coopératif.

Professions reliées Ⓛ

C.N.P.
2174 Développeur de jeux d'ordinateur
2174 Développeur de logiciels d'animation
2174 Développeur de logiciels d'imagerie médicale
2174 Développeur de médias interactifs
2162 Gestionnaire de projet multimédia
2147 Programmeur-analyste

Endroits de travail Ⓜ

– À son compte
– Firmes d'experts-conseils
– Industrie du logiciel
– Industrie du multimédia
– Moyennes et grandes entreprises

Salaire Ⓝ

Le salaire hebdomadaire moyen est de 937 $ (janvier 2011).

Remarque Ⓞ

L'Université du Québec en Abitibi-Témiscamingue (UQAT) offre un baccalauréat de 90 crédits avec trois profils : Cinéma; Création 3D; Technologie Web.

Ⓡ SCIENCES APPLIQUÉES

Ⓟ STATISTIQUES D'EMPLOI			
	2007	2009	2011
Nb de personnes diplômées	740	701	552
% en emploi	82,8 %	85,3 %	86,8 %
% à temps plein	96,2 %	98,7 %	97 %
% lié à la formation	84,5 %	94,4 %	92,9 %

Ⓠ INFORMATIQUE 109

Comment lire une fiche de programme universitaire

A **Numéro d'identification** du programme permettant l'accès à certains fichiers du système REPÈRES.

B **Titre du programme francophone et anglophone, s'il y a lieu.** Un même programme peut porter plus d'un titre, selon l'université.

C Identification de la **filière de formation** (sanction) – **BAC:** baccalauréat et **nombre total de trimestres requis** pour compléter le programme d'études (cette durée exclut le travail personnel de l'étudiant).

D **Code CUISEP.** Ce code est tiré de la Classification uniforme en information scolaire et professionnelle. Il sera fort utile dans la recherche d'information complémentaire à partir de documents ou pour accéder à certains fichiers du système REPÈRES.

E Identification des **compétences à acquérir** dans le cadre du programme. Cette rubrique décrit les habiletés et les aptitudes que le programme développera chez l'étudiant.

F Liste **non exhaustive** des **principaux cours** offerts dans le programme.

G Liste des **préalables** exigés par les **établissements universitaires** offrant le programme. **Il est à noter que les titulaires d'un DEC intégré en Sciences, lettres et arts sont admissibles dans tous les programmes universitaires de premier cycle,** exception faite de quelques programmes en arts, en musique et en danse. Voilà pourquoi cette exigence ne figure pas dans les fiches descriptives. Consulter le **Tableau des équivalences – Cours / Objectifs** à la page 3.

H Liste des **établissements universitaires** offrant le programme de formation. Pour connaître les coordonnées des établissements, consulter l'**Index alphabétique des établissements d'enseignement universitaire** à la page 310.

I Les cases noircies indiquent les **établissements** où l'**admission** est **contingentée**.

J Les cases noircies indiquent les **établissements** où le **programme** est offert en **enseignement coopératif**.

K Le nombre inscrit indique la **cote R** qui a été utilisée pour l'**admission de l'année précédente** par l'université concernée. Pour connaître la cote R exigée pour l'admission 2014, communiquer avec les établissements concernés ou consulter un conseiller en orientation ou en information scolaire et professionnelle.

L Liste sommaire de **professions reliées**, c'est-à-dire de professions qui peuvent être exercées après avoir complété le programme avec succès.

M Liste sommaire des types **d'employeurs éventuels** des personnes qui ont complété le programme avec succès.

N **Indication du salaire.** Le salaire est, dans la majorité des cas, présenté sur une **base hebdomadaire**. Il correspond à la moyenne des sommes reçues en guise de rémunération pour un emploi occupé à temps plein pendant une semaine. Les données fournies sont tirées de « *La Relance à l'université* » publiée par le ministre de l'Enseignement supérieur, Recherche, Science et Technologie (MESRST).

O **Remarques.** On trouve sous cette rubrique des renseignements complémentaires relatifs au programme, à l'exercice de la profession – appartenance à un ordre professionnel, par exemple – ou aux établissements d'enseignement. Les critères d'admission à l'entrée de la profession sont également fournis.

P **Statistiques d'emploi.** Les années indiquées dans les tableaux (2007-2009-2011) correspondent aux années ou la relance a été effectuée faite auprès des personnes diplômées deux ans auparavant (ex.: **2011**: Promotion des élèves de l'**année scolaire 2009-2010**).

Le tableau indique donc pour ces années de relance:
• le **nombre de personnes diplômées**;

De ce nombre:
• *% en emploi* = le **pourcentage des personnes diplômées qui ont obtenu un emploi**;
• *% à temps plein* = le **pourcentage de celles qui ont obtenu un emploi et qui travaillent à temps plein**;
• *% lié à la formation* = le **pourcentage des personnes qui travaillent à temps plein et qui jugent que leur travail correspond à leur formation**.

Certaines statistiques d'emploi sont manquantes en raison de la non-disponibilité des données correspondantes.

Les statistiques proviennent des données recueillies par les responsables du MESRST de *La Relance à l'université*.

N. B.: Les statisques peuvent être consultées sur le site du ESRST: www.mesrst.gouv.qc.ca/employeurs/statistiques-etudes-et-rapports/Enquetes-relance/

Q Nom de la **discipline**.

R Nom du **domaine d'études**.

S Programme désigné « Lauréat » dans le *Palmarès des carrières 2013*. Voir la liste complète des programmes concernés à la page suivante.

«Lauréat» du *Palmarès des carrières 2013*

Septembre éditeur publie depuis 2002 *Le Guide Choisir – Université* qui permet de connaître tous les programmes et les établissements d'enseignement universitaire du Québec.

Fort de son expertise, **Septembre éditeur** vous offre un nouvel outil pour vous aider dans votre démarche de choix de formation, le *Palmarès des carrières*.

Cet ouvrage se veut un exercice de stratégie quant à l'avenir : comment évaluer chaque métier et profession en fonction des contextes et des conditions qui lui sont associés et qui sont favorables à la carrière ouverte, évolutive, adaptable aussi bien aux besoins personnels qu'aux exigences de la conjoncture économique.

L'exercice permet donc à des programmes de formation de se distinguer davantage par rapport à d'autres. On découvrira ainsi des programmes « lauréats ».

Nous sommes heureux de vous faire profiter de cette recherche en identifiant dans *Le Guide Choisir – Université* tous les programmes porteurs d'opportunités pour l'avenir!

Pour ce faire, vous trouverez dans les fiches des programmes concernés une pastille « Lauréat du *Palmarès des carrières 2013* ».

Pour en savoir davantage, nous vous invitons à vous procurer à chaque année le *Palmarès des carrières* sur le site **www.septembre. com** ou en composant le 1 800 361-7755. Cet ouvrage est en vente dans toutes les librairies.

Liste des programmes lauréats

CODE	PROGRAMME LAURÉAT	PAGE
15571	Traduction	66
15371	Sciences géomatiques	73
15358	Génie civil	89
15358	Génie de la construction	91
15363	Génie de la production automatisée	92
15363	Génie industriel	102
15360	Génie mécanique	103
15340	Sciences de l'image et des médias numériques	109
15340	Informatique	116
15340	Informatique de gestion	118
15809	Administration : Sciences comptables	128
15809	Marketing et relations publiques	142
15816	Relations industrielles	151
15106	Médecine	179
15112	Pharmacie	186
15121	Physiothérapie	189
15477	Service social	238

Et si vous aviez UN BUT ?

Pas motivé aux études ?

Changement fréquent d'idée quant à votre orientation professionnelle ?

Vous songez parfois à décrocher ?

Le conseiller d'orientation vous aidera à y voir plus clair et, si besoin, à formuler un projet qui a du sens pour vous.

Ordre des conseillers et conseillères d'orientation du Québec

50e ANNIVERSAIRE
50 ans passés à préparer l'avenir

www.orientation.qc.ca

Pour une
CARRIÈRE
à **mon** goût !

JE BÂTIS MON AVENIR

PORTES OUVERTES

Samedi 9 novembre 2013
Samedi 1ᵉʳ février 2014
10 h à 16 h

Kiosques d'information, visites, conférences et plus encore !

Transport gratuit offert aux étudiants dans la plupart des régions du Québec.

Nous joindre

418 656-2764
1 877 893-7444

ulaval.ca/portesouvertes　f facebook/futursetudiants

UNIVERSITÉ LAVAL

Ville de Québec

Tout est possible

Quand on a accès à plus de 320 programmes
aux trois cycles d'études.

@uqam #toutestpossible

INDEX ALPHABÉTIQUE DES PROGRAMMES DE BACCALAURÉAT

A
PAGE

Accountancy	128
Accounting	128
Activité physique	169
Actuarial Mathematics	252
Actuarial Mathematics-Finance	252
Actuariat	252
Adaptation scolaire et sociale	154
Administration	122
Administration : Affaires internationales	125
Administration : Analyse de systèmes pour le secteur financier	126
Administration : Commerce de détail	127
Administration : Comptabilité	128
Administration : Développement international et action humanitaire	130
Administration : Entrepreneuriat	131,132
Administration : Finance	133
Administration : Gestion de la chaîne d'approvisionnement	135
Administration : Gestion des opérations et méthodes quantitatives	136
Administration : Gestion des ressources humaines	137
Administration : Gestion des risques et assurance	139
Administration : Gestion urbaine et immobilière	140
Administration : Management	141
Administration : Marketing	142
Administration : Option individuelle	144
Administration : Option mixte	145
Administration : Planification financière	146
Administration des affaires	122
Administration des affaires – Cheminement général, mixte ou spécialisé	122
Administration des affaires : Économie	147
Administration des arts	148
Administration générale bilingue	122
Administration générale trilingue	122
Affaires publiques et relations internationales	196
African Studies	197
Agricultural Science	69
Agroéconomie	198
Agronomie – Productions animales	69
Agronomie – Productions végétales	69
Agronomie – Sols et environnements	69
Agronomie générale	69
Allemand	56
Aménagement du territoire et développement durable	199
Aménagement et environnement forestiers (Génie forestier)	70
Anatomy and Cell Biology	243
Anglais	57
Anglais, langue et littérature comparée (linguistique)	57

Animation 3D et design numérique. 40
Animation et recherche culturelles 200
Animation spirituelle et engagement communautaire. 201
Anthropologie. 202
Anthropologie et ethnologie 202
Anthropology 202
Anthropology and Sociology 202
Archéologie 58, 202
Architecture 77
Architecture de paysage 78
Art dramatique 42, 155
Art Education 49, 155
Art Education – Visual Arts 43
Art et science de l'animation 43
Art History 49
Art History and Film Studies. 46, 49
Art History and Studio Art 49
Arts 268
Arts (interdisciplinaire). 45
Arts Administration 148
Arts et design 43
Arts et pratique de l'image. 40
Arts plastiques 43
Arts visuels. 43
Arts visuels – Nouveaux médias 40
Arts visuels et médiatiques 43
Atmospheric Science 263
Atmospheric Science and Physics 263
Audiologie 171

B

Behavioral Neuroscience 229
Bio-informatique. 269
Biochemistry. 244
Biochimie 244
Biochimie de la santé 244
Biochimie et biotechnologie. 244
Biochimie et médecine moléculaire. 244
Biologie 246
Biologie en apprentissage par problèmes 246
Biologie médicale 172
Biologie moléculaire et cellulaire 246
Biology. 246
Biomedical Sciences 172
Biophysique 248
Bioresource Engineering 71
Broadcast Journalism. 203

Building Engineering 97
Business Administration. 122

C

Carrière internationale. 125
Cell and Molecular Biology 246
Chemical Engineering 87
Cheminement mixte 145
Chemistry. 257
Chimie 257
Chimie analytique 257
Chimie biopharmaceutique. 257
Chimie cosméceutique. 257
Chimie – Criminalistique. 257
Chimie de l'environnement 257
Chimie de l'environnement et des bioressources 257
Chimie des matériaux 257
Chimie des produits naturels 257
Chimie pharmaceutique. 257
Chimie des produits naturels 259
Chiropratique 173
Cinéma. 46
Civil Engineering. 89
Civil Law 43
Classical Studies 58
Classics 58
Commerce international 125
Common Law 43
Communication. 203
Communication (cinéma). 205
Communication (journalisme). 203
Communication (médias interactifs) 206
Communication (médias numériques) 203
Communication (relations humaines) 207, 208
Communication (relations publiques) 209
Communication (stratégies de productions culturelles et médiatiques) 210
Communication (télévision) 211
Communication and Journalism 203
Communication et journalisme 203
Communication et politique. 212
Communication graphique. 40
Communication organisationnelle 142
Communication (marketing). 270
Communication, politique et société 212
Communication publique. 203
Communication, rédaction et multimédia 59, 203
Communication sociale 208

Communication Studies 203
Computation Arts 109
Computer Engineering 112
Computer Games 108
Computer Science 116
Computer Science Software Application 114
Conception de jeux vidéo (BAC avec majeure) 108
Conception et création visuelle 43
Contemporary Danse 47
Création 3D 108
Création numérique 40, 109, 206
Criminologie 213

D

Danse 47
Démographie et anthropologie 214
Démographie et géographie 215
Démographie et statistiques 216
Dental Medicine 181
Design 43
Design and Computation Art 40
Design architectural 77
Design d'intérieur 79
Design de l'environnement 80
Design for the Theatre 42
Design graphique 40
Design industriel 81
Développement de carrière 217
Développement social 218
Diététique 174
Drama 42
Droit 43

E

Early Childhood and Elementary Education 157
Earth and Planetary Sciences 261
Earth, Atmosphere and Ocean Sciences 261
Earth Sciences 261
Earth System Sciences 260
East Asian Studies 222
Écologie 246
Ecology 246
Economics 147, 219
Économie 219
Économie appliquée 147
Économie appliquée à la gestion 147

PROGRAMMES UNIVERSITAIRES

BACCALAURÉAT

Économie de gestion 147
Économie et mathématiques 271
Économie et politique 222
Économie locale et gestion des ressources naturelles 147
Économique 219
Écriture de scénario et création littéraire 46
Education and Music 156
Éducation musicale 156
Éducation physique 169
Éducation physique et santé. 169
Éducation préscolaire et enseignement au primaire 157
Electrical Engineering 99
Electroacoustic Studies 50
Elementary Education 157
English and Creative Writing 57
English Literature 57
Enseignement au préscolaire et au primaire 157
Enseignement au secondaire 159
Enseignement d'une langue seconde 162
Enseignement de l'anglais, langue seconde. 162
Enseignement – Art dramatique 155
Enseignement de la danse 164
Enseignement de la musique 156
Enseignement des arts. 165
Enseignement des arts plastiques 165
Enseignement des arts visuels 165
Enseignement des arts visuels et médiatiques 165
Enseignement des langues secondes. 162
Enseignement du français, langue seconde 162
Enseignement en adaptation scolaire et sociale 154
Enseignement en éducation physique et à la santé. 169
Enseignement en formation professionnelle 166
Enseignement en formation professionnelle et technique 166
Enseignement professionnel. 166
Enseignement professionnel et technique 166
Entrepreneuriat en gestion de PME. 131
Entrepreneuriat et management innovateur 132, 141
Entrepreneurship. 132
Entrepreneurship et PME 131, 132
Environment 272
Environmental Geography 199, 260
Environmental Science 272
Environmental Studies 272
Environnement marin 260
Environnements naturels et aménagés 272
Ergothérapie. 175
Espagnol 60
Ethnologie 202

PROGRAMMES UNIVERSITAIRES

BACCALAURÉAT

Ethnologie et patrimoine 202
Études allemandes 56
Études allemandes et histoire 56
Études anciennes (grecques et latines) 58
Études anciennes, langues modernes et linguistique 58
Études anglaises 57
Études anglaises et interculturelles 57
Études anglaises et littérature comparée 57
Études bibliques 201
Études canadiennes 61
Études canadiennes-françaises 61
Études cinématographiques 46
Études cinématographiques et littérature comparée 46
Études classiques 58
Études de l'environnement 272
Études des femmes 274
Études environnementales et géographie 219
Études est-asiatiques 222
Études féministes 274
Études françaises 61
Études françaises et linguistique 61
Études françaises et philosophie 61
Études françaises et québécoises 61
Études françaises, langue et communication 59
Études hispaniques 60
Études internationales 275
Études internationales et langues modernes 275
Études littéraires 62
Études littéraires et culturelles 62
Études littéraires françaises 62
Études nord-américaines 61
Études politiques appliquées 223
Études québécoises 61
Études religieuses 224
Études théâtrales 42
Études urbaines 82
Exercise science 189

F

Film Animation 46
Film Production 46
Film Studies 46
Finance Corporative 133
Fine Arts 43, 49
Food Science 75
Français, langue et littérature 61
Français langue seconde 63

G

Généraliste 144
Génie aérospatial 84
Génie agroenvironnemental (Génie rural) 71
Génie alimentaire 72
Génie biomédical 85
Génie biotechnologique 86
Génie chimique 87
Génie civil 89
Génie de la construction 91
Génie de la production automatisée 92
Génie des eaux 93
Génie des matériaux et de la métallurgie 94
Génie des mines 95
Génie des mines et de la minéralurgie 95
Génie des opérations et de la logistique 110
Génie des systèmes électromécaniques 96
Génie des technologies de l'information 111
Génie du bâtiment 97
Génie du bois 98
Génie électrique 99
Génie électromécanique 96
Génie géologique 101
Génie géomatique 73
Génie industriel 102
Génie informatique 112
Génie logiciel 114
Génie mécanique 103
Génie microélectronique 105
Génie minier 95
Génie physique 106
Géographie 199
Géographie environnementale 199
Géographie et aménagement 199
Géographie et aménagement durable 199
Géographie physique 260
Geography 260
Geography – Urban Systems 82
Géologie 261
Géomatique appliquée à l'environnement 73, 199
German Literature and Culture 56
German Studies 56
Gestion de l'information et des systèmes 126
Gestion des opérations 135
Gestion des opérations en logistique et en transport routier . . 135
Gestion des opérations et de la logistique 135
Gestion des organisations 132

Gestion des systèmes d'information organisationnels. 126
Gestion des technologies d'affaires. 126
Gestion du milieu naturel. 260
Gestion du tourisme et de l'hôtellerie 149
Gestion et design de la mode 48
Gestion internationale 125
Gestion publique. 150

H

Hispanic Studies 60
Histoire 225
Histoire de l'art 49
Histoire et études classiques 276
Histoire, culture et société 225
History 225
Human Environment 272
Human Relations. 208, 238
Human Resources Management 137
Humanistic Studies 208
Humanities 208

I

Imaging and Digital Media. 109
Immunologie 249
Immunology 249
Individualisée 144
Industrial Engineering 102
Industrial Relations 151
Information Systems 116, 118, 126
Informatique. 116
Informatique de génie 112
Informatique de gestion. 118
Informatique et génie logiciel. 114
Informatique et recherche opérationnelle 116
Integrative Music Studies. 50
International Business 125
International Political Economy 221
International Studies 275
Intervention en activité physique 169, 177
Intervention plein air. 226
Intervention sportive 169
Interventions culturelles. 225

J

Jazz Studies 50
Journalism 203
Jewish Studies 227
Judaic Studies 227

K

Kindergarten and Elementary Education 157
Kinésiologie 177
Kinésiologie et massokinésiothérapie 177

L

Labour-Management Relations. 137, 151
Langue et littérature françaises 62
Langue française et rédaction professionnelle 59
Langues modernes 64
Leisure Sciences 228
Lettres et création littéraire 62
Lettres et sciences humaines 277
Linguistics 65
Linguistique 65
Linguistique et langue française 65
Linguistique et psychologie 278
Littérature comparée 62
Littérature comparée et philosophie 62, 279
Littérature de langue française. 57, 62
Littérature de langue française et philosophie 279
Littérature de langues anglaise et française. 57
Littératures et philosophie 279
Logistique. 135
Loisir, culture et tourisme. 228

M

Management 141
Management et gestion des personnes 137
Management Information Systems 126
Marketing et relations publiques 142
Materials Engineering 94
Mathematics. 253
Mathematics and Computer Science 280
Mathématiques. 253
Mathématiques appliquées 253
Mathématiques et économie 271
Mathématiques et informatique 280
Mathématiques et physique. 281

Mechanical Engineering. 103
Médecine 179
Médecine dentaire 181
Médecine podiatrique 183
Médecine vétérinaire. 184
Météorologie 263
Meteorology. 263
Méthodes quantitatives 136
Méthodes quantitatives de gestion. 136
Microbiologie 249
Microbiologie et immunologie 249
Microbiology and Immunology. 249
Microélectronique 119
Mining Engineering. 95
Modern Languages 64
Music. 50
Music Composition 50
Music History 50
Music Performance Studies 50
Music Theory 50
Musique. 50
Musique composition électroacoustique 50
Musique composition instrumentale 50
Musique composition mixte 50
Musique écriture 50
Musique interprétation 50
Musique – Musicologie 50

N

Neuroscience 229
Nutrition. 174

O

Occupational Therapy 175
Opérations et logistique. 135
Opérations forestières (Génie forestier) 74
Operations Management 135
Optométrie 185
Orientation. 217
Orthophonie 171

P

Personnalisée	144
Pharmacie	186
Pharmacologie	187
Philosophie	231
Philosophie et études classiques	282
Philosophie et science politique	283
Philosophy	231
Physical and Health Education	169
Physical Education	169
Physical Therapy	189
Physics	264
Physics and Computer Science	284
Physiologie	188
Physiology	188
Physiothérapie	189
Physique	264
Physique et informatique	284
Planetary Sciences	261
Playwriting	42
Political Economy	221
Political Science	223
Political Studies	223
Pratique sage-femme	191
Print Media	40
Probability and Statistics	255
Psychoéducation	232
Psychoéducation et psychologie	285
Psychologie	229
Psychology	229
Pure and Applied Mathematics	253

R

Réadaptation occupationnelle	189
Réadaptation physique	189
Relations de travail	151
Relations humaines	208
Relations industrielles	151
Relations industrielles et ressources humaines	151
Relations internationales et droit international	275
Religion	224
Religious Studies	201, 224

S

Science and Human Affairs 208
Science politique 228
Science politique et philosophie 283
Sciences 286
Sciences biologiques 246
Sciences biologiques et écologiques 246
Sciences biomédicales 172
Sciences biopharmaceutiques 250
Sciences comptables 128
Sciences de l'environnement 272
Sciences de l'image et médias numériques 109
Sciences de la communication 203
Sciences de la consommation 233
Sciences de la santé (ergothérapie) 175
Sciences de la terre et de l'atmosphère 261
Sciences des religions 224
Sciences des religions appliquées 224
Sciences du langage 65
Sciences économiques 219
Sciences et technologie des aliments 75
Sciences géomatiques 73
Sciences historiques et études patrimoniales 234
Sciences infirmières 192
Sciences naturelles appliquées à l'environnement 272
Sciences (réadaptation) 189
Sciences religieuses 224
Sciences sociales 235
Sciences sociales et humanités 208
Secondary Education 159
Sécurité et études policières 236
Sécurité publique 237
Service social 238
Services financiers 146
Sexologie 240
Social Sciences 235
Social Work 238
Sociologie 218
Sociology 218
Software Engineering 114
Spanish 60
Sport Studies 241
Statistics 255
Statistiques 255
Studio Art 45
Supply Chain Operations Management 135
Sur mesure 144

S T U V W

	PAGE
Systèmes d'information	126
Systèmes d'information organisationnels	126

T

Teaching English or French as a Second Language	162
Technologie et systèmes d'information	126
Technologies de l'information	126
Théâtre	42
Theatre and Development	42
Theatre Performance	42
Theological Studies	201
Théologie	201
Théologie – grade canonique	201
Theology	201
Therapeutic Recreation	228
Traduction	66
Traduction et rédaction	66
Traduction professionnelle	66
Translation	66
Transport maritime	135
Travail social	240

U

Urban Planning	82
Urban Studies	82
Urbanisme	82

W

Western Society and Culture	274
Women Studies	274

Discipline   PAGE

Beaux-arts et arts appliqués **37**

BEAUX-ARTS ET ARTS APPLIQUÉS

PROGRAMMES D'ÉTUDES   PAGE

Animation 3D et design numérique / Arts et pratique de l'image / Arts visuels – Nouveaux médias /
Communication graphique / Création numérique / Design / Design graphique / Design and
Computation Art / Print Media. **40**

Art dramatique / Études théâtrales / Théâtre / Design for the Theatre / Drama / Playwriting /
Theatre and Development / Theatre Performance **42**

Art et science de l'animation / Arts et design / Arts plastiques / Arts visuels /
Arts visuels et médiatiques / Conception et création visuelle / Art Education – Visual Arts /
Design / Fine Arts. **43**

Arts (interdisciplinaire) / Studio Art. **45**

Cinéma / Écriture de scénario et création littéraire / Études cinématographiques /
Études cinématographiques et littérature comparée / Art History and Film Studies /
Film Animation / Film Production / Film Studies. **46**

Danse / Contemporary Danse **47**

Gestion et design de la mode **48**

Histoire de l'art / Art Education / Art History / Art History and Film Studies /
Art History and Studio Art / Fine Arts. **49**

Musique / Musique composition électroacoustique / Musique composition instrumentale /
Musique composition mixte / Musique écriture / Musique interprétation / Musique – Musicologie /
Electroacoustic Studies / Integrative Music Studies / Jazz Studies / Music / Music Composition /
Music History / Music Performance Studies / Music Theory **50**

15971 Animation 3D et design numérique / Arts et pratique de l'image / Arts visuels – Nouveaux médias / Communication graphique / Création numérique / Design / Design graphique / Design and Computation Art / Print Media

BAC 6 TRIMESTRES　　　　　　　　　　　　　　　　　　　**CUISEP 217-500**

Compétences à acquérir

– Créer des images, des illustrations, des maquettes en vue de traduire des idées ou des messages.
– Concevoir des images de kiosques, de la publicité ou des films animés.
– Développer un langage visuel, logique, raffiné, esthétique et original.
– Comprendre les différents courants artistiques et leur impact sur le langage visuel actuel.
– Utiliser le potentiel des techniques artistiques dans la création.
– Utiliser le potentiel des technologies pour orienter et développer sa créativité.

Éléments du programme

– Analyse critique du design
– Créativité et images
– Design de produits
– Design graphique
– Dessin d'observation
– Idéation publicitaire
– Illustration
– Langage graphique
– Multimédia
– Processus de design
– Scénarisation

Admission (voir p. 21 G)

Concordia : DEC ou l'équivalent, lettre de motivation et portfolio.
Laval : DEC en Arts plastiques **OU** DEC en Arts et lettres avec les profils suivants : Arts visuels, design et communications – options Arts visuels et design ou Création multimédia; 500.A0/G1 ou 500.35 Profil Arts visuels; 500.AA Profil mixte **OU** DEC en Graphisme **OU** DEC en Intégration multimédia **OU** certificat universitaire en Arts plastiques **OU** DEC général ou technique et posséder un intérêt et de bonnes prédispositions artistiques (25 places disponibles pour ces candidats).
UQAC : DEC ou l'équivalent et présenter un portfolio, une lettre de motivation et se soumettre à une entrevue si nécessaire. *N. B.: Des études collégiales dans le secteur touchant les arts et le multimédia seront naturellement privilégiées. Cependant, tout profil étudiant possédant un DEC autre mais faisant valoir un esprit créateur fort sera également considéré.*
UQAM : DEC ou l'équivalent, portfolio et questionnaire. Consulter le site Web de l'université pour plus de détails.

UQAT : DEC ou l'équivalent **OU** avoir compléter un minimum de 30 crédits universitaires avec une moyenne cumulative d'au moins 2,3 sur 4,3.
UQO : DEC dans un domaine des arts ou DEC ou l'équivalent **ET** soumettre un portfolio.
UQTR : DEC en Arts plastiques ou l'équivalent **OU** DEC ou l'équivalent et avoir réussi deux cours de dessin; un cours de pictural; un cours de sculptural ou 3D; deux cours d'histoire de l'art ou d'esthétique **ET** soumettre un portfolio numérique ou traditionnel de travaux personnels en arts.

Endroits de formation (voir p. 390)

	Contingentement	Coop	Cote R*
Concordia	■	■	—
Laval	□	□	—
UQAC**	■	□	20.360
UQAM	■	□	—
UQAT	□	□	—
UQO	□	□	23.000
UQTR	□	□	—

** Le nombre inscrit indique la **Cote R** qui a été utilisée pour l'**admission de l'année 2012 ou 2013** par l'université concernée.*
** Le programme s'offre au Centre NAD de Montréal.

Professions reliées

C.N.P.	
5241	Bédéiste
5241	Caricaturiste
0213	Chargé de projet multimédia
5241	Concepteur d'animation 2D et 3D
5243	Concepteur-designer d'expositions
5241	Concepteur-idéateur de jeux électroniques
5241	Concepteur-idéateur de produits multimédias
5241	Designer graphique
5241	Dessinateur d'animation
5241	Dessinateur d'animation 2D et 3D
5131	Directeur artistique
5241	Graphiste
5243	Héraldiste
5121	Idéateur
5241	Illustrateur
5121	Scénariste en multimédia
5241	Web designer

ARTS

Animation 3D et design numérique / Arts et pratique de l'image / Arts visuels – Nouveaux médias / Communication graphique / Création numérique / Design / Design graphique / Design and Computation Art / Print Media

SUITE

Endroits de travail

– À son compte
– Agences de communication
– Agences de publicité
– Éditeurs de jounaux
– Firmes d'informatique
– Industrie du multimédia
– Maisons d'édition
– Studios de design

Salaire

Le salaire hebdomadaire moyen est de 666 $ (janvier 2011).

Remarques

– L'Université du Québec à Chicoutimi (UQAC) offre un baccalauréat et un certificat en Animation 3D et design numérique (en collaboration avec le centre NAD de Montréal), ainsi qu'un certificat et une mineure en Arts numériques.
– L'Université du Québec en Abitibi-Témiscamingue (UQAT) offre le baccalauréat en Création numérique avec trois spécialisations : Cinéma; Création 3D; Technologie Web.
– L'Université du Québec en Outaouais (UQO) offre un baccalauréat en Arts et design graphique avec un choix de trois concentrations : Arts visuels; Bande dessinée; Design graphique. Cet établissement offre également quatre majeures : Arts visuels; Bande dessinée; Design graphique; Muséologie et patrimoines et six mineures : Approches éducatives; Arts visuels; Bande dessinée; Design graphique; Muséologie et patrimoines; Pratiques administratives ainsi que quatre certificats : Arts visuels; Bande dessinée; Design graphique; Muséologie et patrimoines.
– L'Université Laval offre un certificat en Art et science de l'animation et un certificat en Arts plastiques.

ARTS

STATISTIQUES D'EMPLOI	2007	2009	2011
Nb de personnes diplômées	181	195	227
% en emploi	79,4 %	73,9 %	69,4 %
% à temps plein	89 %	85,9 %	81,1 %
% lié à la formation	83,1 %	85,9 %	77,8 %

Art dramatique / Études théâtrales / Théâtre / Design for the Theatre / Drama / Playwriting / Theatre and Development / Theatre Performance

BAC 6 TRIMESTRES   CUISEP 223-100

Compétences à acquérir

– Interpréter des rôles.
– Diriger des acteurs.
– Faire la mise en scène.
– Coordonner les activités liées à la réalisation d'un spectacle, d'une pièce de théâtre, etc.

Éléments du programme

– Création dramatique
– Critique et représentation
– Dramaturgie
– Espace scénique
– Formation d'acteurs
– Histoire du théâtre
– Production de spectacles
– Techniques scéniques

Admission (voir p. 21 G)

DEC ou l'équivalent.
OU
Bishop's : DEC ou l'équivalent et àudition.
Concordia : DEC ou l'équivalent, entrevues/auditions, lettre de motivation et/ou soumission de travaux personnels.
UQAM : DEC ou l'équivalent et questionnaire, audition, entrevue.

Endroits de formation (voir p. 390)

	Contingentement	Coop	Cote R
Bishop's	☐	☐	—
Concordia	■	☐	—
Laval	☐	☐	—
UQAM	■	☐	—

Professions reliées

C.N.P.
5135   Acteur
5121   Auteur dramatique
5123   Critique d'art
5131   Directeur artistique
5131   Directeur technique de productions artistiques
5131   Metteur en scène de théâtre
5135   Narrateur
5131   Producteur (cinéma, radio, télévision, théâtre)
5135   Professeur d'art dramatique (collège ou université)
5226   Régisseur

Endroits de travail

– Compagnies théâtrales
– Éditeurs de journaux et revues
– Établissements d'enseignement
– Maisons de production
– Télédiffuseurs

Salaire

Le salaire hebdomadaire moyen est de 587 $ (janvier 2011).

Remarques

– Pour enseigner au primaire et au secondaire, il faut être titulaire d'un permis ou d'un brevet d'enseignement permanent émis par le ministère de l'Éducation, du Loisir et du Sport.
– Il est préférable de faire partie d'une union ou d'une association d'artistes professionnels reconnue pour exercer ces professions.
– L'Université Concordia offre une majeure en Playwritting, une majeure et une mineure en Theatre. Elle offre trois spécialisations : Design for Theatre, Theatre and Development et Theatre Performance.
– L'Université du Québec à Chicoutimi (UQAC) offre un certificat et une mineure en Théâtre.
– L'Université du Québec à Montréal (UQAM) offre quatre concentrations : Enseignement; Études théâtrales; Jeu; Scénographie. Cet établissement offre également une majeure et une mineure en Études théâtrales.
– L'Université Laval offre un certificat en Théâtre.

STATISTIQUES D'EMPLOI			
	2007	**2009**	**2011**
Nb de personnes diplômées	109	141	94
% en emploi	63,8 %	65 %	62,3 %
% à temps plein	67,6 %	67,3 %	63,2 %
% lié à la formation	40 %	54,3 %	66,7 %

ARTS

Art et science de l'animation / Arts et design / Arts plastiques / Arts visuels / Arts visuels et médiatiques / Conception et création visuelle / Art Education – Visual Arts / Design / Fine Arts

BAC 6 TRIMESTRES   CUISEP 214-000

Compétences à acquérir

– Utiliser divers médiums de production artistique (huile, acrylique, encres, bois, terre, plâtre, etc.) pour créer des œuvres originales.
– Développer des modes d'expression personnelle.
– Produire des œuvres en vue de préparer des expositions.
– Améliorer ses dispositions à percevoir et à s'exprimer.
– Renforcer sa dextérité dans la manipulation d'instruments et accroître la souplesse et la précision du geste artistique.

Éléments du programme

– Art actuel au Québec
– Arts médiatiques
– Arts visuels actuels
– Atelier
– Dessin
– Fondements de la sculpture
– Histoire de l'art
– Images et idées
– Lithographie
– Procédés photographiques et vidéographiques
– Sérigraphie
– Sociologie de l'art
– Techniques de fabrication

Admission (voir p. 21 G)

Bishop's : DEC ou l'équivalent. *N. B. : Possibilité d'exonération de cours sur présentation du portfolio (10 œuvres).*
Concordia : DEC ou l'équivalent, lettre de motivation et portfolio **ET** entrevues/auditions. *N. B. : Une cote R de 27 est exigée pour le régime coopératif.*
Laval : DEC ou l'équivalent **ET** dans tous les cas, l'étudiant doit posséder les aptitudes artistiques nécessaires pour suivre avec succès les cours du programme. *N. B. : L'étudiant doit posséder un ordinateur avec un accès Internet de capacité intermédiaire et certains logiciels. On suggère également l'achat d'une tablette graphique. Consulter le site Web de l'université pour plus de détails (arv.ulaval.ca/basa).*
UQAM : DEC ou l'équivalent et dossier visuel obligatoire.
UQO : DEC dans un domaine des arts ou DEC ou l'équivalent **ET** soumettre un portfolio.
UQTR : DEC en Arts plastiques (510.A0) ou l'équivalent **OU** DEC ou l'équivalent et deux cours de dessin; un cours de pictural; un cours de sculptural ou 3D; deux cours d'histoire de l'art ou d'esthétique **ET** présenter un portfolio numérique ou traditionnel de travaux personnels en arts conforme aux normes fixées par la direction du programme.

Endroits de formation (voir p. 390)

	Contingentement	Coop	Cote R*
Bishop's	☐	☐	—
Concordia**	☑	☑	—
Laval	☐	☐	—
UQAM	☑	☐	—
UQO	☐	☐	23.000
UQTR	☐	☐	

** Le nombre inscrit indique la **Cote R** qui a été utilisée pour l'**admission de l'année 2012 ou 2013** par l'université concernée.*
** Une cote R de 27 est exigée par le régime coopératif.

Professions reliées

C.N.P.	
5136	Artiste peintre
5241	Bédéiste
5241	Caricaturiste
5243	Concepteur de décors
5243	Concepteur-designer d'expositions
5121	Concepteur-scénariste en multimédia
5241	Designer graphique
5241	Dessinateur d'animation
5131	Directeur artistique
5136	Graveur d'art
5221	Photographe
5136	Professeur d'arts plastiques
5136	Professeur d'arts plastiques à l'université
5121	Scénariste en multimédia
5136	Sculpteur
5136	Sérigraphiste
5244	Souffleur de verre (artisan)

Endroits de travail

– À son compte
– Entreprises en multimédia
– Établissements d'enseignement
– Galeries d'art
– Gouvernements fédéral et provincial
– Maisons d'édition (journaux et revues)
– Municipalités (services des loisirs)

Salaire

Le salaire hebdomadaire moyen est de 628 $ (janvier 2011).

ARTS

15902

Art et science de l'animation / Arts et design / Arts plastiques / Arts visuels / Arts visuels et médiatiques / Conception et création visuelle / Art Education – Visual Arts / Design / Fine Arts

SUITE

Remarques

– Pour enseigner au primaire et au secondaire, il faut être titulaire d'un permis ou d'un brevet d'enseignement permanent émis par le ministère de l'Éducation, du Loisir et du Sport.

– Il est préférable de faire partie d'une union ou d'une association d'artistes professionnels reconnue pour exercer ces professions.

– L'Université Bishop's offre un certificat en Studio Arts.

– L'Université Concordia offre une majeure en Computation Arts.

– L'Université du Québec à Chicoutimi (UQAC) offre un certificat et une mineure en Arts visuels ainsi qu'un certificat en Animation 3D et design numérique, en collaboration avec le Centre NAD de Montréal.

– L'Université du Québec à Montréal (UQAM) offre deux profils : Enseignement des arts visuels et médiatique et Pratique artistique. Cet établissement offre également un certificat en Arts plastiques.

– L'Université du Québec à Trois-Rivières (UQTR) offre le baccalauréat en Arts visuels concentrations : Arts plastiques; Nouveaux médias ainsi que des certificats en Arts et nouveaux médias, Arts plastiques, en Histoire de l'art et en Interprétation théâtrale.

– L'Université du Québec en Abitibi-Témiscamingue (UQAT) offre un baccalauréat en Création numérique et une majeure en Création 3D. Cet établissement offre également des mineures et des certificats en Arts plastiques, en Création 3D, en Création numérique, en Peinture et en Production artistique.

– L'Université du Québec en Outaouais (UQO) offre un baccalauréat en Arts et design graphique avec un choix de trois concentrations : Arts visuels; Bande dessinée; Design graphique. Cet établissement offre également quatre majeures : Arts visuels; Bande dessinée; Design graphique; Muséologie et patrimoines et six mineures : Approches éducatives; Arts visuels; Bande dessinée; Design graphique; Muséologie et patrimoines; Pratiques administratives ainsi que quatre certificats : Arts visuels; Bande dessinée; Design graphique; Muséologie et patrimoines.

– L'Université Laval offre un certificat en Art et science de l'animation et un certificat en Arts plastiques.

ARTS

STATISTIQUES D'EMPLOI	2007	2009	2011
Nb de personnes diplômées	218	188	150
% en emploi	57,3 %	60,3 %	71,1 %
% à temps plein	69,3 %	68,6 %	69,5 %
% lié à la formation	46,2 %	64,6 %	61 %

Compétences à acquérir

– Concevoir, gérer et diffuser des projets de création liés à plusieurs domaines de l'art et à diverses techniques.
– Selon les concentrations choisies, acquérir les habiletés relatives au travail de création artistique (peinture, sculpture, céramique, etc.), à la gestion de projets artistiques, au design d'aménagements, à la réalisation de projets cinématographiques, à la mise en scène, etc.

Éléments du programme

– Conception et techniques du son au cinéma et au théâtre
– Création d'images numériques
– Dessin
– Dramaturgie et mise en scène
– Histoire de l'interdisciplinarité
– Jeu et direction d'acteur au cinéma
– Modelage
– Montage
– Peinture
– Production en cinéma et vidéo
– Projets
– Sculpture

Admission (voir p. 21 G)

Concordia : DEC ou l'équivalent, lettre de motivation et portfolio.
UQAC : DEC en Arts et lettres ou en Arts plastiques ou tout autre DEC ayant un rapport avec la concentration choisie dans le baccalauréat interdisciplinaire en arts **OU** posséder des connaissances appropriées et une expérience pertinente, présenter un dossier et se soumettre à une entrevue **OU** avoir complété un minimum de quinze crédits universitaires avec une moyenne cumulative d'au moins 2,3 sur 4,3, présenter un dossier et se soumettre à une entrevue.

Endroits de formation (voir p. 390)

	Contingentement	Coop	Cote R
Concordia	☐	☐	—
UQAC	☐	☐	—

Professions reliées

C.N.P.
—	Animateur d'activités socio-culturelles
5136	Artiste peintre
5227	Assistant à la réalisation
5243	Concepteur de décors
5243	Concepteur-designer d'expositions
5123	Critique d'art
5242	Décorateur-ensemblier
5241	Designer visuel en multimédia
5241	Dessinateur d'animation 2D et 3D
5131	Directeur artistique
5131	Directeur technique de productions artistiques
5136	Graveur d'art
5244	Graveur d'art (orfèvrerie)
5131	Metteur en scène de théâtre
5136	Peintre-scénographe
5136	Professeur d'arts plastiques
5136	Sculpteur
5241	Web designer

Endroits de travail

– À son compte
– Établissements d'enseignement
– Industrie du multimédia
– Maisons de production cinématographique
– Télédiffuseurs
– Théâtres

Salaire

Le salaire hebdomadaire moyen est de 812 $ (janvier 2011).

Remarques

– Pour enseigner au primaire et au secondaire, il faut être titulaire d'un permis ou d'un brevet d'enseignement permanent émis par le ministère de l'Éducation, du Loisir et du Sport.
– L'Université Bishop's offre un certificat en Studio Arts.
– L'Université Concordia offre des majeures en Ceramics, Drawing and Painting, Fibres, Intermedia/Cybermedia, Photography, Print Media et Studio Art.
– L'Université du Québec à Chicoutimi (UQAC) offre cinq cheminements : Arts numériques; Arts plastiques; Cinéma-vidéo; Médiation et transmission culturelle en arts; Théâtre. Cet établissement offre également des certificats en Animation 3D et design numérique (en collaboration avec le Centre NAD de Montréal), en Arts numériques, en Arts visuels, en Cinéma et vidéo, en Enseignement des arts et en Théâtre.
– L'Université du Québec à Montréal (UQAM) offre le baccalauréat ès arts par cumul de certificats ou de mineures.

STATISTIQUES D'EMPLOI			
	2007	2009	2011
Nb de personnes diplômées	132	108	103
% en emploi	82,4 %	83,3 %	79,3 %
% à temps plein	95,1 %	89,1 %	91,3 %
% lié à la formation	74,1 %	83,7 %	73,8 %

ARTS

Cinéma / Écriture de scénario et création littéraire / Études cinématographiques / Études cinématographiques et littérature comparée / Art History and Films Studies / Film Animation / Film Production / Film Studies

BAC 6 TRIMESTRES   CUISEP 213-100

Compétences à acquérir

– Analyser les films et leur rapport à la société.
– Connaître et utiliser les diverses techniques et les divers équipements de tournage, d'éclairage, de sonorisation et de montage de films.
– Rédiger des textes et des scénarios.
– Réaliser et faire le montage de films.
– Préparer, organiser et coordonner la production de films.
– Faire le choix d'acteurs, de costumes, de décors et de lieux de tournage.

Éléments du programme

– Communication et médias de masse
– Histoire du cinéma
– Montage
– Production
– Recherches en communication
– Techniques cinématographiques
– Théories du cinéma

Admission (voir p. 21 G)

Concordia : DEC ou l'équivalent, lettre de motivation et portfolio.
Montréal : DEC ou l'équivalent **OU** avoir réussi 24 crédits de niveau universitaire autres que des crédits obtenus dans le cadre de cours préparatoires aux études universitaires.

Endroits de formation (voir p. 390)

	Contingentement	Coop	Cote R*
Concordia	■	☐	—
Montréal	■	☐	20.612, 20.641 et 21.146

** Le nombre inscrit indique la **Cote R** qui a été utilisée pour l'**admission de l'année 2012 ou 2013** par l'université concernée.*

Professions reliées

C.N.P.
5123   Critique de cinéma
5131   Directeur artistique
5131   Directeur de la distribution
5131   Directeur de la photographie
5131   Directeur de production (cinéma, télévision)
5131   Directeur technique de productions artistiques
5131   Monteur de films
5131   Producteur (cinéma, radio, télévision, théâtre)
5131   Réalisateur (cinéma, radio, télévision)
5226   Régisseur
5121   Scénariste-dialoguiste

Endroits de travail

– Établissements d'enseignement
– Industrie du multimédia
– Maisons de production cinématographiques et de matériel visuel
– Télédiffuseurs

Salaire

Le salaire hebdomadaire moyen est de 624 $ (janvier 2011).

Remarques

– Le département d'anglais de l'Université Bishop's offre une mineure en Film Studies.
– L'Université Concordia offre une majeure et une mineure en Film Animation.
– L'Université du Québec à Chicoutimi (UQAC) offre un certificat et une mineure en Cinéma et vidéo ainsi qu'un programme court en Production audiovisuelle des Premières Nations.
– L'Université du Québec à Montréal (UQAM) offre un baccalauréat en Communication (cinéma) et un certificat en Scénarisation cinématographique.
– L'Université Laval offre un certificat en Études cinématographiques.

STATISTIQUES D'EMPLOI			
	2007	2009	2011
Nb de personnes diplômées	151	176	173
% en emploi	62,3 %	76,4 %	59,4 %
% à temps plein	83,3 %	79,8 %	73,3 %
% lié à la formation	55 %	46,3 %	59,1 %

ARTS

BAC 6 TRIMESTRES   CUISEP 216-000

Compétences à acquérir

– Développer sa créativité et ses habiletés corporelles.
– Concevoir ou exécuter des chorégraphies.
– Enseigner la danse.

Éléments du programme

– Création
– Danse et musique
– Esthétique chorégraphique
– Histoire de la danse
– Interprétation
– Intervention pédagogique en danse
– Stages

Admission (voir p. 21 G)

Concordia : DEC ou l'équivalent et entrevue/audition.
UQAM : DEC en Danse ou l'équivalent **OU** DEC dans une autre concentration et avoir atteint le niveau intermédiaire en danse **ET** audition.

Endroits de formation (voir p. 390)

	Contingentement	Coop	Cote R
Concordia	■	☐	—
UQAM	■	☐	—

Professions reliées

C.N.P.
5131   Chorégraphe
5134   Danseur
5131   Producteur d'événements artistiques
5134   Professeur de danse

Endroits de travail

– À son compte
– Écoles de danse
– Entreprises de production de films
– Établissements d'enseignement
– Troupes de danse

Salaire

Le salaire hebdomadaire moyen est de 558 $ (janvier 2007).

Remarques

– Pour enseigner au primaire et au secondaire, il faut être titulaire d'un permis ou d'un brevet d'enseignement permanent émis par le ministère de l'Éducation, du Loisir et du Sport.
– L'Université Concordia offre la majeure en Contemporary Danse.
– L'Université du Québec à Montréal (UQAM) offre deux concentrations : Enseignement de la danse et Pratiques artistiques. Cet établissement offre également un certificat en Pédagogie de la danse en milieu du loisir.

ARTS

STATISTIQUES D'EMPLOI	2007	2009	2011
Nb de personnes diplômées	22	—	27
% en emploi	60 %	—	50 %
% à temps plein	33,3 %	—	42,9 %
% lié à la formation	33,3 %	—	33,3 %

Compétences à acquérir

– Concevoir une collection de vêtements.
– Intégrer les valeurs de l'esthétique industrielle.
– Diriger la production d'une collection de vêtements.
– Respecter les normes de productivité et de qualité.
– Coordonner un programme de commercialisation d'une collection de vêtements.
– Considérer les données concurrentielles des marchés.

Trois concentrations sont offertes :
Commercialisation de la mode; Design et stylisme de mode; Gestion industrielle de la mode.

Éléments du programme

– Commerce international
– Comptabilité et financement de la PME
– Design informatisé
– Marketing de mode
– Psychosociologie de la mode et du vêtement
– Stylisme de mode
– Technologie et équipement

Admission (voir p. 21 G)

Concentration Design et stylisme de mode : DEC technique parmi les suivants : Design de mode, Dessin de mode ou Mode féminine ou mode masculine. *N. B. : Les programmes collégiaux actuellement offerts sont : Commercialisation de la mode (571.C0); Design de mode (517.A0); Gestion de la production de vêtements (571.B0).* Concentrations Commercialisation de la mode et Gestion industrielle de la mode : DEC ou l'équivalent et avoir réussi un cours de mathématiques de niveau collégial.

Endroit de formation (voir p. 310)

	Contingentement	Coop	Cote R*
UQAM	■	☐	22.000

* *Le nombre inscrit indique la **Cote R** qui a été utilisée pour l'**admission de l'année 2012 ou 2013** par l'université concernée.*

Professions reliées

C.N.P.
0611	Coordonnateur de la commercialisation
5243	Créateur de costumes
5243	Designer de mode
0611	Gérant des ventes
5243	Modéliste de chaussures
5243	Modéliste en textiles
5243	Modéliste en vêtements
5243	Styliste de mode

Endroits de travail

– À son compte
– Industrie de la mode
– Industrie manufacturière

Salaire

Le salaire hebdomadaire moyen est de 812 $ (janvier 2011).

Remarques

– Les concentrations Commercialisation de la mode et Gestion industrielle de la mode sont contingentées.
– Ce programme est offert à l'École supérieure de mode affiliée à l'Université du Québec à Montréal (UQAM).

STATISTIQUES D'EMPLOI			
	2007	2009	2011
Nb de personnes diplômées	132	—	103
% en emploi	82,4 %	—	79,3 %
% à temps plein	95,1 %	—	91,3 %
% lié à la formation	74,1 %	—	73,8 %

ARTS

Histoire de l'art / Art Education / Art History / Art History and Film Studies / Art History and Studio Art / Fine Arts

BAC 6 TRIMESTRES
CUISEP 218-000

Compétences à acquérir

– Faire montre d'un discours critique et analytique sur les divers types d'arts et d'œuvres au cours des âges.
– Faire des recherches pour approfondir la compréhension de l'art et des œuvres dans un domaine en particulier.
– Assurer la conservation et la diffusion d'œuvres d'art.
– Rédiger des textes sur l'art.

Éléments du programme

– Approches historiques de l'objet d'art
– Architecture
– Historiographie critique
– Initiation au musée d'art
– Lecture et analyse d'œuvres d'art
– Perception visuelle
– Sociologie de l'art
– Théories de l'art

Admission (voir p. 21 G)

DEC ou l'équivalent.
OU
Concordia : DEC ou l'équivalent, lettre de motivation **ET** pour Studio Art : portfolio.
Montréal : DEC ou l'équivalent **OU** avoir réussi 24 crédits de cours universitaires autres que des crédits obtenus dans le cadre de cours préparatoires aux études universitaires.

Endroits de formation (voir p. 390)

	Contingentement	Coop	Cote R*
Concordia**	■	■	27.000
Laval	☐	☐	—
McGill	☐	☐	—
Montréal	■	☐	26.000
UQAM	☐	☐	—

*Le nombre inscrit indique la **Cote R** qui a été utilisée pour l'**admission de l'année 2012 ou 2013** par l'université concernée.*
**La Cote R ne s'applique que pour le régime coopératif.*

Professions reliées

C.N.P.	
5112	Conservateur de musée
5123	Critique d'art
5123	Critique de cinéma
5123	Critique littéraire
5124	Éducateur dans les musées
4169	Historien de l'art

Endroits de travail

– Bibliothèques
– Établissements d'enseignement collégial et universitaire
– Galeries d'art
– Maisons de la culture
– Médias d'information
– Musées

Salaire

Le salaire hebdomadaire moyen est de 653 $ (janvier 2011).

Remarques

– L'Université Bishop's offre un « Honours » : Art History.
– L'Université Concordia offre une majeure et une mineure en Art History and Studio Art ainsi qu'en History. Cet établissement offre également une majeure en Art History and Film Studio.
– L'Université du Québec à Montréal (UQAM) offre une concentration en Muséologie et diffusion de l'art. Cet établissement offre également une majeure, une mineure et un certificat en Histoire de l'art; un certificat en Muséologie et diffusion de l'art; une majeure en Histoire, culture et société.
– L'Université du Québec en Abitibi-Témiscamingue (UQAT) offre un certificat et une mineure en Production artistique.
– L'Université Laval offre un certificat en Histoire de l'art.

STATISTIQUES D'EMPLOI

	2007	2009	2011
Nb de personnes diplômées	144	138	143
% en emploi	46,9 %	42,9 %	40,2 %
% à temps plein	80,4 %	72,2 %	71,4 %
% lié à la formation	13,5 %	30,8 %	28 %

ARTS

15905 — Musique / Musique composition électroacoustique / Musique composition instrumentale / Musique composition mixte / Musique écriture / Musique interprétation / Musique – Musicologie / Electroacoustic Studies / Integrative Music Studies / Jazz Studies / Music / Music Composition / Music History / Music Performance Studies / Music Theory

BAC 6 TRIMESTRES   CUISEP 221-000

Compétences à acquérir

– Interpréter, créer et arranger des œuvres musicales.
– Diriger des ensembles musicaux.
– Enseigner la musique ou le chant.
– Accompagner des musiciens ou des chanteurs.

Éléments du programme

– Analyse et écriture
– Formation auditive
– Grands ensembles
– Harmonie
– Histoire de la musique
– Instrument principal
– Musicothérapie
– Rythmique

Admission (voir p. 21 G)

Bishop's : DEC ou l'équivalent et audition.
Concordia : DEC ou l'équivalent, lettre de motivation, portfolio et/ou entrevues, auditions, test théorique.
Laval : DEC en Musique ou l'équivalent **OU** DEC en Techniques professionnelles de musique et chanson ou l'équivalent **ET** réussir l'audition instrumentale. Pour plus d'information, consulter le site Web de la Faculté de musique.
McGill : DEC en Musique ou l'équivalent et audition.
Montréal : DEC ou l'équivalent ou DEC en Musique et réussir les tests d'admission en savoir théorique, en solfège et en dictée musicale (niveau collégial), faire la preuve de ses qualités musicales au cours d'une audition et se présenter à une entrevue **ET/OU** lettre de motivation et curriculum vitæ **ET** pour les programmes en composition, se présenter à une entrevue après avoir fourni de 2 à 5 compositions électroacoustiques.
Sherbrooke : DEC en Musique ou l'équivalent **ET** audition instrumentale ou vocale et examens théoriques de qualification (dictée, harmonie). **Cheminement Composition et musique à l'image :** portfolio, examen théorique et entrevue.
UQAM : DEC en Musique ou l'équivalent **OU** DEC ou l'équivalent et posséder des compétences musicales adéquates et tests d'entrée **ET** entrevue, tests d'admission, examen instrumental de qualification, test de classement.

Endroits de formation (voir p. 390)

	Contingentement	Coop	Cote R
Bishop's	☐	☐	—
Concordia	■	☐	—
Laval	☐	☐	—
McGill	■	☐	·
Montréal	☐	☐	–
Sherbrooke	■	☐	—
UQAM*	■	☐	—

* Contingenté seulement pour la concentration Enseignement.

Professions reliées

C.N.P.
5132   Auteur-compositeur-interprète
5133   Chanteur de concert
5132   Chef d'orchestre
5133   Choriste
5123   Critique d'art
5132   Directeur musical
5133   Instrumentiste
5133   Musicien
5133   Musicologue
3144   Musicothérapeute
5132   Orchestrateur
5131   Producteur de disques
5133   Professeur de chant
5133   Professeur de musique
4121   Professeur de musique instrumentale à l'université

Endroits de travail

– À son compte
– Conservatoires de musique
– Établissements d'enseignement
– Orchestres
– Organismes divers (SOCAM, Conseils des arts du Canada, etc.)
– Télédiffuseurs

Salaire

Le salaire hebdomadaire moyen est de 686 $ (janvier 2011).

ARTS

Musique / Musique composition électroacoustique / Musique composition instrumentale / Musique composition mixte / Musique écriture / Musique interprétation / Musique – Musicologie / Electroacoustic Studies / Integrative Music Studies / Jazz Studies / Music / Music Composition / Music History / Music Performance Studies / Music Theory

SUITE

Remarques

– Différentes options sont offertes selon les établissements : Composition; Éducation musicale; Histoire de la musique; Interprétation; Jazz; Multimédia; Musicologie; Musique et culture; Pédagogie musicale; etc.

– Pour enseigner au primaire et au secondaire, il faut détenir un permis ou un brevet d'enseignement permanent émis par le ministère de l'Éducation, du Loisir et du Sport.

– Pour obtenir l'accréditation de musicothérapeute (MTA) auprès de l'Association de musicothérapeute du Canada, l'étudiant doit faire la preuve qu'il possède une expérience de travail d'au moins 1 000 heures sous supervision d'un musicothérapeute accrédité.

– L'Université Bishop's offre un certificat en Musical Studies.

– L'Université Concordia offre les spécialisations : Jazz Studies; Music Composition; Music Performance Studies. Cet établissement offre également une majeure et une mineure en Electroacoustic Studies; une majeure en Integrative Music Studies ainsi qu'une mineure en Music.

– L'Université de Montréal offre une mineure en Musique, art et société et une autre en Musiques numériques. Elle offre les baccalauréats en : Composition électroacoustique; Composition instrumentale; Composition mixte; Écriture; Interprétation chant baroque/classique; Interprétation instruments baroques/classique; Interprétation jazz; Musicologie; Musique général; Musique numérique.

– L'Université de Sherbrooke offre cinq cheminements : Interprétation musicale classique; Interprétation musicale jazz; Multimédia; Musique et culture; Pédagogie musicale. Cet établissement offre également la possibilité de faire deux baccalauréats simultanément : Éducation musicale et Musique, en collaboration avec l'Université Laval.

– L'Université du Québec à Montréal (UQAM) offre deux concentrations : Enseignement et Pratique artistique. Cet établissement offre également une majeure en Musique qui, combinée à une mineure ou un certificat dans un domaine d'études approprié, mène à de semblables emplois que le baccalauréat en Musique. L'étudiant a ainsi la possibilité de compléter sa formation musicale par des cours dans le domaine de l'administration des arts, des communications, des nouvelles technologies multimédia, de la littérature, etc., en fonction du milieu professionnel qu'il veut joindre.

– L'Université Laval offre un certificat en Réalisation audionumérique ainsi qu'un certificat en Culture musicale. Le baccalauréat en Musique comporte cinq cheminements : Composition; Interprétation classique; Interprétation jazz et musique populaire; Musicologie; Sans mention avec un choix de concentrations : Classique; Jazz et musique populaire; Réalisation audionumérique.

ARTS

STATISTIQUES D'EMPLOI			
	2007	2009	2011
Nb de personnes diplômées	309	345	288
% en emploi	52,6 %	54,2 %	50,6 %
% à temps plein	47,5 %	53 %	61,6 %
% lié à la formation	56,3 %	53,2 %	41,5 %

DOMAINE D'ÉTUDES

DROIT

Discipline

PAGE

Droit. 52

DROIT

PROGRAMMES D'ÉTUDES   PAGE

Droit / Civil Law / Common Law 53

Compétences à acquérir

- Connaître et appliquer les principes fondamentaux du droit.
- Appliquer les règles de droit à des situations concrètes.
- S'exprimer en termes juridiques oralement ou par écrit.
- Intervenir dans la défense et la promotion des droits.
- Représenter une personne ou un groupe devant les tribunaux.
- Rédiger des actes juridiques.
- Informer le client de ses droits et obligations.
- Conseiller les personnes désireuses de signer des actes, des conventions ou des contrats de toutes sortes.
- Conférer aux contrats une authenticité légale.
- Assurer la conservation des documents légaux.
- Travailler au financement et à l'administration d'immeubles, à la planification successorale et fiscale et aux règlements de successions.

Éléments du programme

- Droit civil
- Droit commercial
- Droit constitutionnel et administratif
- Droit international
- Droit pénal
- Droit social et du travail
- Exécution et extinction des obligations
- Interprétation des lois
- La preuve
- Recherche et rédaction juridiques

Admission (voir p. 21 G)

DEC ou l'équivalent.
OU
Laval : L'étudiant dont la langue d'études au primaire et au secondaire n'est pas le français doit, pour être admissible, faire la preuve d'un niveau minimal de connaissance de la langue française par un résultat d'au moins 860 sur 990 au Test de français international (TFI). Ce test doit avoir été passé au cours de l'année précédant le dépôt de la demande d'admission, un document officiel attestant du résultat obtenu. À son arrivée à l'Université Laval, l'étudiant ayant obtenu un résultat de 860 ou plus au TFI est invité à passer un test de français écrit. Selon le résultat obtenu à ce test, l'étudiant peut devoir s'inscrire au cours FRN-3003 Français avancé : grammaire et rédaction II.
Montréal : DEC ou l'équivalent **ET** avoir complété le certificat en Droit général et pouvoir se qualifier à titre de candidat de transfert **OU** avoir réussi 48 crédits de cours universitaires autres que des crédits obtenus dans le cadre de cours préparatoires aux études universitaires.

Sherbrooke : Pour le baccalauréat en Droit avec cheminement en Sciences de la vie : DEC ou l'équivalent et Mathématiques NYA, NYB (00UN, 00UP); Physique NYA, NYB, NYC (00UR, 00US, 00UT); Chimie NYA, NYB (00UL, 00UM); Biologie NYA (00UK) **OU** DEC dans la famille des techniques biologiques ou l'équivalent et Mathématiques NYA, NYB (00UN, 00UP; 022X, 022Y); Chimie NYA, NYB (00UL, 00UM) ou leur équivalent. *N. B.: Des conditions particulières peuvent s'appliquer à certaines catégories de candidats détendeurs de diplômes en Droit étrangers et autres. Les clientèles adultes doivent se présenter à une entrevue d'admission.*
ET/OU
Entrevues, tests d'admission, excellence du dossier scolaire et lettre de motivation personnelle selon les établissements.

Endroits de formation (voir p. 390)

	Contingentement	Coop	Cote R*
Laval	■	☐	29.503
McGill	■	☐	34.100
Montréal	■	☐	30.760
Sherbrooke	■	■	27.800 à 33.200
UQAM	■	☐	29.600

* *Le nombre inscrit indique la **Cote R** qui a été utilisée pour l'**admission de l'année 2012 ou 2013** par l'université concernée.*

Professions reliées

C.N.P.	
4168	Agent du service extérieur diplomatique
4112	Avocat
4112	Avocat de la Couronne
4112	Conseiller juridique
4165	Coroner
1221	Curateur public
4111	Juge
1227	Juge de paix
4112	Légiste
1121	Médiateur
4112	Notaire
0012	Protecteur du citoyen
1227	Protonotaire

DROIT

Endroits de travail

– À son compte
– Bureaux de l'aide juridique
– Cabinets d'avocats
– Cabinets de notaires
– Gouvernements fédéral et provincial
– Grandes entreprises
– Institutions financières
– Municipalités
– Sociétés de fiducie

Salaire

Le salaire hebdomadaire moyen est de 885 $ (janvier 2011).

Remarques

– Pour exercer les professions citées et porter le titre, il faut être membre du Barreau du Québec ou de la Chambre des notaires du Québec.
– Des études de 2e cycle sont nécessaires pour exercer les professions suivantes : notaire et coroner.
– La profession de juge est une nomination donnée par les autorités responsables aux personnes d'expérience considérées aptes à exercer cette fonction.
– En vertu d'une entente conclue entre l'Université de Sherbrooke et l'Université Queen's de Kingston (Ontario), les étudiants de l'Université de Sherbrooke peuvent obtenir un baccalauréat en Droit civil et un autre en Common Law en quatre années d'études. Cet établissement offre une formule conjuguant un diplôme en Droit et un diplôme en Biologie. Au terme de neuf sessions de cours, l'étudiant obtient un baccalauréat en Droit avec cheminement en Sciences de la vie et une maîtrise en Biologie, cheminement en Sciences de la vie et Droit. Cet établissement offre également une formation intégrant le baccalauréat en Droit et la maîtrise en Administration des affaires en régime coopératif, ainsi qu'une formation combinant le baccalauréat en Droit et le diplôme de 2e cycle en Common Law et droit transnational (Juris Doctor).
– Les étudiants de l'Université du Québec à Montréal (UQAM) peuvent obtenir, en vertu d'une entente avec l'Université de Windsor (Ontario), un baccalauréat en Droit civil et un autre en Common Law en quatre années d'études. L'université offre également un certificat en Droit social et du travail.
– L'Université du Québec en Outaouais (UQO) offre un certificat en Droit de l'entreprise et du travail.
– L'Université Laval offre un certificat en Droit ainsi qu'un certificat en Criminologie.
– L'Université McGill offre un cheminement combinant le baccalauréat et le diplôme de 2e cycle en Common Law et droit transnational.

STATISTIQUES D'EMPLOI			
	2007	**2009**	**2011**
Nb de personnes diplômées	859	1 027	1 096
% en emploi	60,5 %	61,8 %	56,5 %
% à temps plein	94,1 %	97,3 %	94,8 %
% lié à la formation	91 %	89,9 %	90,4 %

DROIT

DOMAINE D'ÉTUDES

LETTRES

Discipline

Discipline	PAGE
Lettres et langues	55

LETTRES ET LANGUES

PROGRAMMES D'ÉTUDES   PAGE

Allemand / Études allemandes / Études allemandes et histoire /
German Literature and Culture / German Studies **56**

Anglais / Anglais, langue et littérature comparée (linguistique) / Études anglaises /
Études anglaises et interculturelles / Études anglaises et littérature comparée /
Littérature de langue française / Littérature de langues anglaise et française /
English and Creative Writing / English Literature **57**

Archéologie / Études anciennes (grecques et latines) / Études anciennes,
langues modernes et linguistique / Études classiques / Classical Studies / Classics **58**

Communication, rédaction et multimédia / Études françaises, langue et communication /
Langue française et rédaction professionnelle **59**

Espagnol / Études hispaniques / Hispanic Studies / Spanish **60**

Études canadiennes / Études canadiennes-françaises / Études françaises / Études françaises
et linguistique / Études françaises et philosophie / Études françaises et québécoises /
Études nord-américaines / Études québécoises / Français, langue et littérature. **61**

Études littéraires / Études littéraires et culturelles / Études littéraires françaises /
Langue et littérature françaises / Lettres et création littéraire / Littérature comparée /
Littérature comparée et philosophie / Littérature de langue française **62**

Français langue seconde. **63**

Langues modernes / Modern Languages. **64**

Linguistique / Linguistique et langue française / Sciences du langage / Linguistics. **65**

Traduction / Traduction et rédaction / Traduction professionnelle / Translation **66**

Allemand / Études allemandes / Études allemandes et histoire / German Literature and Culture / German Studies

BAC 6 TRIMESTRES

Compétences à acquérir

– Comprendre, lire, parler et écrire l'allemand.
– Connaître la littérature et la culture germanique.
– Traduire ou rédiger des textes.
– Faire de l'interprétation.
– Enseigner l'allemand.

Éléments du programme

– Actualités allemandes
– Cours pratiques de langue allemande
– Étude de textes
– Grammaire avancée
– Littérature contemporaine
– Notions générales de linguistique
– Rédaction
– Société et culture allemandes
– Traduction

Admission (voir p. 21 G)

Concordia : DEC ou l'équivalent.
McGill : DEC ou l'équivalent **OU** avoir une formation équivalant aux cours d'allemand du niveau collégial 101, 201.
Montréal : DEC ou l'équivalent **ET** attester d'une connaissance élémentaire de l'allemand en ayant réussi deux cours de niveau collégial **OU** avoir réussi 24 crédits de cours universitaires autres que des crédits obtenus dans le cadre de cours préparatoires aux études universitaire.

Endroits de formation (voir p. 390)

	Contingentement	Coop	Cote R
Concordia	☐	☐	—
McGill	☐	☐	—
Montréal	☐	☐	—

Professions reliées

C.N.P.
4168 Diplomate
5122 Directeur littéraire
5125 Interprète
4169 Linguiste
4131 Professeur de langues modernes

Endroits de travail

– À son compte
– Établissements d'enseignement
– Firmes de traduction
– Gouvernements
– Maisons d'édition
– Médias d'information
– Organismes internationaux

Salaire

Le salaire hebdomadaire moyen est de 848 $ (janvier 2011).

Remarques

– Pour enseigner au primaire et au secondaire, il faut détenir un permis ou un brevet d'enseignement permanent émis par le ministère de l'Éducation, du Loisir et du Sport.
– L'Université Concordia offre deux concentrations : Literature and Society; Expression and Culture.
– L'Université du Québec à Montréal (UQAM) offre un certificat, un programme court et une concentration de 1er cycle en Allemand.
– L'Université Laval offre un certificat en Langue allemande et deux microprogrammes en Langues modernes : Espagnol de base et Espagnol avancé.

STATISTIQUES D'EMPLOI			
	2007	2009	2011
Nb de personnes diplômées	117	105	103
% en emploi	56,2 %	55,7 %	52,5 %
% à temps plein	75,6 %	70,6 %	78,1 %
% lié à la formation	22,6 %	16,7 %	20 %

Anglais / Anglais, langue et littérature comparée (linguistique) / Études anglaises / Études anglaises et interculturelles / Études anglaises et littérature comparée / Littérature de langue française / Littérature de langues anglaise et française / English and Creative Writing / English Literature

BAC 6 TRIMESTRES   CUISEP 251-200

Compétences à acquérir

– Comprendre, lire, parler et écrire la langue anglaise.
– Connaître la littérature et la culture anglophones.
– Traduire ou rédiger des textes.
– Faire de l'interprétation.
– Enseigner.

Éléments du programme

– Analyse de textes
– Genres littéraires
– Grammaire pratique : le verbe
– Introduction à la linguistique
– Polymécanique du langage
– Rédaction
– Sociolinguistique et analyse du discours
– Traduction

Admission (voir p. 21 G)

Bishop 's : DEC ou l'équivalent.
Concordia : DEC ou l'équivalent et lettre de motivation, soumission de travaux personnels et/ou test d'aptitudes linguistiques en anglais.
Laval : DEC ou l'équivalent et pour les candidats dont la langue maternelle n'est pas l'anglais, réussir le niveau avancé II d'un test d'anglais standardisé. Une cote R minimum de 22 est exigée pour l'admission au programme. *N. B. : Une exception au test d'admission d'anglais est possible pour tout candidat ayant fait ses études primaires et secondaires ou collégiales dans une école anglophone ou ayant suivi une année d'études dans une université de langue anglaise.*
McGill : Test de classement obligatoire.
Montréal : DEC ou l'équivalent **OU** avoir réussi 24 crédits de niveau universitaire autres que des crédits obtenus dans le cadre de cours préparatoires aux études universitaires **ET** tests de connaissance de l'anglais oral et écrit.
Sherbrooke : DEC ou l'équivalent pour les personnes provenant d'un collège de langue anglaise **OU** avoir atteint, en anglais langue seconde, la formation équivalent à un cours de niveau avancé (0008, 0009, ou 000N ou 000P) pour les personnes provenant d'un collège de langue française **OU** réussir le test de classement du Centre de langues avec le niveau ANS500.

Endroits de formation (voir p. 390)

	Contingentement	Coop	Cote R*
Bishop's	☐	☐	—
Concordia	■	☐	28.000
Laval	☐	☐	—
McGill	☐	☐	—
Montréal	☐	☐	—
Sherbrooke	☐	■	—

** Le nombre inscrit indique la **Cote R** qui a été utilisée pour l'admission de l'année 2012 ou 2013 par l'université concernée.*

Professions reliées

C.N.P.
5122	Directeur littéraire
5121	Écrivain
5125	Interprète
4169	Linguiste
5121	Scénariste-dialoguiste

Endroits de travail

– Agences de publicité
– Établissements d'enseignement
– Gouvernements fédéral et provincial
– Grandes entreprises
– Maisons d'édition
– Médias

Salaire

Le salaire hebdomadaire moyen est de 650 $ (janvier 2009).

Remarques

– Pour enseigner au primaire et au secondaire, il faut être titulaire d'un permis ou d'un brevet d'enseignement permanent émis par le ministère de l'Éducation, du Loisir et du Sport.
– Pour porter le titre d'interprète agréé, il faut être membre de l'Ordre professionnel des traducteurs, terminologues et interprètes agréés du Québec.
– L'Université Bishop's offre quatre concentrations : Culturel and Media Studies; Film Studies; Literature; Popular Narrative. Cet établissement offre également un certificat en Anglais langue seconde et un certificat en Cultural and Media Studies.
– L'Université Concordia offre également un baccalauréat en English and History.
– L'Université de Sherbrooke offre un certificat en Histoire du livre et de l'édition.
– L'Université du Québec à Chicoutimi (UQAC) offre un certificat, une mineure et un programme court en Anglais langue seconde.
– L'Université du Québec à Montréal (UQAM) offre un certificat, un programme court et une concentration de 1er cycle en anglais.
– L'Université Laval offre un certificat et un microprogramme de 1er cycle en Études anglaises ainsi qu'un certificat en Langue anglaise.

STATISTIQUES D'EMPLOI			
	2007	2009	2011
Nb de personnes diplômées	154	252	—
% en emploi	53,8 %	54,3 %	—
% à temps plein	69,8 %	90 %	—
% lié à la formation	30 %	36,5 %	—

LETTRES

15584 — Archéologie / Études anciennes (grecques ou latines) / Études anciennes, langues modernes et linguistique / Études classiques / Classical Studies / Classics

BAC 6 TRIMESTRES

CUISEP 251/252-000

Compétences à acquérir

– Développer un esprit critique et analytique par rapport aux civilisations grecque et latine (histoire, évolution, réalisations artistiques, etc.).
– Posséder une bonne connaissance de la langue grecque ancienne ou latine.
– Connaître l'histoire des littératures grecque et latine, la géographie méditerranéenne.
– Connaître et utiliser les outils utiles à l'étude de l'antiquité grecque ou romaine.
– Appliquer une méthode de recherche en bibliothèque.
– Élaborer et rédiger des travaux.

Éléments du programme

– Archéologie hellénistique et romaine
– Crise agraire et révolution à Rome
– Histoire de la Grèce ancienne
– Initiation au grec ancien
– Initiation au latin
– Littérature et mythologie grecques
– Magistratures romaines

Admission (voir p. 21 G)

DEC ou l'équivalent.
OU
Montréal : DEC ou l'équivalent **OU** avoir réussi 24 crédits de niveau universitaire autres que des crédits obtenus dans le cadre de cours préparatoires aux études universitaires.

Endroits de formation (voir p. 390)

	Contingentement	Coop	Cote R
Bishop's	☐	☐	—
Concordia	☐	☐	—
Laval	☐	☐	—
McGill	☐	☐	—
Montréal	☐	☐	—

Professions reliées

C.N.P.
4169 Archéologue
4169 Ethnologue
4169 Historien

Endroits de travail

– À son compte
– Établissements d'enseignement
– Gouvernements fédéral et provincial
– Musées

Salaire

Le salaire hebdomadaire moyen est de 576 $ (janvier 2011).

Remarques

– Différentes options sont offertes selon les établissements : Études anciennes; Études classiques; Philologie; etc.
– Des études de 2e ou 3e cycle peuvent être exigées pour travailler dans le domaine de la recherche scientifique.
– L'Université Concordia offre des mineures en Classical Archeology; Classical Civilization; Classical Languages and Literature.
– L'Université du Québec à Chicoutimi (UQAC) offre un certificat et une mineure en Archéologie.
– L'Université du Québec à Montréal (UQAM) offre une concentration de 1er cycle en Études anciennes ainsi qu'un certificat, un programme court et une concentration de 1er cycle en Allemand, en Anglais et en Espagnol. Cet établissement offre également un certificat en Langue et culture arabes et en Langues et cultures d'Asie.
– L'Université Laval offre également un certificat en Études classiques et en archéologie.

STATISTIQUES D'EMPLOI	2007	2009	2011
Nb de personnes diplômées	42	46	45
% en emploi	37,5 %	48,5 %	46,7 %
% à temps plein	77,8 %	75 %	78,6 %
% lié à la formation	42,9 %	33,3 %	27,3 %

LETTRES

Communication, rédaction et multimédia / Études françaises, langue et communication / Langue française et rédaction professionnelle

BAC 6 TRIMESTRES   CUISEP 511-000

Compétences à acquérir

- Concevoir et gérer des projets dans les domaines de la langue et des communications.
- Maîtriser la langue, l'écriture et les divers types de rédaction professionnelle et s'initier à diverses pratiques langagières (audio, visuelle, etc.).
- Se familiariser avec le contexte de communication dans ses dimensions sociale, institutionnelle, politique et éthique.
- Développer une attitude critique par l'étude des principaux modèles théoriques et l'analyse de discours spécialisés.
- Exploiter les ressources informatiques dans une perspective de traitement, de mise en forme et de diffusion de l'information.

Éléments du programme

- Communication informatique et multimédia
- Documentation et multimédia
- Enjeux sociaux du multimédia
- Internet et multimédia
- Plans de communication
- Rédaction
- Rédaction technique et promotionnelle
- Révision de textes

Admission (voir p. 21 G)

DEC ou l'équivalent.

Endroits de formation (voir p. 390)

	Contingentement	Coop	Cote R*
Laval	☐	☐	—
Sherbrooke	■	■	25.200
UQTR	☐	☐	—

** Le nombre inscrit indique la **Cote R** qui a été utilisée pour l'**admission de l'année 2012 ou 2013** par l'université concernée.*

Professions reliées

C.N.P.
5124	Agent d'information
5124	Agent de communication
5121	Rédacteur en multimédia
5121	Rédacteur technique
5124	Relationniste
5122	Réviseur

Endroits de travail

- À son compte
- Agences de publicité
- Gouvernements fédéral et provincial
- Grandes entreprises
- Industrie du multimédia
- Maisons d'édition
- Médias

Salaire

Le salaire hebdomadaire moyen est de 730 $ (janvier 2011).

Remarques

- L'Université de Sherbrooke offre également un cheminement intégré BAC – Maîtrise en Communication marketing.
- L'Université du Québec à Chicoutimi (UQAC) offre un certificat et une mineure en Rédaction-communications.
- L'Université du Québec à Montréal (UQAM) offre un certificat en Composition et rédaction françaises.
- L'Université du Québec à Trois-Rivières (UQTR) offre un certificat en Communication écrite.
- L'Université du Québec en Outaouais (UQO) offre une majeure et une mineure en Rédaction professionnelle.
- L'Université Laval offre également un certificat en Rédaction professionnelle.

STATISTIQUES D'EMPLOI	2007	2009	2011
Nb de personnes diplômées	399	—	365
% en emploi	49,8 %	—	47,5 %
% à temps plein	80,3 %	—	76,6 %
% lié à la formation	61,3 %	—	64,2 %

LETTRES

Espagnol / Études hispaniques / Hispanic Studies / Spanish

BAC 6 TRIMESTRES   **CUISEP 251-200**

Compétences à acquérir

– Comprendre la langue espagnole (parlée et écrite).
– S'exprimer en langue espagnole (oralement et par écrit).
– Connaître la réalité hispanique à travers la littérature et la civilisation.
– Traduire ou rédiger des textes.
– Faire de l'interprétation.
– Enseigner l'espagnol.

Éléments du programme

– Cinéma et littérature hispaniques
– Civilisation espagnole
– Civilisation hispano-américaine
– Composition espagnole
– Cours pratiques d'espagnol
– Grammaire avancée
– Stylistique hispanique

Admission (voir p. 21 G)

Bishop's, Concordia : DEC ou l'équivalent.
Laval : DEC et test d'équivalence (compétences en espagnol de niveau intermédiaire II).
McGill : DEC ou l'équivalent **OU** avoir réussi 24 crédits de cours universitaires autres que des crédits obtenus dans le cadre de cours préparatoires aux études universitaires **ET** avoir une formation équivalant aux cours de niveau collégial en espagnol 101 et 201.
Montréal : DEC ou l'équivalent et avoir une formation équivalant aux cours de niveau collégial en espagnol 101 et 201.

Endroits de formation (voir p. 390)

	Contingentement	Coop	Cote R
Bishop's	☐	☐	—
Concordia	☐	☐	—
Laval	☐	☐	—
McGill	☐	☐	—
Montréal	☐	☐	—

Professions reliées

C.N.P.
5122   Directeur littéraire
5125   Interprète
4131   Professeur de langues modernes
5125   Traducteur

Endroits de travail

– Agences de publicité
– Établissements d'enseignement
– Gouvernements fédéral et provincial
– Industrie touristique
– Maisons d'édition
– Médias

Salaire

Le salaire hebdomadaire moyen est de 848 $ (janvier 2011).

Remarques

– Pour porter le titre de traducteur ou d'interprète agréé, il faut être membre de l'Ordre professionnel des traducteurs, terminologues et interprètes agréés du Québec.
– L'Université Bishop's offre un certificat en Études hispaniques.
– L'Université de Montréal offre une mineure en Études latino-américaines.
– L'Université du Québec à Chicoutimi (UQAC) offre un certificat, une mineure et un programme court de premier cycle en Langue espagnole.
– L'Université du Québec à Montréal (UQAM) offre un certificat, un programme court et une concentration de 1er cycle en Espagnol.
– L'Université Laval offre un certificat en Langue espagnole.

STATISTIQUES D'EMPLOI	2007	2009	2011
Nb de personnes diplômées	117	—	103
% en emploi	56,2 %	—	52,5 %
% à temps plein	75,6 %	—	78,1 %
% lié à la formation	22,6 %	—	20 %

LETTRES

15590

Études canadiennes / Études canadiennes-françaises / Études françaises / Études françaises et linguistique / Études françaises et philosophie / Études françaises et québécoises / Études nord-américaines / Études québécoises / Français, langue et littérature

BAC 6-9 TRIMESTRES   **CUISEP 251-000**

Compétences à acquérir

- Maîtriser la langue française.
- Développer des habiletés en recherche, en création et en communication.
- Analyser des textes.
- Suivre l'évolution des genres et des formes de lecture et d'écriture.
- Produire des écrits.
- Réviser ou réécrire des textes issus de traductions.

Éléments du programme

- Création littéraire
- Étude de textes
- Genres littéraires
- Histoire de la langue française
- Langage dramatique
- Psychocritique
- Sémantique
- Stylistique

Admission (voir p. 21 G)

DEC ou l'équivalent.
OU
Concordia : DEC et l'équivalent de deux cours de niveau collégial dans la langue qui sera étudiée.
Montréal : DEC ou l'équivalent **OU** avoir voir réussi 24 crédits de cours universitaires autres que des crédits obtenus dans le cadre de cours préparatoires aux études universitaires.

Endroits de formation (voir p. 390)

	Contingentement	Coop	Cote R
Bishop's	☐	☐	—
Concordia	☐	☐	—
McGill	☐	☐	—
Montréal	☐	☐	—
UQTR	☐	☐	—

Professions reliées

C.N.P.
5122	Directeur littéraire
5121	Écrivain
5121	Lexicographe
5122	Réviseur
5121	Scénariste-dialoguiste

Endroits de travail

- Établissements d'enseignement
- Gouvernements fédéral et provincial
- Maisons d'édition
- Office de la langue française

Salaire

Le salaire hebdomadaire moyen est de 730 $ (janvier 2011).

Remarques

- L'Université Concordia offre le baccalauréat avec une majeure en Canadian Irish Studies.
- L'Université du Québec à Montréal (UQAM) offre une concentration de 1er cycle en Études québécoises.
- L'Université Laval offre des certificats en Ethnologie du Québec et en Francophonie nord-américaine.

LETTRES

STATISTIQUES D'EMPLOI	2007	2009	2011
Nb de personnes diplômées	54	—	365
% en emploi	45,5 %	—	47,5 %
% à temps plein	73,3 %	—	76,6 %
% lié à la formation	61,3 %	—	64,2 %

15590 / 15583 — Études littéraires / Études littéraires et culturelles / Études littéraires françaises / Langue et littérature françaises / Lettres et création littéraire / Littérature comparée / Littérature comparée et philosophie / Littérature de langue française

BAC 6 TRIMESTRES   CUISEP 251-400

Compétences à acquérir

– Étudier des œuvres littéraires afin d'y poser un regard critique.
– Écrire des nouvelles, des contes, de la poésie, etc.
– Analyser et interpréter des textes.
– Produire des études claires, rigoureuses et bien documentées sur des sujets littéraires.
– Utiliser les diverses méthodes d'étude littéraire.
– Maîtriser l'expression orale et écrite en français.

Éléments du programme

– Corpus étranger
– Corpus français
– Création littéraire
– Linguistique
– Littérature et langage
– Littérature populaire et culture
– Rhétorique
– Sémiologie

Admission (voir p. 21 G)

DEC ou l'équivalent.
OU
Concordia : DEC ou l'équivalent et deux cours du cégep ou l'équivalent dans la langue qui sera étudiée.
Montréal : DEC ou l'équivalent **OU** avoir réussi 24 crédits de cours universitaires autres que des crédits obtenus dans le cadre préparatoire aux études universitaires.
UQAC, UQAM : DEC ou l'équivalent **ET** réussite d'un test de français.

Endroits de formation (voir p. 390)

	Contingentement	Coop	Cote R
Concordia	☐	☐	—
Laval	☐	☐	—
McGill	☐	☐	—
Montréal	☐	☐	—
Sherbrooke	■	☐	—
UQAC	☐	☐	—
UQAM	☐	☐	—
UQAR	☐	☐	—
UQTR	☐	☐	—

Professions reliées

C.N.P.
5123   Critique littéraire
5122   Directeur littéraire
5121   Écrivain
0016   Éditeur
4169   Philosophe
4121   Professeur de littérature
5121   Scénariste-dialoguiste

Endroits de travail

– À son compte
– Maisons d'édition
– Maisons de productions cinématographiques
– Médias d'information

Salaire

Le salaire hebdomadaire moyen est de 730 $ (janvier 2011).

Remarques

– L'Université du Québec à Chicoutimi (UQAC) offre quatre profils : Création; Enseignement collégial; International; Recherche. Elle offre un baccalauréat avec majeure en Études littéraires françaises ainsi qu'un certificat et une mineure en Création littéraire.
– L'Université du Québec à Montréal (UQAM) offre quatre profils : Création; Études québécoises; Perspectives critiques; Pratiques littéraires et culturelles.
– L'Université du Québec à Rimouski (UQAR) offre une majeure et une mineure en Études littéraires.
– L'Université Laval offre des certificats en Création littéraire, en Littérature française, en Littérature québécoise et sur les Œuvres marquantes de la culture occidentale.

STATISTIQUES D'EMPLOI	2007	2009	2011
Nb de personnes diplômées	399	388	365
% en emploi	49,8 %	47,2 %	47,5 %
% à temps plein	80,3 %	74,3 %	76,6 %
% lié à la formation	61,3 %	70,3 %	64,2 %

Compétences à acquérir

– Acquérir une connaissance théorique et pratique de la langue française.
– Acquérir et approfondir des connaissances en culture et civilisation françaises.
– Acquérir et approfondir des connaissances en culture et civilisation québécoises.

Éléments du programme

– Civilisation française
– Communication orale
– Grammaire pratique
– Phonétique pratique
– Textes littéraires

Admission (voir p. 21 G)

DEC délivré par un collège anglophone du Québec ou l'équivalent avec une concentration en français (Français 601 ou 602 pour un candidat provenant d'un collège du Québec) ou des sessions intensives en français **ET** réussir le test de classement obligatoire pour les candidats admis et faire la preuve d'avoir atteint des compétences de niveau avancé.

Endroit de formation (voir p. 310)

	Contingentement	Coop	Cote R
Laval	☐	☐	—

Profession reliée

C.N.P.
5125   Traducteur

Endroits de travail

– À son compte
– Gouvernements fédéral et provincial
– Grandes entreprises

Salaire

Le salaire hebdomadaire moyen est de 865 $ (janvier 2007).

Remarques

– L'Université Bishop's offre une majeure et une mineure en Français langue seconde.
– L'Université du Québec à Montréal (UQAM) offre un certificat en Français écrit pour non-francophones.
– L'Université Laval offre un certificat en Français langue seconde ainsi que des certificats de base et intermédiaire-avancé en Français langue étrangère ou seconde ainsi que trois microprogrammes en Français langue seconde : Grammaire française, Langue française orale et Rédaction française et cinq microprogrammes en Français langue étrangère : de base, débutant, intermédiaire, intermédiaire avancé et Langue et cultures.

LETTRES

STATISTIQUES D'EMPLOI			
	2007	2009	2011
Nb de personnes diplômées	7	—	—
% en emploi	50 %	—	—
% à temps plein	100 %	—	—
% lié à la formation	100 %	—	—

Compétences à acquérir

– Comprendre, lire, parler et écrire une langue étrangère (russe, italien, espagnol, japonais, etc.).
– Connaître l'histoire des civilisations (russe, italienne).
– Traduire ou rédiger des textes.
– Faire de l'interprétation.
– Enseigner la langue étudiée.

Éléments du programme

– Composition
– Espagnol, anglais, italien, allemand, russe, etc. (selon les établissements et les options)
– Grammaire
– Linguistique
– Littérature

Admission (voir p. 21 G)

DEC ou l'équivalent.
OU
Concordia : DEC ou l'équivalent et deux cours du cégep ou l'équivalent dans la langue qui sera étudiée.
Montréal : Avoir réussi 24 crédits de cours universitaires autres que des crédits obtenus dans le cadre de cours préparatoires aux études universitaires et avoir complété la formation équivalant à deux cours de niveau collégial dans la langue qui sera étudiée. *N. B. : Si cette formation n'a pu être assurée dans un collège, l'Université peut y suppléer.*
UQAC : Pour l'étudiant issu d'un collège francophone : DEC ou l'équivalent ou avoir un niveau de formation équivalent. **Pour l'étudiant issu d'un collège anglophone :** DEC ou l'équivalent. *N. B. : Lorsque le dossier n'en fait pas mention, les connaissances et l'expérience pourront être évaluées lors d'une entrevue.*

Endroits de formation (voir p. 390)

	Contingentement	Coop	Cote R
Bishop's	☐	☐	—
Concordia	☐	☐	—
McGill	☐	☐	—
Montréal	☐	☐	—
UQAC	☐	☐	—

Professions reliées

C.N.P.
4168   Diplomate
5122   Directeur littéraire
5125   Interprète
4131   Professeur de langues modernes
5125   Traducteur

Endroits de travail

– À son compte
– Agences de publicité
– Établissements d'enseignement
– Gouvernements fédéral et provincial
– Grandes entreprises
– Maisons d'édition
– Médias d'information
– Office de la langue française

Salaire

Le salaire hebdomadaire moyen est de 848 $ (janvier 2011).

Remarques

– Pour enseigner au primaire et au secondaire, il faut être titulaire d'un permis ou d'un brevet d'enseignement permanent émis par le ministère de l'Éducation, du Loisir et du Sport.
– Pour porter le titre de traducteur ou d'interprète, il faut être membre de l'Ordre des traducteurs, terminologues et interprètes agréés du Québec.
– L'Université Bishop's offre un certificat en Langues modernes.
– L'Université Concordia offre des certificats et des mineures en Arabic Language, Chinese Language (mandarin) and Culture ainsi qu'un baccalauréat et une mineure en Italian.
– L'Université du Québec à Chicoutimi (UQAC) offre un certificat et une mineure en Anglais langue seconde ainsi qu'un certificat et une mineure en Espagnol.
– L'Université du Québec à Montréal (UQAM) offre des certificats et des cours à la carte en Allemand, Anglais, Arabe, Chinois, Espagnol, Français pour non francophones, Italien, Japonais, Portugais brésilien et Russe.
– L'Université Laval offre un certificat en Études russes. Cet établissement offre également un baccalauréat intégré en Études internationales et langues modernes ainsi que dix microprogrammes en Langues modernes : Allemand ; Anglais ; Arabe ; Chinois ; Espagnol avancé ; Espagnol de base ; Italien ; Japonais ; Portugais ; Russe.

STATISTIQUES D'EMPLOI	2007	2009	2011
Nb de personnes diplômées	117	—	103
% en emploi	56,2 %	—	52,5 %
% à temps plein	75,6 %	—	78,1 %
% lié à la formation	22,6 %	—	20 %

LETTRES

Linguistique / Linguistique et langue française / Sciences du langage / Linguistics

BAC 6 TRIMESTRES   CUISEP 253-000

Compétences à acquérir

– Étudier l'origine, la structure et l'évolution des langues.
– Étudier divers aspects de l'acquisition et de l'apprentissage des langues, du fonctionnement des langues (phonologie, morphologie, sémantique et syntaxe et du langage humain).
– Appliquer des théories linguistiques à l'enseignement, à la traduction et à la communication en général.
– Analyser et décrire les langues anciennes et modernes.
– Analyser et interpréter des caractéristiques linguistiques en tenant compte des régions, des niveaux de langue et des époques.

Éléments du programme

– Analyse de textes
– Grammaire générative
– Linguistique
– Morphologie et syntaxe
– Phonologie
– Psycholinguistique et neurolinguistique
– Sémantique et paradigmatique

Admission (voir p. 21 G)

DEC ou l'équivalent.
OU
Montréal : Avoir réussi 24 crédits de cours universitaires autres que des crédits obtenus dans le cadre de cours préparatoires aux études universitaires.
Laval : Pour les candidats issus d'un collège anglophone, être titulaire d'un DEC comprenant un cours de français de la série 900 ou l'équivalent.

Endroits de formation (voir p. 390)

	Contingentement	Coop	Cote R
Concordia	☐	☐	—
Laval	☐	☐	—
McGill	☐	☐	—
Montréal	☐	☐	—
UQAC	☐	☐	—
UQAM	☐	☐	—

Professions reliées

C.N.P.
5121   Lexicographe
4169   Linguiste
4169   Philologue
5122   Réviseur
5125   Terminologue

Endroits de travail

– À son compte
– Établissements d'enseignement
– Gouvernements fédéral et provincial
– Maisons d'édition

Salaire

Le salaire hebdomadaire moyen est de 594 $ (janvier 2011).

Remarques

– Pour enseigner au primaire et au secondaire, il faut être titulaire d'un permis ou d'un brevet d'enseignement permanent émis par le ministère de l'Éducation, du Loisir et du Sport.
– Pour porter le titre de terminologue, il faut être membre de l'Ordre professionnel des traducteurs, terminologues et interprètes agréés du Québec.
– L'Université de Montréal offre également la majeure et la mineure en Linguistique.
– L'Université du Québec à Chicoutimi (UQAC) offre le baccalauréat en Linguistique et langue française.
– L'Université du Québec à Montréal (UQAM) offre trois profils en Linguistique : Linguistique appliquée à l'acquisition du français langue seconde ; Linguistique générale ; Rédaction et révision de textes. Cet établissement offre également une majeure et une mineure en Linguistique, ainsi qu'un programme court et une concentration de 1er cycle en Linguistique appliquée à l'étude de la grammaire.
– L'Université Laval offre un certificat en Linguistique.

LETTRES

STATISTIQUES D'EMPLOI	2007	2009	2011
Nb de personnes diplômées	79	75	80
% en emploi	36,7 %	44,4 %	44 %
% à temps plein	83,3 %	80 %	77,3 %
% lié à la formation	46,7 %	50 %	29,4 %

15571 | **Traduction / Traduction et rédaction / Traduction professionnelle / Translation**

BAC 6 TRIMESTRES | CUISEP 253-000

Compétences à acquérir

– Maîtriser les principales règles des grammaires française et anglaise tout en distinguant les particularités propres à chacun des deux systèmes linguistiques.
– Connaître le métalangage utilisé en traduction professionnelle.
– Analyser les textes à traduire pour identifier les problèmes de traduction de divers ordres et les solutions à leur apporter.
– Effectuer la recherche terminologique dans les sources physiques et virtuelles et consigner les résultat pour utilisation ultérieure en traduction spécialisée ou en terminographie.
– Acquérir les concepts clés de certains domaines de spécialité (administration, économie, commerce, médecine, droit et technologies) en prévision de leur application à la traduction spécialisée.
– Traduire des textes généraux de l'anglais vers le français, de l'espagnol vers le français et vice-versa.
– Traduire des textes semi-spécialisés et spécialisés dans les principaux domaines de spécialité.
– Utiliser les principaux logiciels et outils informatiques d'aide à la traduction et à la gestion de projets de traduction.
– Utiliser les outils de travail collaboratifs virtuels pour travailler en équipe avec d'autre collègues.

Éléments du programme

– Champs disciplinaires en traduction spécialisée (technologies, affaires, etc.)
– Grammaire et rédaction française, grammaire anglaise et troisième langue
– Langues de travail
– Nouvelles technologies et pratique traductionnelle en mode autonome ou collaboratif
– Traduction dans une troisième langue
– Traduction générale et spécialisée

Admission (voir p. 21 G)

DEC ou l'équivalent.
OU
Concordia : DEC et l'équivalent de deux cours de niveau collégial ou l'équivalent dans la langue qui sera étudiée; lettre de motivation et, au besoin, test de placement. *N. B. : Une cote R de 25 est exigée pour le régime coopératif.*
Laval : DEC ou l'équivalent et test d'aptitude obligatoire à l'admission pour vérifier la compréhension de l'anglais et les aptitudes de rédaction en français et la logique verbale.

Montréal : DEC ou l'équivalent et réussir un test d'anglais et de français oral et écrit **OU** avoir réussi 24 crédits de cours universitaires autres que des crédits obtenus dans le cadre de cours préparatoires aux études universitaires et réussir un test d'anglais et de français oral et écrit.
Sherbrooke : DEC ou l'équivalent pour les personnes provenant d'un collège de langue anglaise **OU** avoir atteint, en anglais langue seconde, la formation équivalant à un cours de niveau avancé (0008, 0009 ou 000N, 000P ou 01P4) pour les personnes provenant d'un collège de langue française **OU** réussir le test de classement du Centre de langues avec le niveau ANS500.
UQO : Diplôme d'un cégep francophone : DEC et un cours d'anglais avancé de niveau collégial de la série 600 **OU** posséder un degré équivalent de formation. Diplôme d'un cégep anglophone : DEC et un cours de français avancé de niveau collégial de la série 600 ou posséder un degré équivalent de formation **ET** examen d'admission évaluant le niveau d'anglais et de français du candidat.
UQTR : Diplôme d'un cégep francophone : DEC et un cours d'anglais avancé de niveau collégial de la série 600 ou avoir une formation jugée équivalente. Diplôme d'un cégep anglophone : DEC et un cours de français avancé de niveau collégial de la série 600 ou posséder un degré de formation jugé équivalent. *N. B. : Tous les cours sont offerts exclusivement en ligne.*

Endroits de formation (voir p. 390)

	Contingentement	Coop	Cote R*
Concordia	■	■	—
Laval	□	□	—
McGill	□	□	—
Montréal	■	■	21.594
Sherbrooke	■	■	21.700
UQO	□	□	—
UQTR	□	□	—

** Le nombre inscrit indique la **Cote R** qui a été utilisée pour l'**admission de l'année 2012 ou 2013** par l'université concernée.*

Professions reliées

C.N.P.
5125 Interprète
5125 Terminologue
5125 Traducteur

Endroits de travail

Données non disponibles.

LETTRES

Salaire

Le salaire hebdomadaire moyen est de 852 $ (janvier 2011).

Remarques

– Pour porter le titre de traducteur, de terminologue ou d'interprète agréé, il faut être membre de l'Ordre professionnel des traducteurs, terminologues et interprètes agréés du Québec.
– L'Université du Québec à Trois-Rivières (UQTR) offre tous les cours du baccalauréat exclusivement en ligne.
– L'Université du Québec en Outaouais (UQO) offre une majeure, une mineure et un certificat en Initiation à la traduction professionnelle ainsi qu'un certificat en Initiation à la rédaction professionnelle.
– L'Université Laval vise à former des traducteurs francophones qui traduiront surtout de l'anglais au français.

LETTRES

STATISTIQUES D'EMPLOI	2007	2009	2011
Nb de personnes diplômées	223	264	261
% en emploi	87,1 %	89,6 %	88,5 %
% à temps plein	89,6 %	90,3 %	87 %
% lié à la formation	79,6 %	82,1 %	77,1 %

DOMAINE D'ÉTUDES

SCIENCES APPLIQUÉES

Disciplines

	PAGE
Agriculture, foresterie et géomatique	68
Architecture, urbanisme et design	76
Génie	83
Informatique	107

AGRICULTURE, FORESTERIE ET GÉOMATIQUE

PROGRAMMES D'ÉTUDES	PAGE
Agronomie – Productions animales / Agronomie – Productions végétales / Agronomie – Sols et environnement / Agronomie générale / Agricultural Science	69
Aménagement et environnement forestiers (Génie forestier)	70
Génie agroenvironnemental (Génie rural) / Bioresource Engineering	71
Génie alimentaire	72
Génie géomatique / Géomatique appliquée à l'environnement / Sciences géomatiques	73
Opérations forestières (Génie forestier)	74
Sciences et technologie des aliments / Food Science	75

Agronomie – Productions animales / Agronomie – Productions végétales / Agronomie – Sols et environnement / Agronomie générale / Agricultural Science

BAC 8 TRIMESTRES   CUISEP 311-100

Compétences à acquérir

- Assurer une saine gestion et utilisation des ressources vouées à la production agricole et alimentaire.
- Assurer la vulgarisation des sciences agronomiques.
- Résoudre des problèmes agricoles par l'application des sciences biologiques.
- Améliorer la productivité des sols, des plantes et des animaux.
- Veiller à la protection et à la conservation des ressources biologiques ou biophysiques agricoles.

Éléments du programme

- Anatomie et physiologie animales
- Comptabilité des entreprises
- Fertilisation des sols
- Genèse et classification des sols
- Génétique
- Nutrition animale
- Physiologie végétale
- Sciences du sol

Admission (voir p. 21 G)

Laval : DEC en Sciences de la nature **OU** tout autre DEC et Mathématiques NYA (ou 103-RE); Physique NYA (ou 101); Chimie NYA, NYB (ou 101, 201); Biologie NYA (ou 301). La réussite du cours de Chimie organique est recommandée pour bien réussir le programme. *N.B.: Pour connaître les passerelles entre un DEC technique et ce programme, contacter la Faculté des sciences de l'agriculture et de l'alimentation.*

McGill : DEC ou l'équivalent et Mathématiques NYA, NYB (00UN, 00UP); Physique NYA, NYB, NYC (00UR, 00US, 00UT); Chimie NYA, NYB (00UL, 00UM); Biologie NYA (00UK).

Endroits de formation (voir p. 390)

	Contingentement	Coop	Cote R*
Laval	☐	☐	—
McGill	☐	☐	24.000

** Le nombre inscrit indique la **Cote R** qui a été utilisée pour l'**admission de l'année 2012 ou 2013** par l'université concernée.*

Professions reliées

C.N.P.
2123	Agronome
2123	Agronome-dépisteur
2123	Agronome des services de vulgarisation
2123	Agronome en agriculture biologique
2123	Agronome en production animale
2123	Agronome en production végétale
2115	Agronome pédologue
2121	Bactériologiste des sols
2121	Entomologiste
2123	Malherbologiste
2121	Phytobiologiste
2121	Zoologiste

Endroits de travail

- Bureaux d'experts-conseils en gestion agricole
- Coopératives agricoles
- Entreprises agricoles
- Gouvernements fédéral et provincial
- Organismes internationaux

Salaire

Le salaire hebdomadaire moyen est de 748 $ (janvier 2011).

Remarques

- Pour exercer la profession et porter le titre d'agronome, il faut être membre de l'Ordre des agronomes du Québec.
- Des études de 2e cycle sont nécessaires pour exercer les professions suivantes : agronome pédologue, bactériologiste des sols, entomologiste, malherbologiste, phytopathologiste.
- L'Université Laval offre quatre choix de programme en Agronomie : Agronomie générale; Productions animales; Productions végétales; Sols et environnement. Cet établissement offre également un certificat en Horticulture et gestion des espaces verts, un certificat en Productions animales et un microprogramme en Agriculture biologique.

SCIENCES APPLIQUÉES

STATISTIQUES D'EMPLOI	2007	2009	2011
Nb de personnes diplômées	131	133	79
% en emploi	53,3 %	70,5 %	65,6 %
% à temps plein	97,9 %	97 %	97,6 %
% lié à la formation	91,5 %	92,3 %	90,2 %

BAC 8 TRIMESTRES   CUISEP 315-100

Compétences à acquérir

– Assurer l'aménagement et la protection des forêts.
– Assurer le renouvellement naturel ou artificiel de la forêt.
– Veiller à la protection de l'environnement et des habitats fauniques.
– Effectuer des études d'impact de différents projets sur les écosystèmes.
– Aménager de façon intégrée les différentes ressources forestières.
– Planifier les interventions forestières.

Éléments du programme

– Aménagement forestier
– Dendrométrie
– Écologie forestière
– Évaluation forestière
– Gestion de projets forestiers
– Stages pratiques rémunérés et crédités
– Sylviculture
– Systématique et dendrologie

Admission (voir p. 21 G)

DEC en Sciences de la nature **OU** DEC en techniques biologiques ou en technologies alimentaires (série 100) et avoir réussi les cours suivants : Mathématiques NYA, NYB, NYC (ou 103-77, 105-77, 203-77 ou 00UN, 00UP 00UQ ou 103-RE, 105-RE, 203-RE ou 022X, 022Y, 022Z); Physique NYA (ou 101 ou 00UR); Chimie NYA (ou 101 ou 00UL) **OU** tout autre DEC et Mathématiques NYA, NYB, NYC (103, 105, 203 ou 00UN, 00UP 00UQ ou 103-RE, 105-RE, 203-RE ou 022X, 022Y, 022Z); Physique NYA, NYB, NYC (101, 201, 301 ou 00UR, 00US, 00UT); Chimie NYA, NYB (101, 201 ou 00UL, 00UM); Biologie NYA (301 ou 00UK). *N. B.: Les titulaires d'un DEC technique sont invités à s'informer s'ils peuvent être admis sur la base d'ententes DEC-BAC ou s'ils peuvent bénéficier de passerelles en consultant le site www.dectechniques.ulaval.ca.*

Endroit de formation (voir p. 310)

	Contingentement	Coop	Cote R
Laval	☐	☐	—

Professions reliées

C.N.P.
2122   Ingénieur forestier
2122   Sylviculteur

Endroits de travail

– Bureaux d'ingénieurs forestiers
– Centres de recherche forestière
– Consultants forestiers
– Entrepreneurs forestiers
– Entreprises de transformation du bois
– Firmes d'exploitation forestière
– Gouvernements fédéral et provincial
– Municipalités
– Organismes de forêt privée

Salaire

Le salaire hebdomadaire moyen est de 898 $ (janvier 2011).

Remarques

– Pour exercer la profession et porter le titre d'ingénieur forestier, il faut être membre de l'Ordre des ingénieurs forestiers du Québec.
– L'Ordre des ingénieurs forestiers du Québec requiert de compléter une période de formation pratique de 32 semaines sous la surveillance d'un membre de l'Ordre.

SCIENCES APPLIQUÉES

STATISTIQUES D'EMPLOI	2007	2009	2011
Nb de personnes diplômées	62	70	44
% en emploi	69,8 %	61 %	61,8 %
% à temps plein	96,7 %	97,2 %	95,2 %
% lié à la formation	93,1 %	85,7 %	90 %

Compétences à acquérir

– Résoudre divers problèmes liés à l'exploitation agricole et à l'industrie alimentaire.
– Concevoir et superviser la fabrication de bâtiments, de machines et d'outils agricoles, de machines destinées à la mécanisation des travaux et des procédés de manutention.
– Concevoir des systèmes pour le traitement, la conservation et la transformation des produits agricoles et alimentaires ainsi que des systèmes de drainage, d'irrigation et d'utilisation de l'énergie.

Éléments du programme

– Chimie des aliments
– Concepts de génie agroalimentaire
– Hydrologie agricole
– Manutention et séchage
– Mathématiques
– Systèmes environnementaux

Admission (voir p. 21 G)

Laval : DEC en Sciences de la nature **OU** tout autre DEC et Mathématiques NYA, NYB, NYC (ou 103-77, 105-77, 203-77); Physique NYA, NYB, NYC (ou 101, 201, 301); Chimie NYA, NYB (ou 101, 201); Biologie NYA (ou 301). *N. B.: Pour connaître les passerelles entre un DEC technique et ce programme, contacter la Faculté des sciences de l'agriculture et de l'alimentation.*
McGill : DEC ou l'équivalent et Mathématiques NYA, NYB, NYC (00UN, 00UP, 00UQ); Physique NYA, NYB, NYC (00UR, 00US, 00UT); Chimie NYA, NYB (00UL, 00UM); Biologie NYA (00UK).

Endroits de formation (voir p. 390)

	Contingentement	Coop	Cote R*
Laval	☐	☐	—
McGill	☐	☐	25.000

** Le nombre inscrit indique la **Cote R** qui a été utilisée pour l'**admission de l'année 2012 ou 2013** par l'université concernée.*

Professions reliées

C.N.P.
2123   Agronome
2123   Agronome des services de vulgarisation
4163   Expert-conseil en commercialisation
2148   Ingénieur agricole
2148   Ingénieur en système aquicole
2148   Ingénieur spécialiste de l'installation des systèmes (industrie agroalimentaire)
2148   Ingénieur spécialiste de la qualité des procédés (industrie agroalimentaire)
2222   Inspecteur en environnement agricole

Endroits de travail

– Entreprises agricoles
– Entreprises de fabrication de matériel agricole
– Entreprises en construction
– Firmes d'experts-conseils
– Gouvernements fédéral et provincial
– Industrie agroalimentaire
– Municipalités

Salaire

Le salaire hebdomadaire moyen est de 733 $ (janvier 2009).

Remarques

– Pour exercer la profession et porter le titre d'agronome, il faut être membre de l'Ordre des agronomes du Québec.
– Pour exercer la profession et porter le titre d'ingénieur, il faut être membre de l'Ordre des ingénieurs du Québec.

SCIENCES APPLIQUÉES

STATISTIQUES D'EMPLOI			
	2007	**2009**	**2011**
Nb de personnes diplômées	16	12	6
% en emploi	70 %	50 %	50 %
% à temps plein	100 %	100 %	100 %
% lié à la formation	87,5 %	60 %	100 %

Compétences à acquérir

- Appliquer les principes et les concepts du génie alimentaire à la manutention, à la fabrication, au traitement, à la transformation et à la distribution des aliments.
- Connaître les divers systèmes et procédures de la chaîne alimentaire, du producteur agricole jusqu'au consommateur.
- Concevoir des procédés et des équipements alimentaires.
- Établir un système de contrôle de la qualité.
- Se familiariser avec l'évaluation et l'installation de systèmes.

Éléments du programme

- Analyse économique en ingénierie
- Biochimie structurale
- Chimie des aliments
- Concepts de génie alimentaire
- Dynamique et contrôle des procédés
- Mathématiques

Admission (voir p. 21 G)

DEC en Sciences de la nature **OU** tout autre DEC et Mathématiques NYA, NYB, NYC (103-77, 105-77, 203-77); Physique NYA, NYB, NYC (101, 201, 301); Chimie NYA, NYB (101, 201); Biologie NYA (301). *N. B.: Pour connaître les passerelles entre un DEC technique et ce programme, contacter la Faculté des sciences de l'agriculture et de l'alimentation.*

Endroit de formation (voir p. 310)

	Contingentement	Coop	Cote R
Laval	☐	☐	—

Professions reliées

C.N.P.
2148	Ingénieur alimentaire (représentation technique et vente)
2134	Ingénieur chimiste de la production
2148	Ingénieur-concepteur dans l'industrie alimentaire
2141	Ingénieur des méthodes de production
2141	Ingénieur des techniques de fabrication
2148	Ingénieur en recherche et développement alimentaire
2148	Ingénieur en transport alimentaire
2148	Ingénieur spécialiste de l'installation des systèmes (industrie agroalimentaire)
2148	Ingénieur spécialiste de la gestion des procédés alimentaires
2148	Ingénieur spécialiste de la qualité des procédés (industrie agroalimentaire)
2112	Scientifique en produits alimentaires

Endroits de travail

- Bureaux d'ingénieurs
- Centres de recherche
- Entreprises de distribution des aliments
- Entreprises de fabrication d'équipements d'usines alimentaires
- Entreprises de fabrication des aliments
- Laboratoires

Salaire

Le salaire hebdomadaire moyen est de 795 $ (janvier 2007).

Remarque

Pour exercer la profession et porter le titre d'ingénieur, il faut être membre de l'Ordre des ingénieurs du Québec.

STATISTIQUES D'EMPLOI			
	2007	2009	2011
Nb de personnes diplômées	10	—	—
% en emploi	100 %	—	—
% à temps plein	100 %	—	—
% lié à la formation	87,5 %	—	—

15371

Génie géomatique / Géomatique appliquée à l'environnement / Sciences géomatiques

BAC 7-8 TRIMESTRES   CUISEP 432-100

Compétences à acquérir

- Développer des outils informatiques facilitant la connaissance et la gestion des territoires.
- Acquérir des données à partir d'images satellitaires, de photographies aériennes, de relevés, etc.
- Exécuter les travaux d'arpentage de terrains et de mesurage (bornes, bornages et levés de plans) nécessaires à l'établissement du droit de propriété et à l'aménagement des territoires urbains, ruraux, forestiers et miniers.
- Produire des certificats de localisation et des relevés des lacs, des rivières et des fleuves.
- Faire la représentation cartographique du territoire et des cours d'eau.

Éléments du programme

- Géodésie
- Mathématiques
- Photogrammétrie
- Physique géomatique
- Positionnement par satellites GPS
- Stages pratiques rémunérés et crédités
- Statistique
- Télédétection
- Topométrie

Admission (voir p. 21 G)

Laval : DEC en Sciences de la nature **OU** DEC en Sciences informatiques et mathématiques **OU** tout autre DEC et Mathématiques NYA, NYB, NYC (ou 103-77, 105-77, 203-77); Physique NYA, NYB, NYC (ou 101, 201, 301).

Sherbrooke : DEC en Sciences de la nature **OU** DEC technique en Technologie de la géomatique, spécialisations *Cartographie* (230.AA) ou *Géodésie* (230.AB) **OU** DEC ou l'équivalent et Mathématiques NYA (103 ou 00UN ou 022X ou 01Y1) et s'engager à suivre les activités de mise à niveau déterminées par le Département et offerts parallèlement au programme régulier d'études à partir de la première session.

Endroits de formation (voir p. 390)

	Contingentement	Coop	Cote R*
Laval	☐	☐	—
Sherbrooke	■	■	21.800

** Le nombre inscrit indique la **Cote R** qui a été utilisée pour l'**admission de l'année 2012 ou 2013** par l'université concernée.*

Professions reliées

C.N.P.
2154   Arpenteur-géomètre
2154   Géomaticien
2154   Ingénieur en géomatique

Endroits de travail

- Bureaux de consultants en développement de systèmes
- Entreprises privées dans tous les domaines
- Firmes d'arpentage
- Gouvernements fédéral et provincial
- Municipalités

Salaire

Le salaire hebdomadaire moyen est de 877 $ (janvier 2011).

Remarques

- Pour exercer la profession et porter le titre d'arpenteur-géomètre, il faut être membre de l'Ordre professionnel des arpenteurs-géomètres du Québec.
- À l'Université de Sherbrooke, ce programme relève du Département de géomatique appliquée, de la Faculté des lettres et sciences humaines et du Département de biologie de la Faculté des sciences.
- L'Université Laval offre le baccalauréat en Génie géomatique qui donne accès à l'Ordre des ingénieurs du Québec.

SCIENCES APPLIQUÉES

STATISTIQUES D'EMPLOI	2007	2009	2011
Nb de personnes diplômées	22	29	21
% en emploi	68,2 %	90,9 %	75 %
% à temps plein	100 %	95 %	100 %
% lié à la formation	100 %	100 %	100 %

BAC 8 TRIMESTRES   CUISEP 315-500

Compétences à acquérir

– Assurer la gestion des ressources humaines, financières et matérielles d'entreprises forestières.
– Planifier et superviser la récolte et le transport de la matière ligneuse.
– Assurer l'approvisionnement des usines de transformation.
– Veiller à la protection des sites forestiers.
– Voir à la régénération des forêts.

Éléments du programme

– Anatomie et structure du bois
– Botanique forestière
– Dépôts et sols forestiers
– Mécanique appliquée au génie forestier
– Opérations forestières
– Probabilités et statistiques
– Protection des forêts
– Récolte, transport et équipement forestier
– Stages coopératifs rémunérés
– Sylviculture

Admission (voir p. 21 G)

DEC en Sciences de la nature **OU** tout autre DEC et Mathématiques NYA, NYB, NYC (103-77, 105-77, 203-77); Physique NYA, NYB, NYC (101, 201, 301); Chimie NYA, NYB (101, 201); Biologie NYA (301) **OU** DEC technique en Technologie forestière et Mathématiques NYA, NYB, NYC (103, 105, 203 ou 00UN, 00UP, 00UQ); Physique NYA (101 ou 00UR); Chimie NYA (101 ou 00UL). *N. B.: Les titulaires d'un DEC dans la famille des techniques biologiques sont dispensés du cours de Biologie NYA ou 301. Les titulaires d'un DEC technique en Technologie forestière sont dispensés des cours de Physique NYB, NYC (201, 301 ou 00US, 00UT); Chimie NYB (201 ou 00UM); Biologie NYA (301 ou 00UK).*

Endroit de formation (voir p. 310)

	Contingentement	Coop	Cote R
Laval	☐	■	—

Professions reliées

C.N.P.
2122   Exploitant forestier
2122   Ingénieur forestier
2122   Spécialiste des opérations forestières
2122   Sylviculteur

Endroits de travail

– À son compte
– Consultants forestiers
– Entrepreneurs forestiers
– Gouvernements fédéral et provincial
– Industrie forestière
– Pépinières

Salaire

Le salaire hebdomadaire moyen est de 898 $ (janvier 2011).

Remarques

– Pour exercer la profession d'ingénieur forestier et porter le titre, il faut être membre de l'Ordre des ingénieurs forestiers du Québec.
– L'Ordre des ingénieurs forestiers du Québec exige de compléter une période de formation pratique de 32 semaines sous la surveillance d'un membre de l'Ordre.
– Le régime coopératif est obligatoire.

STATISTIQUES D'EMPLOI	2007	2009	2011
Nb de personnes diplômées	62	70	44
% en emploi	69,8 %	61 %	61,8 %
% à temps plein	96,7 %	97,2 %	95,2 %
% lié à la formation	93,1 %	85,7 %	90 %

SCIENCES APPLIQUÉES

BAC 8 TRIMESTRES CUISEP 312-500

Compétences à acquérir

– Concevoir et mettre au point de nouveaux produits alimentaires.
– Créer des nouvelles techniques de fabrication et de transformation.
– Assurer une production efficace et respectueuse de l'environnement.
– Veiller à la qualité des produits.
– Préparer la mise en marché.

Trois options sont offertes à Laval :
Conservation des aliments; Distribution des aliments; Transformation industrielle des aliments.

Trois options sont offertes à McGill :
Chimie alimentaire; Industrie alimentaire; Science de l'alimentation.

Éléments du programme

– Chimie des aliments
– Contrôle de la qualité
– Méthodes d'analyse des aliments
– Microbiologie alimentaire
– Principes de conservation
– Procédés de transformation alimentaire

Admission (voir p. 21 G)

Laval : DEC en Sciences de la nature **OU** tout autre DEC et Mathématiques NYA, NYB (ou 103-RE, 203-RE); Physique NYA, NYB, NYC (ou 101, 201, 301); Chimie NYA, NYB (ou 101, 201); Biologie NYA (ou 301). *N.B. : Pour connaître les passerelles entre un DEC technique et ce programme, contacter la Faculté des sciences de l'agriculture et de l'alimentation. Les candidats admis avec un DEC en Science de la nature qui n'auraient pas suivi et réussi le cours de Chimie organique 202 devront suivre son équivalent au cours de la première année d'inscription.*

McGill : DEC en Sciences de la nature **OU** tout autre DEC et Mathématiques NYA, NYB (00UN, 00UP); Physique NYA, NYB, NYC (00UR, 00US, 00UT); Chimie NYA, NYB (00UL, 00UM); Biologie NYA (00UK).

Endroits de formation (voir p. 390)

	Contingentement	Coop	Cote R*
Laval	☐	☐	—
McGill	☐	☐	24.000

** Le nombre inscrit indique la **Cote R** qui a été utilisée pour l'**admission de l'année 2012 ou 2013** par l'université concernée.*

Professions reliées

C.N.P.
2123	Agronome
2123	Agronome des services de vulgarisation
2112	Chimiste en sciences des aliments
2112	Chimiste spécialiste du contrôle de la qualité
1473	Coordonnateur de la production
0911	Directeur de la production alimentaire
0412	Directeur des ventes à l'exportation
4163	Expert-conseil en commercialisation
2134	Ingénieur chimiste de la production
2121	Microbiologiste industriel
2112	Scientifique en produits alimentaires

Endroits de travail

– Centres de recherche
– Gouvernements fédéral et provincial
– Industrie des produits alimentaires

Salaire

Le salaire hebdomadaire moyen est de 866 $ (janvier 2011).

Remarques

– Les professionnels en sciences alimentaires peuvent devenir membre de l'Ordre des agronomes du Québec, de l'Ordre des chimistes du Québec et de l'Ordre des ingénieurs du Québec.
– L'Université Laval offre les concentrations : Agronomie; Gestion de la qualité; Nutrition. Cet établissement offre également un certificat en Sciences et technologie des aliments et des microprogrammes de 1er cycle en Sciences et technologie des aliments – Technologie alimentaire et nouveaux aliments et en Sciences et technologie des aliments – Sécurité des aliments.
– L'Université McGill offre un certificat en Science de l'alimentation. Les diplômés des options Science de l'alimentation et Chimie alimentaire de l'Université McGill sont accrédités par l'Institute Food Technologists (IFT) et l'Institut canadien des sciences et technologie alimentaires (ICSTA).

SCIENCES APPLIQUÉES

STATISTIQUES D'EMPLOI	2007	2009	2011
Nb de personnes diplômées	22	33	45
% en emploi	75 %	83,3 %	72,7 %
% à temps plein	91,7 %	100 %	95,8 %
% lié à la formation	100 %	80 %	100 %

ARCHITECTURE, URBANISME ET DESIGN

PROGRAMMES D'ÉTUDES	PAGE
Architecture / Design architectural	77
Architecture de paysage	78
Design d'intérieur	79
Design de l'environnement	80
Design industriel	81
Études urbaines / Urbanisme / Geography – Urban Systems / Urban Planning / Urban Studies	82

BAC 6-8 TRIMESTRES   CUISEP 453-100

Compétences à acquérir

– Analyser, concevoir et réaliser des édifices, des complexes urbains et ruraux conformes aux besoins et aux ressources de la société.
– Monter et dessiner des plans de divers édifices selon des besoins précis.
– Aménager les espaces intérieurs et extérieurs d'une maison ou d'un ensemble de construction.
– Surveiller les travaux de mise en chantier et leur évolution conformément aux plans et devis.

Éléments du programme

– Atelier de design
– Charpente appliquée
– Climat et physique du bâtiment
– Conception assistée par ordinateur (CAO)
– Construction
– Mécanique, électricité et éclairage
– Stratégie de design

Admission (voir p. 21 G)

Laval : DEC en Sciences de la nature ou en Sciences informatiques et mathématiques **OU** DEC technique en Technologie de l'architecture **OU** tout autre DEC et Mathématiques NYA (ou 103-RE ou 103-77) et Physique NYA (ou 101). *N. B. : Bien que le programme soit contingenté, les places sont attribuées en fonction de la qualité du dossier scolaire. L'étudiant doit acquérir, dès la première session, un équipement configuré selon les directives émises. L'étudiant doit obligatoirement être inscrit à temps complet durant les deux premières années du programme. L'étudiant dont la langue d'études au primaire et au secondaire n'est pas le français doit, pour être admissible, faire la preuve d'un niveau minimal de connaissance de la langue française par un résultat d'au moins 860 sur 990 au Test de français international (TFI). Ce test doit avoir été passé au cours de l'année précédant le dépôt de la demande d'admission, un document officiel attestant du résultat obtenu. À son arrivée à l'Université Laval, l'étudiant ayant obtenu un résultat de 860 ou plus au TFI est invité à passer un test de français écrit. Selon le résultat obtenu à ce test, l'étudiant peut devoir s'inscrire au cours FRN-3003 Français avancé : grammaire et rédaction II.*

McGill : DEC en Sciences de la nature **OU** DEC intégré ou l'équivalent et Mathématiques NYA, NYB, NYC (00UN, 00UP, 00UQ); Physique NYA, NYB, NYC (00UR, 00US, 00UT); Chimie NYA, NYB (00UL, 00UM) **ET** portfolio.

Montréal : DEC en Sciences de la nature ou en Sciences informatiques et mathématiques **OU** DEC technique en Technologie de l'architecture **OU** DEC ou l'équivalent et Mathématiques 105 **OU** avoir réussi 24 crédits de niveau universitaire autres que des crédits obtenus dans le cadre de cours préparatoires aux études universitaires.

Endroits de formation (voir p. 390)

	Contingentement	Coop	Cote R*
Laval	■	☐	29.015
McGill	■	☐	29.500
Montréal	■	☐	30.375

** Le nombre inscrit indique la **Cote R** qui a été utilisée pour l'admission de l'année 2012 ou 2013 par l'université concernée.*

Profession reliée

C.N.P.
2151   Architecte

Endroits de travail

– À son compte
– Bureaux d'architectes
– Bureaux d'ingénieurs
– Gouvernements fédéral et provincial
– Municipalités

Salaire

Le salaire hebdomadaire moyen est de 776 $ (janvier 2011).

Remarques

– Pour exercer la profession et porter le titre d'architecte, il faut être titulaire d'une maîtrise, détenir un permis d'exercice et être membre de l'Ordre des architectes du Québec.
– Pour obtenir une reconnaissance professionnelle, les candidats devront, durant 5 600 heures (environ 3 ans à temps plein), effectuer un stage sous la surveillance d'architectes approuvés par l'Ordre. Après leur stage, ils devront réussir les examens de pratique requis par l'Ordre.

SCIENCES APPLIQUÉES

STATISTIQUES D'EMPLOI			
	2007	**2009**	**2011**
Nb de personnes diplômées	155	197	197
% en emploi	38,5 %	34,2 %	20,5 %
% à temps plein	87,5 %	74 %	81,3 %
% lié à la formation	94,3 %	94,6 %	88,5 %

BAC 8 TRIMESTRES   CUISEP 217-100

Compétences à acquérir

- Concevoir des plans d'aménagements paysagers et intervenir sur leurs différentes composantes à l'échelle micro-locale, locale et régionale.
- Protéger et gérer les milieux naturels comme les champs, les rivières et les littoraux.
- Mettre en valeur les caractéristiques précises d'un paysage.
- Valoriser les aspects culturels d'un site.
- Faire des études d'impacts visuels et environnementaux de grands projets.

Éléments du programme

- Design avec les végétaux
- Dimension psychosociologique
- Géomatique et paysage
- Matériaux et assemblage
- Méthodologie et processus
- Nivellement et drainage
- Problématique et enjeux du paysage
- Processus et design

Admission (voir p. 21 G)

DEC en Sciences de la nature, en Sciences humaines, en Sciences informatiques et mathématiques **OU** en Histoire et civilisation et avoir atteint l'objectif 022P (méthodes quantitatives).
OU
DEC technique parmi les suivants : Horticulture ornementale, Techniques d'aménagement du territoire, Technologie de l'architecture, Technologie du bâtiment et des travaux publics, Technologie du génie civil ou Technologie forestière.
OU
DEC ou l'équivalent et Mathématiques 337 ou (103 et 203) ou (103 et 307) ou 360-300.
OU
Avoir réussi 24 crédits de niveau universitaire autres que des crédits obtenus dans le cadre de cours préparatoires aux études universitaires.

Endroit de formation (voir p. 310)

	Contingentement	Coop	Cote R*
Montréal	■	☐	27.000

* Le nombre inscrit indique la **Cote R** qui a été utilisée pour l'**admission de l'année 2012** par l'université concernée.

Professions reliées

C.N.P.
2152   Architecte paysagiste
2153   Designer de l'environnement

Endroits de travail

- À son compte
- Bureaux d'architectes
- Entrepreneurs paysagistes
- Municipalités

Salaire

Le salaire hebdomadaire moyen est de 659 $ (janvier 2011).

Remarques

- Pour devenir membre de l'Association des architectes paysagistes du Québec, il faut avoir compléter deux années de stage chez un architecte paysagiste.
- L'Université de Montréal offre également une mineure en Design de jardins.

SCIENCES APPLIQUÉES

STATISTIQUES D'EMPLOI			
	2007	**2009**	**2011**
Nb de personnes diplômées	32	25	21
% en emploi	66,7 %	70,6 %	66,7 %
% à temps plein	91,7 %	83,3 %	91,7 %
% lié à la formation	90,9 %	80 %	81,8 %

BAC 6 TRIMESTRES

Compétences à acquérir

– Comprendre et appliquer les notions relatives aux interrelations personnes et éléments physiques du milieu.
– Concevoir des aménagements à la fois esthétiques et fonctionnels.
– Résoudre les problèmes d'occupation et de transformation de l'espace.
– Superviser la réalisation des travaux et s'assurer de leur conformité avec les plans.

Éléments du programme

– Climat et physique du bâtiment
– Conception assistée par ordinateur (CAO)
– Couleur et lumière en design industriel
– Ergonomie
– Expression 2D et 3D
– Fondements conceptuels
– Formes et couleurs
– Histoire du design d'intérieur
– Matériaux et méthodes
– Stage
– Stratégies de design

Admission (voir p. 21 G)

DEC en Sciences de la nature, en Sciences humaines, en Sciences informatiques et mathématiques **OU** en Histoire et civilisation et avoir atteint l'objectif 022P (Méthodes quantitatives).
OU
DEC technique parmi les suivants : Techniques de design d'intérieur, Techniques de design industriel ou Technologie de l'architecture.
OU
DEC ou l'équivalent et Mathématiques 337 ou (103 et 307) ou (103 et 203) ou 360-300.
OU
Avoir réussi 24 crédits de niveau universitaire autres que des crédits obtenus dans le cadre de cours préparatoires aux études universitaires.
ET
Présenter un portfolio, un curriculum vitæ et une lettre de motivation personnelle. Se soumettre, s'il y a lieu, à toute entrevue d'admission exigée par l'École de design industriel.

Endroit de formation (voir p. 310)

	Contingentement	Coop	Cote R*
Montréal	■	☐	26.936

** Le nombre inscrit indique la **Cote R** qui a été utilisée pour l'admission de l'année 2012 par l'université concernée.*

Profession reliée

C.N.P.
5242   Designer d'intérieur

Endroits de travail

– À son compte
– Entreprises de décoration intérieure
– Firmes d'architectes

Salaire

Le salaire hebdomadaire moyen est de 812 $ (janvier 2011).

Remarque

L'adhésion à la Société des designers d'intérieur du Québec est fortement recommandée.

SCIENCES APPLIQUÉES

STATISTIQUES D'EMPLOI	2007	2009	2011
Nb de personnes diplômées	145	—	103
% en emploi	67,9 %	—	79,3 %
% à temps plein	87,7 %	—	91,3 %
% lié à la formation	62 %	—	73,8 %

BAC 6 TRIMESTRES

Compétences à acquérir

– Résoudre les problèmes d'occupation et de transformation de l'espace.
– Comprendre et appliquer les notions relatives aux interrelations personnes et éléments physiques du milieu dans le but de concevoir des aménagements harmonieux, qu'il s'agisse d'un environnement urbain, scolaire, hospitalier, commercial, résidentiel ou autre.

Éléments du programme

– Design architectural, industriel et urbain
– Design et informatique
– Design international
– Dessin d'observation
– Dessin et conception
– Espace humain
– Formes et composition

Admission (voir p. 21 G)

DEC ou l'équivalent.

Endroit de formation (voir p. 310)

	Contingentement	Coop	Cote R*
UQAM	■	☐	25.000

** Le nombre inscrit indique la **Cote R** qui a été utilisée pour l'**admission de l'année 2012** par l'université concernée.*

Professions reliées

C.N.P.
2152	Architecte paysagiste
2242	Conseiller en gestion de l'espace
2153	Designer architectural
5242	Designer d'intérieur
2153	Designer de l'environnement
5254	Dessinateur de parcours équestres
4161	Ergonomiste

Endroits de travail

– À son compte
– Ateliers de design
– Bureaux d'architectes
– Entreprises diverses
– Gouvernements fédéral et provincial
– Industrie du meuble
– Municipalités

Salaire

Le salaire hebdomadaire moyen est de 679 $ (janvier 2011).

Remarques

– Le programme, lorsque combiné à une maîtrise professionnelle en Architecture, permet l'accès à l'Ordre des architectes du Québec.
– L'Université de Montréal offre une mineure en Design des jardins.
– L'Université du Québec à Montréal (UQAM) est la seule université au Québec à offrir le baccalauréat en Design de l'environnement.

SCIENCES APPLIQUÉES

STATISTIQUES D'EMPLOI	2007	2009	2011
Nb de personnes diplômées	145	172	149
% en emploi	67,9 %	64,9 %	70,9 %
% à temps plein	87,7 %	87,8 %	93,2 %
% lié à la formation	62 %	76,9 %	72,1 %

BAC 8 TRIMESTRES

Compétences à acquérir

– Concevoir des objets variés (meubles, accessoires ménagers, véhicules, emballages) qui seront fabriqués en série.
– Déterminer les besoins et les objectifs de la clientèle.
– Faire des études de marché.
– Réaliser les dessins et les prototypes.
– Établir le choix des matériaux en fonction de buts visés.

Éléments du programme

– Design
– Dessin et infographie
– Écologie industrielle
– Ergonomie
– Géométrie
– Matériaux
– Méthodologie du design

Admission (voir p. 21 G)

DEC en Sciences de la nature, en Sciences humaines, en Sciences informatiques et mathématiques **OU** en Histoire et civilisation et avoir atteint l'objectif 022P (Méthodes quantitatives).
OU
DEC technique parmi les suivants : Techniques de design d'intérieur, Techniques de design industriel ou Technologie de l'architecture.
OU
DEC ou l'équivalent et Mathématiques 337 ou (103 et 203) ou (103 et 307) ou 360-300.
OU
Avoir réussi 24 crédits de niveau universitaire autres que des crédits obtenus dans le cadre de cours préparatoires aux études universitaires.
ET
Présenter un curriculum vitæ et une lettre de motivation personnelle. S'il y a lieu, se présenter à toute entrevue exigée par l'École de design industriel.

Endroit de formation (voir p. 310)

	Contingentement	Coop	Cote R*
Montréal	■	☐	23.359

* Le nombre inscrit indique la **Cote R** qui a été utilisée pour l'**admission de l'année 2012** par l'université concernée.

Profession reliée

C.N.P.
2252   Designer industriel

Endroits de travail

– À son compte
– Bureaux d'architectes
– Entreprises diverses (transport, signalisation, etc.)
– Établissements d'enseignement collégial
– Firmes spécialisées dans la réalisation d'expositions
– Industrie manufacturière
– Municipalités

Salaire

Donnée non disponible.

Statistiques d'emploi

Données non disponibles.

SCIENCES APPLIQUÉES

Études urbaines / Urbanisme / Geography – Urban Systems / Urban Planning / Urban Studies

BAC 6 TRIMESTRES   CUISEP 621-000

Compétences à acquérir

- Analyser et synthétiser des problématiques urbaines.
- Analyser l'impact des projets urbains sur l'environnement naturel et sur la santé financière des collectivités.
- Élaborer des politiques et des projets d'aménagement et de développement.
- Concevoir des processus de consultation et de concertation avec divers intervenants.
- Mettre au point des outils et des stratégies de protection du patrimoine architectural, de revitalisation des quartiers, de conservation de l'environnement, de mise en valeur des ressources du milieu.
- Tracer des plans et des schémas d'aménagement.
- Assister à l'élaboration d'instruments d'application tels que les réglementations d'urbanisme et la planification de programmes d'équipements collectifs.

Éléments du programme

- Cadre législatif en urbanisme
- Économie et aménagement
- Étude du milieu urbain
- Géomatique
- Techniques de représentation
- Techniques statistiques en urbanisme

Admission (voir p. 21 G)

Concordia, McGill, UQAM : DEC ou l'équivalent.
Montréal : DEC ou l'équivalent **OU** avoir réussi 24 crédits de niveau universitaire autres que des crédits obtenus dans le cadre de cours préparatoires aux études universitaires.

Endroits de formation (voir p. 390)

	Contingentement	Coop	Cote R*
Concordia**	■	☐	25.000
McGill	☐	☐	—
Montréal	■	☐	23.000
UQAM	☐	☐	—

* Le nombre inscrit indique la **Cote R** qui a été utilisée pour l'**admission de l'année 2012 ou 2013** par l'université concernée.
** Contingenté pour Urban Planning seulement.

Professions reliées

C.N.P.
6463   Inspecteur municipal
2153   Urbaniste

Endroits de travail

- Établissements d'enseignement universitaire
- Firmes d'urbanisme
- Gouvernements fédéral et provincial
- Municipalités

Salaire

Le salaire hebdomadaire moyen est de 787 $ (janvier 2011).

Remarques

- Pour porter le titre d'urbaniste, il faut être membre de l'Ordre des urbanistes du Québec.
- L'Université de Montréal offre également une mineure en Urbanisme.
- L'Université du Québec à Montréal (UQAM) offre deux concentrations : Formation régulière et Formation internationale. Cet établissement offre également une majeure et une mineure en Études urbaines, une mineure en Urbanisme opérationnel et une mineure en Patrimoine urbain.

STATISTIQUES D'EMPLOI			
	2007	**2009**	**2011**
Nb de personnes diplômées	570	98	107
% en emploi	55 %	80,3 %	72 %
% à temps plein	90,9 %	91,2 %	88,1 %
% lié à la formation	55 %	73,1 %	82,7 %

SCIENCES APPLIQUÉES

GÉNIE

PROGRAMMES D'ÉTUDES	PAGE
Génie aérospatial	84
Génie biomédical	85
Génie biotechnologique	86
Génie chimique / Chemical Engineering	87
Génie civil / Civil Engineering	89
Génie de la construction	91
Génie de la production automatisée	92
Génie des eaux	93
Génie des matériaux et de la métallurgie / Materials Engineering	94
Génie des mines / Génie des mines et de la minéralurgie / Génie minier / Mining Engineering	95
Génie des systèmes électromécaniques / Génie électromécanique	96
Génie du bâtiment / Building Engineering	97
Génie du bois	98
Génie électrique / Electrical Engineering	99
Génie géologique	101
Génie industriel / Industrial Engineering	102
Génie mécanique / Mechanical Engineering	103
Génie microélectronique	105
Génie physique	106

Compétences à acquérir

– Participer aux phases de conception, de développement, d'essai et de production d'aéronefs et de véhicules spatiaux ainsi que des pièces associées.
– Développer des produits et des systèmes aéronautiques complexes.
– Concevoir des systèmes d'ingénierie en utilisant les techniques et les outils les plus récents.
– Gérer des projets d'ingénierie.
– Concevoir, réaliser et analyser des essais expérimentaux.

Éléments du programme

– Aérodynamique
– Calcul I et II
– Dynamique des fluides
– Équations différentielles
– Mécanique du vol
– Modélisation de systèmes mécaniques
– Programmation procédurale
–Résistance des structures aéronautiques

Admission (voir p. 21 G)

DEC en Sciences de la nature ou en Sciences informatiques et mathématiques comprenant : Mathématiques NYA, NYB, NYC; Physique NYA, NYB, NYC; Chimie NYA, NYB **OU** DEC technique en Techniques de construction aéronautique de l'École nationale d'aéronautique (ÉNA). *N. B. : Le cours de Chimie NYB n'est pas exigé pour les finissants en Sciences informatiques et mathématiques.*

Endroit de formation (voir p. 310)

	Contingentement	Coop	Cote R*
Polytechnique	■	☐	30.100

** Le nombre inscrit indique la **Cote R** qui a été utilisée pour l'**admission de l'année 2012 ou 2013** par l'université concernée.*

Professions reliées

C.N.P.	
2133	Ingénieur électricien (électronique)
2146	Ingénieur en aéronautique
2146	Ingénieur en aérospatiale
2132	Ingénieur en mécanique

Endroits de travail

– Compagnies aériennes
– Établissements d'enseignement universitaire
– Gouvernement fédéral
– Industrie aérospatiale
– Industrie des aéronefs et des pièces d'aéronefs

Salaire

Donnée non disponible.

Remarque

Polytechnique Montréal offre un baccalauréat-maîtrise intégré (BMI) et un passage direct du baccalauréat au doctorat. Un stage rémunéré de quatre mois est obligatoire.

Statistiques d'emploi

Données non disponibles.

BAC 7-8 TRIMESTRES   CUISEP 413/414-000

Compétences à acquérir

– Appliquer des principes du génie à l'étude, la modification et le contrôle des systèmes biologiques, ainsi qu'à la conception et la fabrication de produits pour la surveillance des fonctions physiologiques et pour l'assistance au diagnostic et au traitement de patients.
– Travailler en étroite collaboration avec des professionnels de plusieurs disciplines : médecins, chirurgiens, biologistes, biochimistes, pharmacologistes, physiothérapeutes, dentistes, infirmières, etc.

Éléments du programme

– Algèbre linéaire
– Biochimie pour l'ingénieur
– Biologie moléculaire et cellulaire pour l'ingénieur
– Biomatériaux
– Calcul I et II
– CFAO en biomédical et réadaptation
– Équations différentielles
– Instrumentation et mesures biomédicales
– Introduction aux projets de génie biomédical
– Programmation procédurale

Admission (voir p. 21 G)

DEC en Sciences de la nature ou en Sciences informatiques et mathématiques **ET** Mathématiques NYA, NYB, NYC; Physique NYA, NYB, NYC; Chimie NYA, NYB. *N. B.: Le cours de Chimie NYB n'est pas exigé pour les finissants en Sciences informatiques et mathématiques.*

Endroit de formation (voir p. 310)

	Contingentement	Coop	Cote R*
Polytechnique	■	☐	31.800

** Le nombre inscrit indique la **Cote R** qui a été utilisée pour l'**admission de l'année 2012 ou 2013** par l'université concernée.*

Profession reliée

C.N.P.
2148   Ingénieur biomédical

Endroits de travail

– Agences gouvernementales
– Centres de recherche
– Fabricants d'appareils biomédicaux
– Firmes de génie-conseil
– Hôpitaux
– Universités

Salaire

Le salaire hebdomadaire moyen est de 919 $ (janvier 2011).

Remarques

– L'École de technologie supérieure (ÉTS) offre un certificat en Génie des technologies de la santé et un certificat en Technologies biomédicales – Instrumentation électronique.
– L'Université McGill offre une mineure en Biomedical Engineering.
– Polytechnique Montréal offre un baccalauréat-maîtrise intégré (BMI) et un passage direct du baccalauréat au doctorat. Un stage rémunéré de quatre mois est obligatoire.

SCIENCES APPLIQUÉES

STATISTIQUES D'EMPLOI	2007	2009	2011
Nb de personnes diplômées	—	13	42
% en emploi	—	77,8 %	60 %
% à temps plein	—	85,7 %	94,4 %
% lié à la formation	—	66,7 %	82,4 %

BAC 7-8 TRIMESTRES

Compétences à acquérir

– Développer et mettre en pratique des procédés bio-industriels en tenant compte des exigences liées à la culture des organismes vivants et des produits qu'ils synthétisent.
– Acquérir une formation de base en mathématiques, en physique, en chimie, en biochimie, en biologie des organismes, en microbiologie, en biologie cellulaire et moléculaire.
– Acquérir en biologie moléculaire et en biochimie la formation pratique nécessaire à une conception juste de l'approche expérimentale.
– Acquérir une formation scientifique approfondie sur les propriétés des organismes utilisés en biotechnologie ainsi que sur les propriétés des molécules d'intérêt biotechnologique.
– Comprendre et analyser d'un point de vue mathématique les phénomènes physicochimiques ayant lieu dans des processus et des procédés biotechnologiques.
– Analyser, simuler, concevoir, mettre à l'échelle et opérer des procédés en biotechnologie.
– Intégrer les connaissances dictées par la nature biologique des organismes et des produits qu'ils synthétisent dans la conception des procédés biotechnologiques.
– Participer aux étapes de la conception des organismes recombinants ou des molécules à produire dans l'esprit du génie simultané.
– Agir d'une manière créative sur des problèmes de procédés biotechnologiques concrets et les appliquer en recherche ou sur le marché du travail.
– Prendre conscience des implications légales et éthiques de la biotechnologie et du génie biotechnologique.
– Être sensibilisé aux aspects économiques du génie biotechnologique.

Éléments du programme

– Biochimie générale I
– Biochimie métabolique
– Biologie cellulaire
– Biologie des organismes
– Biologie moléculaire
– Chimie des macromolécules
– Design des procédés biotechnologiques
– Génétique et biologie moléculaire
– Informatique pour ingénieurs
– Introduction à la chimie organique
– Introduction en génie biotechnologique
– Matériaux et biomatériaux
– Microbiologie
– Normes BPF-BPL, sécurité et biosécurité
– Phénomènes d'échanges
– Projets d'intégration
– Régulation des procédés biotechnologiques
– Simulation des procédés biotechnologiques
– Thermodynamique
– Travaux pratiques

Admission (voir p. 21 G)

DEC ou l'équivalent et Mathématiques NYA, NYB, NYC (00UN, 00UP, 00UQ); Physique NYA, NYB, NYC (00UR, 00US, 00UT); Chimie NYA, NYB (00UL, 00UM); Biologie NYA (00UK).

OU

DEC dans la famille des techniques physiques ou l'équivalent et Mathématiques NYA, NYB, NYC (00UN, 00UP, 00UQ); Physique NYA, NYB, NYC (00UR, 00US, 00UT); Chimie NYA (00UL), Biologie NYA (00UK).

OU

DEC technique parmi les suivants : Assainissement de l'eau, Techniques de génie chimique, Techniques de laboratoire avec spécialisation *Biotechnologies* ou *Chimie analytique* ou Techniques de procédés chimiques. *N.B. : Dans ce cas, à la suite de l'analyse du dossier, les étudiants pourront se voir attribuer des substitutions ou allocations de crédits.*

Endroit de formation (voir p. 310)

	Contingentement	Coop	Cote R
Sherbrooke	■	■	—

Professions reliées

C.N.P.
2134 Ingénieur chimiste
2134 Ingénieur chimiste de la production
2131 Ingénieur de l'environnement
2134 Ingénieur en biotechnologie

Endroits de travail

– Centres de recherche
– Entreprises de distribution
– Firmes de génie-conseil
– Industrie agroalimentaire
– Industrie de la pétrochimie
– Industrie des pâtes et papiers
– Industrie des produits chimiques
– Industrie pharmaceutique

Salaire

Le salaire hebdomadaire moyen est de 974$ (janvier 2011).

Remarque

Pour exercer la profession et porter le titre d'ingénieur, il faut être membre de l'Ordre des ingénieurs du Québec.

STATISTIQUES D'EMPLOI	2007	2009	2011
Nb de personnes diplômées	146	138	112
% en emploi	80 %	70,7 %	64,7 %
% à temps plein	97,5 %	100 %	95,5 %
% lié à la formation	82,1 %	77,4 %	81 %

SCIENCES APPLIQUÉES

Compétences à acquérir

- Comprendre et appliquer les principes chimiques et la dynamique des réactions dans la transformation de la matière.
- Appliquer les connaissances relatives au design, à la réalisation, au fonctionnement et à la supervision d'une usine en ce qui concerne les procédés de transformation chimique.
- Gérer et optimiser les procédés de fabrication sur le plan économique et de la logistique.
- Concevoir, calculer, élaborer, mettre au point et diriger la construction et le fonctionnement d'équipements de production de produits chimiques.
- Résoudre les problèmes inhérents aux transformations chimiques.
- Contrôler la production et la qualité des produits.

Éléments du programme

- Assainissement industriel
- Calcul des réacteurs chimiques
- Matériaux de l'ingénieur
- Mathématiques de l'ingénieur
- Mécanique des fluides
- Statistiques
- Transfert de chaleur

Admission (voir p. 21 G)

DEC ou l'équivalent et Mathématiques 103, 105, 203; Physique 101, 201, 301; Chimie 101, 201; Biologie 301. **OU**

Laval : DEC en Sciences de la nature **OU** DEC et Mathématiques NYA, NYB, NYC (ou 103-77, 105-77, 203-77); Physique NYA, NYB (ou 101, 201); Chimie NYA, NYB (ou 101, 201); Biologie NYA (ou 301). *N. B. : Pour connaître les passerelles entre un DEC technique et ce programme, contacter la Faculté des sciences et de génie.*

McGill : DEC ou l'équivalent et Mathématiques NYA, NYB, NYC (00UN, 00UP, 00UQ); Physique NYA, NYB, NYC (00UR, 00US, 00UT); Chimie NYA, NYB (00UL, 00UM) **OU** DEC technique ou l'équivalent dans certaines spécialisations et avoir réussi certains cours de niveau collégial.

Polytechnique : DEC en Sciences de la nature ou en Sciences informatiques et mathématiques comprenant : Mathématiques NYA, NYB, NYC; Physique NYA, NYB, NYC; Chimie NYA, NYB **OU** DEC dans la famille des techniques physiques et Mathématiques NYA. *N. B. : Le cours de Chimie NYB n'est pas exigé pour les finissants en Sciences informatiques et mathématiques.*

Sherbrooke : DEC en Sciences de la nature, cheminement baccalauréat international **OU** DEC ou l'équivalent et Mathématiques NYA, NYB, NYC (00UN, 00UP, 00UQ); Physique NYA, NYB, NYC (00UR, 00US, 00UT);

Chimie NYA, NYB (00UL, 00UM); Biologie NYA (00UK) **OU** DEC dans la famille des techniques physiques ou l'équivalent et Mathématiques NYA, NYB, NYC (00UN, 00UP, 00UQ); Physique NYA, NYB, NYC (00UR, 00US, 00UT); Chimie NYA (00UL) **OU DEC technique** parmi les suivants : Assainissement de l'eau, Techniques de génie chimique, Techniques de laboratoire avec spécialisation en *Biotechnologies* ou *Chimie analytique*, Techniques de procédés chimiques ou Technologies des pâtes et papiers. *N. B. : Dans ce cas, à la suite de l'analyse du dossier, les étudiants pourront se voir attribuer des exemptions avec substitutions* **OU** *avoir complété une année en préingénierie à l'Université Bishop's.*

UQTR : DEC en Sciences de la nature **OU** DEC en Sciences informatiques et mathématiques **OU** DEC ou l'équivalent et Mathématiques NYA, NYB, NYC (00UN, 00UQ, 00UP); Physique NYA, NYB (00UR, 00US); Chimie NYA (00UL). Des cours d'appoint sont offerts en Mathématiques, en Physique et en Chimie.

Endroits de formation (voir p. 390)

	Contingentement	Coop	Cote R*
Laval	☐	☐	—
McGill	■	☐	28.400
Polytechnique	☐	☐	26.000
Sherbrooke	■	■	—
UQTR	☐	☐	—

** Le nombre inscrit indique la **Cote R** qui a été utilisée pour l'**admission de l'année 2012 ou 2013** par l'université concernée.*

Professions reliées

C.N.P.

2134	Ingénieur chimiste
2134	Ingénieur chimiste de la production
2134	Ingénieur chimiste en recherche
2134	Ingénieur chimiste spécialiste des études et projets
2131	Ingénieur civil en écologie générale
2131	Ingénieur de l'environnement
2145	Ingénieur du pétrole
2148	Ingénieur du textile
2115	Ingénieur en transformation des matériaux composites

Endroits de travail

- Bureaux d'ingénieurs
- Centres de recherche
- Établissements d'enseignement
- Gouvernements fédéral et provincial
- Industrie chimique
- Industrie des pâtes et papiers
- Industrie des produits en matière plastique
- Industrie manufacturière
- Industrie pétrolière

SCIENCES APPLIQUÉES

SUITE

Salaire

Le salaire hebdomadaire moyen est de 974 $ (janvier 2011).

Remarques

– Différentes options sont offertes selon les établissements : Agroindustrie; Biopharmaceutique; Biotechnologie; Énergie et environnement biomédical; Génie pharmaceutique; Plasturgie; etc.
– Pour exercer la profession et porter le titre d'ingénieur, il faut être membre de l'Ordre des ingénieurs du Québec.
– Des études de 2e cycle sont nécessaires pour exercer les professions suivantes : ingénieur chimiste spécialiste des études et projets, ingénieur en écologie générale.
– L'Université de Sherbrooke offre les baccalauréats Génie chimique et Génie biotechnologique. Cet établissement offre également le double baccalauréat Génie chimique et Liberal Arts offert conjointement avec l'Université Bishop's, d'une durée de quatre ans. Le régime coopératif est obligatoire. Pour le baccalauréat en Génie biotechnologique, le régime coopératif est à temps complet. L'Université offre un nouveau cheminement intégré baccalauréat-maîtrise : après la troisième année du baccalauréat, les étudiants ayant réussi 105 crédits peuvent poursuivre à la maîtrise et obtenir leur diplôme en complétant une formation de 2e cycle de 45 crédits.
– L'Université du Québec à Trois-Rivières (UQTR) offre, aux étudiants titulaires d'un DEC en Techniques physiques, la possibilité de bénéficier de reconnaissances d'acquis, notamment sous forme d'exemptions, sur recommandation du responsable de programme.
– Polytechnique Montréal offre un baccalauréat-maîtrise intégré (BMI) et un passage direct du baccalauréat au doctorat. Un stage rémunéré de quatre mois est obligatoire.

STATISTIQUES D'EMPLOI			
	2007	**2009**	**2011**
Nb de personnes diplômées	146	138	112
% en emploi	80 %	70,7 %	64,7 %
% à temps plein	97,5 %	100 %	95,5 %
% lié à la formation	82,1 %	77,4 %	81 %

SCIENCES APPLIQUÉES

Compétences à acquérir

– Concevoir, rénover et entretenir les routes, les structures pour les ponts, les aéroports, les voies de circulation ou les édifices.
– Concevoir des aménagements pour les cours d'eau ou les réseaux d'eau potable et construire des infrastructures qui ont une incidence sur la qualité de vie des gens.
– Proposer l'utilisation de nouveaux matériaux.
– Planifier, diriger et superviser la réalisation des travaux.
– Gérer des projets.
– Faire des recherches et des études dans le but d'améliorer les méthodes de travail et de favoriser l'emploi de procédés et de matériaux nouveaux.

Éléments du programme

– Charpentes métalliques
– Fondations
– Hydrologie
– Mécanique des sols
– Structures
– Topométrie appliquée au génie

Admission (voir p. 21 G)

DEC ou l'équivalent et Mathématiques 103, 105, 203; Physique 101, 201, 301; Chimie 101, 201; Biologie 301. **OU**

Concordia : DEC ou l'équivalent et Mathématiques 103, 203, 105 (ou NYA, NYB, NYC); Physique 101, 201 (ou NYA, NYB); Chimie 101 (ou NYA).

Laval : DEC en Sciences de la nature ou en Sciences informatiques et mathématiques **OU** DEC et Mathématiques NYA, NYB, NYC (ou 103-77, 105-77, 203-77); Physique NYA, NYB, NYC (ou 101, 201, 301); Chimie NYA (ou 101); Biologie NYA (ou 301). *N. B.: Pour connaître les passerelles entre un DEC technique et ce programme, contacter la aculté des sciences et de génie.*

McGill : DEC ou l'équivalent et Mathématiques NYA, NYB, NYC (00UN, 00UP, 00UQ); Physique NYA, NYB, NYC (00UR, 00US, 00UT); Chimie NYA, NYB (00UL, 00UM) **OU** DEC technique ou l'équivalent dans certaines spécialisations et avoir réussi certains cours de niveau collégial.

Polytechnique : DEC en Sciences de la nature ou en Sciences informatiques Mathématiques NYA, NYB, NYC; Physique NYA, NYB, NYC; Chimie NYA, NYB **OU** DEC dans la famille des techniques physiques et Mathématiques NYA. *N. B.: Le cours de Chimie NYB n'est pas exigé pour les finissants en Sciences informatiques et mathématiques.*

Sherbrooke : DEC en Sciences informatiques et mathématiques **OU** DEC ou l'équivalent et Mathématiques NYA, NYB, NYC (00UN, 00UP, 00UQ); Physique NYA, NYB, NYC (00UR, 00US, 00UT); Chimie NYA, NYB (00UL,

00UM); Biologie NYA (00UK) **OU** DEC dans la famille des techniques physiques ou l'équivalent et Mathématiques NYA, NYB, NYC (00UN, 00UP, 00UQ); Physique NYA, NYB, NYC (00UR, 00US, 00UT); Chimie NYA (00UL) **OU** DEC technique parmi les suivants : Assainissement de l'eau, Exploitation, Géologie appliquée, Minéralurgie, Techniques d'aménagement et d'urbanisme, Technologie de l'architecture, Technologie de l'estimation et de l'évaluation en bâtiment, Technologie de la géomatique ou Technologie du génie civil. *N. B.: Dans ce cas, à la suite de l'analyse du dossier, les étudiantes et étudiants pourront se voir attribuer des substitutions* **OU** *avoir complété une année en préingénierie à l'Université Bishop's.*

UQAC : DEC en Sciences de la nature **OU** DEC ou l'équivalent et Mathématiques NYA, NYB, NYC; Physique NYA, NYB, NYC; Chimie NYA, NYB, NYC **OU** DEC dans la famille des techniques physiques. *N. B.: Les étudiants admis sur cette base seront soumis à un cheminement particulier. Se référer au site Web de l'université.*

Endroits de formation (voir p. 390)

	Contingentement	Coop	Cote R*
Concordia	■	■	24.000
Laval	□	□	
McGill	■	□	27.500
Polytechnique	□	□	26.000
Sherbrooke	■	□	27.500
UQAC	□	□	—

** Le nombre inscrit indique la **Cote R** qui a été utilisée pour l'**admission de l'année 2012 ou 2013** par l'université concernée.*

Professions reliées

C.N.P.
0711	Entrepreneur en travaux publics
2131	Ingénieur civil
2131	Ingénieur civil des ressources hydriques
2131	Ingénieur civil en écologie générale
2131	Ingénieur de l'environnement
2131	Ingénieur hydraulicien
2131	Officier de génie militaire

Endroits de travail

– Entrepreneurs en construction
– Entrepreneurs en travaux publics
– Établissements d'enseignement
– Firmes d'ingénieurs
– Firmes d'urbanistes
– Forces armées canadiennes
– Gouvernements fédéral et provincial
– Municipalités

SCIENCES APPLIQUÉES

SCIENCES APPLIQUÉES

Salaire

Le salaire hebdomadaire moyen est de 1 008 $ (janvier 2011).

Remarques

– Différentes options sont offertes selon les établissements : Charpente et génie géotechnique; Environnement et ressources hydriques; Informatique; Infrastructure routière; Qualité, structure et construction; Systèmes urbains et environnement; etc.
– Pour exercer la profession et porter le titre d'ingénieur, il faut être membre de l'Ordre des ingénieurs du Québec.
– Des études de 2e cycle sont nécessaires pour exercer la profession suivante : ingénieur civil en écologie générale.
– L'Université de Sherbrooke offre un double baccalauréat en Génie civil et Liberal Arts, offert conjointement avec l'Université Bishop's. Le baccalauréat en Génie civil permet quatre types de cheminements : sans concentration; avec concentration en Génie de l'environnement; avec concentration en Ouvrages d'art et bâtiment et le quatrième conduisant à un double diplôme avec l'Université Bishop's. L'Université offre un nouveau cheminement intégré baccalauréat-maîtrise : après la troisième année du baccalauréat, les étudiants ayant réussi 105 crédits peuvent poursuivre à la maîtrise et obtenir leur diplôme en complétant une formation de 2e cycle de 45 crédits.
– L'Université du Québec à Chicoutimi (UQAC) offre la possibilité de faire des stages rémunérés dans le cadre de ce programme.
– L'Université du Québec en Abitibi-Témiscamingue (UQAT) offre les deux premières années du programme de Polytechnique Montréal.
– Polytechnique Montréal offre un baccalauréat-maîtrise intégré (BMI) et un passage direct du baccalauréat au doctorat. Un stage rémunéré de quatre mois est obligatoire.

STATISTIQUES D'EMPLOI	2007	2009	2011
Nb de personnes diplômées	268	403	473
% en emploi	81,1 %	88,3 %	88,4 %
% à temps plein	97,9 %	100 %	98,9 %
% lié à la formation	96,4 %	93,1 %	92,8 %

15358 | **Génie de la construction**

BAC 7 TRIMESTRES | CUISEP 453-000

Compétences à acquérir

– Analyser, concevoir, planifier et contrôler les opérations des projets de construction.
– Diriger et gérer les travaux de construction.
– Faire la conception de solutions et de procédés techniques liés à la réalisation de projets de construction (structures, routes, bâtiments, hydraulique, géotechnique, etc.) et à la gestion des travaux.

Éléments du programme

– Calcul différentiel et intégral
– Chimie et matériaux
– Construction lourde
– Électricité et magnétisme
– Résistances des matériaux et des structures
– Statistique et dynamique
– Structures métalliques

Admission (voir p. 21 G)

DEC technique parmi les suivants : Assainissement de l'eau, Environnement, hygiène et sécurité au travail, Exploitation, Géologie appliquée, Minéralurgie, Techniques d'aménagement et d'urbanisme, Techniques de transformation des matériaux composites, Technologie d'architecture navale, Technologie de l'architecture, Technologie de l'estimation et de l'évaluation en bâtiment, Technologie de la géomatique, Technologie de la mécanique du bâtiment, Technologie du génie agromécanique ou Technologie du génie civil. *N. B. : L'étudiant se verra prescrire un cheminement personnalisé en mathématiques et en sciences à la suite d'un test diagnostique.*

Endroit de formation (voir p. 310)

	Contingentement	Coop	Cote R
ÉTS	☐	■	—

Professions reliées

C.N.P.
2131 Ingénieur civil
2131 Ingénieur civil des ressources hydriques
2131 Ingénieur civil en écologie générale
2131 Officier de génie militaire

Endroits de travail

– À son compte
– Entrepreneurs en construction
– Firmes de consultants
– Gouvernements fédéral et provincial
– Municipalités

Salaire

Le salaire hebdomadaire moyen est de 1 008 $ (janvier 2011).

Remarque

Pour exercer la profession et porter le titre d'ingénieur, il faut être membre de l'Ordre des ingénieurs du Québec.

SCIENCES APPLIQUÉES

STATISTIQUES D'EMPLOI	2007	2009	2011
Nb de personnes diplômées	268	403	473
% en emploi	81,1 %	88,3 %	88,4 %
% à temps plein	97,9 %	100 %	98,9 %
% lié à la formation	96,4 %	93,1 %	92,8 %

Compétences à acquérir

– Concevoir et modifier les systèmes de production en vue d'informatiser et d'automatiser la production de façon partielle ou totale.
– Superviser la production.
– Planifier l'aménagement sur tous les plans, incluant l'aspect économique.
– Appliquer les techniques d'automatisation mécanique, informatique et électronique.

Quatre concentrations sont offertes :

Informatique industrielle; Production aéronautique; Système manufacturier; Technologie de la santé.

Éléments du programme

– Assurance de la qualité
– Conception et simulation de circuits électroniques
– Ergonomie et sécurité en milieu de travail
– Fabrication assistée par ordinateur (FAO)
– Rentabilité des projets
– Robots industriels

Admission (voir p. 21 G)

Pour le profil d'accueil « Électricité » : DEC technique parmi les suivants : Techniques de l'avionique, Technologie de conception en électronique, Technologie de l'électronique, Technologie de l'électronique industrielle, Technologie des systèmes ordinés ou Technologie physique.

Pour le profil d'accueil « Informatique » : DEC technique en Techniques de l'informatique. *N. B. : L'étudiant se verra prescrire un cheminement personnalisé en mathématiques et en sciences à la suite d'un test diagnostique.*

Pour le profil d'accueil « Mécanique » : DEC technique parmi les suivants : Techniques d'orthèses et de prothèses orthopédiques, Techniques de construction aéronautique, Techniques de génie mécanique, Techniques de génie mécanique de marine, Techniques de maintenance d'aéronefs, Technologie d'architecture navale, Technologie de maintenance industrielle, Transformation des matériaux composites ou Transformation des matières plastiques.

Pour le profil d'accueil « Production » : DEC technique parmi les suivants : Techniques de procédés chimiques, Techniques de la production manufacturière, Techniques du meuble et de l'ébénisterie, Technologie de la transformation des aliments, Technologie de la transformation des produits forestiers, Technologie du génie agromécanique ou Technologie du génie industriel.

Endroit de formation (voir p. 310)

	Contingentement	Coop	Cote R
ÉTS	☐	■	—

Professions reliées

C.N.P.

2141	Auditeur – qualité
0911	Directeur de production des matières premières
0911	Directeur de production industrielle
2148	Ingénieur-conseil
2141	Ingénieur de la production automatisée
2141	Ingénieur des méthodes de production
2141	Ingénieur des techniques de fabrication
2141	Ingénieur du contrôle de la qualité industrielle
2146	Ingénieur en aérospatiale
2141	Ingénieur industriel

Endroits de travail

– Firmes d'ingénieurs
– Gouvernements fédéral et provincial
– Industrie aéronautique
– Industrie de l'automobile
– Industrie de la robotique
– Industrie manufacturière

Salaire

Le salaire hebdomadaire moyen est de 994 $ (janvier 2011).

Remarques

– Pour exercer la profession et porter le titre d'ingénieur, il faut être membre de l'Ordre des ingénieurs du Québec.
– Des études de 2e cycle sont nécessaires pour exercer la profession suivante : ingénieur en aérospatiale.

SCIENCES APPLIQUÉES

STATISTIQUES D'EMPLOI	2007	2009	2011
Nb de personnes diplômées	223	228	201
% en emploi	84,9 %	92,7 %	78,9 %
% à temps plein	98,3 %	99,3 %	96 %
% lié à la formation	85,3 %	90,6 %	87,6 %

BAC 8 TRIMESTRES   CUISEP 453-000

Compétences à acquérir

- Participer activement à la gestion intégrée des ressources en eau dans un but de protection de la santé, de la sécurité et du bien-être du public.
- Protéger, réhabiliter, exploiter, gérer et préserver les ressources en eau et du milieu aquatique, à court et à long terme.
- Prévenir la pollution et l'altération de l'environnement.
- Travailler en étroite collaboration avec les différents spécialistes.
- Participer au développement et à l'application de politiques et de réglementations dans le domaine de l'eau et de l'environnement, et ce, à l'échelle locale, régionale, nationale et internationale.

Éléments du programme

- Chimie des eaux
- Écologie et environnement
- Hydrogéologie
- Hydrologie
- Impacts environnementaux
- Mathématiques de l'ingénieur
- Mécanique des sols
- Microbiologie de l'ingénieur
- Probabilités et statistiques
- Traitement de l'eau

Admission (voir p. 21 G)

DEC en Sciences de la nature **OU** tout autre DEC et Mathématiques 103, 105, 203 (ou NYA, NYB, NYC); Physique 101, 201 (ou NYA, NYB); Chimie 101, 201 (ou NYA, NYB); Biologie 301 (ou NYA) **OU** DEC technique comportant une spécialisation dans le domaine des sciences appliquées, des sciences pures ou du génie, une combinaison particulière de cours préalables.

Endroit de formation (voir p. 310)

	Contingentement	Coop	Cote R
Laval	☐	☐	—

Professions reliées

C.N.P.
2131	Ingénieur de l'environnement
2131	Ingénieur des eaux
2131	Ingénieur en gestion des eaux
2131	Officier de génie militaire

Endroits de travail

- Firmes d'ingénieurs-conseils
- Gouvernements fédéral et provincial
- Hydro-Québec
- Industrie alimentaire
- Municipalités
- Usines d'épuration des eaux usées
- Usines de filtration des eaux potables

Salaire

Le salaire hebdomadaire moyen est de 1 008 $ (janvier 2011).

STATISTIQUES D'EMPLOI			
	2007	**2009**	**2011**
Nb de personnes diplômées	—	403	473
% en emploi	—	88,3 %	88,4 %
% à temps plein	—	100 %	98,9 %
% lié à la formation	—	77,4 %	92,8 %

BAC 8 TRIMESTRES | CUISEP 436-000

SCIENCES APPLIQUÉES

Compétences à acquérir

– Appliquer les connaissances acquises sur les matériaux (propriétés, caractéristiques, structure, etc.) aux choix des matériaux en fonction des diverses contraintes auxquelles ils seront soumis au cours des traitements ou des transformations.
– Étudier les relations existant entre les propriétés et les comportements en service des matériaux, c'est-à-dire leur structure et les procédés de mise en œuvre.
– Travailler à la production, à la transformation, à la mise au point, à la conception et à l'utilisation de divers matériaux aux diverses étapes de réalisation (l'extraction, l'élaboration et l'utilisation), qu'il s'agisse de métaux, d'alliages divers ou de matériaux plus modernes tels que les céramiques polymères et composites.

Éléments du programme

– Calcul
– Contrôle de la qualité des matériaux et des assemblages
– Mécanique des fluides
– Métallurgie mécanique
– Probabilités et statistiques
– Recherche opérationnelle
– Résistance des matériaux
– Techniques de caractérisation des matériaux
– Thermodynamique
– Transfert de chaleur de la matière

Admission (voir p. 21 G)

DEC ou l'équivalent et Mathématiques 103, 105, 203; Physique 101, 201, 301; Chimie 101, 201; Biologie 301.
OU
Laval : DEC en Sciences de la nature **OU** DEC et Mathématiques NYA, NYB, NYC (ou 103, 105, 203); Physique NYA, NYB, NYC (ou 101, 201, 301); Chimie NYA, NYB (ou 101, 201). *N. B. : Pour connaître les passerelles entre un DEC technique et ce programme, contacter la Faculté des sciences et de génie.*
McGill : DEC ou l'équivalent et Mathématiques NYA, NYB, NYC (00UN, 00UP, 00UQ); Physique NYA, NYB, NYC (00UR, 00US, 00UT); Chimie NYA, NYB (00UL, 00UM) **OU** DEC technique ou l'équivalent dans certaines spécialisations et avoir réussi certains cours de niveau collégial.

Endroits de formation (voir p. 390)

	Contingentement	Coop	Cote R*
Laval	☐	☐	—
McGill	■	■	27.000

** Le nombre inscrit indique la **Cote R** qui a été utilisée pour l'**admission de l'année 2012 ou 2013** par l'université concernée.*

Professions reliées

C.N.P.
2142 Ingénieur en matériaux et en métallurgie
2115 Ingénieur en métallurgie physique
2142 Ingénieur métallurgiste

Endroits de travail

– Entreprises de fabrication de produits métalliques
– Établissements d'enseignement
– Firmes d'ingénieurs
– Forces armées canadiennes
– Gouvernements fédéral et provincial
– Industrie de l'aluminium
– Industrie manufacturière
– Industrie minière
– Industrie sidérurgique
– Laboratoires

Salaire

Le salaire hebdomadaire moyen est de 1 149 $ (janvier 2011).

Remarques

– Pour exercer la profession et porter le titre d'ingénieur, il faut être membre de l'Ordre des ingénieurs du Québec.
– L'université Laval offre un certificat en Génie de la plasturgie. Le régime coopératif est obligatoire.

STATISTIQUES D'EMPLOI			
	2007	**2009**	**2011**
Nb de personnes diplômées	39	58	20
% en emploi	52,2 %	73,7 %	73,3 %
% à temps plein	100 %	100 %	90,9 %
% lié à la formation	83,3 %	82,1 %	60 %

Génie des mines / Génie des mines et de la minéralurgie / Génie minier / Mining Engineering

BAC 8 TRIMESTRES   CUISEP 438-000

Compétences à acquérir

- Déterminer à l'aide d'études et d'estimations la rentabilité de nouveaux gisements de minerais.
- Concevoir les plans d'aménagement des mines et des installations.
- Coordonner et superviser l'aménagement et l'exploitation des sites miniers.
- Gérer les ressources humaines et matérielles.
- Analyser les méthodes de production.
- Participer à la réalisation de grands projets de construction (métro, routes, tunnels, etc.).

Éléments du programme

- Analyse numérique
- Géomécanique
- Mathématiques de l'ingénieur
- Mécanique des roches
- Probabilités et statistiques
- Soutènement minier
- Ventilation minière

Admission (voir p. 21 G)

DEC ou l'équivalent et Mathématiques 103, 105, 203; Physique 101, 201, 301; Chimie 101, 201; Biologie 301.
OU
Laval : DEC en Sciences de la nature **OU** DEC et Mathématiques NYA, NYB, NYC (ou 103, 105, 203); Physique NYA, NYB, NYC (ou 101, 201, 301); Chimie NYA, NYB (ou 101, 201). *N. B. : Pour connaître les passerelles entre un DEC technique et ce programme, contacter la Faculté des sciences et de génie.*
McGill : DEC ou l'équivalent et Mathématiques NYA, NYB, NYC (00UN, 00UP, 00UQ); Physique NYA, NYB, NYC (00UR, 00US, 00UT); Chimie NYA, NYB (00UL, 00UM) **OU** DEC technique ou l'équivalent dans certaines spécialisations et avoir réussi certains cours de niveau collégial.
Polytechnique : DEC en Sciences de la nature ou en Sciences informatiques et mathématiques comprenant : Mathématiques NYA, NYB, NYC; Physique NYA, NYB, NYC; Chimie NYA, NYB **OU** DEC dans la famille des techniques physiques et Mathématiques NYA. *N. B. : Le cours de Chimie NYB n'est pas exigé pour les finissants en Sciences informatiques et mathématiques.*

Endroits de formation (voir p. 390)

	Contingentement	Coop	Cote R*
Laval	☐	■	—
McGill	■	■	27.000
Polytechnique	☐	■	26.000

** Le nombre inscrit indique la **Cote R** qui a été utilisée pour l'admission de l'année 2012 ou 2013 par l'université concernée.*

Professions reliées

C.N.P.
0911   Directeur de production des matières premières
2143   Ingénieur minier

Endroit de travail

Industrie minière

Salaire

Le salaire hebdomadaire moyen est de 1 827 $ (janvier 2011).

Remarques

- Pour exercer la profession et porter le titre d'ingénieur, il faut être membre de l'Ordre des ingénieurs du Québec.
- À l'Université Laval, le régime coopératif est obligatoire.
- L'Université du Québec en Abitibi-Témiscamingue (UQAT) offre la première année du programme de Polytechnique Montréal. Cet établissement également un certificat en Électromécanique minière.
- Polytechnique Montréal offre un baccalauréat-maîtrise intégré (BMI) et un passage direct du baccalauréat au doctorat. Le régime coopératif ainsi que trois stages sont obligatoires pour le baccalauréat en Génie des mines.

STATISTIQUES D'EMPLOI			
	2007	**2009**	**2011**
Nb de personnes diplômées	9	15	15
% en emploi	100 %	100 %	66,7 %
% à temps plein	100 %	100 %	100 %
% lié à la formation	100 %	88,9 %	100 %

SCIENCES APPLIQUÉES

BAC 8 TRIMESTRES   CUISEP 400-000

Compétences à acquérir

– Concevoir, réaliser et analyser des éléments et des systèmes du milieu industriel.
– Mesurer l'impact de la technologie et de la production industrielle sur l'homme et son environnement.

Éléments du programme

– Commandes et automatismes
– Électronique de puissance
– Éléments de robotique
– Éléments finis en mécanique des solides
– Fabrication assistée par ordinateur (FAO)
– Ingénierie, design et communication
– Réseaux de distribution électrique
– Systèmes hydrauliques et pneumatiques

Admission (voir p. 21 G)

UQAR : DEC en Sciences de la nature **OU** DEC ou l'équivalent et Mathématiques 103, 105, 203 (00UN, 00UQ, 00UP); Physique 101, 201, 301 (00UR, 00US, 00UT); Chimie 101, 201 (00UL, 00UM); Biologie 301 (00UK).
UQAT : DEC en Sciences et les cours de la structure d'accueil en ingénierie : Mathématiques NYA, NYB, NYC; Physique NYA, NYB, NYC **OU** DEC technique et Mathématiques NYA, NYB, NYC; Physique NYA, NYB; Chimie NYA **OU** DEC dans une discipline connexe et Mathématiques NYA, NYB, NYC; Physique NYA, NYB, NYC; Chimie NYA, NYB. *N. B.: Les candidats qui ne possèdent pas ces cours devront suivre des cours d'appoint.*

Endroits de formation (voir p. 390)

	Contingentement	Coop	Cote R
UQAR	☐	☐	—
UQAT	☐	☐	—

Professions reliées

C.N.P.
4161   Agent des brevets
2141   Ingénieur des méthodes de production
2133   Ingénieur électricien (énergie)
2132   Ingénieur en mécanique (énergie)
2132   Ingénieur mécanicien
0643   Officier en génie électrique et mécanique

Endroits de travail

Différents secteurs de l'activité industrielle.

Salaire

Consulter les fiches des programmes Génie électrique (page 99) et Génie mécanique (page 103).

Remarque

Pour exercer la profession et porter le titre d'ingénieur, il faut être membre de l'Ordre des ingénieurs du Québec.

Statistiques d'emploi

Consulter les fiches des programmes Génie électrique (page 99) et Génie mécanique (page 103).

Compétences à acquérir

– Concevoir, analyser et planifier les nombreux aspects de la construction : plans, charpentes, structures, climatisation, chauffage, éclairage et matériaux.
– Superviser la construction, la rénovation, l'exploitation ou la démolition d'ouvrages.
– Faire l'analyse et la conception des charpentes, l'estimation des coûts et la gestion des travaux.
– Travailler au contrôle du bruit, à l'isolation thermique, à l'économie des ressources, à l'énergie solaire, à la structure, aux matériaux et aux systèmes mécaniques des bâtiments.

Éléments du programme

– Acoustique du bâtiment
– Dessin de structure
– Éclairage du bâtiment
– Mécanique des fluides
– Méthodes de construction
– Statistiques
– Thermodynamique

Admission (voir p. 21 G)

DEC en Sciences de la nature **OU** DEC ou l'équivalent et Mathématiques 103, 105, 203 (ou NYA, NYB, NYC); Physique 101, 201 (ou NYA, NYB); Chimie 101 (ou NYA).

Endroit de formation (voir p. 310)

	Contingentement	Coop	Cote R*
Concordia	■	■	24.000

*Le nombre inscrit indique la **Cote R** qui a été utilisée pour l'**admission de l'année 2012 ou 2013** par l'université concernée.*

Professions reliées

C.N.P.
1235   Évaluateur agréé
2131   Ingénieur civil
2132   Ingénieur en mécanique du bâtiment

Endroits de travail

– À son compte
– Entrepreneurs en construction
– Firmes d'architectes
– Firmes d'ingénieurs
– Gouvernements fédéral et provincial
– Municipalités

Salaire

Le salaire hebdomadaire moyen est de 1 008 $ (janvier 2011).

Remarques

– Pour exercer la profession et porter le titre d'ingénieur, il faut être membre de l'Ordre des ingénieurs du Québec.
– Pour porter le titre d'évaluateur agréé, il faut être membre de l'Ordre des évaluateurs agréés du Québec.

SCIENCES APPLIQUÉES

STATISTIQUES D'EMPLOI	2007	2009	2011
Nb de personnes diplômées	268	403	473
% en emploi	81,1 %	88,3 %	88,4 %
% à temps plein	97,9 %	100 %	98,9 %
% lié à la formation	96,4 %	93,1 %	92,8 %

BAC 8 TRIMESTRES   CUISEP 315-700

Compétences à acquérir

– Planifier et diriger des travaux d'entreprises industrielles en transformation du bois.
– Travailler à la création de nouveaux produits.
– Transformer des ressources forestières en produits utilitaires.
– Appliquer des principes d'ingénierie à la transformation du bois.
– Optimiser des procédés de transformation ou d'amélioration du bois par des techniques modernes de contrôle et de gestion.
– Concevoir et commercialiser de nouveaux produits.

Éléments du programme

– Anatomie et structure du bois
– Botanique forestière
– Laboratoire de physique et mécanique du bois
– Sciages, placages et contreplaqués
– Séchage et préservation
– Stages coopératifs rémunérés (4 sessions)
– Statique et résistance des matériaux
– Transformation du bois

Admission (voir p. 21 G)

DEC en Sciences de la nature **OU** tout autre DEC et Mathématiques NYA, NYB, NYC (ou 103-77, 105-77, 203-77); Physique NYA, NYB, NYC (ou 101, 201, 301); Chimie NYA, NYB (ou 101, 201); Biologie NYA (ou 301). *N. B.: Les titulaires d'un DEC en Technologie forestière ou d'un DEC de la famille des techniques biologiques sont dispensés du cours de Biologie NYA (301).*

Endroit de formation (voir p. 310)

	Contingentement	Coop	Cote R
Laval	☐	■	—

Professions reliées

C.N.P.
0911   Directeur de production des matières premières
2122   Ingénieur forestier en sciences du bois

Endroits de travail

– Centres de recherche
– Firmes de consultation en ingénierie
– Gouvernements fédéral et provincial
– Industrie de la transformation du bois

Salaire

Le salaire hebdomadaire moyen est de 898 $ (janvier 2011).

Remarques

– Pour exercer la profession et porter le titre d'ingénieur forestier, il faut être membre de l'Ordre des ingénieurs forestiers du Québec.
– À l'Université Laval, le régime coopératif est obligatoire.

STATISTIQUES D'EMPLOI	2007	2009	2011
Nb de personnes diplômées	62	70	44
% en emploi	69,8 %	61 %	61,8 %
% à temps plein	96,7 %	97,2 %	95,2 %
% lié à la formation	93,1 %	85,7 %	90 %

Compétences à acquérir

- Concevoir et dessiner des plans d'équipements électriques.
- Analyser, concevoir et réaliser des systèmes électriques et informatiques.
- Superviser la construction, l'installation et le fonctionnement des équipements électriques.
- Évaluer le coût de la construction d'ouvrages et prévoir les coûts de la main-d'œuvre.
- Surveiller et coordonner le travail des divers techniciens.

Éléments du programme

- Analyse numérique pour l'ingénieur
- Électromagnétisme
- Électronique
- Mathématiques de l'ingénieur
- Physique des composantes électroniques
- Signaux et systèmes directs

Admission (voir p. 21 G)

Concordia : DEC ou l'équivalent et Mathématiques 103, 203, 105 (ou 201-NYA, 201-NYB, 201-NYC); Physique 101, 201, 301 (ou 203-NYA, 203-NYB, 301-NYC); Chimie 101 (ou 202-NYA).

ÉTS : Pour le profil d'accueil « Électrique » : DEC technique parmi les suivants : Techniques d'avionique, Technologie de conception électronique, Technologie de l'électronique, Technologie de l'électronique industrielle, ou Technologie physique; **Pour le profil d'accueil « Électrique et informatique » :** DEC technique en Technologie des systèmes ordinés; **Pour le profil d'accueil « Informatique » :** DEC technique en Techniques de l'informatique. *N. B. : L'étudiant se verra prescrire un cheminement personnalisé en mathématiques et en sciences à la suite d'un test diagnostique.*

Laval : DEC en Sciences de la nature **OU** DEC en Sciences informatiques et mathématiques **OU** DEC ou l'équivalent et Mathématiques NYA, NYB, NYC (ou 103-77, 105-77, 203-77); Physique NYA, NYB, NYC (ou 101, 201, 301); Chimie NYA (ou 101); Biologie NYA (ou 301). *N. B. : Pour connaître les passerelles entre un DEC technique et ce programme, contacter la Faculté des sciences et de génie.*

McGill : DEC ou l'équivalent et Mathématiques NYA, NYB, NYC (00UN, 00UP, 00UQ); Physique NYA, NYB, NYC (00UR, 00US, 00UT); Chimie NYA, NYB (00UL, 00UM) **OU** DEC technique ou l'équivalent dans certaines spécialisations et avoir réussi certains cours de niveau collégial.

Polytechnique : DEC en Sciences de la nature ou en Sciences informatiques et mathématiques comprenant : Mathématiques NYA, NYB, NYC; Physique NYA, NYB, NYC; Chimie NYA, NYB **OU** DEC dans la famille des techniques physiques et Mathématiques NYA. *N. B. : Le cours de Chimie NYB n'est pas exigé pour les finissants en Sciences informatiques et mathématiques.*

Sherbrooke : DEC en Sciences informatiques et mathématiques **OU** DEC ou l'équivalent et Mathématiques NYA, NYB, NYC (00UN, 00UP, 00UQ); Physique NYA, NYB, NYC (00UR, 00US, 00UT); Chimie NYA, NYB (00UL, 00UM); Biologie NYA (00UK) **OU** DEC dans la famille des techniques physiques ou l'équivalent et Mathématiques NYA, NYB, NYC (00UN, 00UP, 00UQ); Physique NYA, NYB, NYC (00UR, 00US, 00UT); Chimie NYA (00UL) **OU** DEC technique parmi les suivants : Techniques d'avionique, Technologie de conception électronique, Technologie de l'électronique, Technologie de l'électronique industrielle, Technologie de systèmes ordinés, Technologie physique ou l'équivalent **OU** DEC en Techniques de l'informatique.

UQAC : DEC en Sciences de la nature **OU** DEC ou l'équivalent et Mathématiques NYA, NYB, NYC; Physique NYA, NYB, NYC; Chimie NYA, NYB **OU** DEC dans la famille des techniques physiques. *N. B. : Les étudiants admis sur cette base seront soumis à un cheminement particulier. Se référer au site Web de l'université.*

UQAR : DEC en Sciences de la nature **OU** DEC ou l'équivalent et Mathématiques 103, 105, 203 (00UN, 00UP, 00UQ); Physique 101, 201, 301 (00UR, 00US, 00UT); Chimie 101, 201 (00UL, 00UM); Biologie 301 (00UK) **OU** DEC technique dans un secteur relié au génie.

UQTR : DEC en Sciences de la nature ou en Sciences informatiques et mathématiques **OU** DEC ou l'équivalent et Mathématiques NYA, NYB, NYC (00UN, 00UQ, 00UP); Physique NYA, NYB (00UR, 00US); Chimie NYA (00UL). Des cours d'appoint sont offerts en Mathématiques, en Physique et en Chimie.

Endroits de formation (voir p. 390)

	Contingentement	Coop	Cote R*
Concordia	■	■	24.000
ÉTS	□	■	—
Laval	□	□	—
McGill	■	□	27.000
Polytechnique	□	□	26.000
Sherbrooke	■	■	—
UQAC	□	□	—
UQAR	□	□	—
UQTR	□	□	—

** Le nombre inscrit indique la **Cote R** qui a été utilisée pour l'**admission de l'année 2012 ou 2013** par l'université concernée.*

SCIENCES APPLIQUÉES

Professions reliées

C.N.P.

2133	Ingénieur électricien (énergie)
2133	Ingénieur électronicien
2146	Ingénieur en aérospatiale
2133	Ingénieur en électrotechnique
2147	Ingénieur en informatique
2147	Ingénieur en intelligence artificielle
2132	Ingénieur en sciences nucléaires
2147	Ingénieur en télécommunication
2132	Ingénieur spécialiste des installations d'énergie
2131	Officier de génie militaire
2146	Officier en génie aérospatial
2147	Spécialiste en télécommunications (informatique)

Endroits de travail

– Centrales électriques
– Fabricants d'appareil audio et vidéo
– Firmes d'ingénieurs
– Forces armées canadiennes
– Gouvernements fédéral et provincial
– Industrie de l'avionique
– Industrie de l'informatique
– Industrie des télécommunications

Salaire

Le salaire hebdomadaire moyen est de 1 005 $ (janvier 2011).

Remarques

– Plusieurs concentrations sont offertes selon les établissements : Avionique; Commande industrielle; Énergie électrique; Génie biomédical; Informatique; Mécatronique; Systèmes embarqués pour l'aérospatiale; Technologie de l'information; Technologie de la santé; Télécommunications.
– Pour exercer la profession et porter le titre d'ingénieur, il faut être membre de l'Ordre des ingénieurs du Québec.
– Des études de 2e cycle sont nécessaires pour exercer les professions suivantes : ingénieur biomédical, ingénieur en aérospatiale, ingénieur en sciences nucléaires et ingénieur spécialiste des installations d'énergie.
– Le régime coopératif est obligatoire à l'École de technologie supérieure (ÉTS).
– L'Université de Sherbrooke offre un cheminement intégré baccalauréat-maîtrise : après la troisième année du baccalauréat, les étudiants ayant réussi 105 crédits peuvent poursuivre à la maîtrise et obtenir leur diplôme en complétant une formation de 2e cycle de 45 crédits. Cet établissement également un cheminement en Bioingénierie à l'intérieur du baccalauréat en Génie électrique.

– L'Université du Québec à Chicoutimi (UQAC) offre la possibilité de faire des stages rémunérés dans le cadre de ce programme.
– L'Université du Québec à Trois-Rivières (UQTR) offre le baccalauréat régulier en génie électrique et le baccalauréat avec concentration en génie informatique. Cet établissement offre également, aux étudiants titulaires d'un DEC dans la famille des techniques physiques, la possibilité de bénéficier de reconnaissances d'acquis, notamment sous forme d'exemptions, sur recommandation du responsable de programme.
– Polytechnique Montréal offre un baccalauréat-maîtrise intégré (BMI) et un passage direct du baccalauréat au doctorat. Un stage rémunéré de quatre mois est obligatoire.

STATISTIQUES D'EMPLOI	2007	2009	2011
Nb de personnes diplômées	652	604	529
% en emploi	76,8 %	79,7 %	79,6 %
% à temps plein	98,2 %	99 %	97,8 %
% lié à la formation	78,8 %	84,9 %	81,9 %

SCIENCES APPLIQUÉES

BAC 8 TRIMESTRES

Compétences à acquérir

- Trouver des solutions aux problèmes de l'industrie minérale, de la construction et de la protection de l'environnement.
- Rechercher et évaluer les ressources minérales et énergétiques ainsi que les eaux souterraines.
- Rassembler et étudier des données relatives aux gisements de minerais, guider le choix des techniques liées à leur exploitation et des méthodes d'exploration.
- Évaluer l'impact des projets et des activités humaines sur l'environnement.
- Faire l'étude du sol et du socle en prévision de grands projets de construction (routes, tunnels, barrages et édifices).

Éléments du programme

- Géologie minière et de l'exploration
- Hydrogéologie
- Mécanique des roches appliquée
- Minéralogie
- Résistance des matériaux

Admission (voir p. 21 G)

DEC ou l'équivalent et Mathématiques 103, 105, 203; Physique 101, 201, 301; Chimie 101, 201; Biologie 301 **OU**

Laval : DEC en Sciences de la nature **OU** tout autre DEC et Mathématiques NYA, NYB, NYC (ou 103-77, 105-77, 203-77); Physique NYA, NYB (ou 101, 201); Chimie NYA, NYB (ou 101, 201). *N. B.: Pour connaître les passerelles entre un DEC technique et ce programme, contacter la Faculté des sciences et de génie.*

Polytechnique : DEC en Sciences de la nature ou en Sciences informatiques et mathématiques comprenant : Mathématiques NYA, NYB, NYC; Physique NYA, NYB, NYC; Chimie NYA, NYB **OU** DEC dans la famille des techniques physiques et Mathématiques NYA. *N. B.: Le cours de Chimie NYB n'est pas exigé pour les finissants en Sciences informatiques et mathématiques.*

UQAC : DEC ou l'équivalent et Mathématiques NYA, NYB, NYC; Physique NYA, NYB, NYC; Chimie NYA, NYB; Biologie NYA **OU** DEC dans la famille des techniques physiques et Mathématiques NYA, NYB, NYC; Physique NYA, NYB; un cours de chimie et un cours de géologie ou Physique NYC **OU** DEC en Sciences de la nature **OU** DEC en Sciences informatiques et mathématiques et avoir complété au moins un cours de chimie. *N. B. : Un cours d'appoint peut être suivi dans les 12 mois suivant l'admission si l'étudiant n'a pas les cours de chimie.*

Endroits de formation (voir p. 390)

	Contingentement	Coop	Cote R*
Laval	☐	☐	—
Polytechnique	☐	☑	26.000
UQAC	☐	☐	—

** Le nombre inscrit indique la **Cote R** qui a été utilisée pour l'**admission de l'année 2012 ou 2013** par l'université concernée.*

Professions reliées

C.N.P.

0911	Directeur de production des matières premières
2113	Géophysicien
2113	Géophysicien-prospecteur
2144	Hydrogéologue
2144	Ingénieur en mécanique des sols
2144	Ingénieur géologue

Endroits de travail

- Entrepreneurs en construction
- Firmes d'ingénieurs
- Gouvernements fédéral et provincial
- Industrie minière
- Industrie pétrolière

Salaire

Le salaire hebdomadaire moyen est de 993 $ (janvier 2011).

Remarques

- Pour exercer la profession et porter le titre d'ingénieur, il faut être membre de l'Ordre des ingénieurs du Québec.
- Des études de 2e cycle sont nécessaires pour exercer les professions suivantes : géophysicien, géophysicien-prospecteur.
- L'Université du Québec à Chicoutimi (UQAC) offre la possibilité de faire des stages rémunérés dans le cadre de ce programme.
- L'Université du Québec en Abitibi-Témiscamingue (UQAT) offre la première année du programme de l'Université du Québec à Chicoutimi (UQAC).
- Polytechnique Montréal offre un baccalauréat-maîtrise intégré (BMI) et un passage direct du baccalauréat au doctorat. Le régime coopératif ainsi que trois stages sont obligatoires.

STATISTIQUES D'EMPLOI			
	2007	**2009**	**2011**
Nb de personnes diplômées	35	30	33
% en emploi	64 %	78,9 %	62,5 %
% à temps plein	93,8 %	100 %	100 %
% lié à la formation	86,7 %	93,3 %	93,3 %

SCIENCES APPLIQUÉES

Génie industriel / Industrial Engineering

BAC 8 TRIMESTRES

CUISEP 455-410/420

Compétences à acquérir

- Concevoir, organiser, intégrer et analyser des systèmes de production dans les diverses composantes : main-d'œuvre, matériaux, machines et capitaux.
- Optimiser le système de production, l'efficacité et la productivité d'une entreprise.
- Instaurer l'utilisation de nouvelles technologies telles que la conception et la fabrication par ordinateur, la robotique ou l'automatisation programmée.
- Assurer l'emploi efficace, sûr et économique du personnel, des matériaux et des équipements d'une entreprise.

Éléments du programme

- Aménagement d'usine et manutention
- Analyse des tâches et conception de produits
- Design mécanique et mécanisation
- Mathématiques appliquées
- Planification d'installations industrielles
- Probabilités et statistiques
- Sécurité et hygiène industrielles

Admission (voir p. 21 G)

Concordia : DEC en Sciences de la nature **OU** DEC ou l'équivalent et Mathématiques 103, 105, 203 (ou 201-NYA, 201-NYB, 201-NYC); Physique 101, 201 (ou 203-NYA, 201 203-NYB); Chimie 101 (ou 202-NYA).
Laval : DEC en Sciences de la nature **OU** DEC en Sciences informatiques et mathématiques **OU** DEC en Gestion des opérations; en Logistique du transport; en Technologie du génie industriel **OU** DEC en Sciences humaines, profils en Administration, en Économie ou en Gestion **OU** DEC et avoir réussi Mathématiques NYA, NYB, NYC (ou 103-77, 105-77, 203-77 ou 00UN, 00UP, 00UQ); Physique NYA, NYB, NYC (ou 101, 201, 301 ou 00UR, 00US, 00UT); Chimie NYA (ou 101 ou 00UL).
Polytechnique : DEC en Sciences de la nature ou en Sciences informatiques et mathématiques comprenant : Mathématiques NYA, NYB, NYC; Physique NYA, NYB, NYC; Chimie NYA, NYB **OU** DEC dans la famille des techniques physiques et Mathématiques NYA. *N. B. : Le cours de Chimie NYB n'est pas exigé pour les finissants en Sciences informatiques et mathématiques.*
UQTR : DEC en Sciences de la nature ou en Sciences informatiques et mathématiques **OU** DEC ou l'équivalent **OU** Mathématiques NYA, NYB, NYC (00UN, 00UP, 00UQ); Physique NYA, NYB (00UR, 00US); Chimie NYA (00UL). Des cours d'appoint sont offerts en Mathématiques, en Physique et en Chimie.

Endroits de formation (voir p. 390)

	Contingentement	Coop	Cote R*
Concordia	■	■	24.000
Laval	☐	☐	—
Polytechnique	☐	☐	26.000
UQTR	☐	☐	—

** Le nombre inscrit indique la **Cote R** qui a été utilisée pour l'admission de l'année 2012 ou 2013 par l'université concernée.*

Professions reliées

C.N.P.

2141	Auditeur – qualité
0911	Directeur de production des matières premières
0911	Directeur de production industrielle
4161	Ergonomiste
4161	Hygiéniste industriel
2148	Ingénieur-conseil
2141	Ingénieur des méthodes de production
2141	Ingénieur des techniques de fabrication
2141	Ingénieur du contrôle de la qualité industrielle
2141	Ingénieur industriel

Endroits de travail

- Firmes d'ingénieurs
- Gouvernements fédéral et provincial
- Industrie de l'automobile
- Industrie de la fabrication de produits en matière plastique
- Industrie forestière
- Industrie manufacturière
- Industrie minière
- Industrie pétrolière

Salaire

Le salaire hebdomadaire moyen est de 994 $ (janvier 2011).

Remarques

- Pour exercer la profession et porter le titre d'ingénieur, il faut être membre de l'Ordre des ingénieurs du Québec.
- Des études de 2e cycle sont nécessaires pour exercer les professions suivantes : ergonomiste et hygiéniste industriel.
- L'Université du Québec à Trois-Rivières (UQTR) offre un certificat en Santé et sécurité au travail. Cet établissement offre également, aux étudiants titulaires d'un DEC dans la famille des techniques physiques, la possibilité de bénéficier de reconnaissances d'acquis, notamment sous forme d'exemptions, sur recommandation du responsable de programme.
- L'Université Laval offre quatre concentrations : Approche généraliste; Ingénierie de l'informatisation des systèmes d'entreprise; Ingénierie de la chaîne logistique; Systèmes productifs et distributifs.
- Polytechnique Montréal offre un baccalauréat-maîtrise intégré (BMI) et un passage direct du baccalauréat au doctorat. Un stage rémunéré de quatre mois est obligatoire.

STATISTIQUES D'EMPLOI			
	2007	2009	2011
Nb de personnes diplômées	223	228	201
% en emploi	84,9 %	92,7 %	78,9 %
% à temps plein	98,3 %	99,3 %	96 %
% lié à la formation	85,3 %	90,6 %	87,6 %

SCIENCES APPLIQUÉES

Compétences à acquérir

– Concevoir ou améliorer des systèmes mécaniques (moteur, transmission, turbines) utilisés dans la fabrication de machines et appareils de toutes sortes en production industrielle ou dans le domaine du bâtiment.
– Superviser la réalisation des plans.
– Choisir les matériaux et la méthode de fabrication.
– Diriger les travaux de fabrication et les essais de prototypes.
– Évaluer les installations et les procédés mécaniques de fabrication et s'assurer du respect des normes de sécurité.
– Recommander des méthodes d'entretien.

Éléments du programme

– Dessin de machines
– Mathématiques du génie mécanique
– Probabilités et statistiques
– Production industrielle
– Thermodynamique technique

Admission (voir p. 21 G)

Concordia : DEC ou l'équivalent et Mathématiques 103, 203, 105 (ou NYA, NYB, NYC); Physique 101, 201 (ou NYA, NYB); Chimie 101 (ou NYA).

ÉTS : DEC technique parmi les suivants : Techniques de construction aéronautique, Techniques de design industriel, Techniques de génie mécanique de marine, Techniques de génie métallurgique, Techniques de maintenance d'aéronefs, Techniques de procédés chimiques, Techniques de production manufacturière, Techniques de transformation des matériaux composites, Techniques de transformation des matières plastiques, Techniques du meuble et de l'ébénisterie, Technologie de l'architecture navale, Technologie de la mécanique du bâtiment, Technologie de la production textile, Technologie de maintenance industrielle, Technologie du génie agromécanique, Technologie du génie industriel, Technologie du génie mécanique ou Technologie physique. *N. B. : L'étudiant se verra prescrire un cheminement personnalisé en mathématiques et en sciences à la suite à d'un test diagnostique.*

Laval : DEC en Sciences de la nature **OU** DEC en Sciences informatiques et mathématiques **OU** DEC ou l'équivalent et Mathématiques NYA, NYB, NYC (ou 103-77, 105-77, 203-77); Physique NYA, NYB, NYC (ou 101, 201, 301); Chimie NYA (ou 101); Biologie NYA (ou 301). *N. B. : Pour connaître les passerelles entre un DEC technique et ce programme, contacter la Faculté des sciences et de génie.*

McGill : DEC ou l'équivalent et Mathématiques NYA, NYB, NYC (00UN, 00UP, 00UQ); Physique NYA, NYB, NYC (00UR, 00US, 00UT); Chimie NYA, NYB (00UL, 00UM) **OU** DEC technique ou l'équivalent dans certaines spécialisations et avoir réussi certains cours de niveau collégial.

Polytechnique : DEC en Sciences de la nature ou en Sciences informatiques et mathématiques comprenant : Mathématiques NYA, NYB, NYC; Physique NYA, NYB, NYC; Chimie NYA, NYB **OU** DEC dans la famille des techniques physiques et Mathématiques NYA. *N. B. : Le cours de Chimie NYB n'est pas exigé pour les finissants en Sciences informatiques et mathématiques.*

Sherbrooke : DEC en Sciences de la nature, cheminement baccalauréat international **OU** DEC en Sciences informatiques et mathématiques (200.C0) **OU** DEC ou l'équivalent et Mathématiques NYA, NYB, NYC (00UN, 00UP, 00UQ); Physique NYA, NYB, NYC (00UR, 00US, 00UT); Chimie NYA, NYB (00UL, 00UM), Biologie NYA (00UK) **OU** DEC dans la famille des techniques physiques ou l'équivalent et Mathématiques NYA, NYB, NYC (00UN, 00UP, 00UQ); Physique NYA, NYB, NYC (00UR, 00US, 00UT); Chimie NYA (00UL) **OU** DEC technique en Techniques de construction aéronautique ou en Techniques de génie mécanique. *N. B. : Dans ce cas, à la suite de l'analyse du dossier, les étudiants pourront se voir attribuer des exemptions avec substitutions.*

UQAC : DEC en Sciences de la nature **OU** DEC ou l'équivalent et Mathématiques NYA, NYB, NYC; Physique NYA, NYB, NYC; Chimie NYA, NYB **OU** DEC dans la famille des techniques physiques. *N. B. : Les étudiants admis sur cette base seront soumis à un cheminement particulier. Se référer au site Web de l'université.*

UQAR : DEC en Sciences de la nature **OU** DEC ou l'équivalent et Mathématiques 103, 105, 203 (00UN, 00UP, 00UQ); Physique 101, 201, 301 (00UR, 00US, 00UT); Chimie 101, 201 (00UL, 00UM); Biologie 301 (00UK) **OU** DEC dans un secteur relié au génie.

UQAT : DEC en Sciences et les cours de la structure d'accueil en ingénierie : Mathématiques NYA, NYB, NYC; Chimie NYA, NYB; Physique NYA, NYB, NYC; Biologie NYA **OU** DEC technique et Mathématiques NYA, NYB, NYC; Physique NYA, NYB; Chimie NYA **OU** DEC dans une discipline connexe et Mathématiques NYA, NYB, NYC; Physique NYA, NYB, NYC; Chimie NYA, NYB. *N. B. : Les candidats qui ne possèdent pas ces cours devront suivre des cours d'appoint à l'université.*

UQTR : DEC en Sciences de la nature **OU** DEC en Sciences informatiques et mathématiques **OU** DEC ou l'équivalent et Mathématiques NYA, NYB, NYC (00UN, 00UQ, 00UP); Physique NYA, NYB (00UR, 00US); Chimie NYA (00UL). *N. B. : Des cours d'appoint sont offerts en Mathématiques, en Physique et en Chimie.*

SCIENCES APPLIQUÉES

SUITE

Endroits de formation (voir p. 390)

	Contingentement	Coop	Cote R*
Concordia	■	■	24.000
ÉTS	☐	■	—
Laval	☐	☐	—
McGill	■	☐	29.000
Polytechnique	☐	☐	26.000
Sherbrooke	■	■	25.500
UQAC	☐	☐	—
UQAR	☐	☐	—
UQAT	☐	☐	—
UQTR	☐	☐	—

** Le nombre inscrit indique la **Cote R** qui a été utilisée pour l'**admission de l'année 2012 ou 2013** par l'université concernée.*

Professions reliées

C.N.P.

2141	Ingénieur du contrôle de la qualité industrielle
2146	Ingénieur en aérospatiale
2148	Ingénieur en construction navale
2148	Ingénieur en génie maritime
2132	Ingénieur en mécanique du bâtiment
2141	Ingénieur industriel
2132	Ingénieur mécanicien
2132	Ingénieur spécialiste des installations d'énergie
2146	Officier en génie aérospatial

Endroits de travail

– Centres de recherche
– Firmes d'ingénieurs
– Gouvernements fédéral et provincial
– Industrie de l'aérospatiale
– Industrie de la robotique
– Industrie des pâtes et papiers
– Industrie manufacturière
– Industrie maritime

Salaire

Le salaire hebdomadaire moyen est de 1 008 $ (janvier 2011).

Remarques

– Différentes options sont offertes selon les établissements : Aéronautique; Conception mécanique; Design; Énergie; Fabrication; Génie automobile; Génie biomédical; Génie ferroviaire; Génie mécatronique; Mécanique du bâtiment; Mécatronique; Plasturgie; etc.
– Pour exercer la profession et porter le titre d'ingénieur, il faut être membre de l'Ordre des ingénieurs du Québec.
– Des études de 2e cycle sont nécessaires pour exercer les professions suivantes : ingénieur en aérospatiale, ingénieur spécialiste des installations d'énergie.

– L'Université de Sherbrooke offre trois cheminements : régulier, avec concentration en Génie aéronautique et avec concentration en Bioingénierie. Cet établissement offre également un cheminement intégré baccalauréat-maîtrise : après la troisième année du baccalauréat, les étudiants ayant réussi 105 crédits peuvent poursuivre à la maîtrise et obtenir leur diplôme en complétant une formation de 2e cycle de 45 crédits.
– L'Université du Québec à Chicoutimi (UQAC) offre la possibilité de faire des stages rémunérés dans le cadre de ce programme.
– L'Université du Québec à Trois-Rivières (UQTR) offre le baccalauréat avec concentration génie mécatronique. Cet établissement offre également aux étudiants titulaires d'un DEC dans la famille des techniques physiques, la possibilité de bénéficier de reconnaissances d'acquis, notamment sous forme d'exemptions, sur recommandation du responsable de programme.
– Polytechnique Montréal offre un baccalauréat-maîtrise intégré (BMI) et un passage direct du baccalauréat au doctorat. Un stage rémunéré de quatre mois est obligatoire.

SCIENCES APPLIQUÉES

STATISTIQUES D'EMPLOI			
	2007	**2009**	**2011**
Nb de personnes diplômées	750	781	747
% en emploi	83 %	81,7 %	78 %
% à temps plein	98,3 %	98,8 %	97,8 %
% lié à la formation	85,5 %	89,6 %	86,4 %

Compétences à acquérir

– Programmer des éléments logiciels.
– Concevoir des systèmes et des composantes micro-électroniques (puces).
– Acquérir des connaissances en génie électrique et en télé-communications.
– Maîtriser les concepts et les lois fondamentales qui entou-rent les propriétés des matériaux.
– Utiliser diverses techniques de fabrication des compo-santes miniaturisées.

Éléments du programme

– Algèbre
– Génie
– Microélectronique
– Physique
– Stages

Admission (voir p. 21 G)

DEC en Sciences de la nature.
OU
DEC ou l'équivalent et Mathématiques 103, 105, 203; Physique 101, 201, 301; Chimie 101, 201; Biologie 301.
OU
DEC technique parmi les suivants: Techniques d'avio-nique, Technologie de l'électronique avec spécialisation *Audiovisuel*, Technologie de l'électronique industrielle, Technologie de systèmes ordinés ou Technologie phy-sique **ET** Mathématiques 103, 105, 203; Physique 101, 201, 301.
OU
DEC technique dans le domaine de l'informatique ou l'équivalent et Mathématiques 103, 105, 203; Physique 101, 201 et 301.

Endroit de formation (voir p. 310)

	Contingentement	Coop	Cote R
UQAM	☐	■	—

Professions reliées

C.N.P.
2173	Concepteur de logiciels
2133	Designer de circuits intégrés
2133	Ingénieur électronicien
2133	Ingénieur en microélectronique
2147	Ingénieur en télécommunication

Endroits de travail

– À son compte
– Fabricants d'appareils de télécommunications
– Fabricants d'ordinateurs
– Industrie de l'aérospatiale
– Industrie de l'automobile

Salaire

Le salaire hebdomadaire moyen est de 1 005 $ (janvier 2011).

Remarques

– Pour exercer la profession et porter le titre d'ingénieur, il faut être membre de l'Ordre des ingénieurs du Québec.
– Programme agréé menant à la profession d'ingénieur.
– L'Université Concordia offre une spécialisation en Micro-électronique dans le cadre du programme Computer Science (Software Systems).
– L'Université de Sherbrooke et Polytechnique Montréal offrent une concentration en Microélectronique à l'inté-rieur du BAC en Génie électrique.
– L'Université du Québec à Montréal (UQAM) est la seule université au Canada à offrir le baccalauréat en Génie microélectronique.

SCIENCES APPLIQUÉES

STATISTIQUES D'EMPLOI	2007	2009	2011
Nb de personnes diplômées	652	604	529
% en emploi	76,8 %	79,7 %	79,6 %
% à temps plein	98,2 %	99 %	97,8 %
% lié à la formation	78,8 %	84,9 %	81,9 %

Compétences à acquérir

– Concevoir, expérimenter et mettre au point des outils de haute technologie pour la fabrication d'instruments de précision et l'analyse des objets (aérospatial, optique, nucléaire, biomédical).
– Diriger des équipes de spécialistes en vue de réaliser des projets.
– Travailler à l'élaboration et à la recherche de nouvelles techniques de production et de nouveaux produits (métallurgie, mines, informatique, météorologie, etc.).

Éléments du programme

– Circuits logiques
– Électromagnétisme
– Optique instrumentale
– Physique atomique et nucléaire
– Résistance des matériaux
– Thermodynamique

Admission (voir p. 21 G)

Laval : DEC en Sciences de la nature ou en Sciences informatiques et mathématiques **OU** DEC et Mathématiques NYA, NYB, NYC (ou 103-77, 105-77 et 203-77); Physique NYA, NYB, NYC (ou 101, 201, 301); Chimie NYA (ou 101); Biologie NYA (ou 301). *N. B.: Pour connaître les passerelles entre un DEC technique et ce programme, contacter la Faculté des sciences et de génie.*
Polytechnique : DEC en Sciences de la nature ou en Sciences informatiques et mathématiques comprenant : Mathématiques NYA, NYB, NYC; Physique NYA, NYB, NYC; Chimie NYA, NYB **OU** DEC dans la famille des techniques physiques et Mathématiques NYA. *N. B.: Le cours de Chimie NYB n'est pas exigé pour les finissants en Sciences informatiques et mathématiques.*

Endroits de formation (voir p. 390)

	Contingentement	Coop	Cote R
Laval	☐	☐	—
Polytechnique	☐	☐	26.000

** Le nombre inscrit indique la **Cote R** qui a été utilisée pour l'**admission de l'année 2012 ou 2013** par l'université concernée.*

Professions reliées

C.N.P.
2148	Ingénieur biomédical
2147	Ingénieur de l'implantation des nouveaux produits (photonique)
2141	Ingénieur de la production automatisée
2141	Ingénieur des méthodes de production
2147	Ingénieur en optique
2132	Ingénieur en sciences nucléaires
2148	Ingénieur physicien
2131	Officier de génie militaire
2211	Technologue en génie pétrochimique

Endroits de travail

– Centres de recherche
– Établissements d'enseignement universitaire
– Fabricants d'ordinateurs et de périphériques
– Gouvernements fédéral et provincial
– Industrie du nucléaire
– Industrie métallurgique
– Industrie minière

Salaire

Le salaire hebdomadaire moyen est de 907 $ (janvier 2011).

Remarques

– Pour exercer la profession et porter le titre d'ingénieur, il faut être membre de l'Ordre des ingénieurs du Québec.
– Des études de 2e cycle sont nécessaires pour exercer les professions suivantes : ingénieur biomédical et ingénieur en sciences nucléaires.
– L'Université Laval offre trois concentrations : Électricité, électronique et puissance; Environnement; Signaux et communication.
– Polytechnique Montréal offre un baccalauréat-maîtrise intégré (BMI) et un passage direct du baccalauréat au doctorat. Un stage rémunéré de quatre mois est obligatoire.

SCIENCES APPLIQUÉES

STATISTIQUES D'EMPLOI	2007	2009	2011
Nb de personnes diplômées	80	56	39
% en emploi	42,3 %	24,4 %	23,3 %
% à temps plein	95,5 %	100 %	100 %
% lié à la formation	76,2 %	72,7 %	85,7 %

INFORMATIQUE

PROGRAMMES D'ÉTUDES   PAGE

Conception de jeux vidéo (BAC avec majeure) / Création 3D / Computer Games **108**

Création numérique / Sciences de l'image et médias numériques /
Computation Arts / Imaging and Digital Media **109**

Génie des opérations et de la logistique **110**

Génie des technologies de l'information **111**

Génie informatique / Informatique de génie / Computer Engineering **112**

Génie logiciel / Informatique et génie logiciel / Computer Science Software Application /
Software Engineering **114**

Informatique / Informatique et recherche opérationnelle / Computer Science /
Information Systems **116**

Informatique de gestion / Information Systems **118**

Microélectronique **119**

Conception de jeux vidéo (Bac avec majeure) / Création 3D / Computer Games

BAC 6 TRIMESTRES

Compétences à acquérir

– Solutionner des problèmes relevant du domaine de la conception de jeux vidéo, particulièrement la programmation C++, l'infographie 2D et 3D, l'intelligence artificielle, le multimédia, les réseaux, le génie logiciel et la gestion de projet.
– Concevoir et réaliser des logiciels fiables, généraux et lisibles.
– Acquérir une expérience de l'utilisation de logiciels moderne et de laboratoires adaptés.
– Réaliser toutes les étapes de la création d'un jeu vidéo.
– Définir, gérer et mettre en œuvre des projets dans le domaines des jeux vidéo.

Éléments du programme

– Algèbre linéaire
– Algorithmique et structures de données
– Animation et images par ordinateur
– Atelier de production de jeux vidéo
– Éléments de programmation
– Intelligence artificielle

Admission (voir p. 21 G)

Concordia: DEC ou l'équivalent et Mathématiques 103, 105, 203 (ou NYA, NYB, NYC).
UQAC: DEC ou l'équivalent et Mathématiques NYA, NYB, NYC.
UQAT: DEC préuniversitaires, profils en Art visuel, en Cinéma, en Communication, en Design graphique, en Histoire de l'art, en Informatique, en Lettres ou dans un domaine connexe et posséder de bonnes bases en imagerie numérique et modélisation 3D **OU** DEC technique en Animation 3D et synthèse d'images ou en Techniques d'intégration multimédia **ET** déposer un curriculum vitæ ainsi qu'un portfolio

Endroits de formation (voir p. 390)

	Contingentement	Coop	Cote R
Concordia	☐	■	—
UQAC	☐	☐	←
UQAT	■	☐	—

Professions reliées

C.N.P.
5241 Assembleur-intégrateur en multimédia
0213 Chargé de projet multimédia
2173 Concepteur de logiciels
5241 Concepteur-idéateur de jeux électroniques
5241 Concepteur-idéateur de produits multimédias
2174 Développeur de jeux d'ordinateur
2174 Développeur de logiciels d'animation

Endroits de travail

– Industrie du jeu vidéo
– Industrie du multimédia
– Moyennes et grandes entreprises

Salaire

Le salaire hebdomadaire moyen est de 937 $ (janvier 2011).

Remarques

– L'Université Concordia offre le baccalauréat en Informatique – option Computer Games.
– L'Université du Québec à Chicoutimi (UQAC) offre un certificat et une mineure en Arts numériques. Cet établissement offre également le certificat et le baccalauréat en Animation 3D et design numérique en collaboration avec le Centre NAD de Montréal.
– L'Université du Québec en Abitibi-Témiscamingue (UQAT) offre également le programme à Montréal (École de technologie supérieure). Le baccalauréat est composé d'une majeure en Création 3D et d'une mineure en Design de jeux vidéo.
– L'Université McGill offre l'option Computer Games dans le cadre du baccalauréat en Computer Sciences.

STATISTIQUES D'EMPLOI	2007	2009	2011
Nb de personnes diplômées	740	701	552
% en emploi	82,8 %	85,3 %	86,8 %
% à temps plein	96,2 %	98,7 %	97 %
% lié à la formation	84,5 %	94,4 %	92,9 %

SCIENCES APPLIQUÉES

15340

Création numérique / Sciences de l'image et médias numériques / Computation Arts / Imaging and Digital Media

BAC 8 TRIMESTRES   CUISEP 153-340

Compétences à acquérir

– Définir, gérer et mettre en œuvre des projets d'envergure intégrant un ou plusieurs supports numériques d'information.
– Définir, gérer et mettre en œuvre des projets spécifiques à l'infographie, au traitement d'images, à la vision par ordinateur, aux interfaces, à la réalité virtuelle et à la réalité augmentée.
– Développer sa capacité à concevoir et à réaliser des logiciels fiables, généraux et lisibles et acquérir une expérience de l'utilisation de logiciels modernes et de laboratoires adaptés.

Éléments du programme

– Acquisition des médias numériques
– Analyse et programmation
– Calcul différentiel et intégral
– Gestion des médias numériques
– Infographie
– Structures de données
– Traitement de l'audionumérique
– Transmission et codage des médias numériques

Admission (voir p. 21 G)

Concordia : DEC ou l'équivalent et Mathématiques 103, 105, 203 (ou 201-NYA, 201-NYB, 201-NYC) **ET** fournir une lettre d'intention et un portfolio.
Sherbrooke : DEC en Sciences informatiques et mathématiques **OU** DEC ou l'équivalent et Mathématiques NYA, NYB, NYC (ou 103, 105, 203 ou 00UN, 00UP, 00UQ ou 022X, 022Y, 022Z ou 01Y1, 01Y2, 01Y4).
UQAT : DEC ou l'équivalent **OU** avoir complété un minimum de 30 crédits universitaires avec une moyenne cumulative d'au moins 2,3 sur 4,3.

Endroits de formation (voir p. 390)

	Contingentement	Coop	Cote R*
Concordia**	■	■	27.000
Sherbrooke	■	■	—
UQAT	■	☐	—

** Le nombre inscrit indique la **Cote R** qui a été utilisée pour l'**admission de l'année 2012 ou 2013** par l'université concernée.*
** La Cote R ne s'applique que pour le régime coopératif.

Professions reliées

C.N.P.
2174	Développeur de jeux d'ordinateur
2174	Développeur de logiciels d'animation
2174	Développeur de logiciels d'imagerie médicale
2174	Développeur de médias interactifs
2162	Gestionnaire de projet multimédia
2147	Programmeur-analyste

Endroits de travail

– À son compte
– Firmes d'experts-conseils
– Industrie du logiciel
– Industrie du multimédia
– Moyennes et grandes entreprises

Salaire

Le salaire hebdomadaire moyen est de 937 $ (janvier 2011).

Remarque

L'Université du Québec en Abitibi-Témiscamingue (UQAT) offre un baccalauréat de 90 crédits avec trois profils : Cinéma ; Création 3D ; Technologie Web.

SCIENCES APPLIQUÉES

STATISTIQUES D'EMPLOI	2007	2009	2011
Nb de personnes diplômées	740	701	552
% en emploi	82,8 %	85,3 %	86,8 %
% à temps plein	96,2 %	98,7 %	97 %
% lié à la formation	84,5 %	94,4 %	92,9 %

Compétences à acquérir

– Concevoir, organiser, coordonner, améliorer et contrôler des organisations de services, de logistique et des organisations manufacturières.
– Définir des critères de performance, effectuer l'évaluation des opérations, poser un diagnostic et apporter les correctifs nécessaires aux activités de l'entreprise.
– Réviser les processus d'affaires ou opérationnels et apporter les améliorations nécessaires.
– Concevoir de nouveaux systèmes d'entreprises, en faire l'évaluation coût/bénéfices et les implanter.
– Concevoir et implanter des réseaux d'entreprise visant l'offre de services spécialisés ou la transformation de matières premières en produits finis.
– Concevoir les centres de production et de distribution et en assurer le fonctionnement.
– Concevoir et assurer le bon fonctionnement des chaînes logistiques et d'approvisionnement.

Deux concentrations sont offertes :
Produits ; Services.

Éléments du programme

– Gestion des opérations, des flux et des stocks
– Méthodes quantitatives en logistique
– Outils de conception et d'analyse de produits et de services
– Probabilités et statistiques
– Projet synthèse
– Simulation des opérations
– Stages industriels
– Systèmes de distribution

Admission (voir p. 21 G)

Pour le profil **Administration** : DEC technique parmi les suivants : Conseil en assurances et services financiers, Gestion de commerce, Techniques de comptabilité et de gestion ou Techniques de la logistique du transport.
Pour le profil **Génie de la production** : DEC technique parmi les suivants : Techniques de production manufacturière, Techniques de transformation des matériaux composites ou Technologie du génie industriel.
Pour le profil **Informatique** : DEC technique en Techniques de l'informatique, spécialisation *Informatique de gestion* ou *Informatique industrielle*.
Pour le profil **Réseaux** : DEC technique en Techniques de l'informatique, spécialisation *Gestion de réseaux informatiques*.
OU
DEC technique équivalent tel qu'établi par le comité d'admission.

OU
DEC en Sciences de la nature (200.B0) **OU** DEC techniques autres que ceux énumérés précédemment **ET** avoir réussi un minimum de 30 crédits dans un des programmes d'accueil précédemment mentionnés. Les cours doivent avoir été préalablement approuvés par les autorités compétentes à l'École.

Endroit de formation (voir p. 310)

	Contingentement	Coop	Cote R
ÉTS	☐	■	—

Professions reliées

C.N.P.
2141   Ingénieur de la production automatisée
2141   Ingénieur des méthodes de production
2141   Ingénieur industriel
2141   Ingénieur-spécialiste du rendement

Endroits de travail

– Entreprises manufacturières
– Institutions financières
– Secteurs de la santé
– Secteurs des services

Salaire

Le salaire hebdomadaire moyen est de 994 $ (janvier 2011).

Remarque

Pour exercer la profession et porter le titre d'ingénieur, il faut être membre de l'Ordre des ingénieurs du Québec.

STATISTIQUES D'EMPLOI			
	2007	**2009**	**2011**
Nb de personnes diplômées	223	228	201
% en emploi	84,9 %	92,7 %	78,9 %
% à temps plein	98,3 %	99,3 %	96 %
% lié à la formation	85,3 %	90,6 %	87,6 %

SCIENCES APPLIQUÉES

Compétences à acquérir

– Planifier, organiser, diriger et contrôler la mise en œuvre de systèmes complexes intégrant plusieurs technologies de l'information.
– Communiquer efficacement avec les ingénieurs et les professionnels spécialisés en technologies de l'information rattachés à la mise en œuvre de projets.
– Intervenir dans tous les types d'entreprises et tous les secteurs d'activités (primaire, secondaire, tertiaire).
– Travailler dans un environnement d'affaires où les technologies de l'information, notamment Internet et le multimédia, sont omniprésentes.
– Jouer le rôle d'intégrateurs de systèmes et de technologies et d'ingénieurs d'applications.
– Assumer la responsabilité de projets de grande envergure.
– Instaurer, dans une entreprise de taille moyenne, des activités de commerce électronique.
– Analyser les besoins de l'entreprise en ce qui a trait aux nouvelles technologies et jouer auprès d'elle un rôle de conseiller.
– Négocier avec les firmes qui fournissent produits et services technologiques.

Éléments du programme

– Base de données multimédia
– Calcul différentiel et intégral
– Commerce électronique
– Conception de logiciels
– Réseaux de télécommunication

Admission (voir p. 21 G)

DEC technique parmi les suivants : Techniques d'intégration multimédia, Techniques de l'informatique ou Technologie de systèmes ordinés. *N. B.: L'étudiant se verra prescrire un cheminement personnalisé en mathématiques et en sciences à la suite d'un test diagnostique.*

Endroit de formation (voir p. 310)

	Contingentement	Coop	Cote R
ÉTS	☐	◼	—

Professions reliées

C.N.P.
2147   Architecte de systèmes informatiques
2171   Expert-conseil en technologie de l'information
2163   Gestionnaire des systèmes
2171   Ingénieur en développement technologique
2147   Ingénieur en informatique
2162   Intégrateur des technologies

Endroits de travail

– À son compte
– Firmes d'experts-conseils
– Industrie du multimédia
– Moyennes et grandes entreprises

Salaire

Le salaire hebdomadaire moyen est de 937 $ (janvier 2011).

Remarque

Pour exercer la profession et porter le titre d'ingénieur, il faut être membre de l'Ordre des ingénieurs du Québec.

SCIENCES APPLIQUÉES

STATISTIQUES D'EMPLOI	2007	2009	2011
Nb de personnes diplômées	740	701	552
% en emploi	82,8 %	85,3 %	86,8 %
% à temps plein	96,2 %	98,7 %	97 %
% lié à la formation	84,5 %	94,4 %	92,9 %

Compétences à acquérir

- Concevoir, mettre au point et modifier des appareils et des installations informatiques.
- Élaborer des plans et estimer les coûts de fabrication d'appareils.
- Superviser le montage de prototype et de circuits électroniques.
- Surveiller la fabrication, la vérification et l'essai de nouveaux dispositifs.
- Intégrer les différents aspects informatiques (logiciels et appareils) de façon à assurer les diverses activités de l'entreprise telles que la conception, la gestion, la fabrication et la production.

Éléments du programme

- Architecture des systèmes numériques
- Calcul matriciel en génie
- Circuits logiques
- Électronique
- Mathématiques de l'ingénieur
- Systèmes logiques – microprocesseurs

Admission (voir p. 21 G)

DEC ou l'équivalent et Mathématiques 103, 105, 203; Physique 101, 201, 301; Chimie 101, 201; Biologie 301. **OU**
Concordia : DEC ou l'équivalent et Mathématiques 103, 203, 105 (ou NYA, NYB, NYC); Physique 101, 201 (ou NYA, NYB); Chimie 101 (ou NYA).
Laval : DEC en Sciences de la nature **OU** DEC en Sciences informatiques et mathématiques **OU** DEC et Mathématiques NYA, NYB, NYC (ou 103-77, 105-77, 203-77); Physique NYA, NYB, NYC (ou 101, 201, 301); Chimie NYA (ou 101); Biologie NYA (ou 301). *N. B. : Pour connaître les passerelles entre un DEC technique et ce programme, contacter la Faculté des sciences et de génie.*
McGill : DEC ou l'équivalent et Mathématiques NYA, NYB, NYC (00UN, 00UP, 00UQ); Physique NYA, NYB, NYC (00UR, 00US, 00UT); Chimie NYA, NYB (00UL, 00UM) **OU** DEC technique ou l'équivalent dans certaines spécialisations et avoir réussi certains cours de niveau collégial.
Polytechnique : DEC en Sciences de la nature ou en Sciences informatiques et mathématiques comprenant : Mathématiques NYA, NYB, NYC; Physique NYA, NYB, NYC; Chimie NYA, NYB **OU** DEC dans la famille des techniques physiques et Mathématiques NYA. *N. B. : Le cours de Chimie NYB n'est pas exigé pour les finissants en Sciences informatiques et mathématiques.*

Sherbrooke : DEC en Sciences de la nature, cheminement baccalauréat international **OU** DEC en Sciences informatiques et mathématiques (200.C0) **OU** DEC ou l'équivalent et Mathématiques NYA, NYB, NYC (00UN, 00UP, 00UQ); Physique NYA, NYB, NYC (00UR, 00US, 00UT); Chimie NYA, NYB (00UL, 00UM); Biologie NYA (00UK) **OU** DEC dans la famille des techniques physiques ou l'équivalent et Mathématiques NYA, NYB, NYC (00UN, 00UP, 00UQ); Physique NYA, NYB, NYC (00UR, 00US, 00UT); Chimie NYA (00UL) **OU** DEC technique parmi les suivants : Techniques d'avionique, Technologie de conception électronique, Technologie de l'électronique, Technologie de l'électronique industrielle, Technologie des systèmes ordinés ou Technologie physique ou l'équivalent **OU** DEC en Techniques de l'informatique.
UQAC : DEC en Sciences de la nature **OU** DEC en Techniques de l'informatique et Mathématiques NYA, NYB, NYC; Physique NYA, NYB, NYC; un cours de sciences autre que les cours de mathématiques et de physiques **OU** DEC ou l'équivalent et Mathématiques NYA, NYB, NYC; Physique NYA, NYB, NYC; Chimie NYA, NYB **OU** DEC dans la famille des techniques physiques.
UQO : DEC en Sciences de la nature ou l'équivalent **OU** DEC technique ou l'équivalent et Mathématiques 00UN (01Y1 ou 022X ou le cours 103), 00UP (01Y2 ou 022Y ou le cours 203), 00UQ (01Y4 ou 022Z ou le cours 105 ou 122); Physique 00UR (01Y7 ou le cours 101), 00US (01YF ou le cours 201), 00UT (01YG ou le cours 301); Chimie 00UL (01Y6 ou le cours 101), 00UM (01YH ou le cours 201); Biologie 00UK (01Y5 ou 022V ou le cours 301).
UQTR : DEC en Sciences de la nature ou l'équivalent **OU** DEC en Sciences informatiques et mathématiques **OU** DEC et Mathématiques NYA, NYB, NYC (00UN, 00UQ, 00UP); Physique NYA, NYB (00UR, 00US); Chimie NYA (00UL). Des cours d'appoint en Mathématiques, en Physique et en Chimie sont offerts.

Endroits de formation (voir p. 390)

	Contingentement	Coop	Cote R*
Concordia	■	■	24.000
Laval	☐	☐	—
McGill	■	☐	27.000
Polytechnique	☐	☐	25.120
Sherbrooke	■	■	—
UQAC	☐	☐	—
UQO	☐	☐	—
UQTR	☐	☐	—

* *Le nombre inscrit indique la **Cote R** qui a été utilisée pour l'**admission de l'année 2012 ou 2013** par l'université concernée.*

SUITE

Professions reliées

C.N.P.

2147	Architecte de systèmes informatiques
2147	Ingénieur en informatique
2147	Ingénieur en intelligence artificielle

Endroits de travail

– Entreprises spécialisées dans les services informatiques
– Fabricants d'ordinateurs et de périphériques
– Firmes d'ingénieurs
– Gouvernements fédéral et provincial
– Grossistes d'ordinateurs et de matériel connexe

Salaire

Le salaire hebdomadaire moyen est de 933 $ (janvier 2011).

Remarques

– Pour exercer la profession et porter le titre d'ingénieur, il faut être membre de l'Ordre des ingénieurs du Québec.
– Le régime coopératif est obligatoire à l'Université de Sherbrooke.
– L'Université Concordia offre les options System Hardware et System Software.
– L'Université de Sherbrooke offre un cheminement avec concentration en Génie logiciel. Cet établissement offre également un cheminement intégré baccalauréat-maîtrise : après la troisième année du baccalauréat, les étudiants ayant réussi 105 crédits peuvent poursuivre à la maîtrise et obtenir leur diplôme en complétant une formation de 2e cycle de 45 crédits.
– L'Université du Québec à Chicoutimi (UQAC) offre la possibilité d'effectuer des stages rémunérés.
– L'Université du Québec en Outaouais (UQO) offre un cheminement de formation pratique intégrée (stages rémunérés et non crédités).
– L'Université du Québec à Trois-Rivières (UQTR) offre le baccalauréat en Génie électrique, concentration Génie informatique. Cet établissement offre également, aux étudiants titulaires d'un DEC dans la famille des techniques physiques, la possibilité de bénéficier de reconnaissances d'acquis, notamment sous forme d'exemptions, sur recommandation du responsable de programme.
– Polytechnique Montréal offre un baccalauréat-maîtrise intégré (BMI) et un passage direct du baccalauréat au doctorat. Cet établissement offre également les concentrations suivantes : Sécurité et mobilité informatique et Systèmes embarqués en aérospatiale. Un stage rémunéré de quatre mois est obligatoire.

SCIENCES APPLIQUÉES

STATISTIQUES D'EMPLOI			
	2007	**2009**	**2011**
Nb de personnes diplômées	461	236	150
% en emploi	81,3 %	88 %	81,3 %
% à temps plein	99,1 %	100 %	100 %
% lié à la formation	87,7 %	92,3 %	90,5 %

Génie logiciel / Informatique et génie logiciel / Computer Science
Software Application / Software Engineering

BAC 7 TRIMESTRES   CUISEP 455-353

Compétences à acquérir

– Concevoir et développer de nouveaux systèmes ou de nouveaux logiciels selon les principes de l'ingénierie.
– Analyser les problèmes en vue de l'implantation de solutions logicielles économiques.
– Établir des objectifs mesurables sur le plan de la sécurité, de l'utilisation, de l'impact sur la productivité, de la maintenance, de la fiabilité, de l'adaptabilité et de la viabilité économique.
– Implanter les solutions par des programmes bien structurés.
– Vérifier que les logiciels répondent aux objectifs.
– Gérer et coordonner efficacement des projets logiciels et des équipes.

Éléments du programme

– Analyse et conception des interfaces usagers
– Architecture et conception de logiciels
– Base de données de haute performance
– Conception de logiciels
– Conception de systèmes informatiques en temps réel
– Concepts avancés en programmation orientée objet
– Langages formels et semi-formels
– Sécurité des systèmes

Admission (voir p. 21 G)

Concordia : DEC ou l'équivalent et Mathématiques 103, 203, 105 (ou NYA, NYB, NYC); Physique 101, 201, 301 (ou NYA, NYB, NYC); Chimie 101 (ou NYA).
ÉTS : DEC technique parmi les suivants : Techniques d'intégration multmédia, Techniques de l'informatique ou Technologie des systèmes ordinés. *N. B.: L'étudiant se verra prescrire un cheminement personnalisé en mathématiques et en sciences à la suite d'un test diagnostique.*
Laval : DEC en Sciences de la nature ou en Sciences informatiques et mathématiques **OU** DEC et Mathématiques NYA, NYB, NYC (ou 103-77, 105-77, 203-77); Physique NYA, NYB, NYC (ou 101, 201, 301); Chimie NYA (ou 101); Biologie NYA (301). *N. B.: Le titulaire d'un DEC en Techniques de l'informatique bénéficie d'une dispense pour certains cours. Pour connaître les passerelles entre un DEC technique et ce programme, contacter la Faculté des sciences et de génie.*
McGill : DEC ou l'équivalent et Mathématiques NYA, NYB, NYC (00UN, 00UP, 00UQ); Physique NYA, NYB, NYC (00UR, 00US, 00UT); Chimie NYA, NYB (00UL, 00UM) **OU** DEC technique ou l'équivalent dans certaines spécialisations et avoir réussi certains cours de niveau collégial.

Polytechnique : DEC en Sciences de la nature ou en Sciences informatiques et mathématiques comprenant : Mathématiques NYA, NYB, NYC; Physique NYA, NYB, NYC; Chimie NYA, NYB **OU** DEC dans la famille des techniques physiques et Mathématiques NYA. *N. B.: Le cours de Chimie NYB n'est pas exigé pour les finissants en Sciences informatiques et mathématiques.*
UQAM : DEC ou l'équivalent et Mathématiques 103, 105, 203 **OU** DEC technique ou l'équivalent.

Endroits de formation (voir p. 390)

	Contingentement	Coop	Cote R*
Concordia	■	■	24.000
ÉTS	☐	■	—
Laval	☐	☐	—
McGill	■	☐	27.000
Polytechnique	☐	☐	26.000
UQAM	☐	■	—

** Le nombre inscrit indique la **Cote R** qui a été utilisée pour l'**admission de l'année 2012 ou 2013** par l'université concernée.*

Professions reliées

C.N.P.
2173   Architecte d'applications
2173   Concepteur de logiciels
2173   Ingénieur-concepteur en logiciels
2173   Ingénieur en logiciels

Endroits de travail

– Firmes d'ingénieurs
– Firmes de consultants en informatique
– Gouvernements fédéral et provincial

Salaire

Le salaire hebdomadaire moyen est de 937 $ (janvier 2011).

Remarques

– Pour exercer la profession et porter le titre d'ingénieur, il faut être membre de l'Ordre des ingénieurs du Québec.
– Le régime coopératif est obligatoire à l'École de technologie supérieure (ÉTS).
– L'Université du Québec à Montréal (UQAM) est accrédité par le Conseil d'accréditation des programmes d'informatique de l'Association canadienne d'informatique (ACI). Elle offre les concentrations ou profils suivants : Affaires électroniques; Bio-informatique; Développement de logiciels; Gestion des données et des connaissances; Informatique répartie et technologie Web; Réseaux et télécommunications.

SCIENCES APPLIQUÉES

SUITE

- L'Université Laval offre le baccalauréat avec ou sans les concentrations suivantes : Conception et développements multimédias; Logiciels industriels; Sécurité et fiabilité des logiciels.
- L'Université McGill permet aux étudiants de changer leur programme Software Engineering (BSE) pour Electrical or Computer Engineering (BENG) avec l'autorisation du Coordonnateur des programmes du Department of Electrical and Computer Engineering. Les étudiants peuvent également obtenir une expérience de travail durant leur études grâce aux programme IYES (Internshio Program) et IP (Industrial Practicum).
- Polytechnique Montréal offre un baccalauréat-maîtrise intégré (BMI) et un passage direct du baccalauréat au doctorat. Cet établissement offre également les concentrations Sécurité et mobilité informatique et Multimédia dans le cadre du baccalauréat en Génie logiciel. Un stage rémunéré de quatre mois est obligatoire.

SCIENCES APPLIQUÉES

STATISTIQUES D'EMPLOI			
	2007	2009	2011
Nb de personnes diplômées	740	701	552
% en emploi	82,8 %	85,3 %	86,8 %
% à temps plein	96,2 %	98,7 %	97 %
% lié à la formation	84,5 %	94,4 %	92,9 %

Informatique / Informatique et recherche opérationnelle / Computer Science / Information Systems

BAC 6 TRIMESTRES

CUISEP 153-000

Compétences à acquérir

– Étudier un problème informatique précis en déterminant les besoins des usagers, la nature des tâches que devra effectuer le système, les coûts de conception et de réalisation et proposer un programme informatique (logiciel) approprié.
– Concevoir un logiciel et encoder le programme.
– Assurer la formation des usagers, l'installation et l'entretien du logiciel.

Éléments du programme

– Algèbre linéaire
– Architecture des ordinateurs
– Méthode de construction de logiciels
– Probabilités
– Programmation structurée
– Structures de données
– Structures internes des ordinateurs
– Systèmes d'exploitation
– Systèmes d'information
– Télé-informatique et réseaux d'ordinateurs

Admission (voir p. 21 G)

Bishop's : DEC ou l'équivalent **ET** Mathématique 201-NYA, 201-NYB; Physique 203-NYA, 203-NYB.
Concordia : DEC ou l'équivalent et Mathématiques 103, 105, 203 (ou NYA, NYB, NYC).
Laval : DEC en Sciences de la nature ou en Sciences informatiques et mathématiques **OU** DEC ou l'équivalent et Mathématiques NYA, NYB, NYC (ou 103-77, 105-77, 203-77 ou 103-RE, 203-RE, 105-RE). *N. B. : Pour connaître les passerelles entre un DEC technique et ce programme, contacter la Faculté des sciences et de génie.*
McGill : DEC ou l'équivalent et Mathématiques NYA, NYB, NYC (00UN, 00UP, 00UQ); Physique NYA, NYB, NYC (00UR, 00US, 00UT); Chimie NYA, NYB (00UL, 00UM) **OU** DEC technique ou l'équivalent dans certaines spécialisations et avoir réussi certains cours de niveau collégial.
Montréal : DEC en Sciences de la nature ou en Sciences informatiques et mathématiques **OU** DEC technique en Techniques de l'informatique **OU** DEC ou l'équivalent et Mathématiques 103, 105 et 203 **OU** avoir réussi 24 crédits de niveau universitaire autres que des crédits obtenus dans le cadre de cours préparatoires aux études universitaires.
Sherbrooke : DEC en Techniques de l'informatique, spécialisation *Informatique de gestion* ou *Informatique industrielle* **OU** DEC ou l'équivalent et Mathématiques NYA, NYB, NYC (ou 103, 105, 203 ou 00UN, 00UP, 00UQ ou 022X, 022Y, 022Z ou 01Y1, 01Y2, 01Y4).

UQAC : DEC ou l'équivalent et Mathématiques NYA, NYB, NYC. *N. B. : Les étudiants n'ayant pas atteint ces objectifs et standards collégiaux pourront être admis au programme moyennant la réussite de un ou deux cours d'appoint.*
UQAR : DEC en Sciences de la nature **OU** DEC technique en Techniques de l'informatique et Mathématiques 103, 105, 203 ou l'équivalent **OU** DEC ou l'équivalent et Mathématiques 103, 105, 203. *N. B. : Les candidats ne possédant pas les connaissances suffisantes en mathématiques devront réussir un ou plusieurs cours d'appoint.*
UQO : DEC ou l'équivalent et selon le DEC obtenu : Mathématiques 103 (00UN ou 01Y1 ou 022X); 105 ou 122 ou 302 (00UQ ou 01Y4 ou 022Z), 203 ou 257 ou 307 ou 337 (00UP ou 01Y2 ou 022Y ou 01Y3 ou 022P ou 022W).
UQTR : DEC ou l'équivalent et Mathématiques 00UN, 00UP, 00UQ (ou 01Y1, 01Y2, 01Y4 ou 022X, 022Y, 022Z) **OU** DEC technique en Techniques de l'informatique ou l'équivalent et Mathématique 00UN, 00UP (ou 01Y1, 01Y2 ou 022X, 022Y).

Endroits de formation (voir p. 390)

	Contingentement	Coop	Cote R*
Bishop's	☐	■	—
Concordia	■	☐	24.000
Laval	☐	☐	—
McGill	☐	☐	—
Montréal	■	☐	25.120
Sherbrooke	■	■	—
UQAC	☐	☐	—
UQAR	☐	☐	—
UQO	☐	■	—
UQTR	☐	☐	—

** Le nombre inscrit indique la **Cote R** qui a été utilisée pour l'**admission de l'année 2011 ou 2012** par l'université concernée.*

Professions reliées

C.N.P.
2172 Administrateur de bases de données
2147 Administrateur de systèmes informatiques
2171 Analyste en informatique
2171 Analyste en informatique de gestion
2147 Architecte de systèmes informatiques
5241 Assembleur-intégrateur en multimédia
0213 Chargé de projet multimédia
2173 Concepteur de logiciels
5241 Concepteur-idéateur de produits multimédias
2174 Développeur de jeux d'ordinateur
2162 Ergonome des interfaces
2171 Expert-conseil en informatique
2162 Gestionnaire de projet multimédia
0213 Gestionnaire de réseaux informatiques

SCIENCES APPLIQUÉES

2174	Programmeur
2147	Programmeur-analyste
2171	Spécialiste en sécurité de systèmes informatiques
5241	Web designer
2175	Webmestre

Endroits de travail

– À son compte
– Centres de recherche
– Compagnies d'assurances
– Entreprises de services informatiques
– Établissements d'enseignement
– Firmes d'experts-conseils
– Gouvernements fédéral et provincial
– Industrie aérospatiale
– Industrie des jeux vidéo
– Industrie du multimédia
– Institutions financières
– Moyennes et grandes entreprises
– Municipalités

Salaire

Le salaire hebdomadaire moyen est de 937 $ (janvier 2011).

Remarques

– L'Université Bishop's offre également un certificat en Computer Science et un autre en Software Technology.
– L'Université Concordia offre les options : Computer Applications; Computer Games; Computer System; Information Systems; Software Systems; Web Services and Applications.
– L'Université de Montréal offre une majeure et une mineure ainsi qu'un cheminement intensif.
– L'Université de Sherbrooke offre aux titulaires d'un DEC en Techniques de l'informatique la possibilité de faire un cheminement accéléré. Cet établissement offre également quatre cheminements : sans concentration; avec concentration en Génie logiciel; avec concentration en Systèmes et réseaux; avec concentration en Systèmes intelligents.
– L'Université du Québec à Chicoutimi (UQAC) offre des certificats et des mineures en Informatique et en Informatique appliquée.
– L'Université du Québec à Montréal (UQAM) offre le programme Informatique dans le cadre du baccalauréat en Mathématiques.
– L'Université du Québec à Rimouski (UQAR) offre une orientation en Génie logiciel de l'Internet ainsi qu'un certificat en Commerce électronique.

– L'Université du Québec à Trois-Rivières (UQTR) offre deux cheminements : Développement d'applications Web et mobiles; Développement de logiciels.
– L'Université du Québec en Outaouais (UQO) offre quatre concentrations : Gestion des technologies de l'information; Option générale; Sécurité informatique; Technologie des médias visuels. Cet établissement offre également un certificat en Informatique de gestion et un certificat en Technologies de l'information.
– L'Université Laval offre un certificat en Informatique, ainsi qu'un baccalauréat sans ou avec concentrations : Bio-informatique; Génie logiciel; Internet et application Web; Multimédia et développement de jeux vidéo; Recherche et développement; Sécurité informatique; Systèmes d'information organisationnels; Systèmes intelligents.

SCIENCES APPLIQUÉES

STATISTIQUES D'EMPLOI			
	2007	**2009**	**2011**
Nb de personnes diplômées	740	701	552
% en emploi	82,8 %	85,3 %	86,8 %
% à temps plein	96,2 %	98,7 %	97 %
% lié à la formation	84,5 %	94,4 %	92,9 %

15340 Informatique de gestion / Information Systems

BAC 6 TRIMESTRES   CUISEP 153-300

Compétences à acquérir

– Élaborer et mettre en œuvre des solutions informatiques afin de répondre aux besoins de traitement de l'information des entreprises.
– Appliquer les techniques de l'informatique et des sciences administratives à la résolution de problèmes de gestion (facturation, contrôle des stocks, fichiers divers, archives, numération, etc.).
– Analyser les besoins d'information aux différents niveaux administratifs et construire des systèmes informatiques répondant à des besoins précis.

Éléments du programme

– Comptabilité générale
– Conception de bases de données
– Développement des systèmes informatiques
– Langages de programmation
– Modèles décisionnels en sciences de la gestion
– Modèles et langages des bases de données
– Principes des systèmes d'exploitation

Admission (voir p. 21 G)

Concordia, McGill : DEC ou l'équivalent et Mathématiques NYA, NYB, NYC (00UN, 00UP, 00UQ ou 022X, 022Y, 022Z ou 01Y1, 01Y2, 01Y4).

Sherbrooke : DEC en Sciences informatiques et mathématiques **OU** DEC ou l'équivalent et Mathématiques NYA, NYB, NYC (ou 103, 105, 203 ou 00UN, 00UP, 00UQ ou 022X, 022Y, 022Z ou 01Y1, 01Y2, 01Y4) **OU** DEC technique en Techniques de l'informatique, spécialisation *Informatique de gestion* ou *Informatique industrielle*.

UQAC : DEC ou l'équivalent et Mathématiques NYA ou NYC.

Endroits de formation (voir p. 390)

	Contingentement	Coop	Cote R
Concordia	■	■	—
McGill	■	□	—
Sherbrooke	■	■	—
UQAC	□	□	—

Professions reliées

C.N.P.
2172 Administrateur de bases de données
2171 Analyste en informatique
2171 Analyste en informatique de gestion
2171 Expert-conseil en informatique
2162 Gestionnaire de projet multimédia
2174 Programmeur
5121 Rédacteur technique

Endroits de travail

– Établissements d'enseignement
– Firmes de service-conseil en gestion d'entreprise
– Gouvernements fédéral et provincial
– Grandes entreprises
– Hôpitaux
– Institutions financières
– Municipalités

Salaire

Le salaire hebdomadaire moyen est de 937 $ (janvier 2011).

Remarques

– Voir aussi la fiche du programme Administration (page 122).
– Trois options sont offertes selon les établissements : Développement de logiciels; Ingénierie de la connaissance; Systèmes d'information.
– La plupart des universités offrent l'option Gestion-informatique et systèmes dans le cadre du BAC en Administration.
– L'Université Concordia offre le baccalauréat en Computer Science, option Information Systems.
– L'Université de Sherbrooke offre aux titulaires d'un DEC en Techniques de l'informatique la possibilité de faire un cheminement accéléré. Cet établissement offre également quatre cheminements : sans concentration; avec concentration en Commerce électronique; avec concentration en Génie logiciel; avec concentration en Intelligence d'affaires.
– L'Université du Québec à Chicoutimi (UQAC) offre un certificat et une mineure en Informatique de gestion.
– L'Université du Québec à Montréal (UQAM) offre un programme accrédité par l'Association canadienne d'informatique. Ce programme ne conduit pas au titre d'ingénieur.
– L'Université du Québec en Outaouais (UQO) offre un certificat en Informatique de gestion.
– L'Université Laval offre un certificat en Systèmes d'information organisationnels.

STATISTIQUES D'EMPLOI			
	2007	2009	2011
Nb de personnes diplômées	740	701	552
% en emploi	82,8 %	85,3 %	86,8 %
% à temps plein	96,2 %	98,7 %	97 %
% lié à la formation	84,5 %	94,4 %	92,9 %

BAC 6 TRIMESTRES · CUISEP 620/630-000

Compétences à acquérir

– Comprendre les phénomènes physiques.
– Comprendre la microélectronique et ses applications dans les domaines des ordinateurs et des télécommunications.

Éléments du programme

– Algèbre
– Analyse de circuits
– Circuits logiques
– Microélectronique
– Microprocesseurs
– Physique
– Programmation scientifique

Admission (voir p. 21 G)

DEC en Sciences de la nature.
OU
DEC ou l'équivalent et Mathématiques 103, 105, 203; Physique 101, 201, 301; Chimie 101, 201; Biologie 301.
OU
DEC techniques parmi les suivants: Électrodynamique, Équipement audiovisuel, Instrumentation et contrôle, Techniques d'avionique, Techniques de l'informatique, Technologie de l'électronique, Technologie de systèmes ordinés ou Technologie physique **ET** Mathématiques 103, 105, 203; Physique 101, 201, 301.

Endroit de formation (voir p. 310)

	Contingentement	Coop	Cote R*
UQAM	☐	☐	24.000

** Le nombre inscrit indique la **Cote R** qui a été utilisée pour l'admission de l'année 2012 ou 2013 par l'université concernée.*

Professions reliées

Données non disponibles.

Endroits de travail

– Bureaux d'études
– Centres de recherche
– Entreprises de haute technologie
– Services privés
– Services publics

Salaire

Le salaire hebdomadaire moyen est de 1 188 $ (janvier 2007).

Remarque

Ce programme conduit au grade de bachelier ès Sciences appliquées. Il ne donne pas accès à la pratique du génie.

STATISTIQUES D'EMPLOI	2007	2009	2011
Nb de personnes diplômées	11	—	—
% en emploi	100 %	—	—
% à temps plein	100 %	—	—
% lié à la formation	100 %	—	—

SCIENCES APPLIQUÉES

DOMAINE D'ÉTUDES

SCIENCES DE L'ADMINISTRATION

Discipline

PAGE

Sciences de l'administration. **121**

NOUVEAUTÉ

CUR**S**US PASSE À L'ÈRE NUMÉRIQUE

CURSUS   Démarche CURSUS en ligne par Yves Maurais, c.o.   Connexion

Nous vous proposons une démarche en quatre étapes

pour découvrir les programmes d'études liés à vos intentions professionnelles.

Commencer le questionnaire   Comment ça marche ⊙

Une **intention professionnelle**, c'est un *désir d'orienter ses futures activités professionnelles vers un objectif particulier.*

Découvre
une démarche
qui t'aidera à choisir!

Rendez-vous à
www.cursusenligne.com

L'AVENIR APPARTIENT À CEUX QUI SE LÈVENT PRO.

Pour en savoir plus
sur la carrière de CPA :

COMPTABLES
PROFESSIONNELS
AGRÉÉS

cpa-quebec.com

SCIENCES DE L'ADMINISTRATION

PROGRAMMES D'ÉTUDES | PAGE

Administration / Administration des affaires / Administration des affaires –
cheminement général, mixte ou spécialisé / Administration générale bilingue /
Administration générale trilingue / Business Administration **122**

Administration : Affaires internationales / Carrière internationale /
Commerce international / Gestion internationale / International Business **125**

Administration : Analyse de systèmes pour le secteur financier / Gestion de l'information et
des systèmes / Gestion des systèmes d'information organisationnels / Gestion des technologies
d'affaires / Systèmes d'information / Systèmes d'information organisationnels /
Technologie et systèmes d'information / Technologies de l'information / Information Systems /
Management Information Systems **126**

Administration : Commerce de détail **127**

Administration : Comptabilité / Sciences comptables / Accountancy / Accounting **128**

Administration : Développement international et action humanitaire **130**

Administration : Entrepreneuriat / Entrepreneuriat et gestion de PME / Entrepreneurship et PME **131**

Administration : Entrepreneuriat / Entrepreneuriat et management innovateur / Entrepreneurship /
Entrepreneurship et PME / Gestion des organisations **132**

Administration : Finance / Finance corporative **133**

Administration : Gestion de la chaîne d'approvisionnement / Gestion des opérations /
Gestion des opérations en logistique et en transport routier / Gestion des opérations et
de la logistique / Logistique / Opérations et logistique / Transport maritime /
Operations Management / Supply Chain Operations Management **135**

Administration : Gestion des opérations et méthodes quantitatives / Méthodes quantitatives /
Méthodes quantitatives de gestion **136**

Administration : Gestion des ressources humaines / Management et gestion des personnes /
Human Resources Management / Labour-Management Relations **137**

Administration : Gestion des risques et assurance **139**

Administration : Gestion urbaine et immobilière **140**

Administration : Management / Entrepreneuriat et management innovateur / Management **141**

Administration : Marketing / Communication organisationnelle /
Marketing et relations publiques **142**

Administration : Option individuelle / Généraliste / Individualisée / Personnalisée /
Sur mesure **144**

Administration : Option mixte / Cheminement mixte **145**

Administration : Planification financière / Services financiers **146**

Administration des affaires : Économie / Économie appliquée / Économie appliquée à la gestion /
Économie de gestion / Économie locale et gestion des ressources naturelles / Economics **147**

Administration des arts / Arts Administration **148**

Gestion du tourisme et de l'hôtellerie **149**

Gestion publique **150**

Relations de travail / Relations industrielles / Relations industrielles et ressources humaines /
Industrial Relations / Labour-Management Relations **151**

BAC 6 TRIMESTRES   CUISEP 111/112-000

Compétences à acquérir

- Participer à l'établissement, à la direction et à la gestion d'organismes publics ou privés.
- Déterminer ou refaire les structures de ces organismes.
- Coordonner leur mode de production ou de distribution et leurs politiques économiques et financières.
- Élaborer les objectifs et les buts de l'entreprise en tenant compte des facteurs humains, financiers, environnementaux, matériels et conjoncturels.
- Contrôler et évaluer les rendements de l'entreprise et déterminer les actions correctives qui s'imposent.

Éléments du programme

- Comptabilité de gestion
- Gestion des opérations et de la technologie
- Gestion des ressources humaines
- Gestion financière
- Principes et décisions de marketing
- Statistiques en gestion

Admission (voir p. 21 G)

Bishop's : DEC ou l'équivalent et Mathématiques 201-103, 201-105 ou NYC.

Concordia : DEC ou l'équivalent et Mathématiques 103, 105 (201-NYA, 201-NYC); Économique 920, 921 plus une certaine culture informatique : tous cours de niveau 420. *N. B. : Pour le programme Administration, une cote R de 24.0 en mathématiques ainsi qu'une cote R globale de 25.0 sont exigées. Pour le programme Commerce, une cote R de 25.0 en mathématiques ainsi qu'une cote R globale de 26.0 sont exigées. Une cote R de 27.0 est exigée pour le régime coopératif ainsi qu'une entrevue.*

HEC Montréal : DEC ou l'équivalent et Mathématiques 103, 105, 203 **OU** DEC dans la famille des techniques administratives et Mathématiques 103, 105 et de statistiques d'au moins 60 heures **ET** tests de langues exigés pour les cheminements bilingue et trilingue.

Laval : DEC en Sciences de la nature **OU** DEC en Sciences informatiques et mathématiques **OU** DEC ou l'équivalent et Mathématiques NYA, NYB, NYC (ou 103-RE, 105-RE, 203-RE objectifs 022X, 022Y, 022Z) **OU** DEC dans la famille des techniques administratives et Mathématiques NYA, NYC (ou 103-RE, 105-RE ou 00UN, 00UQ ou 022X, 022Z ou 01Y1, 01Y4) et avoir réussi les cours de mathématiques et de statistique obligatoire du DEC. *N. B. : Si la cote R est inférieure à 22, une scolarité préparatoire n'excédant pas 12 crédits avec une moyenne de 2. La possession d'un ordinateur portatif est obligatoire pour tout étudiant admis à ce programme. Pour en savoir plus : www.fsa.ulaval.ca/ulysse.*

McGill : DEC en Sciences de la nature **OU** DEC en Sciences informatiques et mathématiques **OU** DEC ou l'équivalent et Mathématiques 103, 105, 203 (ou NYA, NYB, NYC ou 00UN, 00UQ, 00UP ou 022X, 022Y, 022Z).

Sherbrooke : DEC ou l'équivalent et Mathématiques NYA, NYB, NYC (ou 103, 105, 203) **OU** DEC dans la famille des techniques administratives et avoir réussi Mathématiques NYA et deux cours parmi les suivants : NYC ou 105 ou 302 et 307 ou 337 ou 201 Statistiques appliquées à la gestion ou autres cours équivalents approuvés par la Faculté.

TÉLUQ : DEC en Sciences humaines ou tout autre DEC général ou technique ou l'équivalent **ET** connaissance des mathématiques du collégial ou réussite du test de mathématiques ou du cours d'appoint **ET** maîtrise du français **ET** niveau de classement II en anglais ou l'équivalent (pour le cheminement Administration générale bilingue).

UQAC : DEC ou l'équivalent et un cours de mathématiques de niveau collégial.

UQAM : DEC ou l'équivalent **ET** test d'anglais de niveau intermédiaire. *N. B. : L'étudiant admissible dont on aura établi, à l'aide du dossier, qu'il n'a pas les connaissances requises en mathématiques et en informatique sera admis conditionnellement à la réussite de cours d'appoint dont il pourra être dispensé s'il réussit des tests d'évaluation des connaissances dans ces domaines.*

UQAR : DEC ou l'équivalent et un cours de mathématiques.

UQAT : DEC ou l'équivalent. *N. B. : Les détenteur d'un DEC qui ne comporte pas au moins un cours de Mathématiques (201-AAF-04, 201-NYA-05, 201-NYC-05, 201-132-AT, 103-RE, 105-RE ou 302-RE) peuvent être admis au programme moyennant la réussite du cours d'appoint MAT1014 (hors programme).*

UQO : DEC ou l'équivalent **ET** Mathématiques 103 (00UN ou 01Y1 ou 022X) ou 105 ou 122 ou 302 (00UQ ou 01Y4 ou 022Z) ou 257 ou 300 ou 307 ou 337 (01Y3 ou 022P ou 022W) **OU** la réussite d'un test ou du cours d'appoint MQT1203.

UQTR : DEC ou l'équivalent **OU** DEC technique ou son équivalent.

Administration / Administration des affaires / Administration des affaires – cheminement général, mixte ou spécialisé / Administration générale bilingue / Administration générale trilingue / Business Administration

SUITE

Endroits de formation (voir p. 390)

	Contingentement	Coop	Cote R*
Bishop's	☐	■	23.000
Concordia	■	☐	25.000
HEC Montréal	■	☐	26.500
Laval	☐	☐	22.000
McGill	☐	☐	28.600
Sherbrooke	■	■	24.000
TÉLUQ	☐	☐	—
UQAC	☐	☐	—
UQAM	■	☐	25.500
UQAR	☐	☐	—
UQAT	☐	☐	—
UQO	☐	■	20.000
UQTR	☐	☐	—

** Le nombre inscrit indique la **Cote R** qui a été utilisée pour l'admission de l'année 2012 ou 2013 par l'université concernée.*

Professions reliées

C.N.P.
1222	Adjoint administratif
0012	Administrateur agréé
1221	Agent d'administration
1228	Agent d'assurance-emploi
1223	Agent de dotation
1223	Agent des ressources humaines
1121	Analyste des emplois
1122	Analyste des méthodes et procédures
1122	Analyste en procédés administratifs
1112	Analyste financier
1113	Cambiste
1111	Comptable de succursale de banque
1122	Conseiller en management
1122	Conseiller en organisation du travail
1121	Conseiller en relations industrielles
4153	Conseiller en retraite et pré-retraite
1113	Conseiller en valeurs mobilières
1122	Consultant en gestion
1113	Courtier en valeur mobilières
0114	Directeur administratif
0621	Directeur d'agence de voyages
0513	Directeur d'établissement de loisirs
0511	Directeur d'établissement touristique
0513	Directeur d'hippodrome
0122	Directeur d'institution financière
0911	Directeur d'usine de production de textiles
0713	Directeur de l'exploitation des transports routiers
0911	Directeur de production des matières premières
0911	Directeur de production industrielle
0113	Directeur des achats de marchandises
0112	Directeur des ressources humaines
0312	Directeur des services aux étudiants
0611	Directeur des ventes
0611	Directeur du marketing
0014	Directeur général de centre hospitalier
1235	Évaluateur agréé
1235	Évaluateur commercial
4163	Expert-conseil en commercialisation
0632	Exploitant de terrain de camping
1111	Fiscaliste
0016	Gérant d'imprimerie
1114	Planificateur financier
0312	Registraire de collège ou d'université
0412	Surintendant de parc
1111	Vérificateur des impôts

Endroits de travail

Consulter les fiches des différentes concentrations.

Salaire

Le salaire hebdomadaire moyen est de 881 $ (janvier 2011).

Remarques

– Plusieurs cheminement, concentrations ou spécialisations sont offerts selon les établissements.

– Pour porter le titre d'administrateur agréé, il faut être membre de l'Ordre des administrateurs agréés du Québec.

– Le diplôme de maîtrise en Administration des affaires peut être un atout pour occuper certains postes d'administration publique.

– L'Université Bishop's offre un certificat en Business Administration.

– L'Université Concordia offre deux baccalauréats : Administration; Commerce. Les conditions d'admission sont plus élevées pour le BAC en Commerce. Ce dernier permet aux étudiants de se spécialiser (en complétant une majeure).

– L'Université de Sherbrooke offre le baccalauréat en Administration des affaires exclusivement en régime coopératif.

– L'Université du Québec à Chicoutimi (UQAC) offre cinq concentrations : Finance; Gestion des ressources humaines; Gestion du transport aérien; Management et commerce international; Marketing. Cet établissement offre également les certificats suivants : Administration; Coaching; Gestion de l'hôtellerie et de la restauration des terroirs; Gestion des ressources humaines; Gestion du transport aérien; Marketing; Planification financière.

SCIENCES DE L'ADMINISTRATION

Administration / Administration des affaires / Administration des affaires – cheminement général, mixte ou spécialisé / Administration générale bilingue / Administration générale trilingue / Business Administration

SUITE

– L'Université du Québec à Montréal (UQAM) offre sept concentrations : Carrière internationale; Finance; Gestion des opérations; Gestion des ressources humaines; Gestion internationale; Marketing; Systèmes d'information. Cet établissement offre également plusieurs certificats en Administration ainsi que le baccalauréat ès Sciences de la gestion par cumul de certificats ou de mineures.

– L'Université du Québec à Rimouski (UQAR) offre les certificats suivants : Administration; Assurance et produits financiers; Entrepreneurship; Gestion des ressources humaines; Marketing; Planification financière; Sciences comptables. *N. B. : Des changements sont à prévoir dans les programmes en Sciences de la gestion au cours de l'année 2013-2014, consulter le site Web pour les dernières mises à jour.*

– L'Université du Québec à Trois-Rivières (UQTR) offre un programme double concentration ainsi que des certificats en Administration, en Gestion des ressources humaines et en Marketing.

– L'Université du Québec en Abitibi-Témiscamingue (UQAT) offre aussi des certificats en Administration et en Gestion et développement régional.

– L'Université du Québec en Outaouais (UQO). Le **Campus de Gatineau** offre six concentration : Entrepreneuriat; Finance; Gestion internationale; Management et gestion des personnes; Marketing; Systèmes d'information de gestion ainsi que le profil avec option. Ce campus offre également des certificats en Administration, en Droit de l'entreprise et du travail ainsi qu'en Gestion et évaluation immobilières. Le **Campus de Saint-Jérôme** offre quatre concentration : Entrepreneuriat; Finance; Management et gestion des personnes; Marketing ainsi que le profil avec option. Ce campus offre également le baccalauréat et le certificat (cheminement régulier).

– L'Université Laval offre trois options : **Cheminement sans concentration; Cheminement avec une concentration de 36 crédits** (Analyse de systèmes pour le secteur financiers; Comptabilité ; Finance; Gestion de la chaîne d'approvisionnement; Gestion des ressources humaines; Gestion des risques et assurances; Gestion des technologies d'affaires; Gestion internationale; Gestion urbaine et immobilière; Management; Marketing; Opérations et logistique; Services financiers); **Cheminement avec deux concentrations de 18 crédits** (Commerce de détail; Comptabilité; Développement international et action humanitaire; Entrepreneuriat et gestion des PME; Finance; Gestion des ressources humaines; Gestion des risques et assurance; Gestion des systèmes organisationnels; Gestion internationale; Gestion urbaine et immobilière; Marketing; Opération et logistique; Sur mesure). Cet établissement offre également des certificats en Administration des affaires; Analyse des systèmes d'affaires;

Assurance et rentes collectives; Comptabilité; Développement international et action humanitaire; Gestion urbaine et immobilière; Management; Marketing; Services financiers.

– La TÉLUQ offre le cheminement général bilingue dans le cadre d'une entente avec Arthabaska University. Ce programme est offert à distance, à temps plein et à temps partiel. Elle offre aussi un certificat en Administration.

SCIENCES DE L'ADMINISTRATION

STATISTIQUES D'EMPLOI	2007	2009	2011
Nb de personnes diplômées	2 206	2 209	2 316
% en emploi	83,6 %	83,8 %	81,8 %
% à temps plein	97 %	96,8 %	96,6 %
% lié à la formation	85 %	87,3 %	85,3 %

Administration: Affaires internationales / Carrière internationale / Commerce international / Gestion internationale / International Business

BAC 6 TRIMESTRES CUISEP 111/112-000

Compétences à acquérir

– Être familier avec l'environnement international.
– Être en mesure de réussir des activités commerciales à l'étranger.

Éléments du programme

– Commerce international
– Économie internationale
– Environnement économique international
– Gestion internationale
– Introduction aux relations internationales

Admission (voir p. 21 G)

Consulter la fiche du programme Administration (page 122).

OU

Bishop's: DEC ou l'équivalent et mathématiques 201-103, 201-105 ou NYC.

Concordia: DEC ou l'équivalent et Mathématiques 103, 105 (ou NYA, NYC); Économie 920 et 921 et une certaine culture informatique (tout cours de niveau 420) **ET** entrevue pour le régime coopératif seulement. *N. B.: Une cote R de 25.0 en mathématiques est exigée. Une cote R de 27.0 est exigée pour le régime coopératif.*

TÉLUQ: DEC en Sciences humaines **OU** tout autre DEC ou l'équivalent et connaissance des mathématiques du collégial ou réussite du test de mathématique ou du cours d'appoint **ET** maîtrise du français.

Endroits de formation (voir p. 390)

	Contingentement	Coop	Cote R*
Bishop's	☐	■	23.000
Concordia	■	■	26.000
HEC Montréal	■	☐	26.500
Laval	☐	■	—
McGill	■	☐	28.600
TÉLUQ	☐	☐	—
UQAC	☐	☐	—
UQAM	■	☐	25.500
UQO	☐	☐	—

** Le nombre inscrit indique la **Cote R** qui a été utilisée pour l'**admission de l'année 2012 ou 2013** par l'université concernée.*

Professions reliées

C.N.P.
4164 Agent de développement international
4163 Analyste des marchés
4162 Conseiller en importation et exportation
6411 Importateur-exportateur
4163 Spécialiste de la commercialisation internationale

Endroits de travail

– Gouvernements fédéral et provincial
– Moyennes et grandes entreprises
– Organisations internationales
– Organisations non gouvernementales œuvrant sur le plan international
– Secteurs industriels divers

Salaire

Le salaire hebdomadaire moyen est de 800 $ (janvier 2009).

Remarques

– L'Université Concordia offre une majeure et une mineure en International Business.
– L'Université du Québec à Chicoutimi (UQAC) offre une concentration en Management et commerce international dans le cadre du baccalauréat en Administration.
– L'Université du Québec à Montréal (UQAM) offre les concentrations Gestion internationale et Carrière internationale dans le cadre du baccalauréat en Administration. Cet établissement offre également un certificat en Commerce international.
– L'Université du Québec en Outaouais (UQO) accueille l'étudiant au cheminement international sur une base volontaire et sélective. Pour intégrer ce cheminement, l'étudiant doit avoir achevé ses trois premiers trimestres d'études avec une moyenne cumulative supérieure ou égale à 2,0 à 4,3.
– L'Université Laval offre une concentration du cheminement spécialisé ou du cheminement mixte du baccalauréat en Administration des affaires.
– La TÉLUQ offre l'option Études internationales. Cette option permet à l'étudiant de faire 15 crédits à l'intérieur du programme.

SCIENCES DE L'ADMINISTRATION

STATISTIQUES D'EMPLOI	2007	2009	2011
Nb de personnes diplômées	101	92	—
% en emploi	86,2 %	76 %	—
% à temps plein	98 %	89,5 %	—
% lié à la formation	57,1 %	44,1 %	—

15803

Administration : Analyse de systèmes pour le secteur financier / Gestion de l'information et des systèmes / Gestion des systèmes d'information organisationnels / Gestions des technologies d'affaires / Systèmes d'information / Systèmes d'information organisationnels / Technologie et systèmes d'information /Technologies de l'information / Information Systems / Management Information Systems

BAC 6 TRIMESTRES   **CUISEP 111-820**

Compétences à acquérir

– Élaborer et implanter un système d'information.
– Analyser les problèmes.
– Résoudre les problèmes liés au système d'information.
– Appliquer des connaissances technologiques au service de l'organisation.

Éléments du programme

– Commerce électronique
– Droit corporatif
– Gestion des données organisationnelles
– Implantation des technologies de l'information
– Outils informatiques du gestionnaire
– Solutions d'affaires intégrées
– Structure des systèmes fonctionnels

Admission (voir p. 21 G)

Consulter la fiche du programme Administration (page 122).
OU
Bishop's : DEC ou l'équivalent et Mathématiques 201-103, 201-105 ou NYC.
Concordia : DEC ou l'équivalent et Mathématiques 103, 105 (ou NYA, NYC); Économie 920 et 921 et une certaine culture informatique (tout cours de niveau 420) **ET** entrevue pour le régime coopératif seulement. *N. B. : Une cote R de 25.0 en mathématiques est exigée. Une cote R de 27.0 est exigée pour le régime coopératif.*
Sherbrooke : DEC ou l'équivalent et Mathématiques NYA, NYB, NYC (ou 103, 105, 203) **OU** DEC dans la famille des techniques administratives et avoir réussi Mathématiques NYA et deux cours parmi les suivants : NYC ou 105 ou 302 et 307 ou 337 ou 201 Statistiques appliquées à la gestion ou autres cours équivalents approuvés par la Faculté.
TÉLUQ : DEC en Sciences humaines **OU** tout autre DEC ou l'équivalent et connaissance des mathématiques du collégial ou réussite du test de mathématique ou du cours d'appoint **ET** maîtrise du français.

Endroits de formation (voir p. 390)

	Contingentement	Coop	Cote R*
Bishop's	☐	■	23.000
Concordia	■	■	26.000
HEC Montréal	■	☐	26.500
Laval	☐	■	22.000
McGill	■	☐	28.600
Sherbrooke	■	■	24.000
TÉLUQ	☐	☐	—
UQAM	■	☐	24.500

** Le nombre inscrit indique la **Cote R** qui a été utilisée pour l'**admission de l'année 2012 ou 2013** par l'université concernée.*

Professions reliées

C.N.P.
2172	Administrateur de bases de données
1221	Agent d'administration
2171	Analyste des système d'information
2171	Analyste en architecture de données
1122	Conseiller en management
0114	Directeur administratif
0213	Directeur de projets informatiques
0611	Directeur du commerce électronique
0213	Gestionnaire en technologies de l'information

Endroits de travail

– Compagnies d'assurances
– Firmes d'experts-conseils
– Gouvernements fédéral et provincial
– Industries diverses
– Institutions financières
– Maisons de courtage
– Moyennes et grandes entreprises
– Secteurs industriels divers

Salaire

Le salaire hebdomadaire moyen est de 971 $ (janvier 2011).

Remarques

– L'Université Concordia offre une mineure en Data Intelligence ainsi qu'une majeure et une mineure en Management Information.
– L'Université de Sherbrooke offre le baccalauréat en Administration des affaires exclusivement en régime coopératif.
– L'Université du Québec à Montréal (UQAM) offre ce programme comme concentration du baccalauréat en Administration.
– L'Université Laval offre ce programme comme concentration du baccalauréat en Administration des affaires.
– La TÉLUQ offre l'option Technologies et systèmes d'information, ce qui permet à l'étudiant de faire 15 crédits à l'intérieur du baccalauréat en Administration des affaires.

STATISTIQUES D'EMPLOI			
	2007	**2009**	**2011**
Nb de personnes diplômées	124	63	60
% en emploi	83,6 %	83,7 %	94,1 %
% à temps plein	91,1 %	97,2 %	100 %
% lié à la formation	90,2 %	71,4 %	75 %

Compétences à acquérir

– Acquérir les compétences de base en administration d'un commerce de détail.
– Développer des relations avec les grands détaillants et les sièges sociaux du secteur.

Éléments du programme

– Achat et approvisionnement
– Force et techniques de vente
– Marketing des commerces de détail
– Marketing relationnel
– Technologies du commerce de détail

Admission (voir p. 21 G)

DEC en Sciences de la nature **OU** DEC en Sciences informatiques et mathématiques **OU** DEC ou l'équivalent et Mathématiques NYA, NYB, NYC (ou 103-RE, 105-RE, 203-RE objectifs 022X, 022Y, 022Z) **OU** DEC dans la famille des techniques administratives et Mathématiques NYA, NYC (ou 103-RE, 105-RE ou 00UN, 00UQ ou 022X, 022Z ou 01Y1, 01Y4) et avoir réussi les cours de mathématiques et de statistique obligatoire du DEC. *N. B.: Si la cote R est inférieure à 22, une scolarité préparatoire n'excédant pas 12 crédits avec une moyenne de 2. La possession d'un ordinateur portatif est obligatoire pour tout étudiant admis à ce programme. Pour en savoir plus: www.fsa.ulaval.ca/ulysse.*

Endroits de formation (voir p. 390)

	Contingentement	Coop	Cote R*
Laval	☐	☐	—

Professions reliées

C.N.P.
6233	Acheteur
6233	Acheteur adjoint
—	Acheteur des commerces de gros et de détail
0113	Directeur de l'approvisionnement
0113	Directeur des achats de marchandises
0621	Gérant de commerce de détail

Endroits de travail

– Commerces de détail
– Magasins grande surface
– Sièges sociaux de chaînes de magasins

Salaire

Consulter la fiche du programme Administration (page 122).

Remarque

L'Université Laval offre ce programme comme concentration du cheminement mixte du baccalauréat en Administration des affaires.

Statistiques d'emploi

Consulter la fiche du programme Administration (page 122).

SCIENCES DE L'ADMINISTRATION

15800 / 15802 **Administration : Comptabilité / Sciences comptables / Accountancy / Accounting**

BAC 6 TRIMESTRES

CUISEP 111-100

Compétences à acquérir

– Appliquer les connaissances acquises dans les domaines de la comptabilité, de la fiscalité et de la vérification.
– Participer à l'élaboration des objectifs, des politiques et de la stratégie globale de l'entreprise ainsi qu'à la gestion de ses ressources.
– Déterminer ou négocier les modes de financement.
– Procéder au contrôle des opérations comptables.
– Élaborer des budgets.
– Planifier, diriger et contrôler de façon stratégique les affaires financières.
– Conseiller l'administration sur les nouvelles mesures fiscales.
– Établir des états financiers.
– Être apte à passer les examens des ordres comptables (CA, CGA, CMA).

Éléments du programme

– Analyse économique
– Compréhension et analyse des états financiers
– Comptabilité
– Fiscalité
– Statistiques
– Vérification des systèmes comptables
– Vérification externe

Admission (voir p. 21 G)

Bishop's : DEC ou l'équivalent et mathématiques 201-103, 201-105 ou NYC.

Concordia : DEC ou l'équivalent et Mathématiques 103, 105 (ou 201-NYA, 201-NYC); Économique 920, 921 plus une certaine culture informatique : tout cours de niveau 420. *N. B. : Une cote R de 25.0 en mathématiques est exigée. Une cote R de 27.0 est exigée pour le régime coopératif.*

HEC Montréal : DEC ou l'équivalent et Mathématiques 103, 105, 203 **OU** DEC dans la famille des techniques administratives et Mathématiques 103, 105 et un cours de statistiques d'au moins 60 heures **ET** tests de langues exigés pour les cheminements bilingue et trilingue.

Laval : Consulter la fiche du programme Administration, (page 122).

McGill : DEC ou l'équivalent et Mathématiques 103, 105, 203 (NYA, NYB, NYC ou 00UN, 00UP, 00UQ ou 011X, 022Y, 022Z).

Sherbrooke : DEC ou l'équivalent et Mathématiques NYA, NYB, NYC (ou 103, 105, 203) **OU** DEC dasn la famille des techniques administratives et avoir réussi Mathématiques NYA et deux cours parmi les suivants : NYC ou 105 ou 302 et 307 ou 337 ou 201 Statistiques appliquées à la gestion ou autres cours équivalents approuvés par la Faculté.

TÉLUQ : DEC en Sciences humaines **OU** tout autre DEC ou l'équivalent et connaissance des mathématiques du collégial ou réussite du test de mathématique ou du cours d'appoint **ET** maîtrise du français.

UQAC : DEC ou l'équivalent et un cours de mathématiques de niveau collégial.

UQAM : DEC en Sciences de la nature, en Sciences humaines **OU** DEC dans la famille des techniques administratives ou l'équivalent. *N. B. : L'étudiant admissible dont on aura établi, à l'aide du dossier, qu'il n'a pas les connaissances requises en mathématiques et en informatique sera admis conditionnellement à la réussite de cours d'appoint dont il pourra être dispensé s'il réussit des tests d'évaluation des connaissances dans ces domaines.*

UQAR : DEC ou l'équivalent et un cours de mathématiques de niveau collégial ou l'équivalent.

UQAT : DEC en Sciences de la nature ou en Sciences humaines **OU** DEC technique en Techniques de comptabilité et de gestion ou l'équivalent. *N. B. : Les détenteurs d'un DEC qui ne comporte pas au moins un cours de mathématiques (201-AAF-04, 201-NYA-05, 201-NYC-05, 201-103-RE, 201-105-RE, 201-302-RE ou 201-132-AT) peuvent être admis au programme moyennant la réussite du cours d'appoint MAT1014 (hors programme).*

UQO : DEC ou l'équivalent **ET** avoir complété un cours en Mathématiques **OU** la réussite d'un test ou du cours d'appoint MAT0103.

UQTR : DEC en Sciences humaines, administration ou l'équivalent **OU** DEC en Sciences de la nature ou l'équivalent **OU** DEC en Techniques de comptabilité et de gestion ou l'équivalent **OU** DEC ou l'équivalent et Statistiques 022P ou 022Z ou Mathématiques 00UN, 00UP, 00UQ ou 022X, 022Y, 022Z.

Endroits de formation (voir p. 390)

	Contingentement	Coop	Cote R*
Bishop's	☐	■	—
Concordia	■	■	26.000
HEC Montréal	■	☐	26.500
Laval	☐	■	22.000
McGill	■	☐	28.600
Sherbrooke	■	☐	24.000
TÉLUQ	☐	☐	—
UQAC	☐	☐	—
UQAM	■	☐	24.500
UQAR	☐	☐	—
UQAT	☐	☐	—
UQO	☐	☐	—
UQTR	☐	■	—

** Le nombre inscrit indique la **Cote R** qui a été utilisée pour l'**admission de l'année 2012 ou 2013** par l'université concernée.*

SCIENCES DE L'ADMINISTRATION

SUITE

Professions reliées

C.N.P.

1114	Administrateur fiduciaire
1212	Comptable adjoint
1111	Comptable agréé (CA)
1111	Comptable de succursale de banque
1111	Comptable en management accrédité (CMA)
1111	Comptable général licencié (CGA)
1122	Conseiller en management
0114	Directeur administratif
1111	Fiscaliste
1111	Syndic
1111	Vérificateur des impôts

Endroits de travail

– À son compte
– Cabinets comptables
– Gouvernements fédéral et provincial
– Grandes entreprises
– Institutions financières
– Municipalités
– Secteurs industriels divers

Salaire

Le salaire hebdomadaire moyen est de 857 $ (janvier 2011).

Remarques

– Consulter la fiche du programme Administration (page 122).
– Pour exercer la profession et porter le titre de comptable professionnel agréé, il faut être membre de l'Ordre des comptables professionnels agréés du Québec.
– Les universités suivantes offrent un cheminement en Comptabilité dans le cadre du baccalauréat en Administration : Bishop's, HEC Montréal, Sherbrooke, McGill.
– L'Université Concordia offre une majeure en Accountancy; des mineures en Assurance, Fraud, Prevention and Investigative Services et en Management Accounting.
– L'Université de Sherbrooke offre le baccalauréat en Administration des affaires exclusivement en régime coopératif.
– L'Université du Québec à Chicoutimi (UQAC) offre le baccalauréat en Sciences comptables, un certificat et une mineure en Sciences comptables ainsi qu'un certificat en Planification financière.
– L'Université du Québec à Montréal (UQAM) offre un baccalauréat en Sciences comptables. Elle offre également des certificats en Comptabilité générale et en Sciences comptables.

– L'Université du Québec à Rimouski (UQAR) offre le baccalauréat en Sciences comptables ainsi que des certificats en Sciences comptables et en Planification financière. *N. B. : Des changements sont à prévoir dans les programmes en Sciences de la gestion au cours de l'année 2013-2014, consulter le site Web pour les dernières mises à jour.*
– L'Université du Québec à Trois-Rivières (UQTR) offre une formule intensive du programme de baccalauréat en Sciences comptables s'échelonnant sur deux ans ainsi qu'un programme coopératif offert sur trois ans. Elle offre également un cheminement double concentration sur 4 ans du baccalauréat en Administration Comptabilité/ Finance ainsi qu'un certificat en comptabilité générale.
– L'Université du Québec en Abitibi-Témiscamingue (UQAT) offre aussi un certificat en Sciences comptables.
– L'Université du Québec en Outaouais (UQO) offre un cheminement de formation pratique intégrée (stages rémunérés et non crédités). Elle offre aussi des certificats en Comptabilité générale et en Sciences comptables.
– L'Université Laval offre ce programme comme concentrations pour Comptabilité générale et Comptabilité de management et d'une concentration du baccalauréat en Administration des affaires. Cet établissement offre également des certificats en Comptabilité et en Management.
– La TÉLUQ offre cette option qui permet à l'étudiant de faire 33 crédits à l'intérieur du programme de baccalauréat en Administration des affaires.

STATISTIQUES D'EMPLOI			
	2007	2009	2011
Nb de personnes diplômées	911	977	1 236
% en emploi	89,3 %	90,5 %	86,5 %
% à temps plein	97,3 %	99 %	96,7 %
% lié à la formation	93,2 %	94,8 %	92,8 %

SCIENCES DE L'ADMINISTRATION

BAC 6 TRIMESTRES   CUISEP 111/112-000

Compétences à acquérir

– Assurer la gestion administrative et financière des projets d'organisations humanitaires.
– Connaître les problèmes liés au sous-développement et les principaux acteurs en ce domaine.

Éléments du programme

– Développement international : acteurs et processus
– Éthique des relations Nord-Sud
– Fondements du management international
– Gestion de projets internationaux
– Gestion interculturelle des ressources humaines
– Stage interculturel humanitaire

Admission (voir p. 21 G)

DEC en Sciences de la nature **OU** DEC en Sciences informatiques et mathématiques **OU** DEC ou l'équivalent et Mathématiques NYA, NYB, NYC (ou 103-RE, 105-RE, 203-RE objectifs 022X, 022Y, 022Z) **OU** DEC dans la famille des techniques administratives et Mathématiques NYA, NYC (ou 103-RE, 105-RE ou 00UN, 00UQ ou 022X, 022Z ou 01Y1, 01Y4) et avoir réussi les cours de mathématiques et de statistique obligatoire du DEC. *N. B. : Si la cote R est inférieure à 22, une scolarité préparatoire n'excédant pas 12 crédits avec une moyenne de 2. La possession d'un ordinateur portatif est obligatoire pour tout étudiant admis à ce programme. Pour en savoir plus : www.fsa. ulaval.ca/ulysse* **ET** lettre de motivation et curriculum vitæ détaillé.

Endroit de formation (voir p. 310)

	Contingentement	Coop	Cote R
Laval	☐	☐	—

Professions reliées

C.N.P.
4163   Administrateur de projets de coopération
4164   Agent de développement international
4163   Agent de programme d'organisme international
4163   Chef de mission humanitaire

Endroits de travail

– Gouvernements (ACDI)
– Organisations internationales
– Organisations non gouvernementales étrangères
– Organisations non gouvernementales (ONG) œuvrant sur le plan international

Salaire

Le salaire hebdomadaire moyen est de 822 $ (janvier 2007).

Remarque

L'Université Laval offre ce programme comme une concentration du cheminement mixte du baccalauréat en Administration des affaires.

Statistiques d'emploi

Consulter la fiche du programme Administration (page 122).

Administration: Entrepreneuriat / Entrepreneuriat et gestion de PME / Entrepreneurship et PME

BAC 6 TRIMESTRES   CUISEP 111/112-000

Compétences à acquérir

– Comprendre le milieu de la PME.
– Conseiller les entreprises.
– Gérer une PME.
– Démarrer une entreprise.

Éléments du programme

– Entreprenariat, PME et société
– Gestion de la croissance d'une PME
– Monde des affaires
– Stratégies spécifiques à l'entrepreneuriat et aux PME

Admission (voir p. 21 G)

Bishop's: DEC ou l'équivalent et mathématiques 201-103, 201-105 ou NYC.

Laval: DEC en Sciences de la nature **OU** DEC en Sciences informatiques et mathématiques **OU** DEC ou l'équivalent et Mathématiques NYA, NYB, NYC (ou 103-RE, 105-RE, 203-RE objectifs 022X, 022Y, 022Z) **OU** DEC dans la famille des techniques administratives et Mathématiques NYA, NYC (ou 103-RE, 105-RE ou 00UN, 00UQ ou 022X, 022Z ou 01Y1, 01Y4) et avoir réussi les cours de mathématiques et de statistique obligatoire du DEC. *N. B.: Si la cote R est inférieure à 22, une scolarité préparatoire n'excédant pas 12 crédits avec une moyenne de 2. La possession d'un ordinateur portatif est obligatoire pour tout étudiant admis à ce programme. Pour en savoir plus: www.fsa.ulaval.ca/ulysse.*

UQO: UQO : DEC ou l'équivalent **ET** Mathématiques 103 (00UN ou 01Y1 ou 022X) ou 105 ou 122 ou 302 (00UQ ou 01Y4 ou 022Z) ou 257 ou 300 ou 307 ou 337 (01Y3 ou 022P ou 022W) **OU** la réussite d'un test ou du cours d'appoint MQT1203.

Endroits de formation (voir p. 390)

	Contingentement	Coop	Cote R*
Bishop's	☐	■	23.000
Laval	☐	■	22.000
UQO	☐	■	—

** Le nombre inscrit indique la **Cote R** qui a été utilisée pour l'**admission de l'année 2012 ou 2013** par l'université concernée.*

Professions reliées

C.N.P.
1122 Conseiller en démarrage d'entreprise
0111 Directeur de comptes (services aux entreprises)
0014 Dirigeant d'entreprise
0651 Propriétaire d'entreprise de services
0621 Propriétaire de commerce de détail

Endroits de travail

Consulter la fiche du programme Administration (page 122).

Salaire

Consulter la fiche du programme Administration (page 122).

Remarques

– L'Université Laval offre ce programme comme concentration du baccalauréat en Administration des affaires.
– L'Université du Québec en Outaouais (UQO) offre ce programme comme concentration du baccalauréat en administration: Entrepreneuriat.

Statistiques d'emploi

Consulter la fiche du programme Administration (page 122).

SCIENCES DE L'ADMINISTRATION

15800 / 15806

Administration : Entrepreneuriat / Entrepreneuriat et management innovateur / Entrepreneurship / Entrepreneurship et PME / Gestion des organisations

BAC 6 TRIMESTRES   CUISEP 111/112-000

Compétence à acquérir

Aborder le développement et la création d'entreprise.

Éléments du programme

– Comptabilité
– Entrepreneuriat et démarrage d'entreprises
– Gestion financière appliquée aux entreprises
– Gestion stratégique des entreprises
– Management des organisations
– Politiques de gestion des ressources humaines et de l'organisation du travail
– Recherche commerciale
– Stratégie marketing

Admission (voir p. 21 G)

Consulter la fiche du programme Administration (page 122).
OU
TÉLUQ : DEC en Sciences humaines **OU** tout autre DEC ou l'équivalent et connaissance des mathématiques du collégial ou réussite du test de mathématique ou du cours d'appoint **ET** maîtrise du français.
UQAR : DEC ou l'équivalent et un cours de mathématiques du collégial ou l'équivalent.
UQO : DEC ou l'équivalent **ET** Mathématiques 103 (00UN ou 01Y1 ou 022X) ou 105 ou 122 ou 302 (00UQ ou 01Y4 ou 022Z) ou 257 ou 300 ou 307 ou 337 (01Y3 ou 022P ou 022W) **OU** la réussite d'un test ou du cours d'appoint MQT1203.
UQTR : DEC ou l'équivalent.

Endroits de formation (voir p. 390)

	Contingentement	Coop	Cote R*
HEC Montréal	■	☐	26.500
McGill	■	☐	28.700
TÉLUQ	☐	☐	—
UQAR	☐	☐	—
UQO	☐	■	—
UQTR	☐	☐	—

*Le nombre inscrit indique la **Cote R** qui a été utilisée pour l'**admission de l'année 2012 ou 2013** par l'université concernée.*

Professions reliées

C.N.P.
1122	Conseiller en démarrage d'entreprise
1122	Consultant en gestion des affaires
0014	Dirigeant d'entreprise
0711	Entrepreneur
—	Travailleur autonome

Endroit de travail

À son compte

Salaire

Le salaire hebdomadaire moyen est de 826 $ (janvier 2007).

Remarques

– L'Université Bishop's offre une mineure en Entrepreneurship.
– L'Université Concordia offre une mineure en Entrepreneurship dans le cadre de son baccalauréat en Management.
– L'Université du Québec à Rimouski (UQAR) offre ce programme comme concentration du baccalauréat en Administration. Cet établissement offre également un certificat en Entrepreneurship. *N. B. : Des changements sont à prévoir dans les programmes en Sciences de la gestion au cours de l'année 2013-2014, consulter le site Web pour les dernières mises à jour.*
– L'Université du Québec en Outaouais (UQO) offre ce programme comme concentration du baccalauréat en Administration : Entrepreneuriat.
– La TÉLUQ offre l'option Gestion des organisations qui permet à l'étudiant de faire 21 crédits à l'intérieur du programme de baccalauréat en Administration des affaires.

STATISTIQUES D'EMPLOI	2007	2009	2011
Nb de personnes diplômées	109	—	—
% en emploi	76,4 %	—	—
% à temps plein	90,5 %	—	—
% lié à la formation	78,9 %	—	—

SCIENCES DE L'ADMINISTRATION

Compétences à acquérir

– Effectuer différentes tâches liées à la gestion des fonds de roulement de l'entreprise, au financement à long terme, au placement et à la gestion de portefeuilles d'actifs.
– Assurer la relation entre une institution et les sources de financement.
– Assumer la gestion des coûts des opérations d'une institution et assurer leur rentabilité.
– Analyser le rendement d'une entreprise et déterminer, s'il y a lieu, les causes des baisses de rendement.
– Conseiller des clients sur le placement de leurs épargnes.
– Effectuer des placements et négocier l'achat ou la vente de valeurs.
– Vérifier et étudier les états financiers d'une entreprise.
– Gérer le portefeuille de plusieurs clients.

Éléments du programme

– Comptabilité générale
– Finance
– Fiscalité
– Gestion de la liquidité
– Gestion financière internationale
– Marché des capitaux
– Marché monétaire
– Principes de gestion du portefeuille

Admission (voir p. 21 G)

Bishop's: DEC ou l'équivalent et Mathématiques 201-103, 201-105 et NYC.

Concordia: DEC ou l'équivalent et Mathématiques 103, 105 (ou NYA, NYC); Économique 920, 921, plus une certaine culture informatique: tout cours de niveau 420. *N. B.: Une cote R de 25.0 en mathématiques est exigée. Une cote R de 27.0 est exigée pour le régime coopératif.*

HEC Montréal: DEC et Mathématiques 103, 105, 203 **OU** DEC dans la famille des techniques administratives et Mathématiques 103, 105 et un cours de statistiques d'au moins 60 heures **ET** tests de langues exigés pour les cheminements bilingue et trilingue.

Laval: DEC en Sciences de la nature ou en Sciences informatiques et mathématiques **OU** DEC ou l'équivalent et Mathématiques NYA, NYB, NYC (ou 103-RE, 105-RE, 203-RE objectifs 022X, 022Y, 022Z) **OU** DEC dans la famille des techniques administratives et Mathématiques NYA, NYC (ou 103-RE, 105-RE ou 00UN, 00UQ ou 022X, 022Z ou 01Y1, 01Y4) et avoir réussi les cours de mathématiques et de statistique obligatoire du DEC. *N. B.: Si la cote R est inférieure à 22, une scolarité préparatoire n'excédant pas 12 crédits avec une moyenne de 2. La possession d'un ordinateur portatif est obligatoire pour tout étudiant admis à ce programme. Pour en savoir plus: www.fsa.ulaval.ca/ulysse.*

McGill: DEC en Sciences de la nature ou en Sciences informatiques et mathématiques **OU** DEC ou l'équivalent et Mathématiques 103, 105, 203 (ou NYA, NYB, NYC ou 00UN, 00UP, 00UQ ou 022X, 022Y, 022Z).

Sherbrooke: DEC ou l'équivalent et Mathématiques NYA, NYB, NYC (ou 103, 105, 203) **OU** DEC dans la famille des techniques administratives et avoir réussi Mathématiques NYA et deux cours parmi les suivants: NYC ou 105 ou 302 et 307 ou 337 ou 201 Statistiques appliquées à la gestion ou autres cours équivalents approuvés par la Faculté.

TÉLUQ: DEC en Sciences humaines **OU** tout autre DEC ou l'équivalent et connaissance des mathématiques du collégial ou réussite du test de mathématiques ou du cours d'appoint **ET** maîtrise du français.

UQAC: DEC ou l'équivalent et un cours de mathématiques de niveau collégial ou l'équivalent.

UQAM: DEC en Sciences de la nature ou en Sciences humaines **OU** DEC dans la famille des techniques administratives ou l'équivalent. *N. B.: L'étudiant admissible dont on aura établi, à l'aide du dossier, qu'il n'a pas les connaissances requises en mathématiques et en informatique sera admis conditionnellement à la réussite de cours d'appoint dont il pourra être dispensé s'il réussit des tests d'évaluation des connaissances dans ces domaines.*

UQAR: DEC ou l'équivalent et un cours de mathématiques du collégial ou l'équivalent.

UQAT: DEC en Sciences ou en Sciences humaines **OU** DEC technique en Techniques de comptabilité et de gestion ou l'équivalent. *N. B.: Les détenteurs d'un DEC qui ne comporte pas au moins un cours de Mathématiques (201-AAF-04, 201-NYA-05, 201-NYC-05, 103-RE, 105-RE, 302-RE ou 201-132-AT) peuvent être admis au programme moyennant la réussite du cours d'appoint MAT1014 (hors programme).*

UQO: DEC ou l'équivalent **ET** Mathématiques 103 (00UN ou 01Y1 ou 022X) ou 105 ou 122 ou 302 (00UQ ou 01Y4 ou 022Z) ou 257 ou 300 ou 307 ou 337 (01Y3 ou 022P ou 022W) **OU** la réussite d'un test ou du cours d'appoint MQT1203.

UQTR: DEC ou l'équivalent **OU** DEC technique.

SUITE

Endroits de formation (voir p. 390)

	Contingentement	Coop	Cote R*
Bishop's	☐	☑	23.000
Concordia	☑	☑	26.000
HEC Montréal	☑	☐	26.500
Laval	☐	☑	22.000
McGill	☑	☐	28.600
Sherbrooke	☑	☑	24.000
TÉLUQ	☐	☐	—
UQAC	☐	☐	—
UQAM	☑	☐	25.500
UQAR	☐	☐	—
UQAT	☐	☐	—
UQO	☐	☑	—
UQTR	☐	☐	—

*Le nombre inscrit indique la **Cote R** qui a été utilisée pour l'**admission de l'année 2012 ou 2013** par l'université concernée.*

Professions reliées

C.N.P.

1114	Administrateur fiduciaire
1112	Analyste financier
1113	Cambiste
1112	Conseiller en financement
1112	Conseiller en placement (sociétés)
1113	Conseiller en valeurs mobilières
0122	Directeur d'institution financière
1235	Évaluateur agréé
1235	Évaluateur commercial
1111	Fiscaliste
1112	Gestionnaire de portefeuille
1113	Négociateur en bourse
1114	Planificateur financier
1111	Vérificateur des impôts

Endroits de travail

– À son compte
– Compagnies d'assurances
– Gouvernements fédéral et provincial
– Institutions financières
– Maisons de courtage
– Sociétés de fiducie

Salaire

Le salaire hebdomadaire moyen est de 941$ (janvier 2009).

Remarques

– Pour porter le titre d'administrateur agréé, il faut être membre de l'Ordre des administrateurs agréés du Québec.
– Pour porter le titre de cambiste ou de conseiller en valeurs mobilières, il faut avoir réussi l'examen de l'Autorité des marchés financiers.
– Pour porter le titre d'évaluateur agréé, il faut être membre de l'Ordre des évaluateurs agréés du Québec.
– Pour exercer et porter le titre de planificateur financier, il faut avoir réussi l'examen de l'Institut québécois de planification financière.
– L'Université Concordia offre une majeure et une mineure en Finance.
– L'Université de Sherbrooke offre le baccalauréat en Administration des affaires exclusivement en régime coopératif.
– L'Université du Québec à Chicoutimi (UQAC) offre ce programme comme une concentration du baccalauréat en Administration. Cet établissement offre également un certificat en Planification financière.
– L'Université du Québec à Montréal (UQAM) offre ce programme comme concentration du baccalauréat en Administration. Cet établissement offre également des certificats en Finance et en Planification financière.
– L'Université du Québec à Rimouski (UQAR) offre ce programme comme concentration du baccalauréat en Administration. Cet établissement offre également un certificat en Planification financière. *N. B.: Des changements sont à prévoir dans les programmes en Sciences de la gestion au cours de l'année 2013-2014, consulter le site Web pour les dernières mises à jour.*
– L'Université du Québec à Trois-Rivières (UQTR) offre la double concentration Comptabilité/Finance d'une durée de 4 ans.
– L'Université du Québec en Outaouais (UQO) offre ce programme comme concentration du baccalauréat en Administration: Finance.
– L'Université Laval offre ce programme comme concentration du baccalauréat en Administration des affaires.
– La TÉLUQ offre cette option qui permet à l'étudiant de faire 27 crédits en planification financière à l'intérieur du baccalauréat en Administration des affaires.

STATISTIQUES D'EMPLOI

	2007	2009	2011
Nb de personnes diplômées	428	461	—
% en emploi	80,1 %	76,1 %	—
% à temps plein	96 %	91,7 %	—
% lié à la formation	75,3 %	76,5 %	—

15871 Administration : Gestion de la chaîne d'approvisionnement / Gestion des opérations / Gestion des opérations en logistique et en transport routier / Gestion des opérations et de la logistique / Logistique / Opérations et logistique / Transport maritime / Operations Management / Supply Chain Operations Management

BAC 6 TRIMESTRES | **CUISEP 111/112-000**

Compétence à acquérir

Analyser et apporter des solutions aux problèmes de gestion de production et des opérations.

Éléments du programme

– Gestion des approvisionnements
– Planification et contrôle de la production et des stocks
– Qualité totale
– Stratégie d'opération

Admission (voir p. 21 G)

Consulter la fiche du programme Administration (page 122).

Endroits de formation (voir p. 390)

	Contingentement	Coop	Cote R*
Concordia	☐	■	26.000
HEC Montréal	■	☐	26.500
Laval	☐	■	22.000
UQAM	■	☐	25.500
UQAR	☐	☐	—
UQTR	☐	☐	—

** Le nombre inscrit indique la **Cote R** qui a été utilisée pour l'**admission de l'année 2012 ou 2013** par l'université concernée.*

Professions reliées

C.N.P.
6233	Acheteur
4163	Agent de développement industriel
0713	Armateur
1122	Consultant en logistique
0113	Directeur de l'approvisionnement
0713	Directeur de l'exploitation des transports routiers
5131	Directeur de la distribution
0713	Directeur de parc de véhicules
5131	Directeur de production
0113	Directeur des achats de marchandises
0114	Gestionnaire d'inventaire
1215	Responsable de la gestion des stocks

Endroits de travail

– À son compte
– Centres de distribution
– Entreprises de transport
– Firmes de consultants
– Secteurs industriels divers

Salaire

Le salaire hebdomadaire moyen est de 721 $ (janvier 2007).

Remarques

– HEC Montréal offre un certificat en Gestion des opérations et de la production.
– L'Université Concordia offre une majeure et une mineure.
– L'Université du Québec à Montréal (UQAM) offre ce programme comme concentration du baccalauréat en Administration.
– L'Université du Québec à Rimouski (UQAR) offre la majeure en Transport maritime. Ce programme est réservé aux diplômés de l'Institut maritime du Québec et aux détenteurs de brevets de capitaine au long cours ou de mécanicien de 1re classe émis par Transport Canada.
– L'Université Laval offre ces programmes comme concentrations du baccalauréat en Administration des affaires.

STATISTIQUES D'EMPLOI			
	2007	**2009**	**2011**
Nb de personnes diplômées	12	—	—
% en emploi	88,9 %	—	—
% à temps plein	87,5 %	—	—
% lié à la formation	71,4 %	—	—

Administration : Gestion des opérations et méthodes quantitatives / Méthodes quantitatives / Méthodes quantitatives de gestion

BAC 6 TRIMESTRES

CUISEP 111/112-000

Compétence à acquérir

Utiliser les méthodes quantitatives pour la solution analytique des problèmes des entreprises.

Éléments du programme

– Analyse de marchés
– Analyse de régression
– Bases de données de l'entreprise
– Économétrie
– Mathématiques linéaires
– Recherche opérationnelle
– Systèmes d'aide à la décision

Admission (voir p. 21 G)

HEC Montréal : DEC ou l'équivalent et Mathématiques 103, 105, 203 **OU** DEC dans la famille des techniques administratives et Mathématiques 103, 105 et un cours de statistiques d'au moins 60 heures.

TÉLUQ : DEC en Sciences humaines **OU** tout autre DEC ou l'équivalent et connaissance des mathématiques du collégial ou réussite du test de mathématique ou du cours d'appoint **ET** maîtrise du français.

Endroits de formation (voir p. 390)

	Contingentement	Coop	Cote R*
HEC Montréal	■	☐	26.500
TÉLUQ	☐	☐	—

** Le nombre inscrit indique la **Cote R** qui a été utilisée pour l'admission de l'année 2012 ou 2013 par l'université concernée.*

Professions reliées

C.N.P.
4163   Analyste des marchés
4163   Analyste des opérations de gestion
2161   Interprète statistique des résultats de sondages

Endroits de travail

– Entreprises de sondages
– Gouvernements fédéral et provincial
– Institutions financières
– Moyennes et grandes entreprises
– Secteurs industriels divers

Salaire

Le salaire hebdomadaire moyen est de 971 $ (janvier 2011).

Remarque

La TÉLUQ offre cette option qui permet à l'étudiant de faire 12 crédits à l'intérieur du baccalauréat en Administration des affaires.

SCIENCES DE L'ADMINISTRATION

STATISTIQUES D'EMPLOI	2007	2009	2011
Nb de personnes diplômées	124	63	60
% en emploi	83,6 %	83,7 %	94,1 %
% à temps plein	91,1 %	97,2 %	100 %
% lié à la formation	90,2 %	71,4 %	75 %

15815 — Administration : Gestion des ressources humaines / Management et gestion des personnes / Human Resources Management / Labour-Management Relations

BAC 6 TRIMESTRES   CUISEP 111-400

Compétences à acquérir

- Assurer la gestion des programmes pour les employés.
- Assurer les activités de recrutement, de sélection et d'embauche du personnel.
- Évaluer et planifier les besoins du personnel, collaborer à la mise sur pied des services et coordonner les activités de formation.
- Évaluer le rendement du personnel.
- Élaborer les politiques de recrutement et vérifier les besoins en personnel.
- Établir les programmes de rémunération.

Éléments du programme

- Analyse économique
- Comportement organisationnel
- Comptabilité de gestion
- Fondements en dotation
- Gestion des opérations
- Lois du travail
- Statistiques en gestion

Admission (voir p. 21 G)

DEC en Sciences de la nature ou en Sciences humaines ou l'équivalent et Mathématiques 103, 105, 203.
OU
DEC dans la famille des techniques administratives et Mathématiques 103, 105 ou 302 et 307 ou 337.
OU
Bishop's : DEC ou l'équivalent et Mathématiques 201-103, 201-105 ou NYC.
Concordia : DEC ou l'équivalent et Mathématiques 103, 105 (NYA, NYC); Économie 920, 921, plus une certaine culture informatique : tous cours de niveau 420. *N. B.: Une cote R de 25.0 en mathématiques est exigée. Une cote R de 27.0 est exigée pour le régime coopératif.*
HEC Montréal : DEC ou l'équivalent et Mathématiques 103, 105, 203 **OU** DEC dans la famille des techniques administratives et Mathématiques 103, 105 et un cours de statistiques d'au moins 60 heures **ET** tests de langues exigés pour les cheminements bilingue et trilingue.
Laval : Consulter la fiche Administration (page 124).
McGill : DEC en Sciences informatiques et mathématiques ou DEC ou l'équivalent et Mathématiques 103, 105, 203 (ou NYA, NYB, NYC ou 00UN, 00UP, 00UQ ou 022X, 022Y, 022Y).
Sherbrooke : DEC ou l'équivalent et Mathématiques NYA, NYB, NYC (ou 103, 105, 203) **OU** DEC dans la famille des techniques administratives et avoir réussi Mathématiques NYA et deux cours parmi les suivants : NYC ou 105 ou 302 et 307 ou 337 ou 201 Statistiques appliquées à la gestion ou autres cours équivalents approuvés par la Faculté.

TÉLUQ : DEC en Sciences humaines **OU** tout autre DEC général ou technique ou l'équivalent **ET** connaissance des mathématiques du collégial ou réussite du test de mathématiques ou du cours d'appoint **ET** maîtrise du français.
UQAC : DEC ou l'équivalent et un cours de mathématiques de niveau collégial.
UQAM : DEC en Sciences de la nature ou en Sciences humaines **OU** DEC dans la famille des techniques administratives ou l'équivalent. *N. B.: L'étudiant admissible dont on aura établi, à l'aide du dossier, qu'il n'a pas les connaissances requises en mathématiques et en informatique sera admis conditionnellement à la réussite de cours d'appoint dont il pourra être dispensé s'il réussit des tests d'évaluation des connaissances dans ces domaines.*
UQAR : DEC ou l'équivalent et un cours de mathématiques de niveau collégial.
UQAT : DEC en Sciences ou en Sciences humaines **OU** DEC technique en Techniques de comptabilité et de gestion ou l'équivalent. *N. B.: Les détenteurs d'un DEC qui ne comporte pas au moins un cours de Mathématiques (201-AAF-04, 201-NYA-05, 201-NYC-05, 103-RE, 105-RE, 302-RE ou 201-132-AT) peuvent être admis au programme moyennant la réussite du cours d'appoint MAT1014 (hors programme).*
UQO : DEC ou l'équivalent **ET** Mathématiques 103 (00UN ou 01Y1 ou 022X) ou 105 ou 122 ou 302 (00UQ ou 01Y4 ou 022Z) ou 257 ou 300 ou 307 ou 337 (01Y3 ou 022P ou 022W) **OU** la réussite d'un test ou du cours d'appoint MQT1203.
UQTR : DEC ou l'équivalent **OU** DEC technique.

Endroits de formation (voir p. 390)

	Contingentement	Coop	Cote R*
Bishop's	☐	☐	23.000
Concordia	■	■	26.000
HEC Montréal	■	☐	26.500
Laval	☐	■	22.000
McGill	■	☐	28.600
Sherbrooke	■	■	24.000
TÉLUQ	☐	☐	—
UQAC	☐	☐	—
UQAM	■	☐	23.000** et 25.200
UQAR	☐	☐	—
UQAT	☐	☐	—
UQO	☐	■	—
UQTR	☐		—

** Le nombre inscrit indique la **Cote R** qui a été utilisée pour l'**admission de l'année 2011 ou 2012** par l'université concernée.*
** Administration.

15815

Administration : Gestion des ressources humaines / Management et gestion des personnes / Human Resources Management / Labour-Management Relations

SUITE

Professions reliées

C.N.P.

1223	Agent de dotation
1223	Agent des ressources humaines
1121	Analyste des emplois
4213	Chasseur de têtes
1121	Conseiller en relations industrielles
1121	Conseiller en ressources humaines
0112	Coordonnateur de la formation du personnel
0112	Directeur des ressources humaines
1223	Spécialiste en recrutement et en sélection

Endroits de travail

– À son compte
– Agences de placement
– Centres hospitaliers
– Commissions scolaires
– Firmes de consultants en ressources humaines
– Gouvernements fédéral et provincial
– Institutions financières
– Moyennes et grandes entreprises
– Municipalités

Salaire

Le salaire hebdomadaire moyen est de 915 $ (janvier 2011).

Remarques

– Consulter la fiche du programme Administration (page 122).
– Pour porter le titre de conseiller en ressources humaines ou de conseiller en relations industrielles, il faut être membre de l'Ordre des conseillers en ressources humaines et en relations industrielles du Québec.
– L'option Ressources humaines est offerte dans la plupart des universités dans le cadre du baccalauréat en Administration.
– L'Université Bishop's offre également un certificat en Human Resources.
– L'Université Concordia offre une majeure et une mineure en Human Resources Management.
– L'Université de Sherbrooke offre le baccalauréat en Administration des affaires exclusivement en régime coopératif.
– L'Université du Québec à Chicoutimi (UQAC) offre ce programme comme une concentration dans le cadre du baccalauréat en Administration. Cet établissement offre également un certificat et une mineure en Gestion des ressources humaines ainsi qu'un certificat en Coaching.
– L'Université du Québec à Montréal (UQAM) offre un baccalauréat spécialisé, d'une durée de trois ans, en Gestion des ressources humaines et un certificat en Gestion des ressources humaines.
– L'Université du Québec à Rimouski (UQAR) offre ce programme comme concentration du baccalauréat en Administration. Cet établissement offre également un certificat en Gestion des ressources humaines. *N. B. : Des changements sont à prévoir dans les programmes en Sciences de la gestion au cours de l'année 2013-2014, consulter le site Web pour les dernières mises à jour.*
– L'Université du Québec en Abitibi-Témiscamingue (UQAT) offre aussi un certificat en Management et gestion des ressources humaines.
– L'Université du Québec en Outaouais (UQO) offre ce programme comme concentration du baccalauréat en Administration : Gestion des personnes.
– L'Université Laval offre ce programme comme concentration du baccalauréat en Administration des affaires. Cet établissement offre également un certificat en Gestion des ressources humaines ainsi que plusieurs microprogrammes en Gestion des ressources humaines : Développement des potentiels humains ; Évolution des personnes dans l'organisation ; Gestion des personnes ; Le travail et la personne.
– La TÉLUQ offre ce programme à distance, à temps plein et à temps partiel. Elle offre aussi un certificat.

SCIENCES DE L'ADMINISTRATION

STATISTIQUES D'EMPLOI	2007	2009	2011
Nb de personnes diplômées	205	216	233
% en emploi	84 %	84,1 %	81,2 %
% à temps plein	95 %	97,3 %	96 %
% lié à la formation	81,1 %	83,3 %	74,2 %

BAC 6 TRIMESTRES

CUISEP 111/112-000

Compétences à acquérir

– Reconnaître les risques, choisir des moyens de contrôler et de financer ces risques.
– Élaborer, implanter et réviser un programme de gestion des risques.

Éléments du programme

– Assurance-vie et planification successorale
– Gestion de la liquidité
– Gestion des institutions de dépôts
– Gestion des risques et assurance
– Marché des capitaux
– Principe de gestion de portefeuille
– Produits dérivés

Admission (voir p. 21 G)

Consulter la fiche du programme Administration (page 122).

Endroit de formation (voir p. 310)

	Contingentement	Coop	Cote R
Laval	☐	☐	—

Professions reliées

C.N.P.
1234	Analyste en gestion des risques
1112	Analyste financier
1234	Conseiller en sécurité financière
1114	Conseiller en services financiers
6231	Courtier d'assurances
0122	Directeur d'institution financière
1233	Examinateur des réclamations d'assurances
1233	Expert en sinistres (assurances)
1114	Planificateur financier
6231	Représentant en assurances de personnes
6411	Représentant en services financiers

Endroits de travail

– À son compte
– Compagnies d'assurances
– Firmes de courtage
– Gouvernements fédéral et provincial
– Institutions financières

Salaire

Le salaire hebdomadaire moyen est de 941 $ (janvier 2009).

Remarques

– Pour porter le titre de courtier d'assurance, il faut détenir un certificat de courtier en assurance de dommages émis par l'Autorité des marchés financiers et avoir été courtier pendant 2 ans (www.autorite.qc.ca).
– Pour porter le titre de planificateur financier, il faut avoir réussi l'examen de l'examen de l'Institut québécois de planification financière.
– L'Université Laval offre ce programme comme une concentration du baccalauréat en Administration des affaires

SCIENCES DE L'ADMINISTRATION

STATISTIQUES D'EMPLOI	2007	2009	2011
Nb de personnes diplômées	428	461	—
% en emploi	80,1 %	76,1 %	—
% à temps plein	96 %	91,7 %	—
% lié à la formation	75,3 %	76,5 %	—

Administration : Gestion urbaine et immobilière

BAC 6 TRIMESTRES

CUISEP 111/112-000

Compétences à acquérir

- Planifier, analyser et évaluer des décisions urbaines et immobilières.
- Acquérir une connaissance théorique et pratique des facteurs de localisation et des marchés urbains et immobiliers.
- Connaître le système de production immobilière et de gestion des actifs immobiliers.
- Maîtriser les méthodes et les techniques actuelles et avancées en évaluation immobilière.
- Analyser l'efficacité et l'équité des instruments de financement des municipalités et des communautés urbaines.
- Maîtriser les méthodes d'analyse du rendement et des investissements immobiliers.

Éléments du programme

- Analyse urbaine et immobilière
- Droit du patrimoine privé
- Droit immobilier
- Évaluation immobilière : principes et pratiques
- Gestion municipale et finances locales
- Investissement immobilier
- Production et gestion immobilières
- Séminaire en gestion urbaine et immobilière
- Théorie générale des biens

Admission (voir p. 21 G)

Consulter la fiche du programme Administration (page 122).

Endroit de formation (voir p. 310)

	Contingentement	Coop	Cote R
Laval	☐	☐	—

Professions reliées

C.N.P.
1235   Analyste en évaluation immobilière
1235   Évaluateur agréé
1235   Évaluateur commercial
6232   Gérant immobilier
0721   Gestionnaire immobilier
0121   Promoteur immobilier

Endroits de travail

- Firmes d'experts-conseils
- Firmes en évaluation et en gestion immobilière
- Gouvernements fédéral et provincial
- Institutions financières
- Ministère des Affaires municipales
- Municipalités
- Municipalités régionales de comté (MRC)
- Organismes internationaux
- Promoteurs immobiliers
- Société canadienne d'hypothèques et de logement
- Société d'habitation du Québec
- Société immobilière du Québec

Salaire

Consulter la fiche du programme Administration (page 122).

Remarques

- Pour porter le titre d'évaluateur agréé, il faut être membre de l'Ordre des évaluateurs agréés du Québec.
- L'Université Laval offre ce programme comme une concentration du baccalauréat en Administration des affaires.

Statistiques d'emploi

Consulter la fiche du programme Administration (page 122).

SCIENCES DE L'ADMINISTRATION

Administration : Management / Entrepreneuriat et management innovateur / Management

BAC 6 TRIMESTRES   CUISEP 111/112-000

Compétence à acquérir

Prendre des décisions et mettre en œuvre des stratégies d'action orientées vers la solution de problèmes à multiples dimensions (en comptabilité de gestion, en financement de l'entreprise, en gestion des ressources humaines et en marketing).

Éléments du programme

– Analyse de marchés
– Droit des affaires
– Gestion financière
– Management stratégique

Admission (voir p. 21 G)

Consulter la fiche du programme Administration (page 122).
OU
Bishop's : DEC ou l'équivalent et Mathématiques 201-103, 201-105 ou NYC.
Concordia : DEC ou l'équivalent et Mathématiques 103, 105 (ou NYA, NYC); Économie 920, 921, plus une certaine culture informatique : tous cours de niveau 420. *N. B. : Une cote R de 25.0 en mathématiques est exigée.*
HEC Montréal : DEC général et Mathématiques 103, 105, 203 **OU** DEC dans la famille des techniques administratives et avoir réussi les cours de Mathématiques 103, 105 et un cours de statistiques d'au moins 60 heures.
McGill : DEC en Sciences informatiques et mathématiques ou DEC en Sciences de la nature **OU** DEC ou l'équivalent et Mathématiques 103, 105, 203 (ou NYA, NYB, NYC ou 00UN, 00UP, 00UQ ou 022X, 022Y, 022Z).
Sherbrooke : DEC ou l'équivalent et Mathématiques NYA, NYB, NYC (ou 103, 105, 203) **OU** DEC dans la famille des techniques administratives et avoir réussi Mathématiques NYA et deux cours parmi les suivants : NYC ou 105 ou 302 et 307 ou 337 ou 201 Statistiques appliquées à la gestion ou autres cours équivalents approuvés par la Faculté.

Endroits de formation (voir p. 390)

	Contingentement	Coop	Cote R*
Bishop's	☐	■	23.000
Concordia	■	☐	26.000
HEC Montréal	■	☐	26.500
Laval	☐	■	—
McGill	■	☐	28.600
Sherbrooke	■	■	24.000
UQO	■	■	—

** Le nombre inscrit indique la **Cote R** qui a été utilisée pour l'**admission de l'année 2012 ou 2013** par l'université concernée.*

Professions reliées

C.N.P.
0012   Administrateur agréé
1122   Analyste en gestion d'entreprises
1122   Conseiller en démarrage d'entreprise
1122   Conseiller en management
0112   Directeur des ressources humaines
1122   Spécialiste en analyse organisationnelle

Endroits de travail

– À son compte
– Compagnies d'assurances
– Firmes de courtage
– Gouvernements fédéral et provincial
– Institutions financières
– Secteurs industriels divers

Salaire

Consulter la fiche du programme Administration (page 122).

Remarques

– HEC Montréal offre deux spécialisations distinctes : Entrepreneuriat; Management.
– L'Université Concordia offre une majeure et une mineure en Management.
– L'Université de Sherbrooke offre le baccalauréat en Administration des affaires exclusivement en régime coopératif.
– L'Université du Québec en Outaouais (UQO) offre ce programme comme concentration du baccalauréat en Administration : Entrepreneuriat.
– L'Université Laval offre ce programme comme une concentration du baccalauréat en Administration des affaires. Cet établissement offre également un certificat en Management.
– La TÉLUQ offre un certificat en Communication organisationnelle.

Statistiques d'emploi

Consulter la fiche du programme Administration (page 122).

SCIENCES DE L'ADMINISTRATION

15809 Administration : Marketing / Communication organisationnelle / Marketing et relations publiques

BAC 6 TRIMESTRES   CUISEP 111-700

Compétences à acquérir

– Assurer la relation entre une entreprise et ses marchés.
– Déterminer les marchés à viser à court ou à long terme, avec quel produit, à quel prix, avec quel système de distribution, dans quelles conditions de vente et avec quelles actions de communication (publicité, promotion des ventes, relations publiques).
– Effectuer des études de marché.
– Élaborer des stratégies de marketing.
– Étudier les contraintes économiques générales et leur impact sur le marché.
– Superviser et coordonner le travail d'une équipe de vente.
– Superviser la conception et la réalisation des activités publicitaires.

Éléments du programme

– Administration des ventes
– Commerce au détail
– Comportement du consommateur
– Comptabilité générale
– Études de marché
– Gestion des opérations et de la technologie
– Marketing

Admission (voir p. 21 G)

DEC dans la famille des techniques administratives et Mathématiques 103, 302 (105), 337 (203 ou 307).
OU
DEC ou l'équivalent et mathématiques 103, 105 et 203.
OU
Bishop's : DEC ou l'équivalent et Mathématiques 201-103, 201-105 ou NYC.
Concordia : DEC ou l'équivalent et Mathématiques 103, 105 (ou NYA, NYC); Économique 920, 921 plus une certaine culture informatique : tout cours de niveau 420. *N.B. : Une cote R de 25.0 en Mathématiques est exigée. Une cote R de 27.0 est exigée pour le régime coopératif.*
HEC Montréal : DEC ou l'équivalent et Mathématiques 103, 105 et 203 **OU** DEC dans la famille des techniques administratives et Mathématiques 103, 105 et un cours de statistiques d'au moins 60 heures **OU** tests de langues exigés pour les cheminements bilingue et trilingue.
Laval : Consulter la fiche du programme Administration (page 122).
McGill : DEC en Sciences informatiques et mathématiques ou DEC ou l'équivalent et Mathématiques 103, 105, 203 (NYA, NYB, NYC ou 00UN, 00UP, 00UQ ou 022X, 022Y, 022Y).

Sherbrooke : DEC ou l'équivalent et Mathématiques NYA, NYB, NYC (ou 103, 105, 203) **OU** DEC en techniques administratives et avoir réussi Mathématiques NYA et deux cours parmi les suivants : NYC ou 105 ou 302 et 307 ou 337 ou 201 Statistiques appliquées à la gestion ou autres cours équivalents approuvés par la Faculté.
TÉLUQ : DEC en Sciences humaines **OU** tout autre DEC ou l'équivalent et connaissance des mathématiques du collégial ou réussite du test de mathématique ou du cours d'appoint **ET** maîtrise du français.
UQAC, UQAR, UQAT : DEC ou l'équivalent et un cours de mathématiques de niveau collégial.
UQAM : DEC en Sciences de la nature ou en Sciences humaines **OU** DEC dans la famille des techniques administratives ou l'équivalent. *N. B. : L'étudiant admissible dont on aura établi, à l'aide du dossier, qu'il n'a pas les connaissances requises en mathématiques et en informatique sera admis conditionnellement à la réussite de cours d'appoint dont il pourra être dispensé s'il réussit des tests d'évaluation des connaissances dans ces domaines.*
UQO : DEC ou l'équivalent **ET** Mathématiques 103 (00UN ou 01Y1 ou 022X) ou 105 ou 122 ou 302 (00UQ ou 01Y4 ou 022Z) ou 257 ou 300 ou 307 ou 337 (01Y3 ou 022P ou 022W) **OU** la réussite d'un test ou du cours d'appoint MQT1203.
UQTR : DEC ou l'équivalent **OU** DEC technique.

Endroits de formation (voir p. 390)

	Contingentement	Coop	Cote R*
Bishop's	☐	☐	23.000
Concordia	■	■	26.000
HEC Montréal	■	☐	26.500
Laval	☐	■	22.000
McGill	■	☐	—
Sherbrooke	■	■	28.900
TÉLUQ	☐	☐	
UQAC	☐	☐	—
UQAM	■	☐	25.500
UQAR	☐	☐	—
UQAT	☐	☐	
UQO	☐	■	
UQTR	☐	☐	—

** Le nombre inscrit indique la **Cote R** qui a été utilisée pour l'**admission de l'année 2012 ou 2013** par l'université concernée.*

SCIENCES DE L'ADMINISTRATION

SUITE

Professions reliées

C.N.P.

4163	Analyste de la mise en marché
4163	Chargé de veille stratégique
1122	Chef du service de promotion des ventes
1122	Conseiller en solutions d'affaires
4163	Consultant en marketing
0611	Directeur de campagne de financement
0611	Directeur de la publicité
0113	Directeur des achats de marchandises
0611	Directeur des ventes
0611	Directeur du marketing
0015	Directeur général des ventes et de la publicité
4163	Expert-conseil en commercialisation
6211	Superviseur de télémarketing

Endroits de travail

– Agences de marketing
– Agences de publicité
– Agences de relations publiques
– Agences de voyages
– Compagnies d'assurances
– Compagnies de transport
– Gouvernements fédéral et provincial
– Grandes entreprises
– Institutions financières

Salaire

Le salaire hebdomadaire moyen est de 851 $ (janvier 2011).

Remarques

– L'Université de Sherbrooke offre le baccalauréat en Administration des affaires exclusivement en régime coopératif.
– L'Université du Québec à Chicoutimi (UQAC) offre un certificat en Marketing.
– L'Université du Québec à Montréal (UQAM) offre ce programme comme concentration du baccalauréat en Administration. Cet établissement offre également un certificat en Marketing ainsi qu'un baccalauréat en Communication – Marketing.
– L'Université du Québec à Rimouski (UQAR) offre ce programme comme concentration du baccalauréat en Administration. Cet établissement offre également un certificat en Marketing. *N. B.: Des changements sont à prévoir dans les programmes en Sciences de la gestion au cours de l'année 2013-2014, consulter le site Web pour les dernières mises à jour.*
– L'Université du Québec en Outaouais (UQO) offre ce programme comme concentration du baccalauréat en Administration: Marketing.
– l'Université Laval offre ce programme comme concentration du baccalauréat en Administration des affaires. Un certificat en Marketing est également offert.
– La TÉLUQ offre l'option Marketing qui permet à l'étudiant de faire 15 crédits à l'intérieur du baccalauréat en Administration des affaires. Cet établissement offre un certificat en Communication organisationnelle.

SCIENCES DE L'ADMINISTRATION

STATISTIQUES D'EMPLOI			
	2007	**2009**	**2011**
Nb de personnes diplômées	374	380	406
% en emploi	84,6 %	84,7 %	84,9 %
% à temps plein	94,7 %	97,6 %	96,6 %
% lié à la formation	69,6 %	71,6 %	72 %

Administration : Option individuelle / Généraliste / Individualisée / Personnalisée / Sur mesure

BAC 6 TRIMESTRES   CUISEP 111/112-000

Compétence à acquérir

Permettre à l'étudiant dont les objectifs de carrière ne peuvent être satisfaits par une option mixte ou une concentration de se tracer un programme de cours adapté à sa perspective de vie professionnelle.

Éléments du programme

- L'étudiant établit un programme de cours comportant un minimum de 33 ou 36 crédits et le soumet à l'approbation d'un comité présidé par le directeur du programme.
- L'étudiant peut également choisir un certain nombre de cours dans une autre faculté.

Admission (voir p. 21 G)

DEC ou l'équivalent et Mathématiques NYA, NYB, NYC (ou 103-77, 105-77, 203-77 ou 103-RE ou 105-RE, 203-RE).
OU
DEC dans la famille des techniques administratives et Mathématiques (NYA ou 103-RE ou 103-77), (302 ou 105-RE ou NYC ou 105-77), (337 ou 307 ou 203-RE ou NYB ou 203-77).

Endroits de formation (voir p. 390)

	Contingentement	Coop	Cote R*
HEC Montréal	■	☐	26.500
Laval	☐	☐	22.000

* Le nombre inscrit indique la **Cote R** qui a été utilisée pour l'**admission de l'année 2012 ou 2013** par l'université concernée.

Profession reliée

C.N.P.
0012   Administrateur agréé

Endroits de travail

Entreprises et industries diverses

Salaire

Consulter la fiche du programme Administration (page 122).

Remarques

- Pour porter le titre d'administrateur agréé, il faut être membre de l'Ordre des administrateurs agréés du Québec.
- L'Université Laval offre ce programme comme concentration du cheminement mixte du baccalauréat en Administration des affaires.

Statistiques d'emploi

Consulter la fiche du programme Administration (page 122).

SCIENCES DE L'ADMINISTRATION

Compétence à acquérir

Acquérir un minimum de spécialisation dans deux domaines de la gestion.

Quatre spécialisations sont offertes :
Accounting; Business; Economics; Finance.
OU
Deux options parmi les suivantes :
HEC Montréal : Affaires internationales; Développement durable; Économie appliquée; Finance; Gestion de projets; Gestion des opérations et de la logistique; Gestion des ressources humaines; Information comptable et gestion; Management; Marketing; Méthodes quantitatives; Technologies de l'information pour gestionnaire.
McGill : Accounting; Entrepreneurship; Finance; Information Systems; International Business; Labour-Management Relations and Human Resources; Marketing; Operations Management; Organizational Behavior; Strategic Management **OU** une concentration plus une mineure de la faculté des arts (sciences humaines, arts et lettres).

Éléments du programme

L'étudiant doit établir et soumettre un programme de cours comportant un minimum de 33 crédits dont un minimum de 3 cours dans 2 domaines de son choix.

Admission (voir p. 21 G)

Bishop's : DEC ou l'équivalent et Mathématiques 201-103, 201-105 et NYC.
HEC Montréal : DEC ou l'équivalent et Mathématiques 103, 105 et 203 **OU** DEC dans la famille des techniques administratives et Mathématiques 103, 105 et un cours de statistiques d'au moins 60 heures **ET** tests de langues exigés pour les cheminements bilingue et trilingue.
Laval : Consulter la fiche de programme Administration (page 122).
McGill : Consulter l'établissement (études du dossier).

Endroits de formation (voir p. 390)

	Contingentement	Coop	Cote R*
Bishop's	☐	■	23.000
HEC Montréal	■	☐	26.500
Laval	☐	☐	22.000
McGill	■	☐	28.600

** Le nombre inscrit indique la **Cote R** qui a été utilisée pour l'**admission de l'année 2012 ou 2013** par l'université concernée.*

Profession reliée

C.N.P.
0012   Administrateur agréé

Endroits de travail

Consulter la fiche du programme Administration (page 122) ainsi que les fiches des différentes options.

Salaire

Consulter la fiche du programme Administration (page 122).

Remarques

– Pour porter le titre d'administrateur agréé, il faut être membre de l'Ordre des administrateurs agréés du Québec.
– L'Université Laval offre ce programme comme un cheminement du baccalauréat en Administration des affaires.

Statistiques d'emploi

Consulter la fiche du programme Administration (page 122).

SCIENCES DE L'ADMINISTRATION

15804	**Administration : Planification financière / Services financiers**

BAC 6 TRIMESTRES　　　　　　　　**CUISEP 111/112-000**

Compétence à acquérir

Effectuer différentes tâches liées à la planification des finances personnelles.

Éléments du programme

– Fiscalité
– Gestion du portefeuille
– Intégration en planification financière personnelle
– Marché des capitaux
– Mathématiques financières et gestion de la dette
– Produits financiers : assurances et rentes
– Retraite et planification successorale
– Utilisation des états financiers

Admission (voir p. 21 G)

Laval : DEC en Sciences de la nature **OU** DEC en Sciences informatiques et mathématiques **OU** DEC ou l'équivalent et Mathématiques NYA, NYB, NYC (ou 103-RE, 105-RE, 203-RE objectifs 022X, 022Y, 022Z) **OU** DEC dans la famille des techniques administratives et Mathématiques NYA, NYC (ou 103-RE, 105-RE ou 00UN, 00UQ ou 022X, 022Z ou 01Y1, 01Y4) et avoir réussi les cours de mathématiques et de statistique obligatoire du DEC. *N. B. : Si la cote R est inférieure à 22, une scolarité préparatoire n'excédant pas 12 crédits avec une moyenne de 2. La possession d'un ordinateur portatif est obligatoire pour tout étudiant admis à ce programme. Pour en savoir plus : www.fsa.ulaval.ca/ ulysse.*

TÉLUQ : DEC ou l'équivalent et connaissance des mathématiques du collégial **OU** réussite du cours d'appoint MQT1001 à l'université.

UQAR : DEC ou l'équivalent et un cours de mathématiques du collégial ou l'équivalent.

Endroits de formation (voir p. 390)

	Contingentement	Coop	Cote R*
Laval	☐	☑	22.000
TÉLUQ	☐	☐	—
UQAR	☐	☐	—

* Le nombre inscrit indique la **Cote R** *qui a été utilisée pour l'***admission de l'année 2012 ou 2013** *par l'université concernée.*

Professions reliées

C.N.P.
0012　Administrateur agréé
1232　Agent-conseil de crédit
1234　Analyste en gestion des risques
1114　Analyste en placements financiers
1112　Analyste financier
1234　Assureur-vie agréé
1112　Conseiller en placements financiers

1234　Conseiller en sécurité financière
1114　Conseiller en services financiers
6231　Courtier d'assurances
0122　Directeur d'institution financière
1233　Examinateur des réclamations d'assurances
1112　Gestionnaire de portefeuille
1114　Inspecteur d'institutions financières
1114　Planificateur financier
6231　Représentant en assurances de personnes

Endroits de travail

– À son compte
– Compagnies d'assurances
– Coopératives de services financiers
– Firmes de courtage
– Gouvernements fédéral et provincial
– Institutions financières

Salaire

Le salaire hebdomadaire moyen est de 941 $ (janvier 2009).

Remarques

– Pour obtenir le titre d'assureur-vie agréé, il faut réussir le cours « Les concepts en assurance de personnes » offert par la Chambre de la sécurité financière.
– Pour porter le titre de courtier d'assurance, il faut détenir un certificat de courtier en assurances de dommages émis par l'Autorité des marchés financiers et avoir été courtier pendant 2 ans (www.autorite.qc.ca).
– Pour porter le titre de planificateur financier, il faut réussir l'examen de l'Institut québécois de planification financière (www.iqpf.org).
– L'Université du Québec à Chicoutimi (UQAC) offre un certificat en Planification financière.
– L'Université du Québec à Rimouski (UQAR) offre ce programme comme concentration du baccalauréat en Administration. Cet établissement offre également un certificat en Planification financière. *N. B. : Des changements sont à prévoir dans les programmes en Sciences de la gestion au cours de l'année 2013-2014, consulter le site Web pour les dernières mises à jour.*
– L'Université Laval offre ce programme comme concentration du baccalauréat en Administration des affaires. Cet établissement offre également un certificat en Services financiers.
– La TÉLUQ offre un certificat en Planification financière.

STATISTIQUES D'EMPLOI			
	2007	**2009**	**2011**
Nb de personnes diplômées	428	461	—
% en emploi	80,1 %	76,1 %	—
% à temps plein	96 %	91,7 %	—
% lié à la formation	75,3 %	76,5 %	—

Administration des affaires : Économie / Économie appliquée / Économie appliquée à la gestion / Économie de gestion / Économie locale et gestion des ressources naturelles / Economics

BAC 6 TRIMESTRES   CUISEP 111-600

Compétence à acquérir

Analyser l'environnement économique dans les secteurs public et privé.

Éléments du programme

– Économétrie
– Économie de l'entreprise
– Économie du travail
– Évaluation économique des projets d'investissement
– Management stratégique
– Micro et macroéconomie

Admission (voir p. 21 G)

DEC ou l'équivalent et Mathématiques 103, 105, 203 **OU** DEC dans la famille des techniques administratives et Mathématiques 103, 105, 203.
OU
Concordia : DEC ou l'équivalent et Mathématiques 103, 105 (ou NYA, NYC); Économique 920, 921 plus une certaine culture informatique : tous cours de niveau 420.
N. B. : Une cote R de 25.0 en mathématiques est exigée.
HEC Montréal : DEC général et Mathématiques 103, 105, 203 **OU** DEC dans la famille des techniques administratives et avoir réussi les cours de Mathématiques 103, 105 et le ou les cours obligatoires de mathématiques du programme révisé dont au moins un cours de statistiques d'au moins 60 heures.
TÉLUQ : DEC en Sciences humaines **OU** tout autre DEC préuniversitaire ou technique ou l'équivalent **ET** connaissance des mathématiques du collégial ou réussite du test de mathématiques ou du cours d'appoint **ET** maîtrise du français.

Endroits de formation (voir p. 390)

	Contingentement	Coop	Cote R*
Concordia	■	☐	26.000
HEC Montréal	■	☐	26.500
McGill	■	☐	25.600
TÉLUQ	☐	☐	—

** Le nombre inscrit indique la **Cote R** qui a été utilisée pour l'**admission de l'année 2012 ou 2013** par l'université concernée.*

Professions reliées

C.N.P.
0012   Administrateur
4162   Analyste de l'environnement économique et industriel
4163   Analyste des marchés
1112   Conseiller en investissements
1122   Conseiller en management

Endroits de travail

– À son compte
– Firmes d'experts-conseils en management
– Gouvernements fédéral et provincial
– Moyennes et grandes entreprises
– Municipalités

Salaire

Le salaire hebdomadaire moyen est de 826 $ (janvier 2007).

Remarques

– L'Université Concordia offre une majeure et une mineure en Economics.
– L'Université du Québec à Montréal (UQAM) offre une concentration en Économie et gestion et une concentration en Économie appliquée dans le cadre du programme Économique.
– L'Université Laval offre un certificat en Assurances et rentes collectives.
– La TÉLUQ offre l'option Économie dans le cadre du baccalauréat en Administration des affaires. Cette option permet à l'étudiant de faire 15 crédits à l'intérieur du programme.

STATISTIQUES D'EMPLOI	2007	2009	2011
Nb de personnes diplômées	109	—	—
% en emploi	76,4 %	—	—
% à temps plein	90,5 %	—	—
% lié à la formation	78,9 %	—	—

SCIENCES DE L'ADMINISTRATION

BAC 6 TRIMESTRES

CUISEP 111/112-000

Compétences à acquérir

– Intégrer le monde des affaires et le monde culturel.
– Se familiariser avec l'administration des arts, en intégrant les éléments et les méthodes d'une approche.

Trois orientations sont offertes :

Beaux-arts; Musique; Théâtre.

Éléments du programme

– Administration des arts
– Arts visuels
– Comptabilité
– Histoire de l'art
– Histoire de la musique
– Littérature dramatique et histoire du théâtre
– Littérature musicale
– Management
– Production
– Ressources humaines

Admission (voir p. 21 G)

DEC ou l'équivalent et Mathématiques 201-103, 201-105 et NYC.

Endroit de formation (voir p. 310)

	Contingentement	Coop	Cote R
Bishop's	☐	■	—

Professions reliées

C.N.P.

0014	Directeur administratif d'association vouée aux arts
0511	Directeur de galerie d'art
0511	Directeur de musée
0512	Directeur de salles de spectacles
0512	Directeur de théâtre
0511	Galériste

Endroits de travail

– Agences
– Compagnies théâtrales
– Événements culturels et festivals
– Galeries d'art
– Magazines culturels
– Orchestres symphoniques

Salaire

Consulter la fiche du programme Administration (page 122).

Remarques

– L'intégration des arts et de l'administration des affaires permet à l'étudiant d'étudier dans des domaines variés et d'acquérir des compétences qui répondent aux exigences du marché du travail.
– L'Université Bishop's offre également un certificat en Arts Management.

Statistiques d'emploi

Consulter la fiche du programme Administration (page 122).

SCIENCES DE L'ADMINISTRATION

Compétences à acquérir

– Gérer le phénomène touristique et les entreprises qui y sont liées.
– Contribuer au développement et à la planification touristiques (produits et services, clientèles, projets, événements).
– Diriger une unité hôtelière ou de restauration.
– Promouvoir les attraits touristiques d'une région.
– Acquérir les habiletés liées à la gestion dans le but d'offrir des produits de qualité, des services efficaces et du personnel productif.
– Faire preuve d'autonomie, de leadership, d'habileté de communication et d'esprit méthodique.

Éléments du programme

– Comptabilité de gestion
– Gestion de l'hébergement
– Gestion de la restauration
– Gestion des organisations
– Planification et contrôle des projets
– Prévision et prospective du tourisme
– Publicité
– Relations de travail
– Stage
– Statistiques
– Tourisme et société

Admission (voir p. 21 G)

DEC ou l'équivalent.
ET
Cours d'appoint en mathématiques si le niveau de connaissances requises en mathématiques n'est pas atteint.

Endroit de formation (voir p. 310)

	Contingentement	Coop	Cote R*
UQAM	■	☐	24.000

** Le nombre inscrit indique la **Cote R** qui a été utilisée pour l'**admission de l'année 2012** par l'université concernée.*

Professions reliées

C.N.P.
4163	Agent de développement touristique
6453	Capitaine de banquet
1226	Coordonnateur de congrès et de réunions (hôtels et centres de congrès)
4163	Coordonnateur des services de tourisme
0621	Directeur d'agence de voyages
0511	Directeur d'établissement touristique
0621	Directeur d'une agence de guides
0631	Directeur de la restauration
0632	Directeur général d'un établissement hôtelier
0632	Exploitant de terrain de camping
0015	Gestionnaire d'entreprise touristique
1226	Organisateur de congrès et d'événements spéciaux

Endroits de travail

– Agences de voyages
– Associations touristiques
– Centres de congrès
– Chambres de commerce
– Gouvernements fédéral et provincial
– Hôtels
– Industrie touristique
– Municipalités
– Restaurants
– Traiteurs

Salaire

Consulter la fiche du programme Administration (page 122).

Remarques

– L'Université du Québec à Chicoutimi (UQAC) offre un certificat en Gestion de l'hôtellerie et de la restauration des terroirs.
– L'Université du Québec à Montréal (UQAM) offre deux concentrations : Gestion hôtelière et de restauration; Gestion des organisations et des destinations touristiques. Le programme est offert en collaboration avec l'Institut de tourisme et d'hôtellerie du Québec (ITHQ).

Statistiques d'emploi

Consulter la fiche du programme Administration (page 122).

SCIENCES DE L'ADMINISTRATION

BAC 6 TRIMESTRES   CUISEP 116-000

Compétences à acquérir

– Acquérir des connaissances dans les domaines de la gestion et de la science politique, afin de bien comprendre les principaux enjeux de la gestion publique.
– Développer certaines connaissances et compétences de gestionnaire : gestion des ressources humaines, gestion de projet, comptabilité, etc.
– Connaître le réseau public fédéral, provincial, municipal dans ses différentes sphères d'activités (ministères, établissements scolaires ou de santé, administrations municipales, etc.).

Éléments du programme

– Comptabilité du secteur public
– Droit
– Économie
– Études urbaines
– Gestion des organisations
– Gestion des ressources humaines
– Science politique
– Stage de travail / Activité de synthèse

Admission (voir p. 21 G)

DEC en Sciences de la nature ou en Sciences humaines.
OU
DEC dans la famille des techniques administratives ou l'équivalent.
OU
Avoir réussi dix cours universitaires.
OU
Avoir une expérience professionnelle, d'au moins 2 ans au sein d'une administration publique jugée pertinente.

Endroit de formation (voir p. 310)

	Contingentement	Coop	Cote R*
UQAM	■	☐	24.000

* Le nombre inscrit indique la **Cote R** qui a été utilisée pour l'**admission de l'année 2012** par l'université concernée.

Professions reliées

C.N.P.
0012	Administrateur d'organisme public
0411	Administrateur de programmes sociaux
4163	Agent de développement économique
4165	Agent de recherche en santé publique
4168	Attaché politique
0011	Conseiller municipal
4168	Conseiller politique
0411	Coordonnateur de programmes publics
0313	Directeur d'école
0513	Directeur du service des loisirs
0014	Directeur général de centre hospitalier
0014	Directeur général de l'enseignement
0012	Protecteur du citoyen
0012	Sous-ministre

Endroits de travail

– Établissements d'enseignement
– Établissements de santé
– Gouvernements fédéral et provincial
– Municipalités
– Partis politiques
– Sociétés d'État

Salaire

Donnée non disponible.

Remarque

Ce programme multidisciplinaire axé sur la gestion publique est unique au premier cycle au Québec.

Statistiques d'emploi

Données non disponibles.

Relations de travail / Relations industrielles / Relations industrielles et ressources humaines / Industrial Relations / Labour-Management Relations

BAC 6 TRIMESTRES   CUISEP 633-000

Compétences à acquérir

– Gérer des ressources humaines, diriger la sélection, la formation et l'évaluation du personnel et appliquer les différentes politiques s'y rapportant.
– Représenter son employeur dans les relations avec les employés.
– Analyser les conditions de travail et mettre en œuvre des mesures favorisant une certaine qualité de vie au travail.
– Représenter la partie patronale ou syndicale au cours de négociations collectives.
– Participer aux processus de conciliation et d'arbitrage.

Éléments du programme

– Convention et négociation collectives
– Développement en ressources humaines
– Fondements en dotation
– Fondements en rémunération
– Gestion des ressources humaines
– Mouvement syndical et travail
– Principes de gestion
– Psychologie
– Psychologie et travail
– Relations industrielles
– Sociologie des organisations
– Statistiques

Admission (voir p. 21 G)

Laval : DEC en Sciences de la nature **OU** DEC en Sciences humaines et avoir réussi le cours Formation complémentaire en méthodes quantitatives 201-300 (ou Statistiques en sciences humaines 952-024 et Biologie humaine 921) **OU** DEC en Histoire et civilisation **OU** tout autre DEC et avoir réussi les cours Méthodes quantitatives en sciences humaines 360-300 et Formation complémentaires en méthodes quantitatives 201-300 (ou Statistiques en sciences humaines 952-024 ou MAT-337 (022W) ou NYA et 307 (00UN) ou 103-RE, 105-RE et 203-RE (022X, 022Y, 022Z) ou NYA, NYB, NYC (00UN, 00UP, 00UQ). *N. B. : Si la cote R est inférieure à 22, une scolarité d'appoint est exigée.*
McGill : Industrial Relations B.A. : DEC ou l'équivalent ; Labor-Management Relations B.Com : DEC et Mathématiques 103, 105, 203 (022X, 022Y, 022Z) ou NYA, NYB et NYC (00UN, 00UP, 00UQ).
Montréal : DEC en Sciences humaines ou en Sciences de la nature **OU** DEC en Histoire et civilisation et avoir atteint l'objectif 022P (méthodes quantitatives) **OU** DEC ou l'équivalent et un cours préalable en statistique (lequel peut être suivi à l'université) **OU** avoir réussi 24 crédits de cours universitaires autres que des crédits obtenus dans le cadre de cours préparatoires aux études universitaires.

UQAM : DEC ou l'équivalent et cours d'appoint en mathématiques si aucune connaissance en mathématiques.
UQO : DEC en Sciences humaines **OU** DEC en Techniques administratives ou l'équivalent.

Endroits de formation (voir p. 390)

	Contingentement	Coop	Cote R*
Laval	☐	☐	—
McGill	■	☐	—
Montréal	■	☐	24.600
UQAM	■	☐	—
UQO	☐	■	—

** Le nombre inscrit indique la **Cote R** qui a été utilisée pour l'**admission de l'année 2012** par l'université concernée.*

Professions reliées

C.N.P.
1223	Agent de dotation
1223	Agent des ressources humaines
1121	Agent syndical
4213	Chasseur de têtes
1121	Conciliateur en relations de travail
1121	Conseiller en relations industrielles
1121	Conseiller en ressources humaines
2263	Conseiller en santé et sécurité au travail
1121	Conseiller syndical
0112	Directeur des ressources humaines
1121	Spécialiste en relations ouvrières

Endroits de travail

– À son compte
– Agences de placement
– Établissements d'enseignement
– Firmes d'experts-conseils
– Gouvernements fédéral et provincial
– Moyennes et grandes entreprises
– Secteurs industriels divers

Salaire

Le salaire hebdomadaire moyen est de 845 $ (janvier 2011).

SCIENCES DE L'ADMINISTRATION

15816

Relations de travail / Relations industrielles / Relations industrielles et ressources humaines / Industrial Relations / Labour-Management Relations

SUITE

Remarques

– Pour porter le titre de conseiller en ressources humaines, de conseiller en relations industrielles ou de conciliateur en relations du travail, il faut être membre de l'Ordre des conseillers en ressources humaines et en relations industrielles agréés du Québec.

– L'Université du Québec à Chicoutimi (UQAC) offre un certificat en Santé et sécurité au travail.

– L'Université du Québec à Montréal (UQAM) offre un baccalauréat en Communication – Relations humaines.

– L'Université du Québec en Outaouais (UQO) offre les certificats suivants : Droit de l'entreprise et du travail; Politiques publiques du travail; Psychologie du travail et des organisations; Relations industrielles et ressources humaines; Santé et sécurité au travail.

– L'Université Laval offre trois certificats : Gestion des ressources humaines; Relations de travail, Relations industrielles.

– L'Université McGill offre le Faculty Program.

STATISTIQUES D'EMPLOI			
	2007	2009	2011
Nb de personnes diplômées	472	447	394
% en emploi	84,3 %	81,4 %	85,2 %
% à temps plein	98,1 %	97,9 %	99 %
% lié à la formation	78,6 %	81,8 %	82,5 %

Discipline	PAGE
Sciences de l'éducation	**153**

SCIENCES DE L'ÉDUCATION

PROGRAMMES D'ÉTUDES	PAGE
Adaptation scolaire et sociale / Enseignement en adaptation scolaire et sociale	**154**
Art dramatique / Enseignement – Art dramatique	**155**
Éducation musicale / Enseignement de la musique / Education and Music.	**156**
Éducation préscolaire et enseignement au primaire / Enseignement au préscolaire et au primaire / Early Childhood and Elementary Education / Elementary Education / Kindergarten and Elementary Education.	**157**
Enseignement au secondaire / Secondary Education	**159**
Enseignement d'une langue seconde / Enseignement de l'anglais, langue seconde / Enseignement des langues secondes / Enseignement du français, langue seconde / Teaching English or French as a Second Language	**162**
Enseignement de la danse	**164**
Enseignement des arts / Enseignement des arts plastiques / Enseignement des arts visuels / Enseignement des arts visuels et médiatiques / Art Education.	**165**
Enseignement en formation professionnelle / Enseignement en formation professionnelle et technique / Enseignement professionnel / Enseignement professionnel et technique	**166**

Adaptation scolaire et sociale / Enseignement en adaptation scolaire et sociale

BAC 8 TRIMESTRES

CUISEP 552-510

Compétences à acquérir

- Enseigner à des clientèles particulières (enfants souffrant de déficience légère et moyenne, intellectuelle ou physique ou de troubles d'apprentissage, mésadaptation socioaffective).
- Observer et analyser les diverses composantes des problèmes psychopédagogiques.
- Faire des interventions correctives individualisées ou de groupe afin de favoriser l'atteinte les objectifs des programmes réguliers d'enseignement.

Éléments du programme

- Didactique
- Difficultés d'ordre comportemental en milieu scolaire
- Éducation psychomotrice et adaptation scolaire
- Orthopédagogie de la lecture, de l'écriture et des mathématiques
- Psychologie du développement
- Relation d'aide dans l'enseignement
- Stages
- Stratégies d'enseignement et capacités intellectuelles

Admission (voir p. 21 G)

Montréal : DEC ou l'équivalent et entrevue.
Sherbrooke, UQAR : DEC ou l'équivalent.
UQAC : DEC ou l'équivalent **OU** DEC technique en Éducation spécialisée ou d'une discipline connexe ou l'équivalent.
UQAM : DEC en Sciences humaines ou en Sciences de la nature **OU** DEC dans la famille des techniques administratives **OU** tout autre DEC **ET** avoir réussi le cours de Méthodes quantitatives 260-300.
UQO, UQTR : DEC ou l'équivalent.

Endroits de formation (voir p. 390)

	Contingentement	Coop	Cote R*
Montréal	☐	☐	23.605
Sherbrooke	☒	☐	23.500
UQAC	☒	☐	21.040
UQAM	☒	☐	22.000 et 23.500[1]
UQAR	☒	☐	21.694[2] et 20.891
UQO	☒	☐	20.000 ou 26.000[3]
UQTR	☒	☐	21.860 et 26.000[4]

** Le nombre inscrit indique la **Cote R** qui a été utilisée pour l'admission de l'année 2012 ou 2013 par l'université concernée.*

1. *Intervention au préscolaire-primaire.*
2. *Campus de Lévis.*
3. *Campus de Saint-Jérôme.*
4. *Profil primaire.*

Professions reliées

C.N.P.
4166	Conseiller pédagogique
4142	Enseignant en adaptation scolaire
4142	Orthopédagogue
4215	Professeur pour personnes déficientes intellectuelles
4215	Professeur pour personnes handicapées de la vue
4166	Spécialiste de l'adaptation scolaire
4166	Spécialiste de la mesure et de l'évaluation en éducation
4166	Spécialiste des techniques et des moyens d'enseignement

Endroits de travail

- À son compte
- Centres d'accueil
- Établissements d'enseignement
- Ministère de l'Éducation, du Loisir et du Sport

Salaire

Le salaire hebdomadaire moyen est de 791 $ (janvier 2011).

Remarques

- Pour enseigner au primaire et au secondaire, il faut être titulaire d'un permis ou d'un brevet d'enseignement permanent émis par le ministère de l'Éducation, du Loisir et du Sport.
- Des études de 2e cycle sont nécessaires pour exercer les professions suivantes : spécialiste de la mesure et de l'évaluation en éducation et spécialiste des techniques et des moyens d'enseignement.
- L'Université de Sherbrooke offre deux profils de formation : Primaire; Secondaire.
- L'Université du Québec à Chicoutimi (UQAC) offre deux profils : Enseignement au primaire; Enseignement au secondaire et aux jeunes adultes.
- L'Université du Québec à Montréal (UQAM) offre deux profils : Intervention au secondaire; Intervention au préscolaire-primaire. Cet établissement offre également un certificat en Intervention éducative en milieu familial et communautaire.
- L'Université du Québec à Rimouski (UQAR) offre deux profils : Préscolaire – primaire; Secondaire – éducation des adultes.
- L'Université du Québec à Trois-Rivières (UQTR) offre un baccalauréat au niveau du primaire et un autre au niveau du secondaire.
- L'Université du Québec en Outaouais (UQO) offre également ce programme au Campus de Saint-Jérôme.

STATISTIQUES D'EMPLOI	2007	2009	2011
Nb de personnes diplômées	419	381	451
% en emploi	93,4 %	88,6 %	91,1 %
% à temps plein	90 %	87,6 %	79,6 %
% lié à la formation	97,5 %	96,3 %	93,7 %

Art dramatique / Enseignement – Art dramatique

BAC 8 TRIMESTRES   CUISEP 552-000

Compétences à acquérir

- Enseigner le théâtre au préscolaire, au primaire et au secondaire.
- Développer les compétences techniques inhérentes au théâtre.
- Développer des habiletés pédagogiques.

Éléments du programme

- Didactique de l'art dramatique
- Dramaturgie
- Histoire de théâtre
- Jeu
- Méthodologie en art dramatique
- Psychologie du développement
- Scénographie
- Stages

Admission (voir p. 21 G)

DEC ou l'équivalent
ET
Bishop's : Audition, lettre de motivation et curriculum vitæ.
UQAM : Épreuve de sélection.
OU
UQTR : DEC en Arts plastiques ou l'équivalent **OU** DEC ou l'équivalent et les cours de niveau collégial suivants : 2 cours de dessin; 1 cours de pictural ou 3D; 2 cours d'histoire de l'art ou d'esthétique **ET** présenter un dossier visuel de travaux personnels en arts plastiques et se soumettre à une entrevue.

Endroits de formation (voir p. 390)

	Contingentement	Coop	Cote R*
Bishop's	■	☐	—
UQAM	■	☐	—
UQTR	■	☐	21.850

* Le nombre inscrit indique la **Cote R** qui a été utilisée pour l'**admission de l'année 2012 ou 2013** par l'université concernée.

Professions reliées

C.N.P.
4142   Enseignant au préscolaire
4142   Enseignant au primaire
4141   Professeur au secondaire

Endroits de travail

Établissements d'enseignement (privés et publics)

Salaire

Le salaire hebdomadaire moyen est de 815 $ (janvier 2011).

Remarques

- Pour enseigner au primaire et au secondaire, il faut être titulaire d'un permis ou d'un brevet d'enseignement permanent émis par le ministère de l'Éducation, du Loisir et du Sport. La réussite du programme permet d'obtenir ce permis.
- L'Université Bishop's offre une double majeure en Enseignement secondaire de l'art dramatique.
- L'Université du Québec à Chicoutimi (UQAC) offre deux profils : Enseignement de l'art dramatique au primaire ou au secondaire et Enseignement de l'art plastique au primaire ou au secondaire. Cet établissement offre également un certificat en Enseignement des arts.
- L'Université du Québec à Montréal (UQAM) offre la concentration Enseignement de l'art dramatique.

STATISTIQUES D'EMPLOI	2007	2009	2011
Nb de personnes diplômées	695	648	742
% en emploi	90,5 %	89,9 %	87,6 %
% à temps plein	79,8 %	73,4 %	64,7 %
% lié à la formation	92,8 %	91,4 %	94,6 %

SCIENCES DE L'ÉDUCATION

Éducation musicale / Enseignement de la musique / Education and Music

BAC 8 TRIMESTRES   CUISEP 552-130

Compétences à acquérir

– Enseigner la musique au primaire ou au secondaire.
– Enseigner la théorie musicale : solfège, histoire de la musique, rythmique, etc.
– Apprendre aux élèves à jouer d'un instrument de musique (flûte, trompette, guitare, etc.).
– Évaluer les apprentissages.

Éléments du programme

– Analyse et écriture
– Didactique au primaire et au secondaire
– Formation auditive
– Grands ensembles
– Histoire de la musique
– Instrument principal
– Psychologie de l'apprentissage
– Rythmique
– Système scolaire du Québec

Admission (voir p. 21 G)

Bishop's : DEC ou l'équivalent **ET** audition, curriculum vitæ et lettre de motivation.
Laval : DEC en Musique **OU** DEC en Techniques professionnelles de musique et chanson **ET** test d'admission (audition) **ET** test de français Laval-Montréal (TFLM). *N. B. : Les personnes n'ayant pas obtenu 75 % devront se soumettre à des mesures d'appoint. L'admission est conditionnelle à l'audition. L'étudiant dont la langue d'études au primaire et au secondaire n'est pas le français doit, pour être admissible, faire la preuve d'un niveau minimal de connaissance de la langue française par un résultat d'au moins 860 sur 990 au Test de français international (TFI). Ce test doit avoir été passé au cours de l'année précédant le dépôt de la demande d'admission, un document officiel attestant du résultat obtenu. À son arrivée à l'Université Laval, l'étudiant ayant obtenu un résultat de 860 ou plus au TFI est invité à passer un test de français écrit. Selon le résultat obtenu à ce test, l'étudiant peut devoir s'inscrire au cours FRN-3003 Français avancé: grammaire et rédaction II.*
McGill : DEC en Musique ou en Musique professionnelle du Conservatoire de musique de Québec **OU** DEC ou l'équivalent et l'une des deux séries de cours suivant : Musique 101, 201, 301, 401; Musique 111, 211, 311, 411; Musique 121, 221, 321, 421 **OU** Musique 131, 231, 331, 431 **ET** tests d'admission (audition) **ET** faire la preuve de sa connaissance générale orale et écrite du français **ET** excellence du dossier scolaire.
Sherbrooke : Pour Éducation musicale : DEC ou l'équivalent **ET** audition et examen. Programme offert par l'Université Laval. Être inscrit à l'Université de Sherbrooke.

Pour Musique : DEC en Musique ou l'équivalent **ET** audition et examen théorique.
UQAM : DEC en Musique ou l'équivalent **OU** DEC dans une autre discipline et posséder des compétences musicales adéquates et tests d'admission et entrevue de sélection.
UQAR : DEC en Musique du Conservatoire de musique et d'art dramatique du Québec.

Endroits de formation (voir p. 390)

	Contingentement	Coop	Cote R
Bishop's	■	☐	—
Laval	☐	☐	—
McGill	☐	☐	—
Sherbrooke	■	☐	—
UQAM	■	☐	—
UQAR	☐	☐	—

Profession reliée

C.N.P.
5133   Professeur de musique

Endroits de travail

– À son compte
– Écoles de musique
– Établissements d'enseignement

Salaire

Le salaire hebdomadaire moyen est de 815 $ (janvier 2011).

Remarques

– Pour enseigner au primaire et au secondaire, il faut être titulaire d'un permis ou d'un brevet d'enseignement permanent émis par le ministère de l'Éducation, du Loisir et du Sport.
– L'Université du Québec à Montréal (UQAM) offre la concentration Enseignement de la musique.
– L'Université du Québec à Rimouski (UQAR) offre la concentration Enseignement de la musique dans le cadre du baccalauréat en Enseignement au secondaire.

STATISTIQUES D'EMPLOI	2007	2009	2011
Nb de personnes diplômées	695	648	742
% en emploi	90,5 %	89,9 %	87,6 %
% à temps plein	79,8 %	73,4 %	64,7 %
% lié à la formation	92,8 %	91,4 %	94,6 %

SCIENCES DE L'ÉDUCATION

Éducation préscolaire et enseignement au primaire / Enseignement au préscolaire et au primaire / Early Childhood and Elementary Education / Elementary Education / Kindergarten and Elementary Education

BAC 8 TRIMESTRES   CUISEP 552-100

Compétences à acquérir

– Planifier et animer des jeux et des activités pédagogiques pour les enfants d'âge préscolaire en vue de les préparer à la formation au primaire.
– Comprendre et favoriser le développement physique, mental et social des enfants.
– Enseigner diverses matières à des enfants du primaire.
– Planifier, appliquer et évaluer les diverses activités d'enseignement.
– Organiser et diriger l'activité des enfants en garderie.

Éléments du programme

– Apprentissage de la lecture et de l'écriture
– Aspects sociaux de l'éducation
– Développement humain et apprentissage
– Didactique de la mathématique au primaire
– Didactique des sciences de la nature
– Didactique du français
– Éveil spirituel au préscolaire
– Expression artistique
– Fondements de l'éducation
– Organisation scolaire et profession enseignante
– Stages

Admission (voir p. 21 G)

DEC ou l'équivalent.
ET
Bishop's : Lettre de motivation et curriculum vitæ.
Concordia : Entrevue et lettres de recommandation.
Laval : Test de français Laval-Montréal (TFLM). *N. B. : Les personnes n'ayant pas obtenu 75 % devront se soumettre à des mesures d'appoint. Le titulaire d'un DEC en Techniques d'éducation à l'enfance ou en Techniques d'éducation spécialisée est invité à s'informer s'il peut être admis sur la base d'ententes passerelles en consultant le site www.dectechniques.ulaval.ca ou la section Passerelles de ce guide. Il est obligatoire de réussir le Test de certification en français écrit pour l'enseignement (TECFEE) pour obtenir le brevet d'enseignement. Le TECFEE comporte deux épreuves : un questionnaire objectif et une épreuve de rédaction. Il faut avoir réussi ces deux épreuves pour satisfaire à l'exigence de certification en français écrit des programmes de formation à l'enseignement. En cas de réussite à seulement l'une des deux épreuves, l'étudiant ne reprend que la partie du test qui n'a pas été réussie.*
Montréal : Entrevue **OU** avoir réussi 24 crédits de cours universitaires autres que des crédits obtenus dans le cadre de cours préparatoires aux études universitaires et réussite du test de français obligatoire et entrevues.
UQAC : Réussite du test de français obligatoire.

UQAR, **UQAT :** Réussite du test de français obligatoire et, au besoin, entrevue.
OU
McGill : DEC en Sciences humaines.
UQO : DEC en Techniques d'éducation spécialisé ou Techniques d'éducation à l'enfance ou dans une discipline connexe **ET** questionnaire de sélection.

Endroits de formation (voir p. 390)

	Contingentement	Coop	Cote R*
Bishop's	■	☐	—
Concordia	■	☐	24.000
Laval	■	☐	22.638
McGill	■	☐	25.300
Montréal	■	☐	24.004
Sherbrooke	■	☐	23.500
UQAC	■	☐	20.190
UQAM	■	☐	25.000
UQAR	■	☐	20.404 et 21.409 [1]
UQAT	■	☐	—
UQO	■	☐	20.000 ou 23.000 [2]
UQTR	■	☐	22.410 et 23.820 [3]

** Le nombre inscrit indique la **Cote R** qui a été utilisée pour l'**admission de l'année 2012 ou 2013** par l'université concernée.*

1. *Campus de Lévis.*
2. *Campus de Saint-Jérôme.*
3. *Campus de Drummondville.*

Professions reliées

C.N.P.
4166	Conseiller pédagogique
4142	Enseignant au préscolaire
4142	Enseignant au primaire
4166	Spécialiste de la mesure et de l'évaluation en éducation
4166	Spécialiste des techniques et des moyens d'enseignement

Endroits de travail

– Établissements d'enseignement
– Garderies

Salaire

Le salaire hebdomadaire moyen est de 776 $ (janvier 2011).

SCIENCES DE L'ÉDUCATION

15704

Éducation préscolaire et enseignement au primaire / Enseignement au préscolaire et au primaire / Early Childhood and Elementary Education / Elementary Education / Kindergarten and Elementary Education

SUITE

SCIENCES DE L'ÉDUCATION

Remarques

– Pour enseigner au primaire, il faut détenir un permis ou un brevet d'enseignement permanent émis par le ministère de l'Éducation, du Loisir et du Sport.

– Des études de 2e cycle sont nécessaires pour exercer les professions suivantes : spécialiste de la mesure et de l'évaluation en éducation, spécialiste des techniques et des moyens d'enseignement.

– L'Université Bishop's offre un double baccalauréat en Arts in Educational Studies et en Education.

– L'Université de Sherbrooke offre un profil international à partir de la 3e année du baccalauréat.

– L'Université du Québec à Montréal (UQAM) offre un certificat en Éducation à la petite enfance et un certificat en Soutien pédagogique dans les services de garde éducatifs.

– L'Université du Québec à Trois-Rivières (UQTR) offre ce baccalauréat au campus de Drummondville. Cet établissement offre également, en ligne, un certificat en Soutien pédagogique dans les CPE et autres services de garde.

– L'Université du Québec en Outaouais (UQO) offre également ce programme au Campus de Saint-Jérôme.

– L'Université Laval offre un certificat en Sciences de l'éducation.

STATISTIQUES D'EMPLOI	2007	2009	2011
Nb de personnes diplômées	1 482	1 415	1 340
% en emploi	92,7 %	88,6 %	90,5 %
% à temps plein	74,3 %	68,6 %	66,1 %
% lié à la formation	94,6 %	94.6 %	94,8 %

BAC 8 TRIMESTRES   CUISEP 552-200

Compétences à acquérir

– Planifier les activités d'enseignement et d'apprentissage selon des objectifs pédagogiques précis.
– Élaborer des stratégies d'enseignement.
– Choisir et utiliser diverses ressources didactiques.
– Enseigner une ou deux matières au secondaire.
– Maîtriser la langue d'enseignement.
– Favoriser l'acquisition des connaissances.
– Procéder à l'évaluation sommative et formative des apprentissages.

Éléments du programme

– Adolescents en difficulté d'adaptation et d'apprentissage
– Cours liés aux diverses options offertes par chacun des établissements
– École secondaire dans le système scolaire québécois
– Évaluation des apprentissages
– Fondements de l'éducation et de l'enseignement au secondaire
– Gestion des situations d'apprentissage
– Initiation à la démarche didactique
– Philosophie de l'éducation
  Stages

Admission (voir p. 21 G)

Preuve de la connaissance du français (test du ministère de l'Éducation ou autre).
ET
Bishop's : DEC ou l'équivalent, curriculum vitæ et lettre de motivation.
Laval : Cet établissement offre les cheminements suivants : **Enseignement de l'univers social** (Histoire et géographie); **Enseignement de l'univers social et du développement personnel** (Éthique et culture religieuse, Histoire) : DEC ou l'équivalent; **Enseignement des mathématiques, concentration Approfondissement des mathématiques; Informatique :** DEC en Sciences de la nature ou en Sciences informatiques et mathématiques **OU** tout autre DEC et Mathématiques NYA, NYB, NYC (ou 103-77, 105-77, 203-77 ou 103-RE, 105-RE, 203-RE), **Enseignement des mathématiques, concentration Relation entre les mathématiques et les sciences :** DEC en Sciences de la nature **OU** DEC en Sciences informatiques et mathématiques **OU** tout autre DEC et Mathématiques NYA, NYB, NYC (ou 103-77, 105-77, 203-77); Physique NYA, NYB, NYC (ou 101, 102, 103); Chimie NYA, NYB (ou 101, 201); Biologie NYA (ou 301); **Enseignement des sciences et de la technologie :** DEC en Sciences de la nature **OU** autre DEC et Mathématiques NYA, NYB, NYC (ou 103-77, 105-77, 203-77); Physique NYA, NYB, NYC (ou 101, 201, 301); Chimie NYA, NYB (ou 101, 201); Biologie NYA (ou 301); **Enseignement du français, langue première :** DEC ou l'équivalent. *N. B.: Il est obli-*

gatoire de réussir le Test de certification en français écrit pour l'enseignement (TECFEE) pour obtenir le brevet d'enseignement. Le TECFEE comporte deux épreuves : un questionnaire objectif et une épreuve de rédaction. Il faut avoir réussi ces deux épreuves pour satisfaire à l'exigence de certification en français écrit des programmes de formation à l'enseignement. En cas de réussite à seulement l'une des deux épreuves, l'étudiant ne reprend que la partie du test qui n'a pas été réussie.
McGill : DEC ou l'équivalent.
Montréal : Cet établissement offre six profils de formation : **Enseignement de l'éducation physique et santé; Enseignement de l'univers social** (Éducation à la citoyenneté, Géographie, Histoire); **Enseignement de l'éthique et de la culture religieuse :** DEC ou l'équivalent; **Enseignement des mathématiques :** DEC en Sciences de la nature **OU** DEC en Sciences informatiques et mathématiques **OU** DEC ou l'équivalent et Mathématiques 103, 105, 203; **Enseignement des sciences et des technologies :** DEC en Sciences de la nature et Chimie 00XV; Biologie 00XU **OU** DEC ou l'équivalent et Mathématiques 103, 105, 203; Physique 101, 201, 301; Chimie 101, 201, 202; Biologie 301, 401 ou deux cours de Biologie humaine; **Enseignement du français :** DEC ou l'équivalent. *N. B. : Un test d'aptitudes motrices est exigé pour les candidats inscrits à l'enseignement de l'éducation physique et santé* **ET** *entrevue.*
Sherbrooke : Cet établissement offre quatre cheminements : **Français langue d'enseignement, Univers social :** DEC ou l'équivalent; **Mathématiques :** DEC ou l'équivalent et Mathématiques NYA, NYB, NYC (ou 103, 105, 203 ou 00UN, 00UP, 00UQ ou 022X, 022Y, 022Z ou 01Y1, 01Y2, 01Y4); **Sciences et technologies :** Blocs **biologie et chimie :** DEC ou l'équivalent et Mathématiques NYA, NYB (00UN, 00UP); Physique NYA, NYB, NYC (00UR, 00US, 00UT); Chimie NYA, NYB (00UL, 00UM); Biologie NYA (00UK). **Bloc physique :** DEC en Sciences humaines ou l'équivalent et Mathématiques NYA, NYB, NYC (00UN, 00UP, 00UQ); Physique NYA, NYB, NYC (00UR, 00US, 00UT); Chimie NYA, NYB (00UL, 00UM); Biologie NYA (00UK). *N. B. : L'admission peut également se faire à partir d'un DEC technique. Consultez les conditions d'admission du programme au www.usherbrooke.ca/programmes/fac/education/1er_cycle/*

SCIENCES DE L'ÉDUCATION

Admission (voir p. 21 G)   *SUITE*

UQAC : Cet établissement offre cinq profils de formation : **Français, Univers social, Univers social et développement personnel :** DEC en Sciences humaines ou l'équivalent; **Mathématiques :** DEC en Sciences de la nature ou en Sciences humaines **OU** tout autre DEC et Mathématiques NYA, NYB, NYC **OU** tout autre cours correspondant; **Sciences et technologies :** DEC en Sciences de la nature **OU** DEC en Sciences humaines **OU** tout autre DEC et Mathématiques NYA; Physique NYA; Chimie NYA, NYB; Biologie NYA **OU** tout autre DEC et Mathématiques NYA, NYB, NYC ou tout autre cours correspondant.

UQAM : Cet établissement offre cinq concentrations : **Français langue première, Formation éthique et culture religieuse, Sciences humaines et univers social :** DEC ou l'équivalent; **Mathématiques :** DEC ou l'équivalent et avoir atteint les objectifs suivants en Mathématiques : 00UN, 00UP, 00UQ ou 01Y1, 01Y2, 01Y4 ou 022X, 022Y, 022Z; **Science et technologie :** DEC ou l'équivalent et Mathématiques 00UN, 00UP ou 01Y1, 01Y2 ou 022X, 022Y; Physique 00UR, 00US, 00UT ou 01Y7, 01YF, 01YG; Chimie 00UL, 00UM ou 01Y6, 01YH; Biologie 00UK ou 01Y5 ou 022V **OU** DEC technique et un cours de niveau collégial dans chacune des disciplines suivantes : mathématiques (calcul), physique, chimie et biologie.

UQAR : Cet établissement offre six profils de formation : **Français, Univers social, Développement personnel :** DEC ou l'équivalent; **Mathématiques :** DEC ou l'équivalent et Mathématiques 103, 105, 203 (00UN, 00UP, 00UQ) ou l'équivalent; **Musique :** DEC en Musique du Conservatoire de musique et d'arts dramatique du Québec; **Sciences et technologie :** DEC ou l'équivalent et Mathématiques 103, 105, 203 (00UN, 00UQ, 00UP); Physique 101, 201, 301-78 (00UR, 00US, 00UT); Chimie 101, 201 (00UL, 00UM); Biologie 301 (00UK).

UQAT : Cet établissement offre quatre cheminements : **Arts plastiques :** DEC en Arts plastiques ou en Arts et lettres ou l'équivalent; **Français, Univers social :** DEC préuniversitaire ou technique ou l'équivalent et, au besoin, entrevue; **Mathématiques :** DEC préuniversitaire ou technique dans un programme pertinent ou l'équivalent et Mathématiques NYA, NYB, NYC **OU** DEC en Sciences de la nature ou l'équivalent.

UQO : Cet établissement offre trois cheminements : **Français, Univers social :** DEC ou l'équivalent **ET** questionnaire de sélection au besoin; **Mathématiques :** DEC ou l'équivalent et les cours ou objectifs suivants en mathématiques : 00UN (ou 01Y1 ou 022X ou le cours 103); 00UQ (ou 01Y4 ou 022Z ou le cours 105 ou 122); 00UP (ou 01Y2 ou 022Y ou les cours 203 ou 01Y3 ou 022P ou 022W ou les cours 307 ou 337).

UQTR : Cet établissement offre les profils de formation suivants : **Français** (langue d'enseignement), **Univers social, Univers social et développement personnel :** DEC ou l'équivalent; **Mathématiques :** DEC ou l'équivalent et Mathématiques 103, 105, 203 (ou 00UN, 00UP, 00UQ); **Sciences et technologie :** DEC ou l'équivalent et Mathématiques 103, 105, 203 (ou 00UN, 00UP, 00UQ); Physique 101, 201, 310 (ou 00UR, 00US, 00UT); Chimie 101, 201 (ou 00UL, 00UM); Biologie 301 (ou 00UK). **ET/OU** Entrevue.

Endroits de formation (voir p. 390)

	Contingentement	Coop	Cote R*
Bishop's	■	☐	—
Laval	■	☐	21.748 à 22.298
McGill	■	☐	26.000
Montréal	■	☐	23.341 à 25.241
Sherbrooke	■	☐	21.600 à 22.600
UQAC	■	☐	20.700 à 23.450
UQAM	■	☐	20.000 à 24.000
UQAR	■	☐	20.565
UQAT	■	☐	—
UQO	■	☐	21.000
UQTR	■	☐	20.000

** Le nombre inscrit indique la **Cote R** qui a été utilisée pour l'**admission de l'année 2012 ou 2013** par l'université concernée.*

Professions reliées

C.N.P.

4166	Conseiller pédagogique
4141	Enseignant aux adultes
4141	Professeur au secondaire
4141	Professeur d'histoire
4141	Professeur de français
4141	Professeur de physique
4141	Professeur en enseignement moral et religieux
4166	Spécialiste de la mesure et de l'évaluation en éducation
4166	Spécialiste des techniques et des moyens d'enseignement

Endroits de travail

– À son compte
– Centres d'aide aux études
– Établissements d'enseignement

SCIENCES DE L'ÉDUCATION

Salaire

Le salaire hebdomadaire moyen est de 802 $ (janvier 2011).

Remarques

– Pour enseigner au secondaire, il faut détenir un permis ou un brevet d'enseignement permanent émis par le ministère de l'Éducation, du Loisir et du Sport.
– Ce programme bidisciplinaire permet d'acquérir une formation en enseignement pour certaines disciplines offertes au secondaire.
– L'Université Bishop's offre un double baccalauréat en Art ou en Sciences et d'un baccalauréat en Education avec une double majeure parmi les 11 disciplines offertes.
– L'Université du Québec à Trois-Rivières (UQTR) offre un double baccalauréat en Enseignement des mathématiques au secondaire et en Mathématiques.

SCIENCES DE L'ÉDUCATION

STATISTIQUES D'EMPLOI			
	2007	**2009**	**2011**
Nb de personnes diplômées	760	769	790
% en emploi	93,4 %	90,4 %	85,1 %
% à temps plein	88,3 %	83,9 %	78,7 %
% lié à la formation	94,8 %	94,7 %.	91,2 %

Enseignement d'une langue seconde / Enseignement de l'anglais, langue seconde / Enseignement des langues secondes / Enseignement du français, langue seconde / Teaching English or French as a Second Language

BAC 8 TRIMESTRES   CUISEP 552-210

Compétences à acquérir

– Enseigner une langue seconde (français ou anglais) à des élèves du primaire ou du secondaire, dans les classes d'immersion et les classes d'accueil.
– Préparer, animer et évaluer les diverses activités pédagogiques en fonction des objectifs du programme.
– Favoriser l'apprentissage d'une langue seconde à l'aide de diverses activités (travaux, exposés, examens, etc.).
– Préparer les élèves aux évaluations.

Éléments du programme

– Acquisition d'une langue seconde
– Allemand fondamental
– Analyse de textes
– Anglais fondamental
– Éducation des minorités au Québec
– Espagnol fondamental
– Évaluation des habiletés langagières
– Expression écrite
– Expression verbale
– Français fondamental
– Grammaire
– Initiation à l'étude du langage
– Interventions pédagogiques adaptées
– Italien fondamental
– Langage et communication orale
– Psychologie de l'apprentissage en milieu scolaire
– Stages
– Technologie et enseignement des langues

Admission (voir p. 21 G)

Bishop's : DEC ou l'équivalent, curriculum vitæ et lettre de motivation.
Concordia : DEC ou l'équivalent et lettre explicative, entrevue, test de classement ou d'aptitudes linguistiques en anglais et en français, deux lettres de motivation.
Laval : Enseignement de l'anglais, langue seconde : DEC et test de français Laval-Montréal (TFLM) **ET/OU** réussir un test d'anglais standardisé de niveau avancé II. L'admission est conditionnelle au résultat du test d'anglais. Test de certification en français obligatoire. **Enseignement du français, langue seconde :** DEC ou l'équivalent et test de français Laval-Montréal (TFLM). Test de certification en français obligatoire.
McGill : DEC ou l'équivalent et le cours d'anglais avancé 604-102-03 ou 604-103-03 de niveau collégial **ET** entrevue, test d'admission ou test de classement.

Montréal : DEC ou l'équivalent **OU** avoir réussi 24 crédits de cours universitaires autres que des crédits obtenus dans le cadre de cours préparatoires aux études universitaires **ET** épreuve diagnostique en français et cours de mise à niveau en mathématiques à la demande de la Faculté se présenter en entrevue.
Sherbrooke : DEC ou l'équivalent et deux cours d'anglais de niveau avancé au collégial si fréquentation d'un collège francophon.
UQAC : DEC ou l'équivalent et posséder une compétence de niveau intermédiaire avancé en anglais, test de français et d'anglais **ET** pour Enseignement de l'espagnol : test d'espagnol.
UQAM : DEC ou l'équivalent et un cours d'Anglais avancé 604-102-03 ou 604-103-03 de niveau collégial, tests de français et d'anglais obligatoires.
UQAT : DEC ou l'équivalent et posséder une compétence de niveau intermédiaire avancé en anglais et entrevue au besoin.
UQTR : DEC ou l'équivalent et test d'admission en anglais.

Endroits de formation (voir p. 390)

	Contingentement	Coop	Cote R*
Bishop's	■	☐	26.000 ou plus
Concordia	■	☐	24.000
Laval	■	☐	23.023 **
McGill	■	☐	24.000
Montréal	■	☐	23.263 **
Sherbrooke	■	☐	21.700
UQAC	■	☐	19.380
UQAM	■	☐	18.800 **
UQAT	■	☐	—
UQTR	■	☐	20.000

*Le nombre inscrit indique la **Cote R** qui a été utilisée pour l'**admission de l'année 2012 ou 2013** par l'université concernée.*
** Pour Enseignement du français, langue seconde.*

Professions reliées

C.N.P.
4142   Enseignant au primaire
4141   Professeur au secondaire
4131   Professeur de langues modernes

Endroits de travail

– À son compte
– Écoles de langues
– Établissements d'enseignement

15705

Enseignement d'une langue seconde / Enseignement de l'anglais, langue seconde / Enseignement des langues secondes / Enseignement du français, langue seconde / Teaching English or French as a Second Language

BAC 8 TRIMESTRES   CUISEP 552-210

Salaire

Le salaire hebdomadaire moyen est de 815$ (janvier 2011).

Remarques

– Pour enseigner au primaire et au secondaire, il faut détenir un permis ou un brevet d'enseignement permanent émis par le ministère de l'Éducation, du Loisir et du Sport.
– L'Université Concordia offre un certificat en Teaching of English as Second Language.
– L'Université du Québec à Chicoutimi (UQAC) offre un certificat et une mineure en Espagnol ainsi qu'un certificat et une mineure en Anglais langue seconde.
– L'Université du Québec à Montréal (UQAM) offre les baccalauréats en Enseignement du français langue seconde et en Enseignement de l'anglais langue seconde. Cet établissement offre également un certificat en Enseignement de l'anglais langue seconde et un certificat en Enseignement du français langue seconde.
– L'Université Laval offre un certificat en Aptitude à l'enseignement spécialisé d'une langue seconde.

STATISTIQUES D'EMPLOI			
	2007	**2009**	**2011**
Nb de personnes diplômées	695	648	742
% en emploi	90,5 %	89,9 %	87,6 %
% à temps plein	79,8 %	73,4 %	64,7 %
% lié à la formation	92,8 %	91,4 %	94,6 %

SCIENCES DE L'ÉDUCATION

BAC 8 TRIMESTRES

CUISEP 552-000

Compétences à acquérir

– Enseigner la danse au primaire et au secondaire.
– Enseigner les diverses techniques.
– Préparer, donner et évaluer les activités pédagogiques.

Éléments du programme

– Didactique de la danse
– Entraînement avancé
– Histoire de la danse
– Psychologie du développement
– Stages
– Techniques en danse

Admission (voir p. 21 G)

DEC en Danse ou l'équivalent **OU** DEC dans une autre concentration et avoir suivi une formation soutenue et régulière en danse.
ET
Audition et test de communication orale.

Endroit de formation (voir p. 310)

	Contingentement	Coop	Cote R
UQAM	■	☐	—

Professions reliées

C.N.P.
4142 Enseignant au primaire
4141 Professeur au secondaire
5134 Professeur de danse

Endroits de travail

– À son compte
– Établissements d'enseignement (privés et publics)

Salaire

Le salaire hebdomadaire moyen est de 815 $ (janvier 2011).

Remarques

– Pour enseigner au primaire et au secondaire, il faut être titulaire d'un permis ou d'un brevet d'enseignement permanent émis par le ministère de l'Éducation, du Loisir et du Sport. La réussite du programme permet d'obtenir ce permis.
– L'Université du Québec à Montréal (UQAM) offre une concentration en Enseignement de la danse.

STATISTIQUES D'EMPLOI			
	2007	**2009**	**2011**
Nb de personnes diplômées	695	648	742
% en emploi	90,5 %	89,9 %	87,6 %
% à temps plein	79,8 %	73,4 %	64,7 %
% lié à la formation	92,8 %	91,4 %	94,6 %

Enseignement des arts / Enseignement des arts plastiques / Enseignement des arts visuels / Enseignement des arts visuels et médiatiques / Art Education

BAC 8 TRIMESTRES　　　　　　　　　　　　　　　　　CUISEP 552-000

Compétences à acquérir

- Enseigner les arts plastiques au préscolaire, au primaire ou au secondaire.
- Enseigner les diverses techniques ou médiums (huile, aquarelle, sérigraphie, sculpture, etc.) utilisés pour réaliser les projets éducatifs.
- Préparer, donner et évaluer les activités pédagogiques visant le développement de la créativité.

Éléments du programme

- Dessin
- Didactique des arts
- Histoire de l'art
- Programmes et méthodologie en arts plastiques au primaire et au secondaire
- Psychologie de l'enfance et de l'adolescence
- Psychologie et pédagogie de la créativité
- Stages
- Théorie de la couleur

Admission (voir p. 21 G)

Bishop's: DEC ou l'équivalent **ET** portfolio, curriculum vitæ et lettre de motivation.

Concordia: DEC ou l'équivalent et lettre de motivation, portfolio.

Laval: DEC en Arts plastiques **OU** DEC et avoir suivi un cours de 45 heures en dessin, deux cours de 45 heures en pictural, en sculptural et en histoire de l'art **OU** être titulaire du certificat en Arts plastiques **ET** test de français Laval-Montréal (TFLM). *N. B.: Les personnes n'ayant pas obtenu 75 % devront se soumettre à des mesures d'appoint.*

UQAC: DEC en Arts plastiques (510.A0) ou l'équivalent, en Liberal Arts (700.B0) d'un collège anglophone ou l'équivalent **OU** DEC ou l'équivalent et avoir complété les activités d'apprentissage visant les objectifs de formation suivants ou leur équivalent: 0161, 0162, 0165, 0168, 016B et 016D, une activité d'apprentissage relative à l'appréciation dans le domaine des arts visuels **OU** DEC en Arts et Lettres (500.A1), profil Arts plastiques ou profil Théâtre, ou l'équivalent, et avoir complété deux cours portant sur le langage visuel bidimensionnel et tridimensionnel **OU** DEC technique ou tout autre DEC ou l'équivalent **ET** présenter un dossier visuel de travaux personnels en arts plastiques et se soumettre à une entrevue.

UQAM: DEC ou l'équivalent et test de communication orale, dossier visuel.

UQAT: DEC en Arts plastiques ou en Arts et lettres ou l'équivalent.

UQO: DEC ou l'équivalent **OU** DEC technique lié aux Arts visuels ou l'équivalent. *N.B.: Les candidats doivent se soumettre, au besoin, à un questionnaire de sélection.*

UQTR: DEC en Arts plastiques ou DEC en Arts et lettres, profil Arts visuels ou Théâtre et avoir complété un cours portant sur le langage bidimensionnel et un cours portant

sur le langage plastique tridimensionnel **OU** DEC technique ou tout autre DEC **ET** présenter un dossier visuel de travaux personnels en arts plastiques et se soumettre à une entrevue.

Endroits de formation (voir p. 390)

	Contingentement	Coop	Cote R*
Bishop's	■	☐	—
Concordia	■	☐	—
Laval	☐	☐	—
UQAC	■	☐	24.740
UQAM	■	☐	—
UQO	■	☐	23.000
UQTR	■	☐	21.850

** Le nombre inscrit indique la **Cote R** qui a été utilisée pour l'**admission de l'année 2012 ou 2013** par l'université concernée.*

Professions reliées

C.N.P.	
4142	Enseignant au préscolaire
4142	Enseignant au primaire
4141	Professeur au secondaire
5136	Professeur d'arts plastiques

Endroits de travail

- À son compte
- Établissements d'enseignement
- Services des loisirs municipaux

Salaire

Le salaire hebdomadaire moyen est de 815 $ (janvier 2011).

Remarques

- Pour enseigner au primaire et au secondaire, il faut détenir un permis ou un brevet d'enseignement permanent émis par le ministère de l'Éducation, du Loisir et du Sport.
- L'Université du Québec à Chicoutimi (UQAC) offre deux profils: Enseignement de l'art dramatique au primaire ou au secondaire; Enseignement de l'art plastique au primaire ou au secondaire. Cet établissement offre également un certificat en Enseignement des arts.
- L'Université du Québec à Montréal (UQAM) offre une concentration en Enseignement des arts visuels et médiatiques.
- L'Université du Québec en Abitibi-Témiscamingue (UQAT) offre un certificat en Arts plastiques.
- L'Université Laval offre un certificat en Arts plastiques.

STATISTIQUES D'EMPLOI	2007	2009	2011
Nb de personnes diplômées	695	648	742
% en emploi	90,5 %	89,9 %	87,6 %
% à temps plein	79,8 %	73,4 %	64,7 %
% lié à la formation	92,8 %	91,4 %	94,6 %

SCIENCES DE L'ÉDUCATION

Enseignement en formation professionnelle / Enseignement en formation professionnelle et technique / Enseignement professionnel / Enseignement professionnel et technique

BAC 8 TRIMESTRES   CUISEP 552-200

Compétences à acquérir

– Préparer des plans de cours.
– Enseigner à l'aide d'exposés, de démonstrations, d'ateliers, de travaux de laboratoire, etc.
– Favoriser l'intégration des connaissances et le développement des habiletés professionnelles et techniques.
– Procéder à l'évaluation sommative et formative des apprentissages.
– Être à l'affût des progrès liés à la discipline enseignée.

Éléments du programme

– Didactique
– Intégration scolaire et modèles d'intervention
– Méthodes et techniques d'enseignement professionnel
– Psychologie de l'apprentissage d'un métier, d'une technique et d'une profession
– Psychologie sociale
– Stages

Admission (voir p. 21 G)

Laval : DEC technique dans une discipline liée à l'enseignement professionnel ou technique **OU** posséder 3 000 heures d'exercice du métier à l'admission **OU** détenir un diplôme universitaire lié à l'enseignement professionnel ou technique **OU** cumuler 800 heures d'enseignement à la leçon **ET** test de français Laval-Montréal (TFLM). Test de certification en français obligatoire.
Sherbrooke : DEP ou DEC ou BAC ou son équivalent et une expérience pertinente en entreprise ou en enseignement du métier d'au moins deux ans (3 000 heures) attestée par d'anciens employeurs ou l'employeur actuel. *N. B. : Les personnes qui ne sont pas à l'emploi d'un établissement d'enseignement secondaire en formation professionnelle et qui souhaitent être admises sur la base d'un DEP devront passer une entrevue.*
UQAC : DEP et avoir 21 ans **OU** DEC technique dans un champ correspondant à la formation professionnelle **OU** détenir un diplôme universitaire dans un champ correspondant à la formation professionnelle **OU** avoir entrepris un programme de baccalauréat dans un champ correspondant à la formation professionnelle **ET** avoir réussi l'épreuve de français langue d'enseignement et littérature du MELS dans un collège ou une université.
UQAM : Être titulaire d'un diplôme d'études professionnelles (DEP), être âgé d'au moins 21 ans et posséder une expérience de 3 000 heures dans l'exercice du métier à enseigner **OU** être titulaire d'un DEC technique.
UQAR : Diplôme d'études professionnelles (DEP) et avoir 21 ans **OU** DEC dans un champ disciplinaire relié à la profession.

UQAT : DEP et avoir 21 ans **OU** DEC dans un champ correspondant à la formation professionnelle **OU** avoir entrepris ou détenir un baccalauréat dans un champ correspondant à la formation professionnelle **ET** test de français. *N. B. : Les candidats déjà en exercice, à l'emploi d'un centre de formation professionnelle, qui répondent aux conditions d'admission seront admis directement. Les autres devront se présenter à une entrevue.*

Endroits de formation (voir p. 390)

	Contingentement	Coop	Cote R
Laval	☐	☐	—
Sherbrooke	☐	☐	—
UQAC	☐	☐	—
UQAM	☐	☐	—
UQAR	☐	☐	—
UQAT	☐	☐	—

Professions reliées

C.N.P.
4131   Coordonnateur de département dans un collège
4141   Enseignant aux adultes
4131   Formateur en entreprise
4131   Professeur d'enseignement professionnel au secondaire
4131   Professeur en formation technique au collégial

Endroits de travail

Établissements d'enseignement

Salaire

Le salaire hebdomadaire moyen est de 1 267 $ (janvier 2011).

15709

Enseignement en formation professionnelle / Enseignement en formation professionnelle et technique / Enseignement professionnel / Enseignement professionnel et technique

SUITE

Remarques

– Pour enseigner au secondaire, il faut détenir un permis ou un brevet d'enseignement permanent émis par le ministère de l'Éducation, du Loisir et du Sport.

– L'Université de Sherbrooke offre également la formation aux enseignants des commissions scolaires anglophones.

– L'Université du Québec à Montréal (UQAM) offre deux concentrations : Formation professionnelle au secondaire; Formation technique au collégial. Cet établissement offre également un certificat et un programme court de 1er cycle pour formateurs en milieu de travail.

– L'Université du Québec à Rimouski (UQAR) est la seule université à offrir le programme en formation à distance. Le programme est également offert à temps partiel.

– L'Université Laval offre deux certificats : Enseignement professionnel et technique; Formation des adultes en milieu de travail ainsi qu'un microprogramme en Formation des adultes en milieu de travail.

SCIENCES DE L'ÉDUCATION

STATISTIQUES D'EMPLOI	2007	2009	2011
Nb de personnes diplômées	99	93	79
% en emploi	95,6 %	97,3 %	91,9 %
% à temps plein	89,2 %	94,4 %	89,5 %
% lié à la formation	86,2 %	89,6 %	88,2 %

Discipline

PAGE

Sciences de la santé humaine et animale. **168**

SCIENCES DE LA SANTÉ HUMAINE ET ANIMALE

PROGRAMMES D'ÉTUDES

PAGE

Activité physique / Éducation physique / Éducation physique et santé / Enseignement en éducation physique et à la santé / Intervention en activité physique / Intervention sportive / Physical and Health Education / Physical Education. **169**

Audiologie / Orthophonie **171**

Biologie médicale / Sciences biomédicales / Biomedical Sciences. **172**

Chiropratique **173**

Diététique / Nutrition **174**

Ergothérapie / Sciences de la santé (ergothérapie) / Occupational Therapy **175**

Intervention en activité physique / Kinésiologie / Kinésiologie et massokinésiothérapie **177**

Médecine **179**

Médecine dentaire / Dental Medicine. **181**

Médecine podiatrique. **183**

Médecine vétérinaire **184**

Optométrie. **185**

Pharmacie. **186**

Pharmacologie **187**

Physiologie / Physiology **188**

Physiothérapie / Réadaptation occupationnelle / Réadaptation physique / Sciences (Réadaptation) /Exercises Science / Physical Therapy. **189**

Pratique sage-femme **191**

Sciences infirmières. **192**

| | 15380 / 15705 | **Activité physique / Éducation physique / Éducation physique et santé / Enseignement en éducation physique et à la santé / Intervention en activité physique / Intervention sportive / Physical and Health Education / Physical Education** |

BAC 6-8 TRIMESTRES ⎮ CUISEP 581-000

Compétences à acquérir

– Planifier des activités sportives ou physiques adaptées aux capacités de la clientèle.
– Entraîner des athlètes et préparer des programmes d'entraînement.
– Enseigner au primaire, au secondaire ou au collégial le conditionnement physique ou diverses activités sportives.
– Travailler à la rééducation ou la réhabilitation auprès de clientèles particulières.
– Faciliter le développement des qualités organiques et musculaires, des habiletés motrices et sportives.
– Permettre l'acquisition ou le renforcement d'attitudes positives au regard de l'activité physique ainsi que l'acquisition d'habitudes liées au bien-être physique et mental.

Éléments du programme

– Alimentation et activité physique
– Anatomie fonctionnelle
– Condition physique et santé
– Croissance et valeur physique
– Didactique de l'activité physique
– Éducation à la santé
– Physiologie de l'exercice
– Programmation en éducation physique
– Psychologie de l'enfance et de l'adolescence
– Stages
– Systèmes d'entraînement

Admission (voir p. 21 G)

Laval : DEC ou l'équivalent. **Pour l'enseignement en éducation physique et à la santé :** test de français Laval-Montréal (TFLM). Test de certification en français obligatoire. *N. B. : Les personnes n'ayant pas obtenu 75 % devront se soumettre à des mesures d'appoint.*
McGill : DEC en Sciences ou l'équivalent.
Montréal : DEC ou l'équivalent **OU** avoir réussi 24 crédits de cours universitaires autres que des crédits obtenus dans le cadre de cours préparatoires aux études universitaires **ET** entrevue.
Sherbrooke : DEC ou l'équivalent et réussir le test d'aptitudes physiques.
UQAC : DEC ou l'équivalent.
UQAM : DEC ou l'équivalent et test d'habiletés motrices et entrevue.
UQTR : DEC ou l'équivalent et test d'habiletés motrices.

Endroits de formation (voir p. 390)

	Contingentement	Coop	Cote R*
Laval	■	☐	23.059[1]
			et 25.526[2]
McGill	■	☐	25.370
Montréal	■	☐	27.066
Sherbrooke	■	☐	24.500
UQAC	■	☐	21.150
UQAM	■	☐	—
UQTR[3]	■	☐	23.500

** Le nombre inscrit indique la **Cote R** qui a été utilisée pour l'admission de l'année 2012 ou 2013 par l'université concernée.*
1. Intervention sportive.
2. Enseignement en éducation physique et à la santé.
3. Contingenté en Enseignement de l'éducation physique et à la santé seulement.

Professions reliées

C.N.P.

4167	Conseiller en conditionnement physique
5252	Dépisteur en sport professionnel
0513	Directeur d'équipe de sport professionnel
3142	Éducateur physique en réadaptation
4167	Éducateur physique kinésiologique
4141	Éducateur physique pleinairiste
4142	Enseignant au primaire
5252	Entraîneur d'athlètes
5252	Entraîneur d'équipes de sport amateur
5252	Entraîneur d'équipes sportives
5254	Instructeur de conditionnement physique aérobique
4141	Professeur au secondaire
3142	Thérapeute sportif

Endroits de travail

– À son compte
– Bases de plein air
– Centres de conditionnement physique
– Clubs sportifs
– Établissements d'enseignement
– Municipalités

Salaire

Le salaire hebdomadaire moyen est de 738 $ (janvier 2011).

SCIENCES DE LA SANTÉ

Activité physique / Éducation physique / Éducation physique et santé / Enseignement en éducation physique et à la santé / Intervention en activité physique / Intervention sportive / Physical and Health Education / Physical Education

SUITE

Remarques

– Pour enseigner au primaire et au secondaire, il faut détenir un permis ou un brevet d'enseignement permanent émis par le ministère de l'Éducation, du Loisir et du Sport.

– L'Université du Québec à Chicoutimi (UQAC) offre un certificat et une mineure en Sciences de l'activité physique.

– L'Université du Québec à Montréal (UQAM) offre deux profils au baccalauréat d'Intervention en activité physique : Enseignement en éducation physique et à la santé; Kinésiologie.

– L'Université du Québec à Trois-Rivières (UQTR) offre un baccalauréat en Enseignement de l'éducation physique et à la santé

– L'Université Laval offre un baccalauréat en Enseignement en éducation physique et à la santé, ainsi qu'un baccalauréat en Intervention sportive.

SCIENCES DE LA SANTÉ

STATISTIQUES D'EMPLOI			
	2007	2009	2011
Nb de personnes diplômées	362	427	456
% en emploi	67,1 %	63,4 %	68,2 %
% à temps plein	70,3 %	72,8 %	73,8 %
% lié à la formation	78,9 %	76,3 %	82,6 %

BAC 6 TRIMESTRES · CUISEP 354-550

Compétences à acquérir

- Travailler à la prévention, à l'évaluation et à la correction des troubles d'élocution, de prononciation, de la voix et de l'ouïe.
- Étudier, examiner, évaluer et traiter les troubles de l'audition, de la voix, de la parole et du langage.
- Étudier, évaluer et corriger les défauts de l'ouïe à l'aide d'instruments électro-acoustiques.
- Stimuler le code oral.
- Évaluer et élaborer des plans d'intervention.
- Donner des traitements individuels ou de groupe.

Éléments du programme

- Perception de la parole
- Phonétique expérimentale
- Physiologie de l'audition
- Psycho-acoustique
- Psychologie de l'apprentissage
- Trouble de l'audition
- Trouble de la parole

Admission (voir p. 21 G)

DEC en Sciences de la nature et avoir atteint l'objectif Biologie 00XU.
OU
DEC ou l'équivalent et Mathématiques 103; Physique 101, 201, 301; Chimie 101, 201; Biologie 301, 401 ou deux cours de biologie humaine.
OU
Avoir réussi 24 crédits de cours universitaires autres que des crédits obtenus dans le cadre de cours préparatoires aux études universitaires.
ET
Excellence du dossier scolaire.

Endroit de formation (voir p. 310)

	Contingentement	Coop	Cote R*
Montréal	■	☐	30.588

* Le nombre inscrit indique la **Cote R** qui a été utilisée pour l'**admission de l'année 2012** par l'université concernée.

Professions reliées

C.N.P.
3141 Audiologiste
3141 Orthophoniste

Endroits de travail

- À son compte
- Centres de réadaptation
- Centres hospitaliers
- Centres locaux de services communautaires (CLSC)
- Centres spécialisés de l'ouïe et de la parole
- Cliniques médicales
- Commission de la santé et de la sécurité au travail (CSST)
- Établissements d'enseignement

Salaire

Le salaire hebdomadaire moyen est de 873 $ (janvier 2011).

Remarques

- Pour porter le titre d'orthophoniste ou d'audiologiste, il faut avoir une formation de 2e cycle et être membre de l'Ordre des orthophonistes et audiologistes du Québec.
- L'Université de Montréal est la seule université à offrir un baccalauréat en Audiologie et un baccalauréat en Orthophonie.
- L'Université du Québec à Trois-Rivières (UQTR) et l'Université McGill offrent la maîtrise en Orthophonie.
- L'Université Laval offre une maîtrise en Orthophonie aux étudiants possédant un baccalauréat en Sciences de la santé, en Linguistique ou en Psychologie et ayant maintenu une moyenne égale ou supérieure à 3.33.

SCIENCES DE LA SANTÉ

STATISTIQUES D'EMPLOI	2007	2009	2011
Nb de personnes diplômées	62	64	62
% en emploi	89,7 %	94,3 %	92 %
% à temps plein	88,6 %	88 %	84,8 %
% lié à la formation	100 %	100 %	100 %

Biologie médicale / Sciences biomédicales / Biomedical Sciences

BAC 6 TRIMESTRES   CUISEP 353-610

Compétences à acquérir

– Acquérir une connaissance approfondie du corps humain et du fonctionnement de ses systèmes.
– Comprendre les systèmes normaux et pathologiques humains.
– Développer les aptitudes requises sur le plan de l'expérimentation et des techniques de laboratoire pour travailler dans des laboratoires médicaux et pharmaceutiques.

Éléments du programme

– Anatomie descriptive
– Biochimie
– Hématologie
– Hystologie
– Microbiologie
– Pharmacologie
– Physiologie humaine
– Stage en biologie médicale

Admission (voir p. 21 G)

Laval : DEC en sciences de la nature et Biologie 401 (00XU); Chimie 202 (00XV) **OU** DEC ou l'équivalent et Mathématiques NYA, NYB (ou 103-77, 203-77 ou 00UN, 00UP); Physique NYA, NYB, NYC (ou 101, 201 et 301 ou 00UR, 00US, 00UT); Chimie NYA, NYB (ou 101, 201, 202 ou 00UL, 00UM, 00XV); Biologie NYA (ou 301, 401 ou 00UK, 00XU).

Montréal : DEC en Sciences de la nature et avoir atteint les objectifs suivants : Chimie 00XV et Biologie 00XU **OU** DEC ou l'équivalent et Mathématiques 103, 203 (00UN, 00UP); Physique 101, 201, 301 (00UR, 00XS, 00UT); Chimie 101, 201, 202 (00UL, 00UM, 00XV); Biologie 301, 401 (00UK, 00XU) ou deux cours de biologie humaine **OU** avoir réussi 24 crédits de cours universitaires autres que des crédits obtenus dans le cadre de cours préparatoires aux études universitaires.

UQTR : DEC en Sciences de la nature **OU** DEC ou l'équivalent et Mathématiques 103, 203 (00UN, 00UP); Physique 101, 201, 301 (00UR, 00US, 00UT); Chimie 101, 201 (00UL, 00UM); Biologie 301 (00UK) **OU** DEC dans la famille des techniques biologiques (laboratoire médical, analyse biomédicale, santé animale) et Mathématiques 103 (00UN) **OU** DEC technique en Soins infirmiers et Mathématiques 103 (00UN); Chimie 101, 201(00UL, 00UM).

Endroits de formation (voir p. 390)

	Contingentement	Coop	Cote R*
Laval	■	☐	28.898
Montréal	■	☐	29.459
UQTR	☐	☐	—

** Le nombre inscrit indique la **Cote R** qui a été utilisée pour l'**admission de l'année 2012 ou 2013** par l'université concernée.*

Professions reliées

C.N.P.
2112	Biochimiste clinique
2112	Biochimiste en parasitologie
2121	Biologiste médical
2121	Biologiste moléculaire
2121	Physiologiste

Endroits de travail

– Centres hospitaliers
– Établissements d'enseignement universitaire
– Gouvernements fédéral et provincial
– Industrie pharmaceutique
– Laboratoires de recherche

Salaire

Le salaire hebdomadaire moyen est de 811 $ (janvier 2011).

Remarques

– Des études de 2e cycle sont nécessaires pour exercer la profession suivante : biologiste moléculaire.
– L'Université de Montréal offre sept orientations au baccalauréat en Sciences biomédicales : Pathologie et biologie cellulaire; Perfusion extracorporelle; Pharmacologie; Physiologie intégrée; Sciences biomédicales; Sciences de la vision; Sciences neurologiques.
– L'Université du Québec à Trois-Rivières (UQTR) offre un certificat en Biologie médicale.
– L'Université McGill offre une majeure en Biomedical Sciences.

STATISTIQUES D'EMPLOI			
	2007	**2009**	**2011**
Nb de personnes diplômées	51	49	66
% en emploi	32,3 %	39,5 %	27,7 %
% à temps plein	100 %	100 %	100 %
% lié à la formation	50 %	66,7 %	76,9 %

SCIENCES DE LA SANTÉ

Chiropratique

DOCTORAT 1er CYCLE 11 TRIMESTRES

CUISEP 354-310

Compétences à acquérir

– Établir un diagnostic précis de l'état du patient.
– Déterminer l'approche thérapeutique appropriée.
– Exécuter des traitements selon les procédures et les techniques reconnues (ajustements et techniques manuelles de corrections).

Éléments du programme

– Anatomie
– Biochimie clinique
– Biomécanique
– Dermatologie
– Diagnostic physique, clinique et de laboratoire
– Éthique et pratique professionnelle
– Gynécologie et obstétrique
– Imagerie diagnostique
– Internat
– Microbiologie
– Neurologie
– Pathologie osseuse
– Physiologie
– Psychologie
– Santé publique
– Soins d'urgence
– Stage d'observation et d'intervention
– Techniques d'ajustement

Admission (voir p. 21 G)

DEC en Sciences de la nature et Biologie 401 (00XU); Chimie 202 (00XV) **OU** DEC ou l'équivalent et Mathématiques 103, 203 (00UN, 00UP); Physique 101, 201, 301-78 (00UR, 00US, 00UT); Chimie 101, 201, 202 (00UL, 00UM, 00XV); Biologie 301, 401 (00UK, 00XU).
ET
Posséder un certificat à jour en RCR/DEA et entrevue.

Endroit de formation (voir p. 310)

	Contingentement	Coop	Cote R*
UQTR	■	☐	28.950

* *Le nombre inscrit indique la* **Cote R** *qui a été utilisée pour l'***admission de l'année 2012** *par l'université concernée.*

Profession reliée

C.N.P.
3122   Chiropraticien

Endroits de travail

– À son compte
– Cliniques chiropratiques (associé ou à salaire)

Salaire

Le salaire hebdomadaire moyen est de 600 $ (janvier 2009).

Remarque

Pour exercer la profession et porter le titre de chiropraticien, il faut être membre de l'Ordre des chiropraticiens du Québec.

SCIENCES DE LA SANTÉ

STATISTIQUES D'EMPLOI	2007	2009	2011
Nb de personnes diplômées	42	48	39
% en emploi	96 %	100 %	86,7 %
% à temps plein	66,7 %	73,1 %	46,2 %
% lié à la formation	100 %	100 %	100 %

BAC 7 TRIMESTRES   CUISEP 312-300

Compétences à acquérir

– Évaluer le comportement alimentaire et l'état de nutrition de personnes ou de groupes.
– Analyser les principaux facteurs de l'état nutritionnel.
– Prévenir ou corriger l'état de nutrition.
– Informer et guider les personnes dans leur alimentation.
– Gérer des services d'alimentation.
– Élaborer des régimes alimentaires selon les principes de la nutrition et surveiller leur application.

Éléments du programme

– Études des aliments
– Gestion des coûts et du service des repas
– Microbiologie générale
– Nutrition humaine
– Pathologie de la malnutrition
– Préparation des aliments
– Système digestif

Admission (voir p. 21 G)

Laval: DEC en Sciences de la nature et Chimie 202 (00XV); Biologie 401 (00XU) **OU** DEC technique en Techniques de diététique et Mathématiques NYA (ou 103-RE); Chimie NYB (ou 201) et deux cours de Chimie parmi les suivants: NYA (ou 101 ou 105 et 202) **OU** autre DEC et Mathématiques NYA (ou 103-RE); Physique NYA (ou 101); Chimie NYA, NYB (ou 101, 201, 202); Biologie NYA ou 301 et 401 (911 ou 921). *N. B.: L'étudiant dont la langue d'études au primaire et au secondaire n'est pas le français doit, pour être admissible, faire la preuve d'un niveau minimal de connaissance de la langue française par un résultat d'au moins 860 sur 990 au Test de français international (TFI). Ce test doit avoir été passé au cours de l'année précédant le dépôt de la demande d'admission, un document officiel attestant du résultat obtenu. À son arrivée à l'Université Laval, l'étudiant ayant obtenu un résultat de 860 ou plus au TFI est invité à passer un test de français écrit. Selon le résultat obtenu à ce test, l'étudiant peut devoir s'inscrire au cours FRN-3003 Français avancé: grammaire et rédaction II.*

McGill: DEC en Sciences de la nature **OU** DEC ou l'équivalent et Mathématiques NYA, NYB (00UN, 00UP); Physique NYA, NYB, NYC (00UR, 00US, 00UT); Chimie NYA, NYB, Chimie organique I (00UL, 00UM, 00XV); Biologie NYA, Biologie générale II (00UK, 00XU).

Montréal: DEC en Sciences de la nature et avoir atteint les objectifs suivants: Chimie 00XV et Biologie 00XU **OU** DEC technique en Techniques de diététique et Mathématiques 103 et 203; Physique 101, 201 et 301; Chimie 201 et 202 **OU** DEC ou l'équivalent **OU** avoir réussi 24 crédits de cours universitaires autres que des crédits obtenus dans le cadre de cours préparatoires aux études universitaires **ET** entrevue.

Endroits de formation (voir p. 390)

	Contingentement	Coop	Cote R*
Laval	■	☐	31.829
McGill	■	☐	28.000 et 30.000
Montréal	■	☐	30.193

* *Le nombre inscrit indique la **Cote R** qui a été utilisée pour l'**admission de l'année 2012 ou 2013** par l'université concernée.*

Professions reliées

C.N.P.
3132   Diététiste
3132   Diététiste clinicien
3132   Diététiste en nutrition communautaire
0311   Directeur du service de diététique
2112   Scientifique en produits alimentaires

Endroits de travail

– À son compte
– Centres d'accueil
– Centres de conditionnement physique
– Centres hospitaliers
– Centres locaux de services communautaires (CLSC)
– Cliniques médicales
– Forces armées canadiennes
– Gouvernements fédéral et provincial
– Industrie alimentaire
– Industrie pharmaceutique
– Télédiffuseurs

Salaire

Le salaire hebdomadaire moyen est de 841 $ (janvier 2011).

Remarques

– Pour porter le titre de diététiste ou de nutritionniste, il faut être membre de l'Ordre des diététistes du Québec.
– L'Université Laval offre deux microprogrammes: Perfectionnement des diététistes/nutritionnistes; Alimentation et nutrition.

STATISTIQUES D'EMPLOI			
	2007	**2009**	**2011**
Nb de personnes diplômées	123	141	152
% en emploi	79,5 %	78,7 %	78,8 %
% à temps plein	71,4 %	64,3 %	79,5 %
% lié à la formation	94 %	95,6 %	88,7 %

SCIENCES DE LA SANTÉ

Ergothérapie / Sciences de la santé (ergothérapie) / Occupational Therapy

BAC 7 TRIMESTRES　　　　　　　　　　　CUISEP 354-350

Compétences à acquérir

– Améliorer l'indépendance fonctionnelle des personnes par diverses activités.
– Apprendre ou réapprendre à des personnes à utiliser au maximum leurs capacités physiques et mentales.
– Proposer à une personne des moyens pour retrouver son autonomie.
– Évaluer le fonctionnement de la personne (déficit, capacités potentielles, motivation).
– Participer à l'établissement d'un diagnostic et du pronostic.
– Identifier les moyens thérapeutiques appropriés et les appliquer.
– Effectuer les traitements.

Éléments du programme

– Activité, jeu et travail
– Anatomie de l'appareil locomoteur
– Corps et thérapeutique
– Ergothérapie et périnatalité
– Physiologie générale
– Psychopathologie
– Système nerveux

Admission (voir p. 21 G)

Laval : DEC en Sciences de la nature et Biologie 401 (00XU); Chimie 202 (00XV) **OU** DEC ou l'équivalent et Mathématiques NYA, NYB (103-77, 203-77); Physique NYA, NYB, NYC (101, 201, 301); Chimie NYA, NYB (101, 201); Biologie NYA (301 et 401) **OU** DEC technique en Techniques de réadaptation physique ou en Techniques d'orthèses et de prothèses et Mathématiques NYA (103-RE); Chimie NYA, NYB (101, 201) **OU** DEC ou l'équivalent et Mathématiques NYA, NYB (ou 103-77, 203-77 ou 103-RE, 203-RE ou 00UN, 00UP ou 022X, 022Y); Physique NYA, NYB, NYC (ou 101, 201, 301 ou 00UR, 00US, 00UT); Chimie NYA, NYB (ou 101, 201, 202 ou 00UL, 00UM, 00XV); Biologie NYA (ou 301, 401 ou 00UK, 00XU). *N. B. : Les titulaires d'un baccalauréat international (B.I.), option Sciences de la nature, sont dispensés du cours de Physique NYC ou 301. L'étudiant dont la langue d'études au primaire et au secondaire n'est pas le français doit, pour être admissible, faire la preuve d'un niveau minimal de connaissance de la langue française par un résultat d'au moins 860 sur 990 au Test de français international (TFI). Ce test doit avoir été passé au cours de l'année précédant le dépôt de la demande d'admission, un document officiel attestant du résultat obtenu. À son arrivée à l'Université Laval, l'étudiant ayant obtenu un résultat de 860 ou plus au TFI est invité à passer un test de français écrit. Selon le résultat obtenu à ce test, l'étudiant*

peut devoir s'inscrire au cours FRN-3003 Français avancé : grammaire et rédaction II.

McGill : DEC en Sciences de la nature ou l'équivalent et Mathématiques NYA, NYB (00UN, 00UP ou 01Y1, 01Y2); Physique NYA, NYB, NYC (00UR, 00US, 00UT ou 01Y7, 01YF, 01YG); Chimie NYA, NYB Chimie organique I (00UL, 00UM, 00XV ou 01Y6, 01YH); Biologie générale II (00UK, 00XU ou 01Y5 01YJ) **ET** 50 heures de travail thérapeutique bénévole ou rémunéré dans un établissement de soins de santé ou milieu approprié.

Montréal : DEC en Sciences de la nature et avoir atteint les objectifs suivants : Biologie 00XU **OU** DEC technique en Techniques de réadaptation physique et Mathématiques 103; Chimie 101, 201 ou 202 **OU** DEC ou l'équivalent et Mathématiques 103, 105, 203; Physique 101, 201, 301; Chimie 101, 201 ou 202; Biologie 301, 401 ou deux cours de biologie humaine **ET** entrevue, lettre de motivation (au besoin).

Sherbrooke : DEC en Sciences de la nature **OU** DEC technique en Techniques de réadaptation physique (144.A0) **OU** avoir acquis au moins 45 crédits universitaires dans un même programme à grade à la date limite fixée pour le dépôt de la demande d'admission et avoir obtenu une moyenne cumulative d'au moins 3,0 / 4,3.

UQTR : DEC en Sciences de la nature et Chimie 202 (objectif : 00XV); Biologie 401 (objectif : 00XU) **OU** DEC technique en Techniques d'orthèses et de prothèses ou en Techniques de réadaptation physique et Mathématiques NYA ou 103-77 (objectifs : 00UN); Chimie NYA, NYB (ou 101, 201) (objectifs : 00UL, 00UM) **OU** DEC ou l'équivalent et Mathématique NYA, NYB (objectifs : 00UN, 00UP) ou 103-77, 203-77; Physique NYA, NYB, NYC (ou 101, 201 et 301) (objectifs : 00UR, 00US, 00UT); Chimie NYA, NYB (ou 101, 201) et 202 (objectifs : 00UL, 00UM, 00XV); Biologie NYA (ou 301) et 401 (objectifs : 00UK, 00XU). *N. B. : Le programme est contingenté à 32 places.*

Endroits de formation (voir p. 390)

	Contingentement	Coop	Cote R*
Laval	■	☐	31.523
McGill	■	☐	29.000
Montréal	■	☐	30.704
Sherbrooke	■	☐	30.500
UQTR	■	☐	29.520

** Le nombre inscrit indique la **Cote R** qui a été utilisée pour l'**admission de l'année 2012 ou 2013** par l'université concernée.*

SCIENCES DE LA SANTÉ

Profession reliée

C.N.P.
3143   Ergothérapeute

Endroits de travail

– Centres d'hébergement et de soins de longue durée (CHSLD)
– Centres de réadaptation
– Centres de services sociaux et de santé
– Centres hospitaliers
– Centres locaux de services communautaires (CLSC)
– Établissements d'enseignement
– Firmes d'experts-conseil
– Grandes entreprises
– Organismes communautaires
– Secteurs industriels divers

Salaire

Le salaire hebdomadaire moyen est de 822 $ (janvier 2011).

Remarques

– Pour porter le titre d'ergothérapeute, il faut être membre de l'Ordre des ergothérapeutes du Québec.
– L'Université de Sherbrooke offre une formation intégrée baccalauréat-maîtrise.
– L'Université Laval modifie présentement le programme Ergothérapie. Tout candidat déposant une demande d'admission au programme de baccalauréat en Ergothérapie de 107 crédits sera affecté au nouveau continuum de formation baccalauréat-maîtrise de 144 crédits.

STATISTIQUES D'EMPLOI			
	2007	**2009**	**2011**
Nb de personnes diplômées	165	191	205
% en emploi	88,3 %	86,3 %	83 %
% à temps plein	90,8 %	93,5 %	94,9 %
% lié à la formation	98,9 %	99 %	100 %

SCIENCES DE LA SANTÉ

Intervention en activité physique / Kinésiologie / Kinésiologie et massokinésiothérapie

BAC 6 TRIMESTRES   CUISEP 581-000

Compétences à acquérir

– Évaluer la capacité physique du client.
– Prescrire des programmes d'activités physiques adaptés à des fins préventives, de réadaptation ou de recherche de performance.
– Établir des programmes de réadaptation.
– Susciter un intérêt durable pour l'activité physique.
– Établir des choix d'activités en relation avec les besoins et capacités de populations particulières.
– Proposer des choix d'activités.
– Structurer et enchaîner logiquement les pratiques.
– Assurer le suivi d'un engagement face à l'activité physique.
– Assurer la survie des initiatives ou des entreprises d'activité physique, de conditionnement, de performance.

Éléments du programme

– Activité physique
– Anatomie fonctionnelle
– Biomécanique
– Croissance et développement du système moteur
– Nutrition
– Stages

Admission (voir p. 21 G)

Laval : DEC en Sciences de la nature et Biologie 401 **OU** DEC technique en Techniques de réadaptation et Mathématiques NYA (ou 103-77 ou 103-RE ou 00UN); Chimie NYA ou NYB (ou 101 ou 201, 00UL ou 00UM) **OU** DEC et Mathématiques NYA, NYB (ou 103-77 ou 103-RE ou 00UN, 203-77 ou 203-RE); Physique NYA, NYB, NYC (ou 101, 201, 301); Chimie NYA, NYB (ou 101, 201); Biologie NYA (ou 301 et 401). *N. B.: Les titulaires d'un baccalauréat international (B.I.), option Sciences de la nature, sont dispensés du cours de Physique NYC ou 301. L'étudiant dont la langue d'études au primaire et au secondaire n'est pas le français doit, pour être admissible, faire la preuve d'un niveau minimal de connaissance de la langue française par un résultat d'au moins 860 sur 990 au Test de français international (TFI). Ce test doit avoir été passé au cours de l'année précédant le dépôt de la demande d'admission, un document officiel attestant du résultat obtenu. À son arrivée à l'Université Laval, l'étudiant ayant obtenu un résultat de 860 ou plus au TFI est invité à passer un test de français écrit. Selon le résultat obtenu à ce test, l'étudiant peut devoir s'inscrire au cours FRN-3003 Français avancé : grammaire et rédaction II.*
McGill : DEC en Sciences de la nature ou l'équivalent et Mathématiques NYA, NYB (00UN, 00UP ou 01Y1, 01Y2); Physique NYA, NYB, NYC (00UR, 00US, 00UT ou 01Y7, 01YF, 01YG); Chimie NYA, NYB, Chimie organique I (00UL, 00UM, 00XV ou 01Y6, 01YH); Biologie générale II (00UK, 00XU ou 01Y5 01YJ).

Montréal : DEC en Sciences de la nature ou en Sciences humaines et avoir atteint l'objectif Biologie 022V **OU** DEC ou l'équivalent et Mathématiques 360-300 ou 103 ou 307 ou 337 et un cours de Biologie humaine **OU** avoir réussi 24 crédits de cours universitaires autres que des crédits obtenus dans le cadre de cours préparatoires aux études universitaires.
Sherbrooke : DEC ou l'équivalent et réussir le test d'aptitudes physiques.
UQAC : DEC ou l'équivalent.
UQAM : DEC ou l'équivalent et test d'habiletés motrices, entrevue.
UQTR : DEC en Sciences de la nature ou l'équivalent **OU** DEC ou l'équivalent et Biologie humaine 921 (022V) ou l'équivalent.

Endroits de formation (voir p. 390)

	Contingentement	Coop	Cote R*
Laval	■	☐	27.000
McGill	■	☐	26.500
Montréal	■	☐	27.603
Sherbrooke	■	■	26.400
UQAC	☐	☐	21.460
UQAM	■	☐	—
UQTR	■	☐	24.440

** Le nombre inscrit indique la **Cote R** qui a été utilisée pour l'**admission de l'année 2012 ou 2013** par l'université concernée.*

Professions reliées

C.N.P.
4167   Conseiller en conditionnement physique
5252   Entraîneur d'athlètes
5252   Entraîneur d'équipes sportives
4167   Kinésiologue

Endroits de travail

– À son compte
– Centres de conditionnement physique
– Centres hospitaliers
– Centres locaux de services communautaires (CLSC)
– Centres médico-sportifs
– Cliniques de physiothérapie
– Cliniques médicales
– Clubs sportifs
– Établissements d'enseignement universitaire
– Fédérations sportives
– Gouvernements fédéral et provincial
– Municipalités

SCIENCES DE LA SANTÉ

Salaire

Le salaire hebdomadaire moyen est de 738 $ (janvier 2011).

Remarques

– Le régime coopératif est obligatoire à l'Université de Sherbrooke. Cet établissement offre deux concentrations : Activité physique / mieux-être; Encadrement sportif.

– L'Université du Québec à Chicoutimi (UQAC) offre un certificat et une mineure en Kinésiologie.

– L'Université du Québec à Montréal (UQAM) offre deux profils au baccalauréat en Intervention en activité physique : Enseignement de l'éducation physique et à la santé; Kinésiologie.

– L'Université du Québec à Trois-Rivières (UQTR) offre le baccalauréat ès Sciences avec majeure en Kinésiologie.

STATISTIQUES D'EMPLOI			
	2007	2009	2011
Nb de personnes diplômées	362	427	456
% en emploi	67,1 %	63,4 %	68,2 %
% à temps plein	70,3 %	72,8 %	73,8 %
% lié à la formation	78,9 %	76,3 %	82,6 %

15106 Médecine

DOCTORAT 1er CYCLE 8-10-11 TRIMESTRES   CUISEP 353-310

Compétences à acquérir

– Maîtriser la démarche clinique.
– Faire des examens cliniques et des investigations de cas.
– Poser des diagnostics et proposer des traitements.
– Donner des soins de santé, des conseils et promouvoir les moyens favorisant la santé.

Éléments du programme

– Anatomie générale
– Appareil cardio-vasculaire
– Biochimie
– Médecine préventive
– Microbiologie, immunologie et infectiologie
– Pharmacologie
– Physiologie humaine
– Psychisme

Admission (voir p. 21 G)

Laval: DEC en Sciences de la nature et Chimie 202 ou 00XV; Biologie 401 ou 00XU **OU** DEC ou l'équivalent et Mathématiques NYA, NYB (ou 103-77, 203-77 ou 103-RE, 203-RE ou 022X, 022Y); Physique NYA, NYB, NYC (ou 101, 201, 301 ou 00UR, 00US, 00UT); Chimie NYA, NYB (ou 101, 201, 202 ou 00UL, 00UM, 00XV); Biologie NYA, NYB (ou 301, 401 ou 00UK, 00XU) **OU** Baccalauréat international – option Sciences de la nature **ET/OU** après étude du dossier scolaire, l'étudiant peut être convoqué à des mini-entrevues multiples (MEM) www.fmed.ulaval.ca/site_fac/formation/1er-cycle/medecine/admission/mini-entrevues-multiples-mem/. *N. B.: Les cours préalables en sciences réussis il y a plus de huit ans devront être repris, à moins que l'étudiant ne fasse la preuve que ses connaissances ont été actualisées. L'étudiant qui a obtenu son DEC en plus de quatre sessions n'est pas pénalisé lors du processus d'admission. L'étudiant dont la langue d'études au primaire et au secondaire n'est pas le français doit, pour être admissible, faire la preuve d'un niveau minimal de connaissance de la langue française par un résultat d'au moins 860 sur 990 au Test de français international (TFI). Ce test doit avoir été passé au cours de l'année précédant le dépôt de la demande d'admission, un document officiel attestant du résultat obtenu. À son arrivée à l'Université Laval, l'étudiant ayant obtenu un résultat de 860 ou plus au TFI est invité à passer un test de français écrit. Selon le résultat obtenu à ce test, l'étudiant peut devoir s'inscrire au cours FRN-3003 Français avancé: grammaire et rédaction II.*

McGill: DEC ou l'équivalent et Mathématiques 00UN, 00UP; Physique 00UR, 00US, 00UT; Chimie 00UL, 00UM; Biologie 00UK, 00XU **ET** entrevue, appréciation par simulation et notice autobiographique.

Montréal: DEC en Sciences de la nature et avoir atteint les objectifs suivants: Chimie 00XV; Biologie 00XU **OU** DEC ou l'équivalent et Mathématiques 103, 203; Physique 101, 201, 301; Chimie 101, 201, 202; Biologie 301, 401 ou deux cours de biologie humaine **ET** examen médical et entrevue.

Sherbrooke: DEC en Sciences de la nature, cheminement baccalauréat international **OU** DEC ou l'équivalent et Mathématiques NYA, NYB (00UN, 00UP); Physique NYA, NYB, NYC (00UR, 00US, 00UT); Chimie NYA, NYB, 202 (00UL, 00UM, 00XV); Biologie NYA, NYB (00UK, 00XU) **ET** test d'aptitudes (TAAMUS), entrevues (MEM) et immatriculation au Collège des médecins au cours du 1er trimestre.

Endroits de formation (voir p. 390)

	Contingentement	Coop	Cote R*
Laval	■	☐	33.241
McGill [1]	■	☐	31.870
Montréal [2]	■	☐	33.306
Sherbrooke [3]	■	☐	33.600

* *Le nombre inscrit indique la* **Cote R** *qui a été utilisée pour l'admission de l'année 2012 ou 2013 par l'université concernée.*

1. *Cote R minimale de 32.100 et cote R moyenne de 35.100 pour être convoqué à une entrevue.*
2. *Extension à l'UQTR. Dernier convoqué à l'entrevue.*
3. *Extension à l'UQAC.*

Professions reliées

C.N.P.

3111	Allergologue
3111	Anatomo-pathologiste
3111	Anesthésiste réanimateur
2112	Biochimiste clinique
3111	Cardiologue
3111	Chirurgien cardio-vasculaire et thoracique
3111	Chirurgien général
3111	Chirurgien orthopédiste
3111	Chirurgien plasticien
3111	Chirurgien thoracique
4165	Coroner
3111	Dermatologue
0311	Directeur de département de soins hospitaliers
0014	Directeur général de centre hospitalier
3111	Endocrinologue
3111	Expert médico-légal
3111	Gastro-entérologue
3111	Gériatre
3111	Hématologue
2121	Immunologue
3111	Interniste
3111	Médecin de santé publique
3111	Médecin en médecine d'urgence
0411	Médecin hygiéniste

SCIENCES DE LA SANTÉ

3111	Médecin légiste
3112	Médecin militaire
3111	Médecin spécialiste en biochimie médicale
3111	Médecin spécialiste en génétique médicale
3111	Médecin spécialiste en médecine nucléaire
3111	Médecin spécialiste en microbiologie médicale et infectiologie
3111	Médecin spécialiste en radio-oncologie
3111	Médecin spécialiste en radiologie diagnostique
3111	Microbiologiste médical
3111	Néphrologue
3111	Neurochirurgien
3111	Neurologue
3111	Obstétricien-gynécologue
3112	Omnipraticien
3111	Oncologue médical
3111	Ophtalmologiste
3111	Orthopédiste
3111	Oto-rhino-laryngologiste
3111	Pathologiste médical
3111	Pédiatre
3111	Physiatre
3111	Pneumologue
3111	Proctologue
3111	Psychiatre
3111	Radio-oncologue
3111	Rhumatologue
3111	Urologue

Endroits de travail

– À son compte
– Centres hospitaliers
– Centres locaux de services communautaires (CLSC)
– Cliniques médicales
– Forces armées canadiennes

Salaire

Donnée non disponible.

Remarques

– Pour exercer les professions citées, il faut être membre du Collège des médecins du Québec.
– Pour devenir directeur général de centre hospitalier, des études en administration peuvent être exigées.
– Pour devenir homéopathe, il n'existe pas de formation reconnue mais une solide base en sciences de la santé est nécessaire.
– Des études de 2e cycle dans la spécialité appropriée sont nécessaires pour exercer la plupart des professions mentionnées.
– Le programme comprend une année préparatoire.
– Deux formations différentes peuvent conduire à la profession de coroner, soit Médecine ou Droit, selon le domaine d'activités.
– L'Université de Montréal : c'est le Comité d'admission qui décide si l'étudiant qui a fait une demande d'admission en médecine est admis à l'année préparatoire ou en première année du programme. Cet établissement offre également le programme à l'Université du Québec à Trois-Rivières (UQTR).
– L'Université de Sherbrooke offre également le programme à l'Université du Québec à Chicoutimi (UQAC).
– L'Université Laval : l'étudiant venant d'une autre université doit avoir acquis au moins 75 crédits dans son programme au moment du dépôt de sa demande. Les titulaires du diplôme en Sciences de la santé du Nouveau-Brunswick ont la possibilité d'être admis. Les autres candidatures venant des provinces maritimes seront considérées seulement s'il existe une entente intergouvernementale à cet effet. Les candidatures venant de pays reconnaissant le diplôme de doctorat de l'Université Laval seront considérées. Un maximum d'une place est disponible pour les candidats francophones hors Québec et hors entente intergouvernementale. L'Université Laval offre un certificat en Études sur la toxicomanie.

Statistiques d'emploi

Données non disponibles.

DOCTORAT 1er CYCLE 10 TRIMESTRES CUISEP 353-810

Compétences à acquérir

– Dépister et soigner toute déficience des dents, de la bouche, des maxillaires ou des tissus avoisinants chez l'être humain.
– Prescrire et administrer des soins préventifs.
– Examiner les dents, les gencives et les arcades dentaires.
– Prendre des radiographies au besoin.
– Établir un diagnostic et appliquer le traitement approprié.
– Restaurer la structure des dents atteintes.
– Effectuer une chirurgie.
– Procéder à l'extraction de dents.
– Remplacer les dents manquantes à l'aide de ponts ou de prothèses partielles ou complètes.

Éléments du programme

– Dentisterie opératoire pratique
– Matériaux dentaires
– Occlusion pratique
– Orthodontie
– Pathologie générale
– Prothèse partielle fixe pratique

Admission (voir p. 21 G)

DEC ou l'équivalent et Mathématiques 103, 203; Physique 101, 201, 301; Chimie 101, 201, 202; Biologie 301, 401.
OU
DEC en Sciences de la nature et Chimie 202 (00XV); Bologie 401 (00XU).
OU
Laval : DEC en Sciences de la nature et Chimie 202 (00XV); Biologie 401 (00XU) **OU** DEC ou l'équivalent et Mathématiques 103, 203 (00UN, 00UP); Physique 101, 201 et 301 (00UR, 00US, 00UT); Chimie 101, 201, 202 (00UL, 00UM, 00XV); Biologie 301, 401 (00UK, 00XU) **ET** se présenter obligatoirement aux tests d'aptitudes de l'Association dentaire canadienne. *N. B.: Les titulaires d'un baccalauréat international (B.I.), option Sciences de la nature, sont dispensés du cours de Physique NYC ou 301 et de l'entrevue. L'étudiant dont la langue d'études au primaire et au secondaire n'est pas le français doit, pour être admissible, faire la preuve d'un niveau minimal de connaissance de la langue française par un résultat d'au moins 860 sur 990 au Test de français international (TFI). Ce test doit avoir été passé au cours de l'année précédant le dépôt de la demande d'admission, un document officiel attestant du résultat obtenu. À son arrivée à l'Université Laval, l'étudiant ayant obtenu un résultat de 860 ou plus au TFI est invité à passer un test de français écrit. Selon le résultat obtenu à ce test, l'étudiant peut devoir s'inscrire au cours FRN-3003 Français avancé : grammaire et rédaction II.*

McGill : Entrevue, autobiographie et se présenter obligatoirement aux tests d'aptitudes de l'Association dentaire canadienne.
Montréal : DEC en Sciences de la nature et avoir atteint les objectifs suivants : Chimie 00XV; Biologie 00XU **OU** DEC ou l'équivalent et Mathématiques 103, 203; Physique 101, 201, 301; Chimie 101, 201, 202; Biologie 301, 401 ou deux cours de biologie humaine **OU** avoir réussi 48 crédits de cours universitaires autres que des crédits obtenus dans le cadre de cours préparatoires aux études universitaires **ET** réussir le test de l'Association dentaire canadienne, soumettre une lettre de motivation, se présenter à une entrevue, subir un examen médical.

Endroits de formation (voir p. 390)

	Contingentement	Coop	Cote R*
Laval	■	☐	32.300
McGill**	■	☐	33.219
Montréal	■	☐	33.058

** Le nombre inscrit indique la **Cote R** qui a été utilisée pour l'**admission de l'année 2012 ou 2013** par l'université concernée.*
** Cote R minimale de 34.000 et cote R moyenne de 35.500 pour être convoqué à une entrevue.

Professions reliées

C.N.P.
3113	Chirurgien buccal et maxillo-facial
3113	Dentiste
3113	Dentiste en santé publique
3113	Endodontiste
3113	Orthodontiste
3113	Parodontiste
3113	Pédodontiste
3113	Prosthodontiste
3113	Spécialiste en médecine buccale

Endroits de travail

– À son compte
– Cabinets de dentistes
– Centres hospitaliers
– Établissements d'enseignement universitaire
– Forces armées canadiennes

Salaire

Le salaire hebdomadaire moyen est de 2 095 $ (janvier 2011).

SCIENCES DE LA SANTÉ

Remarques

– Le programme comprend une année préparatoire.
– Pour exercer la profession et porter le titre de dentiste, il faut être membre de l'Ordre des dentistes du Québec.
– Des études de 2e cycle sont nécessaires pour exercer les professions suivantes : chirurgien buccal et maxillo-facial, endodontiste, orthodontiste, parodontiste, pédodontiste, prosthodontiste, spécialiste en médecine buccale.

STATISTIQUES D'EMPLOI	2007	2009	2011
Nb de personnes diplômées	147	148	152
% en emploi	85,4 %	84,1 %	88,3 %
% à temps plein	75 %	89,2 %	84,3 %
% lié à la formation	100 %	98,5 %	100 %

DOCTORAT 1er CYCLE 10 TRIMESTRES   CUISEP 354-340

Compétences à acquérir

– Recourir à la prescription et à l'administration de médicaments.
– Fabriquer, transformer, modifier ou prescrire une orthèse podiatrique.
– Conseiller sur les soins à donner aux pieds, de même que sur les mesures préventives et les mesures d'hygiène à adopter.

Éléments du programme

– Anatomie (humaine, système nerveux central, podiatrique)
– Biochimie clinique
– Chirurgie
– Externat clinique interne et externe
– Histologie
– Pharmacologie
– Physiologie
– Radiologie
– Soins d'urgence

Admission (voir p. 21 G)

DEC en Sciences, lettres et arts ou l'équivalent et Mathématiques 103, 203 (ou NYA, NYB ou 00UN, 00UP); Physique 101, 201 (ou NYA, NYB ou 00UR, 00US); Chimie 101, 201 (ou NYA, NYB ou 00UL, 00UM) et 202; 301-78 (ou NYA ou 00UT); Biologie 301, 401 (ou NYA, NYB ou 00UK, 00XU).
OU
DEC en Sciences de la nature; Chimie 202 (00XV); Biologie 401 (00XU).
OU
DEC technique en Techniques de réadaptation physique et Mathématiques 103 (00UN); Chimie 101, 201, 202 (00UL, 00UM, 00XV).
OU
DEC ou l'équivalent et Mathématiques 103, 105, 203 (00UN, 00UP, 00UQ); Physique 101, 201, 301 (00UR, 00US, 00UT); Chimie 101, 201 ou 202 (00UL, 00UM ou 00XV); Biologie 301, 401 (00UK, 00XU).
ET
Entrevue.

Endroit de formation (voir p. 310)

	Contingentement	Coop	Cote R*
UQTR	■	☐	30.470

** Le nombre inscrit indique la **Cote R** qui a été utilisée pour l'**admission de l'année 2012** par l'université concernée.*

Profession reliée

C.N.P.
3123   Podiatre

Endroits de travail

– À son compte
– Centres hospitaliers
– Cliniques privées

Salaire

Donnée non disponible.

Remarque

Pour porter le titre de podiatre, il faut être membre de l'Ordre des podiatres du Québec.

SCIENCES DE LA SANTÉ

STATISTIQUES D'EMPLOI			
	2007	2009	2011
Nb de personnes diplômées	—	—	19
% en emploi	—	—	100 %
% à temps plein	—	—	81,3 %
% lié à la formation	—	—	100 %

DOCTORAT 1er CYCLE 10 TRIMESTRES   CUISEP 351-100

Compétences à acquérir

- Établir des diagnostics, prévenir et traiter les maladies des animaux.
- Prescrire les traitements et les médicaments appropriés.
- Établir des programmes de prévention des maladies des troupeaux.
- Conseiller les producteurs agricoles sur l'hygiène, l'alimentation, l'élevage et les soins des animaux.
- Voir à la salubrité et à l'innocuité des aliments d'origine animale.

Éléments du programme

- Anatomie vétérinaire
- Anesthésiologie
- Chirurgie générale
- Génétique médicale
- Nutrition animale
- Ophtalmologie vétérinaire
- Toxicologie clinique

Admission (voir p. 21 G)

DEC en Sciences de la nature et avoir atteint les objectifs suivants : Chimie 00XV ou Biologie 00XU.
OU
DEC technique en Techniques de santé animale et Physique 101, 201, 301.
OU
DEC technique en Technologie des productions animales et Physique 101, 201 et 301; Chimie organique 202; Biologie 401 ou un cours de biologie humaine.
OU
DEC ou l'équivalent et Mathématiques 103, 203; Physique 101, 201, 301; Chimie 101, 201, 202; Biologie 301, 401 ou deux cours de biologie humaine **OU** avoir réussi 48 crédits de cours universitaires autres que des crédits obtenus dans le cadre de cours préparatoires aux études universitaires.
ET
Se présenter à une entrevue.

Endroit de formation (voir p. 310)

	Contingentement	Coop	Cote R*
Montréal	■	☐	32.503

** Le nombre inscrit indique la **Cote R** qui a été utilisée pour l'**admission de l'année 2012** par l'université concernée.*

Professions reliées

C.N.P.
6463	Inspecteur en protection animale
2121	Pathologiste vétérinaire
3114	Vétérinaire

Endroits de travail

- À son compte
- Établissements d'enseignement
- Gouvernements fédéral et provincial
- Hôpitaux et cliniques vétérinaires
- Laboratoires de recherche
- Usines de transformation des viandes

Salaire

Le salaire hebdomadaire moyen est de 1 320 $ (janvier 2011).

Remarques

- Pour exercer la profession et porter le titre de médecin vétérinaire, il faut avoir réussi les examens de l'Ordre des médecins vétérinaires du Québec.
- Des études de 2e cycle sont nécessaires pour exercer la profession de pathologiste vétérinaire.

STATISTIQUES D'EMPLOI			
	2007	**2009**	**2011**
Nb de personnes diplômées	—	84	83
% en emploi	—	81,7 %	84,5 %
% à temps plein	—	91,8 %	89,8 %
% lié à la formation	—	97,8 %	100 %

DOCTORAT 1er CYCLE 10 TRIMESTRES   CUISEP 354-530

Compétences à acquérir

- Observer les réflexes pupillaires.
- Vérifier l'alignement des yeux.
- Utiliser des instruments spéciaux pour examiner l'intérieur et l'extérieur de l'œil.
- Évaluer l'acuité visuelle de près et de loin.
- Émettre un diagnostic, prescrire et exécuter le traitement approprié.

Éléments du programme

- Anatomie et biologie de l'oeil
- Anatomie humaine
- Déséquilibres oculo-moteurs
- Lentilles cornéennes
- Pathologie oculaire
- Pédo-optométrie
- Physiologie optique

Admission (voir p. 21 G)

DEC en Sciences de la nature et avoir réussi les objectifs suivants : Chimie 00XV; Biologie 00XU.
OU
DEC ou l'équivalent et Mathématiques 103, 203; Physique 101, 201, 301; Chimie 101, 201, 202; Biologie 301, 401 ou deux cours de Biologie humaine.
OU
Avoir réussi 48 crédits de cours universitaires autres que des crédits obtenus dans le cadre de cours préparatoires aux études universitaires.
ET
Pour les candidats présélectionnés : se présenter à une entrevue et, sur demande de l'École, soumettre un curriculum vitæ.

Endroit de formation (voir p. 310)

	Contingentement	Coop	Cote R*
Montréal	■	☐	33.442

*Le nombre inscrit indique la **Cote R** qui a été utilisée pour l'**admission de l'année 2012** par l'université concernée.*

Profession reliée

C.N.P.
3121   Optométriste

Endroits de travail

- À son compte
- Centres locaux de services communautaires (CLSC)
- Cliniques d'optométrie
- Cliniques médicales
- Lunetteries

Salaire

Le salaire hebdomadaire moyen est de 1 154 $ (janvier 2007).

Remarques

- Le programme comprend une année préparatoire. Tous les candidats doivent faire une demande d'admission à l'année préparatoire pour accéder au doctorat en Optométrie.
- Pour exercer la profession et porter le titre d'optométriste, il faut être titulaire d'un permis d'exercice de l'Ordre des optométristes du Québec.

SCIENCES DE LA SANTÉ

STATISTIQUES D'EMPLOI			
	2007	**2009**	**2011**
Nb de personnes diplômées	43	38	42
% en emploi	100 %	92,6 %	96,3 %
% à temps plein	95,8 %	96 %	84,6 %
% lié à la formation	100 %	100 %	100 %

DOCTORAT 1er CYCLE 10 TRIMESTRES   CUISEP 353-400

Compétences à acquérir

– Promouvoir et assurer l'usage optimal des médicaments dans le but d'améliorer la qualité de vie des patients.
– Identifier le patient, vérifier l'authenticité de l'ordonnance et analyser le dossier du patient.
– Évaluer les interactions médicamenteuses, vérifier la concentration de substances médicamenteuses, la posologie et la forme pharmaceutique.
– Évaluer la durée du traitement, contrôler l'étiquetage de l'ordonnance et l'identité du médicament.
– Inscrire l'information au dossier et donner les renseignements sur l'usage des médicaments.
– Assurer la conservation et la gestion des médicaments.

Éléments du programme

– Anatomie humaine
– Biologie clinique
– Biopharmacie
– Chimie médicinale
– Pathologie générale
– Pharmacologie
– Physique pharmaceutique

Admission (voir p. 21 G)

Laval : DEC en Sciences de la nature et Chimie 202 (00XV); Biologie 401 (00XU) **OU** DEC ou l'équivalent et Mathématiques NYA, NYB (ou 103-77, 203-77 ou 103-RE, 203-RE ou 022X, 022Y); Physique NYA, NYB, NYC (ou 101, 201, 301 ou 00UR, 00US, 00UT); Chimie NYA, NYB (ou 101, 201) et 202 (00UL, 00UM, 00XV); Biologie NYA (ou 301) et 401 (00UK, 00XU) . *N. B.: Les titulaires d'un baccalauréat international (B.I.), option Sciences de la nature, sont dispensés du cours de Physique NYC ou 301. L'étudiant dont la langue d'études au primaire et au secondaire n'est pas le français doit, pour être admissible, faire la preuve d'un niveau minimal de connaissance de la langue française par un résultat d'au moins 860 sur 990 au Test de français international (TFI). Ce test doit avoir été passé au cours de l'année précédant le dépôt de la demande d'admission, un document officiel attestant du résultat obtenu. À son arrivée à l'Université Laval, l'étudiant ayant obtenu un résultat de 860 ou plus au TFI est invité à passer un test de français écrit. Selon le résultat obtenu à ce test, l'étudiant peut devoir s'inscrire au cours FRN-3003 Français avancé: grammaire et rédaction II.*

Montréal : DEC en Sciences de la nature et avoir atteint les objectifs suivants: Chimie 00XV; Biologie 00XU **OU** DEC ou l'équivalent et Mathématiques 103, 203; Physique 101, 201, 301; Chimie 101, 201, 202; Biologie 301, 401 ou deux cours de biologie humaine **OU** avoir réussi 48 crédits de cours universitaires autres que des crédits obtenus dans le cadre de cours préparatoires aux études universitaires **ET** à la demande de la Faculté, remplir un

questionnaire, fournir des lettres de recommandation et se présenter à une entrevue.

Endroits de formation (voir p. 390)

	Contingentement	Coop	Cote R*
Laval	■	☐	32.700
Montréal	■	☐	33.263

** Le nombre inscrit indique la **Cote R** qui a été utilisée pour l'**admission de l'année 2012 ou 2013** par l'université concernée.*

Professions reliées

C.N.P.
3131	Pharmacien
3131	Pharmacien communautaire
3131	Pharmacien d'hôpital
3131	Pharmacien industriel
6221	Représentant pharmaceutique

Endroits de travail

– Centres hospitaliers
– Compagnies pharmaceutiques
– Établissements d'enseignement universitaire
– Laboratoires médicaux
– Pharmacies

Salaire

Le salaire hebdomadaire moyen est de 1 701 $ (janvier 2011).

Remarques

– Pour exercer la profession et porter le titre de pharmacien, il faut être membre de l'Ordre des pharmaciens du Québec.
– L'Université Laval offre un certificat en Études sur la toxicomanie.

STATISTIQUES D'EMPLOI			
	2007	2009	2011
Nb de personnes diplômées	334	317	368
% en emploi	80,2 %	75,7 %	81 %
% à temps plein	94,3 %	99,3 %	94,6 %
% lié à la formation	98,8 %	98 %	97,9 %

SCIENCES DE LA SANTÉ

BAC 8 TRIMESTRES   CUISEP 353-400

Compétences à acquérir

– Maîtriser les approches scientifiques propres à la pharmacologie.
– Résoudre des problèmes d'ordre multidisciplinaire.
– Formuler et vérifier des hypothèses.
– Faire des recherches sur les médicaments et autres produits pharmaceutiques (leur action, leur mécanisme d'action).

Éléments du programme

– Biochimie générale
– Biologie cellulaire et moléculaire
– Chimie analytique et organique
– Cytophysiologie
– Génétique
– Immunologie
– Pharmacoéconomie
– Pharmacoépidémiologie
– Pharmacologie

Admission (voir p. 21 G)

McGill : DEC en Sciences de la nature ou l'équivalent et Mathématiques NYA, NYB, NYC (00UN, 00UP, 00UQ ou 01Y1, 01Y2, 01Y4); Physique NYA, NYB, NYC (00UR, 00US, 00UT ou 01Y7, 01YF, 01YG); Chimie NYA, NYB (0UL, 00UM ou 01Y6, 01YH); Biologie NYA; Biologie générale II (00UK, 00XU ou 01Y5, 01YJ).
Sherbroke : DEC ou l'équivalent et Mathématiques NYA, NYB (00UN, 00UP); Physique NYA, NYB, NYC (00UR, 00US, 00UT); Chimie NYA, NYB (00UL, 00UM); Biologie NYA (00UK). *N. B. : Pour les programmes de biologie, biotechnologie, écologie et microbiologie, les standards 00UN ou 022X, 00UP ou 022Y seront acceptés* **OU** DEC en techniques biologiques ou en techniques physiques ou l'équivalent et Mathématiques NYA, NYB (00UN, 00UP); Chimie NYA, NYB (00UL, 00UM); Biologie NYA (00UK) et un cours de physique parmi 00UR, 00US ou 00UT **OU DEC techniques parmi les suivants :** Environnement, hygiène et sécurité au travail (260.B0), Techniques de laboratoire, spécialisation *Chimie analytique* (210.AB), Technologie des pâtes et papiers (232.A0) et Biologie NYA; Techniques d'inhalothérapie (141.A0) et Mathématiques NYA, Chimie NYB; Techniques de bioécologie (145.C0) et Mathématiques NYA, Chimie NYA; Techniques de laboratoire, spécialisation *Biotechnologies* (210.AA) ou Techniques de diététique (120.A0) ou Techniques de santé animale (145.A0) et Mathématiques NYA; Chimie NYA, NYB; Technologie d'analyses biomédicales (140.B0) et Mathématiques NYA.

Endroits de formation (voir p. 390)

	Contingentement	Coop	Cote R*
McGill	■	■	—
Sherbrooke	■	■	25.000

* *Le nombre inscrit indique la **Cote R** qui a été utilisée pour l'admission de l'année 2012 par l'université concernée.*

Profession reliée

C.N.P.
2121   Pharmacologue

Endroits de travail

– Compagnies pharmaceutiques
– Établissements d'enseignement universitaire
– Laboratoires industriels
– Laboratoires universitaires

Salaire

Le salaire hebdomadaire moyen est de 1 701 $ (janvier 2011).

Remarque

La spécialisation Pharmacologie (maîtrise) est nécessaire pour devenir pharmacologue.

SCIENCES DE LA SANTÉ

STATISTIQUES D'EMPLOI			
	2007	**2009**	**2011**
Nb de personnes diplômées	334	317	368
% en emploi	80,2 %	75,7 %	81 %
% à temps plein	94,3 %	99,3 %	94,6 %
% lié à la formation	98,8 %	98 %	97,9 %

Compétences à acquérir

– Acquérir et appliquer les connaissances relatives au corps humain et aux mammifères telles que les diverses fonctions corporelles et leurs interactions (fonctions endocriniennes, cardiovasculaires, respiratoires, nerveuses, gastro-intestinales, etc.).
– Connaître les disciplines biomédicales (biochimie, anatomie, microbiologie et pharmacologie).
– Participer aux projets de recherche en laboratoire.
– Analyser et interpréter des textes scientifiques et des rapports de recherche.

Éléments du programme

– Biologie
– Chimie
– Physique

Admission (voir p. 21 G)

Concordia : DEC ou l'équivalent et Mathématiques 103, 203; Physique 101, 201, 301; Chimie 101, 201 (202 recommandé); Biologie 301 (401 recommandé).
McGill : DEC en Sciences de la nature ou l'équivalent et Mathématiques NYA, NYB, NYC (00UN, 00UP, 00UQ ou 01Y1, 01Y2, 01Y4); Physique NYA, NYB, NYC (00UR, 00US, 00UT ou 01Y7, 01YF, 01YG); Chimie NYA, NYB (0UL, 00UM ou 01Y6, 01YH); Biologie NYA (00UK ou 01Y5).

Endroits de formation (voir p. 390)

	Contingentement	Coop	Cote R*
Concordia	■	☐	22.000
McGill	☐	☐	28.000

* Le nombre inscrit indique la **Cote R** qui a été utilisée pour l'**admission de l'année 2012 ou 2013** par l'université concernée.

Professions reliées

C.N.P.
2121   Généticien
2121   Immunologue
3111   Neurophysiologiste
3111   Pathologiste médical
2121   Pathologiste vétérinaire
2121   Pharmacologue
2121   Physiologiste
2121   Phytopathologiste
2121   Virologiste

Endroits de travail

– Centres hospitaliers
– Compagnies pharmaceutiques
– Établissements d'enseignement universitaire
– Gouvernements fédéral et provincial

Salaire

Le salaire hebdomadaire moyen est de 721 $ (janvier 2009).

Remarques

– Voir aussi la fiche du programme Microbiologie (page 249).
– Des études de 2e cycle (maîtrise) sont nécessaires pour travailler dans le domaine de la recherche.
– L'étudiant peut poursuivre des études dans certains champs de la médecine.

SCIENCES DE LA SANTÉ

STATISTIQUES D'EMPLOI			
	2007	**2009**	**2011**
Nb de personnes diplômées	226	302	—
% en emploi	23,6 %	23,4 %	—
% à temps plein	82,4 %	87,2 %	—
% lié à la formation	67,9 %	52,9 %	—

15121 Physiothérapie / Réadaptation occupationnelle / Réadaptation physique / Sciences (réadaptation) / Exercise Science / Physical Therapy

BAC 6-7 TRIMESTRES　　　　　　　　　　　　**CUISEP 354-350**

Compétences à acquérir

– Faire l'évaluation du rendement fonctionnel physique d'un client.
– Poser un diagnostic clinique à la suite à d'une évaluation.
– Faire le suivi des dossiers des patients.
– Concevoir, réviser et adapter un programme de traitement aux personnes ayant des problèmes musculo-squelettiques.
– Réaliser des traitements par l'utilisation d'exercices physiques, de thérapies manuelles et de divers autres agents physiques (chaud, froid, ultrasons, etc.).

Éléments du programme

– Anatomie humaine
– Biomécanique
– Électrothérapie
– Kinésithérapie
– Physiothérapie en neurologie
– Posture et locomotion
– Système locomoteur
– Traumatologie sportive

Admission (voir p. 21 G)

Concordia : DEC en Sciences de la nature ou l'équivalent **OU** DEC ou l'équivalent et Mathématiques 103, 203 (ou NYA, NYB); Physique 101, 201, 301 (ou NYA, NYB, NYC); Chimie 101, 201 (ou NYA, NYB); Biologie 301 (ou NYA).
Laval : DEC en sciences de la nature et Biologie 401 (00XU); Chimie 202 (00XV) **OU** DEC en Techniques de réadaptation et Mathématiques NYA (ou 103-77 ou 103-RE ou 00UN ou 022X); Chimie NYA, NYB (ou 101 et 201 ou 00UL, 00UM) **OU** DEC ou l'équivalent et Mathématiques NYA, NYB (ou 103-77, 203-77 ou 103-RE, 203-RE ou 00UN, 00UP ou 022X, 022Y); Physique NYA, NYB, NYC (ou 101, 201 et 301 ou 00UR, 00US, 00UT); Chimie NYA, NYB (ou 101, 201) et 202 (00UL, 00UM, 00XV); Biologie NYA (ou 301) et 401 (00UK, 00XU). *N. B.: Les titulaires d'un baccalauréat international (B.I.), option Sciences de la nature, sont dispensés du cours de Physique NYC ou 301. L'étudiant dont la langue d'études au primaire et au secondaire n'est pas le français doit, pour être admissible, faire la preuve d'un niveau minimal de connaissance de la langue française par un résultat d'au moins 860 sur 990 au Test de français international (TFI). Ce test doit avoir été passé au cours de l'année précédant le dépôt de la demande d'admission, un document officiel attestant du résultat obtenu. À son arrivée à l'Université Laval, l'étudiant ayant obtenu un résultat de 860 ou plus au TFI est invité à passer un test de français écrit. Selon le résultat obtenu à ce test, l'étudiant peut devoir s'inscrire au cours FRN-3003 Français avancé : grammaire et rédaction II.*

McGill : DEC en Sciences de la nature ou l'équivalent et Mathématiques NYA, NYB (00UN, 00UP ou 01Y1, 01Y2); Physique NYA, NYB, NYC (00UR, 00US, 00UT ou 01Y7, 01YF, 01YG); Chimie NYA, NYB, Chimie organique I (0UL, 00UM, 00XV ou 01Y6, 01YH); Biologie NYA, Biologie générale II (00UK, 00XU ou 01Y5, 01YJ) **ET** 50 heures de travail thérapeutique bénévole ou rémunéré dans un établissement de soins de santé ou milieu approprié.
Montréal : DEC en Sciences de la nature et Biologie 00XU **OU** DEC technique en Techniques de réadaptation physique et Mathématique 103; Chimie 101, 201 ou 202 **OU** DEC ou l'équivalent et Mathématiques 103, 105, 203; Physique 101, 201, 301; Chimie 101, 201 ou 202; Biologie 301, 401 ou deux cours de biologie humaine **OU** avoir réussi 24 crédits de cours universitaires autres que des crédits obtenus dans le cadre de cours préparatoires aux études universitaires **ET** entrevue.
Sherbrooke : DEC en Sciences de la nature **OU** DEC Techniques de réadaptation physique (144.A0) **OU** avoir acquis au moins 45 crédits universitaires dans un même programme à grade à la date limite fixée pour le dépôt de la demande d'admission et avoir obtenu une moyenne cumulative d'au moins 3,0 / 4,3.
UQAC : DEC ou l'équivalent et Mathématiques NYA, NYB; Chimie NYA, NYB et Chimie organique I; Physique NYA, NYB, NYC; Biologie NYA et Biologie générale II.

Endroits de formation (voir p. 390)

	Contingentement	Coop	Cote R*
Concordia	■	☐	25.000
Laval	■	☐	30.500
McGill	■	☐	30.300
Montréal	■	☐	32.376
Sherbrooke	■	☐	32.600
UQAC**	■	☐	29.970

** Le nombre inscrit indique la **Cote R** qui a été utilisée pour l'**admission de l'année 2012 ou 2013** par l'université concernée.*
**Programme de l'Université McGill offert en extension.

Professions reliées

C.N.P.
3142　Physiothérapeute
3142　Thérapeute sportif

SCIENCES DE LA SANTÉ

15121 **Physiothérapie / Réadaptation occupationnelle / Réadaptation physique / Sciences (réadaptation) / Exercise Science / Physical Therapy**

SUITE

Endroits de travail

– À son compte
– Centres d'accueil
– Centres d'hébergement et de soins de longue durée (CHSLD)
– Centres de réadaptation
– Centres de services sociaux et de santé
– Centres hospitaliers
– Cliniques médicales
– Clubs sportifs
– Établissements d'enseignement

Salaire

Le salaire hebdomadaire moyen est de 837 $ (janvier 2011).

Remarques

– Pour porter le titre de physiothérapeute, il faut être membre de l'Ordre professionnel de la physiothérapie du Québec.
– L'Université de Sherbrooke offre le baccalauréat-maîtrise intégré.
– L'Université Laval : tout candidat déposant une demande d'admission au programme de baccalauréat en Physiothérapie de 107 crédits sera affecté au nouveau continuum de formation baccalauréat-maîtrise de 144 crédits.

SCIENCES DE LA SANTÉ

STATISTIQUES D'EMPLOI	2007	2009	2011
Nb de personnes diplômées	159	166	119
% en emploi	89,2 %	91,9 %	82,9 %
% à temps plein	93,9 %	95,6 %	95,2 %
% lié à la formation	100 %	100 %	98,3 %

Compétences à acquérir

– Assurer la surveillance, les soins et les services de consultation nécessaires aux femmes pendant la grossesse, l'accouchement et le post-partum.
– Prescrire et effectuer tous les tests et les examens nécessaires durant le cycle de la maternité et en interpréter les résultats.
– Reconnaître et diagnostiquer toute condition anormale, suggérer un traitement approprié et, s'il y a lieu, faire les références nécessaires.
– Prescrire et administrer des médicaments autorisés et les autres produits ou accessoires thérapeutiques, pour la mère et le nouveau-né, à l'intérieur du cycle de la maternité.
– Effectuer des accouchements.
– Surveiller l'état du nouveau-né, effectuer un examen physique complet et prendre les décisions et les initiatives nécessaires au besoin.
– Surveiller l'état de la mère pendant la période postnatale, soutenir l'allaitement et accompagner les parents dans cette expérience de vie.
– Informer et conseiller en matière de planification familiale.
– Communiquer de façon efficace et collaborer avec ses collègues et les intervenants de la santé et du milieu communautaire, en respectant les intérêts de la femme et de son bébé.

Éléments du programme

– Anatomie gynéco-obstétricale
– Droit, éthique et déontologie pour les sages-femmes
– Internat en pratique pour les sages-femmes
– Maïeutique
– Pathologies obstétricales et néonatales
– Physiologie de la reproduction
– Physiologie humaine
– Sciences biomédicales pour sages-femmes
– Stages

Admission (voir p. 21 G)

DEC ou l'équivalent ou DEC technique ou l'équivalent **ET** Chimie NYB, NYC (00UM, 00XV); Biologie NYA, NYB (00UK, 00XU).
ET
Entrevue, questionnaire de sélection sous surveillance et présentation d'une lettre attestant une implication communautaire de 50 heures, à titre de bénévole ou de travail rémunéré en lien avec la périnatalité, soit dans le réseau de la santé et des services sociaux ou dans les organismes communautaires.

Endroit de formation (voir p. 310)

	Contingentement	Coop	Cote R
UQTR	■	☐	—

Profession reliée

C.N.P.
3232   Sage-femme

Endroits de travail

– À son compte
– Cabinets de sages-femmes
– Centres locaux de services communautaires (CLSC)
– Maisons de naissance

Salaire

Le salaire hebdomadaire moyen est de 900 $ (janvier 2011).

Remarque

Pour porter le titre de sage-femme, il faut être membre de l'Ordre des sages-femmes du Québec.

STATISTIQUES D'EMPLOI			
	2007	**2009**	**2011**
Nb de personnes diplômées	7	7	18
% en emploi	100 %	100 %	86,7 %
% à temps plein	66,7 %	50 %	69,2 %
% lié à la formation	100 %	100 %	88,9 %

BAC 6-10 TRIMESTRES   CUISEP 353-330

Compétences à acquérir

– Identifier les besoins en santé des personnes.
– Participer aux méthodes de diagnostic.
– Prodiguer et contrôler les soins infirmiers.
– Prodiguer des soins selon une ordonnance médicale.
– Favoriser la promotion de la santé, la prévention de la maladie, le recouvrement et la réadaptation.
– Encourager la prise en charge de la santé sur les plans individuel, familial et communautaire.
– Aider les personnes à utiliser les ressources de l'environnement en matière de promotion de la santé.

Éléments du programme

– Fondements en sciences biomédicales
– Gestion des environnements de soins
– Méthodes d'évaluation de la santé
– Méthodologie et pratique des soins infirmiers
– Principes de base en développement, famille, apprentissage et collaboration

Admission (voir p. 21 G)

Laval : DEC en sciences de la nature et Chimie 202 (00XV); Biologie 401 ou 921 (00XU) **OU** DEC ou l'équivalent et Méthodes quantitatives en sciences humaines 360-300 (ou Mathématiques NYA ou 103-77 ou 103-RE ou 00UN ou 022X); Physique NYA ou 101 (00UR); Chimie NYA, NYB (101, 201) et 202 (00UL, 00UM, 00XV); Biologie 921 (NYA ou 301 ou 401) (00UK ou 00XU).

McGill : DEC en Sciences de la nature ou l'équivalent et Mathématiques NYA, NYB (00UN, 00UP ou 01Y1, 01Y2); Physique NYA, NYB, NYC (00UR, 00US, 00UT ou 01Y7, 01YF, 01YG); Chimie NYA, NYB, Chimie organique I (00UL, 00UM, 00XV ou 01Y6, 01YH); Biologie NYA, Biologie générale II (00UK, 00XU ou 01Y5).

Montréal : DEC en Sciences de la nature et avoir atteint les objectifs suivants : Chimie 00XV; Biologie 00XV **OU** DEC technique en Soins infirmiers ou l'équivalent, détenir le droit de pratique de la profession et possibilité d'entrevue et d'examen médical **OU** DEC ou l'équivalent et Mathématiques 103, 203; Physique 101, 201, 301; Chimie 101, 201, 202; Biologie 301, 401 ou deux cours de biologie humaine **OU** avoir réussi 48 crédits de cours universitaires autres que des crédits obtenus dans le cadre de cours préparatoires aux études universitaires **ET** entrevue, certificat médical.

Sherbrooke : DEC technique en Soins infirmiers (180.A0 ou 180.B0) et être inscrit au tableau de l'Ordre des infirmières et des infirmiers du Québec. Les candidats en attente de permis peuvent être autorisés à s'inscrire à des cours ne comportant pas d'exercice infirmier.

UQAC : Formation initiale : DEC en Sciences de la nature **OU** tout autre DEC et Mathématiques NYA ou l'équivalent; Biologie NYA ou l'équivalent **ET** entrevue. **Cheminement infirmière en exercice – volet intégré :** DEC technique en Soins infirmiers obtenu au cours des trois dernières années **ET** détenir une immatriculation de l'OIIQ valide à titre d'étudiante infirmière et en fournir la preuve ou être autorisé à exercer la profession d'infirmière au Québec et en fournir la preuve. **Cheminement infirmière en exercice – volet perfectionnement :** DEC technique en Soins infirmiers obtenu depuis plus de 3 ans (émis avant février 2004) **OU** diplôme d'infirmier d'une école d'hôpital **ET** être autorisé à exercer la profession et en fournir la preuve. *N. B. : Une connaissance suffisante de l'anglais est souhaitable pour chacun des trois cheminements.*

UQAR : DEC technique en Soins infirmiers.

UQAT : **Cheminement de formation continue (6 trimestres) :** DEC technique en Soins infirmiers ou l'équivalent **OU** détenir un diplôme d'infirmier d'une école d'hôpital et être autorisé à exercer la profession et en faire la preuve. **Cheminement de formation initiale (DEC-BAC) (4 trimestres) :** DEC technique en Soins infirmiers (180.A0 ou 180.B0).

UQO : **Cheminement de formation continue (8 trimestres) :** DEC technique en Soins infirmiers ou un diplôme d'une école d'hôpital ou l'équivalent **ET** être autorisé à exercer la profession et en fournir la preuve. **Cheminement de formation initiale (10 trimestres) :** DEC en Sciences de la nature ou en Sciences humaines **OU** DEC technique en Soins infirmiers ou l'équivalent **ET** se soumettre à une entrevue au besoin. **Cheminement de formation initiale (DEC-BAC) (6 trimestres) :** DEC technique en Soins infirmiers (180.A0 ou 180.B0) **ET** être autorisé à exercer la profession et en fournir la preuve.

UQTR : **Cheminement formation initiale :** DEC en Sciences de la nature ou en Sciences humaines **OU** DEC technique et Mathématiques 360-300 ou 201-103 (ou 022P ou 022X); Chimie NYA (00UL); Biologie humaine 022V **OU** DEC technique en Soins infirmiers ou l'équivalent et détenir le droit de pratique de la profession (pour la formation continue ou le perfectionnement). *N. B. : Le volet universitaire du DEC-BAC est réservé aux étudiants titulaires du DEC en soins infirmiers 180.A0. L'étudiant doit déposer sa demande d'admission pour la session d'automne dans un intervalle n'excédant pas une période de trois ans suivant la fin de son DEC. Au-delà de cette période, il devra présenter sa demande au programme 7855. L'admission est en fonction de la capacité d'accueil ainsi que de celle des différents milieux de stages nécessaires à l'atteinte des compétences.*

SCIENCES DE LA SANTÉ

Endroits de formation (voir p. 390)

	Contingentement	Coop	Cote R*
Laval**	■	☐	24.431
McGill	■	☐	26.000
Montréal	☐	☐	25.000
Sherbrooke	■	☐	23.400 à 27.300
UQAC***	■	☐	22.880 et 25.140
UQAR	☐	☐	—
UQAT	☐	☐	—
UQO**	■	☐	23.000
UQTR**	■	☐	27.660

** Le nombre inscrit indique la **Cote R** qui a été utilisée pour l'**admission de l'année 2012 ou 2013** par l'université concernée.*

** Contingentement pour la formation initiale seulement.

*** Contingentement pour les cheminements Formation initiale et Infirmière en exercice – volet intégré.

Professions reliées

C.N.P.

0311	Directeur de département de soins hospitaliers
0311	Directeur des soins infirmiers
3152	Infirmier
3152	Infirmier en chirurgie
3152	Infirmier en santé au travail
3152	Infirmier psychiatrique
3152	Infirmier scolaire
3151	Infirmier-chef

Endroits de travail

– Centres hospitaliers
– Centres locaux de services communautaires (CLSC)

Salaire

Le salaire hebdomadaire moyen est de 1 080 $ (janvier 2011).

Remarques

– Pour exercer la profession et porter le titre d'infirmier, il faut être membre de l'Ordre des infirmières et infirmiers du Québec.

– Des études de 2e cycle sont nécessaires pour exercer la profession de directeur des soins infirmiers.

– L'Université de Montréal offre des mineures : Pratique infirmière 1; Pratique infirmière 2; Profession santé.

– L'Université du Québec à Chicoutimi (UQAC) offre un certificat en Santé mentale et un certificat en Santé communautaire.

– L'Université du Québec à Rimouski (UQAR) offre le baccalauréat de perfectionnement; le cheminement intégré DEC-BAC; un certificat en Soins infirmiers communautaires; un certificat en Soins critiques; divers programmes courts reliés.

– L'Université du Québec en Abitibi-Témiscamingue (UQAT) offre des certificats en Inhalothérapie: Anesthésie et soins critiques; Réadaptation motrice et sensorielle; Santé et sécurité au travail; Soins infirmiers cliniques; Soins infirmiers communautaires. Cet établissement offre également plusieurs microprogrammes en soins infirmiers. Plusieurs de ces cours peuvent être suivis à distance.

– L'Université du Québec en Outaouais (UQO) offre un certificat en Soins infirmiers. Le cheminement DEC-BAC est également offert au Campus de Saint-Jérôme.

– L'Université du Québec à Trois-Rivières (UQTR) offre trois certificats en Soins infirmiers et un nouveau certificat de pratique infirmière de première instance en chirurgie.

SCIENCES DE LA SANTÉ

STATISTIQUES D'EMPLOI	2007	2009	2011
Nb de personnes diplômées	894	1 336	1 166
% en emploi	91,2 %	92,3 %	91,3 %
% à temps plein	85,6 %	84,7 %	89,5 %
% lié à la formation	97,5 %	96,3 %	95,3 %

Discipline   PAGE

Sciences humaines et sciences sociales **201**

SCIENCES HUMAINES ET SCIENCES SOCIALES

PROGRAMMES D'ÉTUDES	PAGE

Affaires publiques et relations internationales **196**

African Studies **197**

Agroéconomie. **198**

Aménagement du territoire et développement durable / Études environnementales et géographie / Géographie / Géographie environnementale / Géographie et aménagement / Géographie et aménagement durable / Géomatique appliquée à l'environnement / Environmental Geography **199**

Animation et recherche culturelles **200**

Animation spirituelle et engagement communautaire / Études bibliques / Théologie / Théologie – grade canonique / Religious Studies / Theological Studies / Theology **201**

Anthropologie / Anthropologie et ethnologie / Archéologie / Ethnologie / Ethnologie et patrimoine / Anthropology / Anthropology and Sociology **202**

Communication / Communication et journalisme / Communication (journalisme) / Communication (médias numériques) / Communication publique / Communication, rédaction et multimédia / Sciences de la communication / Broadcast Journalism / Communication and Journalism / Communication Studies / Journalism. **203**

Communication (cinéma) **205**

Communication (médias interactifs) / Création numérique **206**

Communication (relations humaines) **207**

Communication (relations humaines) / Communication sociale / Relations humaines / Sciences sociales et humanités / Human Relations / Humanistic Studies / Humanities / Science and Human Affairs **208**

Communication (relations publiques) **209**

Communication (stratégies de productions culturelles et médiatiques) **210**

Communication (télévision) **211**

Communication et politique / Communication, politique et société **212**

Criminologie **213**

Démographie et anthropologie **214**

Démographie et géographie **215**

Démographie et statistiques **216**

Développement de carrière / Orientation **217**

Développement social / Sociologie / Sociology **218**

Économie / Économique / Sciences économiques / Economics **219**

Économie et politique / International Political Economy / Political Economy **221**

Études est-asiatiques / East Asian Studies **222**

Études politiques appliquées / Science politique / Political Science / Political Studies. **223**

Études religieuses / Religion / Sciences des religions / Sciences des religions appliquées / Sciences religieuses / Religious Studies **224**

Histoire / Histoire, culture et société / Interventions culturelles / History **225**

Intervention plein air **226**

Jewish Studies / Judaic Studies. **227**

Loisir, culture et tourisme / Leisure Sciences / Therapeutic Recreation **228**

Neuroscience / Psychologie / Behavioral Neuroscience / Psychology **229**

Philosophie / Philosophy. **231**

Psychoéducation **232**

Sciences de la consommation **233**

Sciences historiques et études patrimoniales **234**

Sciences sociales / Social Sciences **235**

Sécurité et études policières **236**

Sécurité publique **237**

Service social / Travail social / Human Relations / Social Work **238**

Sexologie **240**

Sport Studies. **241**

BAC 6 TRIMESTRES   CUISEP 632-000

Compétences à acquérir

– Acquérir et intégrer des connaissances générales et scientifiques en affaires publiques et relations internationales sous l'angle du droit, de l'économique et de la science politique.
– Acquérir des connaissances du fonctionnement des principales institutions économiques, juridiques et politiques tant sur le plan national qu'international.
– Acquérir des méthodes et des outils de travail pour recueillir, analyser et traiter l'information.
– Développer ses capacités de synthèse, d'analyse et de critique.
– Acquérir un niveau avancé en anglais et une compétence minimale dans une autre langue étrangère.

Éléments du programme

– Droit constitutionnel
– Droit international public général
– Environnement économique international
– Institutions internationales
– Introduction à l'administration publique
– Introduction aux relations internationales
– Méthode et fondements du droit
– Principes de macroéconomie
– Principes de microéconomie
– Projets d'intégration
– Régimes politiques et sociétés dans le monde

Admission (voir p. 21 G)

DEC ou l'équivalent. *N. B.: L'étudiant dont la langue d'études au primaire et au secondaire n'est pas le français doit, pour être admissible, faire la preuve d'un niveau minimal de connaissance de la langue française par un résultat d'au moins 860 sur 990 au Test de français international (TFI). Ce test doit avoir été passé au cours de l'année précédant le dépôt de la demande d'admission, un document officiel attestant du résultat obtenu. À son arrivée à l'Université Laval, l'étudiant ayant obtenu un résultat de 860 ou plus au TFI est invité à passer un test de français écrit. Selon le résultat obtenu à ce test, l'étudiant peut devoir s'inscrire au cours FRN-3003 Français avancé: grammaire et rédaction II.*

Endroit de formation (voir p. 310)

	Contingentement	Coop	Cote R*
Laval	■	☐	28.041

** Le nombre inscrit indique la **Cote R** qui a été utilisée pour l'**admission de l'année 2012 ou 2013** par l'université concernée.*

Professions reliées

C.N.P.
1221   Agent d'administration
4163   Agent de développement économique
4164   Agent de développement international
4168   Agent du service extérieur diplomatique
4168   Attaché politique
5123   Journaliste
4169   Politicologue
4212   Technicien en réadaptation sociale

Endroits de travail

– Entreprises multinationales
– Firmes d'experts-conseils
– Gouvernements fédéral et provincial
– Médias
– Organismes internationaux
– Partis politiques

Salaire

Le salaire hebdomadaire moyen est de 769$ (janvier 2011).

Remarques

– Concentrations possibles: Affaires publiques et management; Diplomatie, paix et sécurité; Gouvernance économique internationale; Politiques publiques et environnement. Le programme est aussi offert sans concentration.
– Profil international. Ce programme offre, dans le cadre de ce profil, un certain nombre de places aux étudiants désireux de poursuivre une ou deux sessions d'études dans une université située à l'extérieur du Québec.

STATISTIQUES D'EMPLOI			
	2007	**2009**	**2011**
Nb de personnes diplômées	764	852	902
% en emploi	43,5 %	42,7 %	45,7 %
% à temps plein	88,5 %	88,5 %	87,3 %
% lié à la formation	36,7 %	31 %	34,8 %

SCIENCES HUMAINES

African Studies

BAC 6 TRIMESTRES

CUISEP 615/627-000

Compétence à acquérir

Connaître la langue, l'histoire et la culture africaines.

Éléments du programme

– Histoire
– Organisation sociale

Admission (voir p. 21 G)

DEC ou l'équivalent.

Endroit de formation (voir p. 310)

	Contingentement	Coop	Cote R
McGill	☐	☐	—

Profession reliée

C.N.P.
5125   Traducteur

Endroits de travail

– Gouvernements fédéral et provincial
– Organismes internationaux

Salaire

Le salaire hebdomadaire moyen est de 803 $ (janvier 2009).

STATISTIQUES D'EMPLOI	2007	2009	2011
Nb de personnes diplômées	54	61	—
% en emploi	45,5 %	48,5 %	—
% à temps plein	73,3 %	93,8 %	—
% lié à la formation	9,1 %	26,7 %	—

SCIENCES HUMAINES

15472 Agroéconomie

BAC 8 TRIMESTRES + 2 SESSIONS DE STAGES

CUISEP 311-100

Compétences à acquérir

– Contribuer au développement de l'économie agroalimentaire et du milieu rural.
– Trouver des solutions aux problèmes vécus dans ces domaines d'activités.
– Conseiller des exploitants agricoles dans le domaine de la gestion et du financement.
– Analyser des politiques et des marchés agroalimentaires.
– Assurer la gestion d'entreprises agroalimentaires.
– Participer au développement international.

Éléments du programme

– Financement agricole
– Gestion agricole
– Macroéconomique
– Méthodes statistiques
– Politiques agricoles
– Sciences des plantes et du sol

Admission (voir p. 21 G)

Laval : DEC en Sciences de la nature **OU** DEC et Mathématiques NYA, NYB (ou 103-RE, 203-RE); Chimie NYA (ou 101); Biologie NYA (ou 301). *N. B.: Pour connaître les passerelles entre un DEC technique et ce programme, contacter la Faculté des sciences de l'agriculture et de l'alimentation.*
McGill : DEC en Sciences de la nature et Mathématiques 103-RE et 203-RE **OU** DEC ou l'équivalent et Mathématiques 103-RE et 203-RE; suivre un cours de Physique 00UR; un cours de Chimie 00UL et un cours de Biologie.

Endroits de formation (voir p. 390)

	Contingentement	Coop	Cote R*
Laval	☐	☐	—
McGill	☐	☐	24.000

** Le nombre inscrit indique la **Cote R** qui a été utilisée pour l'**admission de l'année 2012** par l'université concernée.*

Professions reliées

C.N.P.
4162	Agroéconomiste
4163	Analyste des marchés
1232	Conseiller en financement agricole
6411	Courtier en denrées alimentaires
0412	Directeur des ventes à l'exportation
4162	Économiste en développement international

Endroits de travail

– Coopératives agricoles
– Entreprises d'exportation
– Gouvernements fédéral et provincial
– Régie de l'assurance agricole du Québec

Salaire

Le salaire hebdomadaire moyen est de 885 $ (janvier 2011).

Remarques

– L'Université Laval offre un microprogramme en Agroéconomie – distribution alimentaire.
– L'Université McGill offre une majeure et une mineure en Agricultural economics au Macdonald Campus.

STATISTIQUES D'EMPLOI			
	2007	2009	2011
Nb de personnes diplômées	—	—	20
% en emploi	—	—	85,7 %
% à temps plein	—	—	91,7 %
% lié à la formation	—	—	90,9 %

SCIENCES HUMAINES

Aménagement du territoire et développement durable / Études environnementales et géographie / Géographie / Géographie environnementale / Géographie et aménagement / Géographie et aménagement durable / Géomatique appliquée à l'environnement / Environmental Geography

BAC 6-7 TRIMESTRES   CUISEP 626-000

Compétences à acquérir

– Évaluer l'impact de grands projets sur l'environnement naturel et humain.
– Étudier les caractéristiques des diverses régions de la Terre et de ses habitants (la répartition des populations, etc.).
– Observer, rassembler, mesurer et analyser des données et les représenter sur des cartes (caractéristiques politiques, culturelles, socio-économiques, etc.).

Éléments du programme

– Analyse de cartes et de photographies aériennes
– Design cartographique
– Écologie générale
– Études de la population
– Géographie humaine et physique
– Géographie internationale
– Géographie sociale
– Géomorphologie
– Intervention territoriale
– Systèmes d'information géographique
– Télédétection avancée

Admission (voir p. 21 G)

DEC ou l'équivalent.
OU
Concordia : DEC ou l'équivalent et Mathématiques 103, 203 (ou 201-NYA, 201-NYB); Physique 101, 201, 301 (ou 203-NYA, 203-NYB, 203-NYC); Chimie 101, 201 (ou 202-NYA, 202-NYB); Biologie 301 (ou 101-NYA).
Laval : DEC en Sciences de la nature, en Sciences humaines ou en Sciences informatiques et mathématiques **OU** tout autre DEC et Méthodes quantitatives en sciences humaines 360-300.
McGill : DEC en Sciences de la nature ou en Sciences humaines.
Montréal : DEC ou l'équivalent **OU** avoir réussi 24 crédits de cours universitaires autres que des crédits obtenus dans le cadre de cours préparatoires aux études universitaires.
Sherbrooke : DEC en Sciences de la nature ou l'équivalent **OU** DEC technique en Technologie de la géomatique, spécialisations en *Cartographie* (230.AA) ou en *Géodésie* (230.AB) **OU** DEC ou l'équivalent et Mathématiques NYA (ou 103 ou 00UN, 022X ou 01Y1) et s'engager à suivre toutes les activités de mise à niveau déterminées par le département et offertes en même temps que le programme régulier dès la première session.
UQTR : DEC en Sciences humaines **OU** tout autre DEC ou l'équivalent.

Endroits de formation (voir p. 390)

	Contingentement	Coop	Cote R*
Bishop's	☐	☐	—
Concordia	☐	☐	—
Laval	☐	☐	—
McGill	☐	☐	—
Montréal	☐	☐	—
Sherbrooke	■	■	20.400
UQAC	☐	☐	—
UQAM	☐	☐	—
UQAR	☐	☐	—
UQTR	☐	☐	—

** Le nombre inscrit indique la **Cote R** qui a été utilisée pour l'**admission de l'année 2012 ou 2013** par l'université concernée.*

Professions reliées

C.N.P.
2154   Cartographe-hydrographe
2154   Cartographe-urbaniste
4169   Géographe (géographie humaine)
2154   Géomaticien
4169   Spécialiste en information géographique

Endroits de travail

– Bureaux d'ingénieurs-conseils
– Établissements d'enseignement
– Firmes d'urbanisme
– Gouvernements fédéral et provincial
– Organismes internationaux

Salaire

Le salaire hebdomadaire moyen est de 788 $ (janvier 2011).

Remarques

– Différentes options sont offertes selon les établissements : Biologie; Économique; Environnement atmosphérique; Information géographique; Sociologie, Tourisme; etc.
– Des études de 2e ou 3e cycle peuvent être exigées pour travailler dans le domaine de la recherche scientifique.
– L'Université de Montréal offre une majeure et une mineure en Géographie.
– L'Université de Sherbrooke offre le baccalauréat en Géomatique appliquée à l'environnement.
– L'Université du Québec à Chicoutimi (UQAC) offre le baccalauréat en Géographie et aménagement durable, ainsi qu'un certificat et une mineure en Géographie.
– L'Université du Québec à Montréal (UQAM) offre deux concentrations : Analyse et planification territoriale; Développement international. Cet établissement offre également une majeure en Géographie et un certificat en Géographie internationale.
– L'Université du Québec à Rimouski (UQAR) offre cinq concentrations : Aménagement du territoire et développement durable; Biogéochimie environnementale; Écogéographie; Environnement marin; Environnement, géomorphologie et risques naturels.
– L'Université Laval offre un certificat en Géographie.

STATISTIQUES D'EMPLOI			
	2007	**2009**	**2011**
Nb de personnes diplômées	208	204	238
% en emploi	43,1 %	48,2 %	39,9 %
% à temps plein	89,8 %	92,4 %	86,2 %
% lié à la formation	49,1 %	45,9 %	55,4 %

SCIENCES HUMAINES

BAC 6 TRIMESTRES   CUISEP 571-000

Compétences à acquérir

– Analyser et comprendre les phénomènes d'action culturelle dans les sociétés modernes.
– Étudier les rapports entre l'animation culturelle, les réali-
  tés, les phénomènes culturels actuels (milieu des arts,
  organismes culturels, industries culturelles, loisirs, etc.).
– Connaître les diverses approches théoriques de la réalité
  sociale.
– Connaître et appliquer les techniques d'animation et de
  créativité, les techniques d'enquête et de recherche et les
  outils culturels visant le développement du potentiel créateur des groupes.

Éléments du programme

– Analyse critique de la société
– Analyse culturelle des mouvements sociaux
– Animation culturelle et créativité
– Éléments de gestion et d'organisation culturelles
– Méthodes d'enquête
– Stages
– Techniques d'animation et d'intervention
– Théories et pratiques culturelles

Admission (voir p. 21 G)

DEC ou l'équivalent.

Endroit de formation (voir p. 310)

	Contingentement	Coop	Cote R
UQAM	☐	☐	—

Professions reliées

C.N.P.
4164 Agent de développement culturel
4212 Animateur de vie étudiante
1226 Coordonnateur de programmes de loisirs culturels
      et socioculturels
4212 Génagogue
5254 Moniteur d'activités culturelles

Endroits de travail

– À son compte
– Centres d'accueil
– Centres locaux de services communautaires (CLSC)
– Entreprises culturelles
– Établissements d'enseignement
– Gouvernements fédéral et provincial
– Municipalités

Salaire

Le salaire hebdomadaire moyen est de 707 $ (janvier
2011).

Remarque

L'Université du Québec à Montréal (UQAM) est la seule
université en Amérique du Nord à offrir ce programme.

STATISTIQUES D'EMPLOI	2007	2009	2011
Nb de personnes diplômées	359	397	442
% en emploi	71,1 %	78,1 %	71,9 %
% à temps plein	85,3 %	91,5 %	86,4 %
% lié à la formation	59,4 %	69,9 %	72,3 %

SCIENCES HUMAINES

Animation spirituelle et engagement communautaire / Études bibliques / Théologie / Théologie – grade canonique / Religious Studies / Theological Studies / Theology

BAC 6 TRIMESTRES   CUISEP 618-000

Compétences à acquérir

– Organiser, surveiller, mettre en œuvre des programmes d'enseignement religieux, des activités de cheminement et d'approfondissement de la foi.
– Préparer, diriger les offices du culte.
– Animer des groupes de pastorale ou d'enseignement religieux et moral.
– Comprendre les structures et les fonctions des symboles religieux et des phénomènes humains liés au sacré.
– Comprendre la quête de sens exprimée dans divers secteurs de l'activité humaine.
– Connaître l'histoire, les croyances, les valeurs et les significations liées aux traditions religieuses.

Éléments du programme

– Dimension religieuse de l'être humain
– Éthique
– Études de textes bibliques
– Fondements de l'agir moral
– Histoire
– Intervention dans les groupes
– Religion et société
– Valeurs et croyances

Admission (voir p. 21 G)

Concordia, Laval, McGill : DEC ou l'équivalent.
OU
Montréal : DEC ou l'équivalent **OU** avoir réussi 12 crédits de cours universitaires autres que des crédits obtenus dans le cadre de cours préparatoires aux études universitaires.
Sherbrooke : DEC ou l'équivalent **OU** Cheminement avec mineures en Études anglaises ou en Traduction : DEC ou l'équivalent pour les personnes provenant d'un collège de langue anglaise **OU** avoir atteint, en anglais langue seconde, la formation équivalent à un cours de niveau avancé (0008, 000N, 000P, 01P4) pour les personnes provenant d'un collège de langue française.

Endroits de formation (voir p. 390)

	Contingentement	Coop	Cote R
Concordia	☐	☐	—
Laval	☐	☐	—
McGill	☐	☐	—
Montréal	☐	☐	—
Sherbrooke	☐	☐	—

Professions reliées

C.N.P.
4217   Animateur de pastorale
4217   Animateur de vie spirituelle et d'engagement communautaire
4154   Aumônier
4154   Ministre du culte
4217   Organisateur de l'instruction religieuse
4141   Professeur en enseignement moral et religieux
4121   Théologien

Endroits de travail

– Centres de relation d'aide
– Centres hospitaliers
– Écoles primaires
– Médias
– Organismes diocésains
– Prisons

Salaire

Le salaire hebdomadaire moyen est de 754 $ (janvier 2011).

Remarques

– Pour enseigner au secondaire, il faut être titulaire d'un permis ou d'un brevet d'enseignement permanent émis par le ministère de l'Éducation, du Loisir et du Sport.
– Une majeure ou une mineure en Enseignement doit être intégrée au baccalauréat en Théologie pour être professeur.
– Une formation supplémentaire dispensée par les Grands Séminaires de Montréal et de Québec est requise pour être prêtre au sein des églises catholiques.
– L'Université Concordia offre une mineure en Theological Studies.
– L'Université de Montréal offre une majeure et une mineure en Théologie; une majeure en Science des religions appliquées; une majeure et une mineure en Sciences religieuses ainsi qu'un certificat en Science des religions.
– L'Université du Québec à Chicoutimi (UQAC) offre un programme court en Intervention rituelle et symbolique.
– L'Université Laval offre un certificat en Études bibliques, un certificat en Études pastorales, un certificat en Philosophie préparatoire aux études théologiques ainsi qu'un certificat en Théologie. Cet établissement offre également le baccalauréat en Théologie – grade canonique axé sur une pratique philosophique des études théologiques selon les normes canoniques définies par le Saint-Siège.

SCIENCES HUMAINES

STATISTIQUES D'EMPLOI			
	2007	**2009**	**2011**
Nb de personnes diplômées	121	107	99
% en emploi	45,7 %	36,8 %	52,5 %
% à temps plein	68,8 %	66,7 %	71,9 %
% lié à la formation	45,5 %	50 %	52,2 %

Anthropologie / Anthropologie et ethnologie / Archéologie / Ethnologie / Ethnologie et patrimoine / Anthropology / Anthropology and Sociology

BAC 6 TRIMESTRES   CUISEP 622-000

Compétences à acquérir

– Acquérir des connaissances et des compétences liées aux phénomènes socioculturels (politique, religion, économie), aux phénomènes biologiques (évolution, langage, etc.) ou à l'étude des civilisations et des sociétés disparues ou actuelles.
– Développer des habiletés et des intérêts pour la recherche.
– Démontrer une ouverture au regard des autres disciplines en sciences sociales.
– Connaître et utiliser les diverses technologies de l'information liées à l'anthropologie.

Éléments du programme

– Anglais
– Culture
– Communication
– Géographie
– Histoire
– Méthodes d'analyse
– Muséologie
– Techniques d'enquête

Admission (voir p. 21 G)

Concordia, McGill: DEC ou l'équivalent **OU** DEC en Sciences humaines.
Laval, UQAC: DEC ou l'équivalent. *N. B.: Les admissions sont suspendues depuis l'automne 2009 pour le Bac intégré en anthropologie-ethnologie.*
Montréal: DEC ou l'équivalent **OU** avoir réussi 24 crédits de niveau universitaire autres que des crédits obtenus dans le cadre de cours préparatoires aux études universitaires.

Endroits de formation (voir p. 390)

	Contingentement	Coop	Cote R*
Concordia	☐	☐	19.000
Laval	☐	☐	—
McGill	☐	☐	—
Montréal	☐	☐	—
UQAC	☐	☐	—

* Le nombre inscrit indique la **Cote R** qui a été utilisée pour l'**admission de l'année 2012 ou 2013** par l'université concernée.

Professions reliées

C.N.P.
4169   Anthropologue
4169   Archéologue
4169   Ethnolinguiste
4169   Ethnologue

Endroits de travail

– Établissements d'enseignement universitaire
– Gouvernements fédéral et provincial
– Musées

Salaire

Le salaire hebdomadaire moyen est de 672 $ (janvier 2011).

Remarques

– Chacune des universités offre une ou plusieurs spécialités.
– L'Université de Montréal offre une majeure et une mineure en Anthropologie.
– L'Université du Québec à Chicoutimi (UQAC) offre un baccalauréat avec majeure en Sociologie et anthropologie, une combinaison unique pour une université québécoise francophone, ainsi qu'un certificat et une mineure en Archéologie.
– L'Université Laval offre un baccalauréat en Anthropologie, un baccalauréat en Archéologie ainsi qu'un baccalauréat en Ethnologie et patrimoine. Quatre concentrations sont offertes dans le cadre du baccalauréat en Ethnologie et patrimoine: Francophonie nord-américaine; Langue et littérature; Migrations et relations interculturelles; Muséologie et communication culturelle. Cet établissement offre également des certificats en Anthropologie sociale et culturelle, Archéologique, Diversité culturelle, Ethnologie et en Études autochtones.

STATISTIQUES D'EMPLOI			
	2007	**2009**	**2011**
Nb de personnes diplômées	187	171	148
% en emploi	34,2 %	46,5 %	32,2 %
% à temps plein	79,5 %	76,1 %	86,2 %
% lié à la formation	29 %	17,1 %	24 %

SCIENCES HUMAINES

15410 Communication / Communication et journalisme / Communication (journalisme) / Communication (médias numériques / Communication publique / Communication, rédaction et multimédia / Sciences de la communication / Broadcast Journalism / Communication and Journalism / Communication Studies / Journalism

BAC 6 TRIMESTRES CUISEP 511-000

Compétences à acquérir

– Participer à l'analyse des besoins en communication d'une organisation.
– Élaborer des stratégies et des techniques d'analyse et de rédaction.
– Analyser l'impact psychosocial des technologies de communication sur les plans organisationnel et social.
– Connaître et utiliser les nouvelles technologies de l'information.
– Approfondir ses connaissances dans un domaine particulier, de même que sa culture générale.

Éléments du programme

– Communications organisationnelles
– Connaissance des médias
– Création publicitaire
– Dossiers d'actualité
– Histoire des communications
– Initiation à la presse audiovisuelle
– Méthodes des médias
– Multimédia interactif
– Plans de communication
– Productions cinématographiques
– Productions télévisuelles
– Rédaction journalistique
– Stages
– Techniques de relations publiques

Admission (voir p. 21 G)

Concordia : DEC ou l'équivalent et entrevues/auditions, lettre de motivation, portfolio, deux lettres de recommandation **ET** pour **Journalisme :** tests de classement et d'aptitude linguistique en anglais.
Laval : DEC en Sciences humaines ou en Sciences de la nature **OU** DEC ou l'équivalent et Mathématiques 360-300 (337 ou NYA et 307 ou 103 et 307).
Montréal : DEC ou l'équivalent **OU** avoir réussi 24 crédits de cours universitaires autres que des crédits obtenus dans le cadre de cours préparatoires aux études universitaires.
Sherbrooke : DEC ou l'équivalent.
TÉLUQ : DEC ou l'équivalent et test de français.
UQAM : DEC ou l'équivalent, test de français, excellence du dossier, questionnaire et entrevue.
UQO : DEC en Sciences humaines **OU** DEC ou l'équivalent **OU** DEC technique ou l'équivalent.

Endroits de formation (voir p. 390)

	Contingentement	Coop	Cote R*
Concordia	■	☐	20.000 et 25.000
Laval	■	☐	23.510
Montréal	■	☐	25.036
Sherbrooke	■	■	25.210
TÉLUQ	☐	☐	—
UQAM	■	☐	26.500
UQO	☐	☐	—

** Le nombre inscrit indique la **Cote R** qui a été utilisée pour l'admission de l'année 2011 ou 2012 par l'université concernée.*

Professions reliées

C.N.P.
5124	Agent d'information
5123	Analyste de contenu multimédia
5231	Animateur (radio, télévision)
5124	Attaché de presse
5122	Chef de pupitre
5123	Chef du service des nouvelles
5123	Chroniqueur
5123	Chroniqueur touristique
5231	Commentateur sportif
5121	Concepteur scénariste en multimédia
2171	Conseiller en communication électronique
5123	Critique
5123	Critique littéraire
5123	Cyberjournaliste
0611	Directeur de la publicité
5121	Écrivain
5123	Éditorialiste
5124	Imprésario
5123	Journaliste (presse écrite)
5123	Journaliste (presse parlée)
5123	Journaliste sportif
5231	Lecteur de nouvelles
5124	Officier des affaires publiques
5131	Producteur (cinéma, radio, télévision, théâtre)
5124	Publicitaire
5131	Réalisateur (cinéma, radio, télévision)
5123	Recherchiste (radio, télévision)
5122	Rédacteur en chef de l'information
5121	Rédacteur publicitaire
5121	Scénariste-dialoguiste
5124	Spécialiste des relations publiques

SCIENCES HUMAINES

Communication / Communication et journalisme / Communication (journalisme) / Communication (médias numériques / Communication publique / Communication, rédaction et multimédia / Sciences de la communication / Broadcast Journalism / Communication and Journalism / Communication Studies / Journalism

SUITE

Endroits de travail

– À son compte
– Firmes-conseils
– Gouvernements fédéral et provincial
– Grandes entreprises
– Industrie du multimédia
– Maisons d'édition (journaux, revues, livres)
– Maisons de publicité
– Organismes de règlementation et de soutien (CRTC, SODEC, etc.)
– Télédiffuseurs

Salaire

Le salaire hebdomadaire moyen est de 769 $ (janvier 2011).

Remarques

– L'Université Bishop's offre une mineure en Communication and Cultural Studies.
– L'Université Concordia offre les programmes Communication, Communication and Cultural Studies ainsi que Journalisme. Toutefois, le programme conjoint Communication et journalisme est suspendu.
– L'Université de Montréal offre un cheminement intensif en Sciences de la communication. Cet établissement offre également un certificat en Journalisme.
– L'Université de Sherbrooke offre également un cheminement intégré baccalauréat-maîtrise en Communication-Marketing.
– L'Université du Québec à Montréal (UQAM) est la seule université à offrir un programme axé sur une réflexion théorique sur l'essor du numérique avec son baccalauréat en Communication (médias numériques).
– L'Université du Québec en Abitibi-Témiscamingue (UQAT) offre un certificat et une mineure en Cinéma.
– L'Université du Québec en Outaouais (UQO) offre une majeure et une mineure en Communication, un certificat et une mineure en Communication publique, un certificat et une mineure en Médias de l'information et des communications ainsi qu'un programme court en Information-communication et un programme court en Relations publiques.
– L'Université Laval offre un certificat en Communication publique ainsi qu'un certificat en Journalisme. Le baccalauréat en Communication publique offre trois concentrations : Journalisme; Publicité sociale; Relations publiques.
– L'Université McGill offre une mineure.

– La TÉLUQ offre ce programme à distance, à temps plein et à temps partiel. Elle offre aussi deux certificats dans ce domaine.

STATISTIQUES D'EMPLOI	2007	2009	2011
Nb de personnes diplômées	729	838	808
% en emploi	74,7 %	77,5 %	71,9 %
% à temps plein	87,7 %	91 %	91,8 %
% lié à la formation	68,7 %	78,1 %	74,5 %

SCIENCES HUMAINES

BAC 6 TRIMESTRES   CUISEP 511-000

Compétences à acquérir

– Devenir spécialiste dans le champ de la réalisation, de la direction de la photographie et de la postproduction au cinéma.
– Acquérir une culture cinématographique qui permette à l'étudiant de développer sa créativité, son goût, son sens critique et son jugement.

Éléments du programme

– Conception sonore
– Conception visuelle
– Direction de la photographie
– Histoire et esthétiques du cinéma
– Montage
– Musique et cinéma
– Postproduction
– Production (fiction/documentaire)
– Réalisation
– Scénarisation

Admission (voir p. 21 G)

DEC ou l'équivalent.
OU
Avoir obtenu un minimum de 30 crédits universitaires.
ET
Soumettre une production médiatique numérique et entrevue.

Endroit de formation (voir p. 310)

	Contingentement	Coop	Cote R
UQAM	■	☐	—

Professions reliées

C.N.P.
5131	Coordonnateur
5131	Directeur artistique
5131	Directeur de la photographie
5131	Directeur technique (cinéma, radio, télé, théâtre)
5131	Monteur de films
5225	Monteur de son (cinéma, vidéo)
5131	Réalisateur (cinéma, radio, télévision)
5123	Recherchiste (radio, télévision)
5226	Régisseur
5121	Scénariste-dialoguiste

Endroits de travail

Studios de cinéma

Salaire

Le salaire hebdomadaire moyen est de 769 $ (janvier 2011).

Remarque

L'Université du Québec à Montréal (UQAM) est la seule université en Amérique du Nord à offrir un baccalauréat en Cinéma en français. Près de la moitié des cours de ce programme sont axés sur la pratique. Trois axes de formation sont offerts : Direction de la photographie; Postproduction visuelle et sonore; Réalisation.

STATISTIQUES D'EMPLOI	2007	2009	2011
Nb de personnes diplômées	729	838	808
% en emploi	74,7 %	77,5 %	71,9 %
% à temps plein	87,7 %	91 %	91,8 %
% lié à la formation	68,7 %	78,1 %	74,5 %

SCIENCES HUMAINES

BAC 6 TRIMESTRES

CUISEP 511-000

Compétence à acquérir

Créer et traiter des contenus numériques interactifs.

Éléments du programme

– Architecture de l'information et des réseaux
– Audio-vidéographie
– Conception visuelle
– Création sonore interactive
– Processus de production et médias interactifs
– Technologie des médias

Admission (voir p. 21 G)

UQAM : DEC ou l'équivalent **OU** avoir obtenu au minimum de 30 crédits universitaires **ET** soumettre une production médiatique numérique et entrevue.

UQAT : DEC ou l'équivalent **OU** avoir complété un minimum de 30 crédits universitaires avec une moyenne cumulative d'au moins 2,3 sur 4,3.

Endroits de formation (voir p. 390)

	Contingentement	Coop	Cote R
UQAM	■	☐	—
UQAT	☐	☐	—

Professions reliées

C.N.P.
5241 Animateur 2D-3D
5241 Concepteur-idéateur de jeux électroniques
5241 Concepteur-idéateur de produits multimédias
5121 Concepteur scénariste en multimédia
2162 Intégrateur en multimédia et Web
5121 Scénariste de l'interactivité
2175 Webmestre

Endroit de travail

Industrie du multimédia

Salaire

Le salaire hebdomadaire moyen est de 769 $ (janvier 2011).

Remarques

– L'Université du Québec à Montréal (UQAM) est la seule université au Québec à offrir une formation spécialisée de trois ans en médias interactifs.
– L'Université du Québec en Abitibi-Témiscamingue (UQAT) offre un baccalauréat de 90 crédits avec trois profils : Cinéma, Création 3D, Technologie Web.

SCIENCES HUMAINES

STATISTIQUES D'EMPLOI	2007	2009	2011
Nb de personnes diplômées	729	838	808
% en emploi	74,7 %	77,5 %	71,9 %
% à temps plein	87,7 %	91 %	91,8 %
% lié à la formation	68,7 %	78,1 %	74,5 %

BAC 6 TRIMESTRES   CUISEP 511-000

Compétences à acquérir

– Remplir des fonctions variées et changeantes.
– Animer des groupes.
– Intervenir auprès des individus, des groupes et des organisations.
– Appliquer les théories du développement organisationnel,
  la problématique des communications et des relations
  humaines, l'écologie humaine et sociale, la théorie des
  systèmes.
– Appliquer une méthodologie de recherche (sondage,
  enquête, méthodes d'entrevues et recherche-action).

Éléments du programme

– Animation de groupe
– Communication
– Démarches d'intervention
– Développement social de l'adulte
– Intervention internationale (coopération)
– Psychosociologie des relations humaines
– Relation d'aide (techniques)
– Stages
– Théories de la communication

Admission (voir p. 21 G)

DEC ou l'équivalent.

Endroits de formation (voir p. 390)

	Contingentement	Coop	Cote R*
UQAM	■	☐	23.000
UQAR	☐	☐	—

** Le nombre inscrit indique la **Cote R** qui a été utilisée pour l'admission de l'année 2012 ou 2013 par l'université concernée.*

Professions reliées

C.N.P.
4212	Agent d'aide socio-économique
4213	Conseiller en emploi
—	Conseiller en gestion du changement
1121	Conseiller en relations de travail
4212	Coordonnateur de maisons de jeunes
4212	Intervenant communautaire
4151	Psychosociologue

Endroits de travail

– À son compte
– Agences de publicité
– Bureaux de services-conseils en gestion de personnel
– Organismes d'actions communautaires ou sociales
– Services de recherche

Salaire

Le salaire hebdomadaire moyen est de 707 $ (janvier
2011).

Remarques

– Différentes options sont offertes selon les établissements :
  Journalisme; Publicité; Relations publiques; etc.
– L'Université du Québec à Montréal (UQAM) offre le profil
  Intervention internationale. Le programme comprend un
  stage régulier ou international.
– L'Université du Québec à Rimouski (UQAR) offre une formation pratique axée sur l'intervention des personnes en
  milieu organisé. Le programme comprend un stage par
  année.
– L'Université du Québec en Outaouais (UQO) offre une
  majeure et une mineure en Communication ainsi qu'un
  certificat en Communication publique.

SCIENCES HUMAINES

STATISTIQUES D'EMPLOI	2007	2009	2011
Nb de personnes diplômées	359	397	442
% en emploi	71,1 %	78,1 %	71,9 %
% à temps plein	85,3 %	91,5 %	86,4 %
% lié à la formation	59,4 %	69,9 %	72,3 %

Communication (relations humaines) / Communication sociale / Relations humaines / Sciences sociales et humanités / Human Relations / Humanistic Studies / Humanities / Science and Human Affairs

BAC 6 TRIMESTRES   CUISEP 571-000

Compétences à acquérir

– Documenter un diagnostic social.
– Établir un projet d'intervention auprès de groupes, d'organisations et de communautés.
– Intervenir auprès d'acteurs sociaux.
– Acquérir et développer des compétences langagières.
– Démontrer des capacités d'analyse, de synthèse et d'esprit critique, de même que la maîtrise des outils de travail dans le domaine des sciences sociales.

Éléments du programme

– Animation dans les groupes
– Communication et développement international
– Comportements individuels en groupe
– Intervention communautaire
– Mesures de l'interaction sociale
– Méthode de recherche
– Sociologie des médias
– Stage

Admission (voir p. 21 G)

DEC ou l'équivalent.
ET
Concordia : Lettre explicative.

Endroits de formation (voir p. 390)

	Contingentement	Coop	Cote R
Bishop's	☐	☐	—
Concordia	■	☐	—
UQAR	☐	☐	—
UQTR	☐	☐	—

Professions reliées

C.N.P.
5124   Agent d'information
4212   Animateur de vie étudiante
5124   Conseiller en communication
4212   Génagogue
4212   Intervenant communautaire
4151   Psychosociologue

Endroits de travail

– Centres hospitaliers
– Établissements d'enseignement
– Firmes en communications
– Municipalités
– Organismes communautaires

Salaire

Le salaire hebdomadaire moyen est de 615 $ (janvier 2007).

Remarque

L'Université du Québec à Rimouski (UQAR) offre une formation pratique axée sur l'intervention des personnes en milieu organisé. Le programme comprend un stage par année.

STATISTIQUES D'EMPLOI			
	2007	2009	2011
Nb de personnes diplômées	6	—	—
% en emploi	100 %	—	—
% à temps plein	100 %	—	—
% lié à la formation	0 %	—	—

Communication (relations publiques)

BAC 6 TRIMESTRES   CUISEP 514-000

Compétences à acquérir

– Assumer les tâches de relations publiques dans les organisations.
– Identifier les enjeux sociaux auxquels les organisations sont confrontées.
– Influencer les décisions concernant les politiques et les stratégies organisationnelles.
– Définir les responsabilités sociales des organisations envers les parties prenantes.
– Élaborer les politiques et les programmes correspondants.
– Concevoir et gérer les communications internes et externes selon les multiples composantes de l'environnement organisationnel.

Éléments du programme

– Écriture en relations publiques
– Communication organisationnelle
– Marketing
– Méthodes de recherche en communication
– Relations de presse

Admission (voir p. 21 G)

DEC ou l'équivalent.
OU
Avoir obtenu au minimum 30 crédits universitaires.

Endroit de formation (voir p. 310)

	Contingentement	Coop	Cote R*
UQAM	■	□	29.000

** Le nombre inscrit indique la **Cote R** qui a été utilisée pour l'admission de l'année 2012 par l'université concernée.*

Professions reliées

C.N.P.
5124   Agent d'artiste
5124   Agent d'information
5124   Attaché de presse
5124   Spécialiste des relations publiques

Endroits de travail

– À son compte
– Agences de communication
– Firmes d'experts en communication
– Gouvernements fédéral et provincial
– Multinationales
– Organismes internationaux
– Organismes sans but lucratif

Salaire

Le salaire hebdomadaire moyen est de 769 $ (janvier 2011).

Remarques

– L'Université de Montréal offre un certificat en Relations publiques.
– L'Université du Québec à Montréal (UQAM) est la seule université francophone à offrir ce programme au Canada.

SCIENCES HUMAINES

STATISTIQUES D'EMPLOI	2007	2009	2011
Nb de personnes diplômées	729	838	808
% en emploi	74,7 %	77,5 %	71,9 %
% à temps plein	87,7 %	91 %	91,8 %
% lié à la formation	68,7 %	78,1 %	74,5 %

Communication (stratégies de productions culturelles et médiatiques)

BAC 6 TRIMESTRES   CUISEP 511-000

Compétences à acquérir

– Œuvrer à la conception, au développement et à la gestion de projets dans les domaines de la production médiatique et culturelle.
– Identifier les différentes étapes du processus de la production médiatique et culturelle et en mesurer les déterminants majeurs.
– Collaborer à la mise en place, au développement, à la gestion et à l'évaluation de ces projets tout en élaborant une réflexion critique sur leur pratique.

Éléments du programme

– Analyse des productions médias
– Gestion des organisations culturelles
– Industrie de la culture et des communications
– Organisation économique des médias
– Pratiques médiatiques
– Stage de production I et II
– Stratégies de mise en marché

Admission (voir p. 21 G)

DEC ou l'équivalent.
OU
Avoir obtenu au minimum 30 crédits universitaires.

Endroit de formation (voir p. 310)

	Contingentement	Coop	Cote R*
UQAM	■	☐	29.800

** Le nombre inscrit indique la **Cote R** qui a été utilisée pour l'**admission de l'année 2012** par l'université concernée.*

Professions reliées

C.N.P.
5124   Agent d'artiste
5124   Agent d'information
5226   Chargé de programmation (radio, télévision)
5241   Concepteur-idéateur de jeux électroniques
5241   Concepteur-idéateur de produits multimédias
5131   Directeur de production (cinéma, télévision)
0512   Directeur de production multimédia
5131   Producteur (cinéma, radio, télévision, théâtre)
5123   Recherchiste (radio, télévision)

Endroits de travail

– Industrie du cinéma
– Industrie du multimédia
– Industrie du spectacle
– Ministère de la culture
– Radiodiffuseurs
– Télédiffuseurs

Salaire

Le salaire hebdomadaire moyen est de 769 $ (janvier 2011).

Remarque

L'Université du Québec à Montréal (UQAM) est la seule université au Québec à offrir un baccalauréat spécialisé en stratégies de production.

STATISTIQUES D'EMPLOI			
	2007	**2009**	**2011**
Nb de personnes diplômées	729	838	808
% en emploi	74,7 %	77,5 %	71,9 %
% à temps plein	87,7 %	91 %	91,8 %
% lié à la formation	68,7 %	78,1 %	74,5 %

SCIENCES HUMAINES

Compétence à acquérir

Intervenir dans le domaine des communications médiatiques.

Éléments du programme

– Conception sonore
– Conception visuelle
– Enjeux sociaux de la télévision
– Montage
– Production d'une série télévisuelle
– Stage en télévision
– Technologie des médias

Admission (voir p. 21 G)

DEC ou l'équivalent.
OU
Avoir obtenu au minimum 30 crédits universitaires.
ET
Soumettre une production médiatique numérique et entrevue.

Endroit de formation (voir p. 310)

	Contingentement	Coop	Cote R
UQAM	■	☐	—

Professions reliées

C.N.P.
5231	Animateur (radio, télévision)
5226	Chargé de programmation (radio, télévision)
5123	Chroniqueur
5231	Commentateur sportif
5131	Directeur de production (cinéma, télévision)
5123	Journaliste
5123	Journaliste sportif
5131	Producteur (cinéma, radio, télévision, théâtre)
5131	Réalisateur (cinéma, radio, télévision)
5123	Recherchiste (radio, télévision)

Endroits de travail

– Radiodiffuseurs
– Télédiffuseurs

Salaire

Le salaire hebdomadaire moyen est de 769 $ (janvier 2011).

Remarque

L'Université du Québec à Montréal (UQAM) offre une approche unique axée sur la communication. Elle s'intéresse à la fois à la création, à la production ainsi qu'au contexte de production médiatique.

SCIENCES HUMAINES

STATISTIQUES D'EMPLOI			
	2007	**2009**	**2011**
Nb de personnes diplômées	729	838	808
% en emploi	74,7 %	77,5 %	71,9 %
% à temps plein	87,7 %	91 %	91,8 %
% lié à la formation	68,7 %	78,1 %	74,5 %

BAC 6 TRIMESTRES | CUISEP 500/600-000

Compétences à acquérir

- Faire la planification et établir des stratégies de communication sur le plan politique.
- Organiser des campagnes électorales.
- Implanter des réformes dans les services publics.
- Formuler des politiques au regard des télécommunications.
- Comprendre comment se bâtit l'opinion publique et connaître l'impact des différents médias sur les décisions politiques.
- Travailler au sein des communications publiques, dans les médias de masse ou le journalisme.

Éléments du programme

- Communication écrite, audiovisuelle, informatisée et médias de masse
- Communication, sens et discours
- Méthodes d'analyse du discours politique
- Méthodes de recherche en politique
- Politiques gouvernementales et sociales
- Principes d'analyse et théories politiques
- Relations internationales
- Théories de la communication

Admission (voir p. 21 G)

DEC ou l'équivalent.
OU
Montréal : Avoir réussi 24 crédits de niveau universitaire autres que des crédits obtenus dans le cadre de cours préparatoires aux études universitaires.

Endroits de formation (voir p. 390)

	Contingentement	Coop	Cote R*
Montréal	■	☐	23.000
UQAM	■	☐	26.000

** Le nombre inscrit indique la **Cote R** qui a été utilisée pour l'**admission de l'année 2012** par l'université concernée.*

Professions reliées

C.N.P.
4168 Attaché politique
0011 Chef de cabinet
5123 Journaliste politique
4169 Lobbyiste
4168 Organisateur de campagne électorale

Endroits de travail

- Compagnies multinationales
- Éditeurs (journaux, revues)
- Gouvernements fédéral et provincial
- Partis politiques

Salaire

Le salaire hebdomadaire moyen est de 1 025 $ (janvier 2011).

Remarque

L'Université du Québec à Montréal (UQAM) offre ce programme sous l'angle des phénomènes de manipulation de l'information et de concentration des médias, de même qu'à l'impact des différents médias sur les décisions politiques.

STATISTIQUES D'EMPLOI	2007	2009	2011
Nb de personnes diplômées	1 004	1 173	1 137
% en emploi	65 %	65,4 %	68,4 %
% à temps plein	90,7 %	87,5 %	87,6 %
% lié à la formation	72 %	72,5 %	72,3 %

SCIENCES HUMAINES

BAC 6 TRIMESTRES   CUISEP 623-000

Compétences à acquérir

– Intervenir auprès des individus dans les milieux correctionnels ou de réadaptation.
– Aider le criminel et le délinquant à se resocialiser.
– Assumer diverses tâches administratives telles que le classement des prévenus, la sélection et la direction du personnel spécialisé.
– Travailler en prévention, en recherche ou en élaboration
  de programmes et de politiques.

Éléments du programme

– Délinquance et facteurs criminogènes
– Justice criminelle
– Pénologie
– Prévention criminelle
– Psychocriminologie
– Sociocriminologie
– Stages
– Victimologie

Admission (voir p. 21 G)

DEC en Sciences humaines **OU** DEC en Sciences de la nature
OU DEC en Histoire et civilisation et Méthodes quantitatives
022P.
OU
Laval : DEC en sciences humaines **OU** DEC en Sciences
de la nature **OU** DEC en Sciences informatiques et mathématiques **OU** DEC en Histoire et civilisation **OU** DEC ou
l'équivalent et Méthodes quantitatives 360-300 (ou
Mathématiques 337 ou l'équivalent).
Montréal : DEC ou l'équivalent et avoir réussi un cours
préalable en statistique (lequel peut être suivi à l'université)
OU avoir réussi 24 crédits de cours universitaires autres que
des crédits obtenus dans le cadre de cours préparatoires aux
études universitaires.

Endroits de formation (voir p. 390)

	Contingentement	Coop	Cote R*
Laval	■	☐	29.064
Montréal	■	☐	29.000

** Le nombre inscrit indique la **Cote R** qui a été utilisée pour l'admission de l'année 2012 ou 2013 par l'université concernée.*

Professions reliées

C.N.P.
4155   Agent au classement des détenus dans les péniten-
       ciers
4155   Agent de libération conditionnelle
4155   Agent de probation
4169   Criminologue

Endroits de travail

– Bureaux de la protection de la jeunesse
– Bureaux de probation
– Centres de détention
– Centres jeunesse
– Maisons de transition
– Services correctionnels
– Services de libération conditionnelle
– Services de police
– Sûreté du Québec

Salaire

Le salaire hebdomadaire moyen est de 797 $ (janvier
2011).

Remarques

– L'Université Bishop's offre une mineure en Criminology.
– L'Université de Montréal offre une mineure et un
  certificat en Criminologie.
– L'Université Laval offre également un certificat en
  Criminologie.

SCIENCES HUMAINES

STATISTIQUES D'EMPLOI	2007	2009	2011
Nb de personnes diplômées	107	95	115
% en emploi	85,1 %	86,3 %	77,1 %
% à temps plein	93 %	90,5 %	95,3 %
% lié à la formation	84,9 %	80,7 %	86,9 %

Démographie et anthropologie

BAC 6 TRIMESTRES

Compétences à acquérir

– Ce programme est bidisciplinaire.
– Consulter la fiche du programme Anthropologie (page ???).

Éléments du programme

– Analyse longitudinale
– Analyse transversale
– Atelier de démographie anthropologie
– Collecte en démographie et anthropologie
– Éléments de démographie
– Initiation à la démarche anthropologique

Admission (voir p. 21 G)

DEC ou l'équivalent.
OU
Avoir réussi 24 crédits de cours universitaires autres que des crédits obtenus dans le cadre de cours préparatoires aux études universitaires.

Endroit de formation (voir p. 310)

	Contingentement	Coop	Cote R
Montréal	☐	☐	—

Professions reliées

C.N.P.
4169　Anthropologue
2161　Démographe

Endroits de travail

– Gouvernements fédéral et provincial
– Municipalités
– Organismes de recherche du réseau de la santé
– Organismes gouvernementaux et internationaux

Salaire

Le salaire hebdomadaire moyen est de 747 $ (janvier 2011).

Remarque

L'Université de Montréal offre une mineure en Démographie.

SCIENCES HUMAINES

STATISTIQUES D'EMPLOI	2007	2009	2011
Nb de personnes diplômées	253	276	316
% en emploi	48,5 %	55 %	50,4 %
% à temps plein	81 %	87,4 %	89,5 %
% lié à la formation	65,6 %	58,8 %	61,8 %

Compétences à acquérir

– Ce programme est bidisciplinaire.
– Consulter la fiche du programme Géographie (page 199).

Éléments du programme

– Analyse démographique avancée
– Analyse longitudinale
– Calcul différentiel et intégral
– Éléments de démographie
– Géographie et environnement
– Géographie politique, géographie de la santé et de l'environnement, géographie sociale et des populations
– Sociologie
– Sociologie et population
– Statistique pour économistes
– Systèmes d'information géographique

Admission (voir p. 21 G)

DEC ou l'équivalent.
OU
Avoir réussi 24 crédits de cours universitaires autres que des crédits obtenus dans le cadre de cours préparatoires aux études universitaires.

Endroit de formation (voir p. 310)

	Contingentement	Coop	Cote R
Montréal	☐	☐	—

Professions reliées

C.N.P.
2161   Démographe
4169   Géographe (géographie humaine)

Endroits de travail

– Firmes d'urbanisme
– Firmes de sondage
– Gouvernements fédéral et provincial
– Municipalités
– Organismes internationaux

Salaire

Le salaire hebdomadaire moyen est de 747 $ (janvier 2011).

Remarque

L'Université de Montréal offre une mineure en Démographie.

STATISTIQUES D'EMPLOI	2007	2009	2011
Nb de personnes diplômées	253	276	316
% en emploi	48,5 %	55 %	50,4 %
% à temps plein	81 %	87,4 %	89,5 %
% lié à la formation	65,6 %	58,8 %	61,8 %

SCIENCES HUMAINES

BAC 6 TRIMESTRES CUISEP 620/630-000

Compétences à acquérir

– Ce programme est bidisciplinaire.
– Consulter la fiche du programme Statistiques (page 255).

Éléments du programme

– Analyse longitudinale
– Analyse transversale
– Concepts et méthodes statistiques
– Laboratoire de démographie statistique
– Pratique de la démographie

Admission (voir p. 21 G)

DEC en Sciences de la nature ou en Sciences informatiques et mathématiques.
OU
DEC ou l'équivalent et Mathématiques 103, 105, 203.
OU
Avoir réussi 24 crédits de cours universitaires autres que des crédits obtenus dans le cadre de cours préparatoires aux études universitaires.

Endroit de formation (voir p. 310)

	Contingentement	Coop	Cote R
Montréal	☐	☐	—

Professions reliées

C.N.P.
2161 Démographe
2161 Statisticien

Endroits de travail

– Gouvernements fédéral et provincial
– Municipalités
– Organismes internationaux

Salaire

Le salaire hebdomadaire moyen est de 747 $ (janvier 2011).

Remarque

L'Université de Montréal offre une mineure en Démographie.

STATISTIQUES D'EMPLOI	2007	2009	2011
Nb de personnes diplômées	253	276	316
% en emploi	48,5 %	55 %	50,4 %
% à temps plein	81 %	87,4 %	89,5 %
% lié à la formation	65,6 %	58,8 %	61,8 %

SCIENCES HUMAINES

BAC 6 TRIMESTRES CUISEP 554-000

Compétences à acquérir

– Aider les personnes à faire des choix éclairés en matière d'études et de professions en tenant compte de leurs aptitudes, de leurs intérêts et de leurs valeurs.
– Faire de la consultation individuelle ou de groupe pour assister les personnes dans tous les aspects de la relation dynamique individu-travail (aspects personnels et professionnels) : choix professionnel, intégration au marché du travail, adaptation, réorientation, préparation à la retraite, etc.
– Utiliser et interpréter des tests psychométriques d'intérêts, d'aptitudes ou de personnalité.
– Recueillir les renseignements pertinents au projet de l'individu, en saisir la signification et en évaluer l'influence.
– Donner des renseignements pertinents au regard de la formation professionnelle, du marché du travail, des ressources du milieu, etc.
– Réaliser des programmes d'intervention qui correspondent aux besoins de la clientèle (individus, groupes, organisations, etc.).

Éléments du programme

– Animation de groupes
– Counselling individuel
– Counselling de carrière
– Counselling de groupe
– Développement de carrière
– Identité et concept de soi
– Psychométrie
– Psychopathologie
– Stages

Admission (voir p. 21 G)

Laval : DEC en Sciences de la nature et Psychologie 101 ou 102 **OU** DEC en Sciences humaines et Méthodes quantitatives 201-300 (ou 201-301-RE) ou Statistiques en sciences humaines 952-024 **OU** DEC en Histoire et civilisation ou tout autre DEC et Méthodes quantitatives 360-300 et Formation complémentaire en méthodes quantitatives 201-300 (ou 201-301-RE ou Statistiques en sciences humaines 952-024 ou Mathématiques 337 ou NYA ou 103 et 307); Psychologie 101 ou 102. *N. B. : Le titulaire d'un DEC techniques parmi les suivants est dispensé du cours psychologie 101 ou 102 : Éducation à l'enfance; Éducation spécialisée; Intervention en délinquance; Soins infirmiers; Travail social.*
Sherbrooke : DEC ou l'équivalent et Méthodes quantitatives en sciences humaines 360-300-91 (022P) ou l'équivalent.
UQAM : DEC ou l'équivalent et Méthodes quantitatives 360-300.

Endroits de formation (voir p. 390)

	Contingentement	Coop	Cote R*
Laval	☐		—
Sherbrooke	☐	■	—
UQAM	■	☐	20.000

** Le nombre inscrit indique la **Cote R** qui a été utilisée pour l'**admission de l'année 2012** par l'université concernée.*

Professions reliées

C.N.P.
1223	Agent de dotation
1223	Agent des ressources humaines
4143	Aide pédagogique individuel
1121	Analyste des emplois
4143	Conseiller d'orientation
4213	Conseiller en emploi
4143	Conseiller en gestion de carrière
4143	Conseiller en information scolaire et professionnelle
4213	Conseiller en main-d'œuvre
4153	Conseiller en réadaptation

Endroits de travail

– À son compte
– Agences de placement
– Bureaux de probation
– Carrefours jeunesse emploi (CJE)
– Centres locaux d'emploi (CLE)
– Commission de la santé et de la sécurité du travail (CSST)
– Établissements d'enseignement
– Gouvernements fédéral et provincial
– Moyennes et grandes entreprises (services des ressources humaines)
– Municipalités
– Société de l'assurance automobile du Québec (SAAQ)

Salaire

Le salaire hebdomadaire moyen est de 723 $ (janvier 2011).

Remarques

– Pour porter le titre de conseiller d'orientation, il faut avoir une formation de 2e cycle et être membre de l'Ordre des conseillers et conseillères d'orientation du Québec.
– L'Université de Sherbrooke offre le régime coopératif à option pour un certain nombre d'étudiants inscrits à temps complet.
– L'Université du Québec à Montréal (UQAM) offre également un certificat en Développement de carrière.
– L'Université Laval offre un certificat en orientation.

STATISTIQUES D'EMPLOI	2007	2009	2011
Nb de personnes diplômées	145	161	169
% en emploi	52,9 %	61,2 %	51,7 %
% à temps plein	87 %	90,5 %	90 %
% lié à la formation	80,9 %	73,1 %	83,3 %

SCIENCES HUMAINES

BAC 6 TRIMESTRES   CUISEP 635-000

Compétences à acquérir

– Analyser et expliquer le développement et la structure des sociétés, de leurs institutions et des relations individus-institutions.
– Fournir des analyses qui serviront à l'implantation d'interventions sociales.

Éléments du programme

– Économie et société
– Ethnicité et société
– Méthodologie de recherche
– Psychosociologie
– Sciences et société
– Sociologie des organisations
– Sociologie des sciences et technologies
– Stratification et mobilité

Admission (voir p. 21 G)

Bishop's, Concordia, Laval, UQAC, UQAR: DEC ou l'équivalent.
McGill, UQAM: DEC en Sciences humaines **OU** DEC ou l'équivalent.
Montréal: DEC ou l'équivalent **OU** avoir réussi 24 crédits de cours universitaires autres que des crédits obtenus dans le cadre de cours préparatoires aux études universitaires.
UQO: DEC en Sciences humaines **OU** DEC préuniversitaire ou technique ou l'équivalent.

Endroits de formation (voir p. 390)

	Contingentement	Coop	Cote R*
Bishop's	☐	☐	—
Concordia	☐	☐	19.000
Laval	☐	☐	—
McGill	☐	☐	—
Montréal	☐	☐	—
UQAC	☐	☐	—
UQAM	☐	☐	—
UQAR	☐	☐	—
UQO	☐	☐	—

** Le nombre inscrit indique la **Cote R** qui a été utilisée pour l'**admission de l'année 2011 ou 2012** par l'université concernée.*

Professions reliées

C.N.P.
5124   Agent d'information
4163   Agent de développement
—   Agent de recherche
4169   Anthropologue
4169   Ethnologue
1228   Inspecteur de l'immigration
4121   Professeur de sociologie
4169   Sociologue

Endroits de travail

– Établissements d'enseignement collégial
– Gouvernements fédéral et provincial
– Organismes internationaux
– Syndicats

Salaire

Le salaire hebdomadaire moyen est de 744 $ (janvier 2011).

Remarques

– Pour enseigner au secondaire, il faut être titulaire d'un permis ou d'un brevet d'enseignement permanent émis par le ministère de l'Éducation, du Loisir et du Sport.
– Pour être agent de l'immigration, il faut suivre une formation spécialisée offerte par le gouvernement du Canada.
– Des études de 2e ou 3e cycle peuvent être exigées pour travailler dans le domaine de la recherche scientifique.
– L'Université Bishop's offre des concentrations en Criminology, Law and Social Policy; Gender, Diversity and Equity Studies; Global Studies and Empire; Health and Community; Media, Technology and Contemporary Studies; Social Sustainability Family. Cet établissement offre également un certificat en Gerontology.
– L'Université de Montréal offre une majeure et une mineure en Sociologie.
– L'Université du Québec à Chicoutimi (UQAC) offre le baccalauréat en Sociologie avec majeure en Sociologie et anthropologie, une combinaison unique pour une université québécoise francophone, ainsi qu'un certificat et une mineure en Sociologie et communication appliquée.
– L'Université du Québec à Montréal (UQAM) offre un baccalauréat, une majeure et une mineure en Sociologie.
– L'Université du Québec à Rimouski (UQAR) offre aux diplômés de ce programme un accès à la maîtrise en Développement régional.
– L'Université du Québec en Outaouais (UQO) offre le baccalauréat en Sciences sociales, concentration en Sociologie, ainsi qu'une majeure, une mineure et un certificat en Sociologie.
– L'Université Laval offre un certificat en Sociologie.

STATISTIQUES D'EMPLOI	2007	2009	2011
Nb de personnes diplômées	281	318	332
% en emploi	53,6 %	52,2 %	50,9 %
% à temps plein	84,4 %	87,1 %	84,9 %
% lié à la formation	40,8 %	25,9 %	30,1 %

SCIENCES HUMAINES

BAC 6 TRIMESTRES   CUISEP 625-000

Compétences à acquérir

- Analyser une situation donnée (contrôle des prix, tarification des services publics, chômage, inflation, pollution, etc.), en dégager des renseignements pertinents et suggérer des politiques à suivre.
- Faire des recherches, des lectures et des enquêtes.
- Compiler et interpréter les données économiques et les statistiques recueillies et prévoir l'évolution des situations en cause.
- Rédiger des rapports incluant des suggestions et des constatations.

Éléments du programme

- Calcul différentiel et intégral
- Commerce international
- Comptabilité
- Économétrie
- Éléments de gestion
- Éléments de macroéconomique
- Éléments de microéconomique
- Finance
- Politiques publiques
- Statistiques et probabilités

Admission (voir p. 21 G)

Bishop's, Concordia, McGill: DEC ou l'équivalent.
Laval: Économique: DEC ou l'équivalent et Mathématiques NYA ou 103-RE ou 00UN ou 01Y1 ou 022X.
Montréal: DEC en Sciences de la nature **OU** DEC ou l'équivalent et Mathématiques 103, 105, 203 ou 103 et (307 ou 337 ou 360-300) **OU** avoir réussi 24 crédits de cours universitaires autres que des crédits obtenus dans le cadre de cours préparatoires aux études universitaires.
Sherbrooke: DEC ou l'équivalent et Mathématiques NYA (00UN ou 022X ou 01Y1) et un autre cours de mathématiques ou de méthodes quantitatives.
UQAM: DEC en Sciences de la nature ou en Sciences humaines **OU** DEC dans la famille des technique administratives ou l'équivalent et avoir atteint les objectifs suivants en Mathématiques: 00UN ou 01Y1 ou 022X ou l'équivalent, ou le cours MAT0349 à l'UQAM.

Endroits de formation (voir p. 390)

	Contingentement	Coop	Cote R*
Bishop's	☐	☐	—
Concordia	■	■	21.000 et 26.000
Laval	☐	☐	22.000
McGill	☐	☐	—
Montréal	☐	☐	—
Sherbrooke	■	■	22.300
UQAM	☐	☐	

** Le nombre inscrit indique la **Cote R** qui a été utilisée pour l'**admission de l'année 2012** par l'université concernée.*

Professions reliées

C.N.P.
5124	Agent d'information
4163	Agent de développement économique
4168	Agent du service extérieur diplomatique
4163	Analyste des marchés
1112	Analyste financier
4162	Conseiller en importation et exportation
4162	Économiste
4162	Économiste des transports
4162	Économiste du travail
4162	Économiste en commerce international
4162	Économiste en développement international
4162	Économiste en organisation des ressources
4162	Économiste financier
4162	Économiste industriel
4131	Professeur d'économique

Endroits de travail

- Établissements d'enseignement collégial et universitaire
- Gouvernements fédéral et provincial
- Institutions financières
- Municipalités
- Organismes internationaux
- Secteurs industriels divers

Salaire

Le salaire hebdomadaire moyen est de 868 $ (janvier 2011).

SCIENCES HUMAINES

Remarques

- Pour enseigner au secondaire, il faut détenir un permis d'enseignement délivré par le ministère de l'Éducation, du Loisir et du Sport.
- Pour être analyste financier, il faut avoir réussi l'examen de la Commission canadienne des valeurs mobilières et y être inscrit ou avoir suivi les cours de l'Institution des analystes financiers agréés.
- L'Université Bishop's, l'Université de Montréal et l'Université Laval offrent le programme bidisciplinaire Économie et Mathématique (Mathematical Economics).
- L'Université Concordia et l'Université de Montréal offrent une majeure et une mineure.
- L'Université de Sherbrooke offre un cheminement accéléré en deux ans. Le baccalauréat en Économique relève de la Faculté d'administration.
- L'Université du Québec à Montréal (UQAM) offre cinq concentrations : Économie appliquée; Économie et finance; Économie et gestion; Économie et politiques publiques; Économie internationale. Cet établissement offre également un certificat en Économique.
- L'Université Laval offre un baccalauréat en Économique, un baccalauréat en Économie et mathématiques, ainsi qu'un certificat en Économique.

SCIENCES HUMAINES

STATISTIQUES D'EMPLOI	2007	2009	2011
Nb de personnes diplômées	442	329	353
% en emploi	56 %	64,7 %	56,1 %
% à temps plein	93,3 %	95,9 %	90,1 %
% lié à la formation	48,4 %	50,9 %	48 %

15434 / 15499 Économie et politique / International Political Economy / Political Economy

BAC 6 TRIMESTRES | CUISEP 625-000

Compétences à acquérir

– Ce programme est bidisciplinaire.
– Consulter les fiches des programmes Économique (page 219) et Science politique (page 223).

Éléments du programme

– Économie de l'environnement
– Économie du travail
– Économie industrielle
– Économie publique
– Économie urbaine et régionale
– Problèmes économiques

Admission (voir p. 21 G)

DEC ou l'équivalent.
OU
Laval : DEC en Sciences de la nature ou en Sciences humaines **OU** DEC et avoir réussi le cours Méthodes quantitatives en sciences humaines 360-300.
Montréal : DEC ou l'équivalent **OU** avoir réussi 24 crédits de cours universitaires autres que des crédits obtenus dans le cadre de cours préparatoires aux études universitaires.
UQAM : DEC ou l'équivalent **ET** avoir atteint les objectifs suivants en Mathématiques : 00UN ou 01Y1 ou 022X.

Endroits de formation (voir p. 390)

	Contingentement	Coop	Cote R*
Bishop's	☐	☐	—
Laval	☐	☐	—
McGill	☐	☐	—
Montréal	☐	☐	22.000
UQAM	☐	☐	—

** Le nombre inscrit indique la **Cote R** qui a été utilisée pour l'**admission de l'année 2012 ou 2013** par l'université concernée.*

Professions reliées

C.N.P.
4163   Agent de développement économique
4164   Agent de développement international
4168   Agent du service extérieur diplomatique
4162   Économiste
4162   Économiste en commerce international
4162   Économiste en développement international

Endroits de travail

– Gouvernements fédéral et provincial
– Médias d'information

Salaire

Consulter les fiches des programmes Économique (page 219) et Science politique (page 223).

Remarque

L'Université du Québec à Montréal (UQAM) offre une concentration en Économie et politiques publiques dans le cadre du baccalauréat en Économique.

Statistiques d'emploi

Consulter les fiches des programmes Économique (page 219) et Science politique (page 223).

Études est-asiatiques / East Asian Studies

BAC 6 TRIMESTRES   CUISEP 620/630-000

Compétences à acquérir

– Comprendre la culture est-asiatique.
– Analyser l'impact des constances culturelles dans le contexte québécois.
– Maîtriser les langues de la Chine, du Japon, de la Corée et du Vietnam.
– Être en mesure d'analyser les problématiques ayant trait aux relations internationales.

Éléments du programme

– Analyse de texte
– Économie
– Histoire
– Littérature

Admission (voir p. 21 G)

McGill : DEC ou l'équivalent.
Montréal : DEC ou l'équivalent **OU** avoir réussi 24 crédits de cours universitaires autres que des crédits obtenus dans le cadre de cours préparatoires aux études univérsitaires.

Endroits de formation (voir p. 390)

	Contingentement	Coop	Cote R
McGill	☐	☐	—
Montréal	☐	☐	—

Professions reliées

C.N.P.
4168   Diplomate
5125   Interprète
4168   Spécialiste en relations internationales
5125   Traducteur

Endroits de travail

– Gouvernements fédéral et provincial
– Organismes internationaux

Salaire

Le salaire hebdomadaire moyen est de 803 $ (janvier 2009).

Remarques

– L'Université de Montréal offre trois spécialisations : Anthropologie; Géographie; Histoire. Cet établissement offre également une majeure et une mineure.
– L'Université du Québec à Montréal (UQAM) offre également un certificat en Langues et cultures d'Asie.

STATISTIQUES D'EMPLOI			
	2007	**2009**	**2011**
Nb de personnes diplômées	54	61	—
% en emploi	45,5 %	48,5 %	—
% à temps plein	73,3 %	93,8 %	—
% lié à la formation	9,1 %	26,7 %	—

Études politiques appliquées / Science politique / Political Science / Political Studies

BAC 6 TRIMESTRES   CUISEP 632-000

Compétences à acquérir

- Identifier et expliquer des phénomènes politiques.
- Étudier des attitudes, des comportements et des idéologies.
- Étudier la théorie, l'origine, l'évolution, l'interdépendance et le fonctionnement des institutions et des systèmes politiques.
- Faire l'analyse des renseignements recueillis, en faire la synthèse et l'interprétation.
- Faire part de ses constatations et conclusions aux partis politiques, aux organismes, aux médias, aux gouvernements fédéral et provincial, etc.
- Rédiger des livres et des articles de journaux.

Éléments du programme

- Administration publique et politiques publiques
- Analyse des systèmes internationaux
- Forces politiques
- Géographie politique
- Introduction à l'histoire des idées politiques
- Politique et sociétés dans le monde
- Principes de relations internationales

Admission (voir p. 21 G)

DEC ou l'équivalent.
OU
Montréal : DEC ou l'équivalent **OU** avoir réussi 24 crédits de cours universitaires autres que des crédits obtenus dans le cadre de cours préparatoires aux études universitaires.
Sherbrooke : Cheminement Administration : DEC ou l'équivalent et Mathématiques NYA, NYB, NYC (ou 103, 105, 203 ou 00UN, 00UP, 00UQ ou 022X, 022Y, 022Z ou 01Y1, 01Y2, 01Y4) ; Cheminements Communication, Droit, Économie politique, Poliques publiques ou Relations internationales : DEC ou l'équivalent.

Endroits de formation (voir p. 390)

	Contingentement	Coop	Cote R*
Bishop's	☐	☐	—
Concordia	☐	☐	—
Laval	☐	☐	—
McGill	☐	☐	—
Montréal	☐	☐	24.000
Sherbrooke	■	☐	—
UQAC	☐	☐	—
UQAM	☐	☐	—
UQO	☐	☐	—

*Le nombre inscrit indique la **Cote R** qui a été utilisée pour l'**admission de l'année 2012** par l'université concernée.*

Professions reliées

C.N.P.
4168	Agent du service extérieur diplomatique
4168	Attaché politique
5123	Chroniqueur politique
4168	Conseiller politique
0011	Député
4168	Diplomate
4169	Lobbyiste
4169	Politicologue

Endroits de travail

- Établissements d'enseignement collégial
- Gouvernements fédéral et provincial
- Groupes de pression
- Maisons de sondage
- Médias d'information
- Organismes communautaires
- Organismes internationaux
- Partis politiques

Salaire

Le salaire hebdomadaire moyen est de 769 $ (janvier 2011).

Remarques

- Différentes options sont offertes selon les établissements : Administration publique ; Analyse et théories politiques ; Relations internationales ; Sociologie politique ; etc.
- L'Université Concordia offre une spécialisation en Économie politique, une majeure et une mineure en Political Science ainsi qu'une mineure en Human Rights Studies.
- L'Université de Montréal offre un cheminement intensif ainsi qu'une majeure et une mineure en Science politique.
- L'Université de Sherbrooke offre cinq cheminements : Administration ; Communication ; Droit ; Politiques publiques ; Relations internationales.
- L'Université du Québec à Chicoutimi (UQAC) est la seule constituante du réseau des universités du Québec qui offre un programme de Science politique en région. Cet établissement offre également un certificat et une mineure en Science politique.
- L'Université du Québec à Montréal (UQAM) offre également une majeure et une mineure en Science politique.
- L'Université du Québec en Outaouais (UQO) offre un baccalauréat en Sciences sociales concentration en Sciences politiques, ainsi qu'une mineure, une majeure et un certificat en Science politique.
- L'Université Laval offre un certificat en Science politique. Le baccalauréat en Science politique offre six concentrations : Analyse des politiques et management public ; Comportements politiques et dynamiques sociales ; Idées politiques, pensée politique ; Québec contemporain : politique et société ; Relations internationales et politiques étrangères ; Sociétés et régimes politiques comparés.

STATISTIQUES D'EMPLOI			
	2007	2009	2011
Nb de personnes diplômées	764	852	902
% en emploi	43,5 %	42,7 %	45,7 %
% à temps plein	88,5 %	88,5 %	87,3 %
% lié à la formation	36,7 %	31 %	34,8 %

SCIENCES HUMAINES

Études religieuses / Religion / Sciences des religions / Sciences des religions appliquées / Sciences religieuses / Religious Studies

BAC 6 TRIMESTRES

CUISEP 618-000

Compétences à acquérir

– Avoir une vision générale et synthétique du phénomène religieux.
– Appliquer un ensemble de théories provenant de différents secteurs des sciences humaines (anthropologie, phénoménologie, sociologie, littérature, etc.).
– Comprendre les structures et les fonctions des symboles religieux et des phénomènes humains liés au sacré dans ces diverses manifestations (culture, histoire, sociologie).
– Comprendre la quête de sens exprimée dans divers secteurs de l'activité humaine.

Éléments du programme

– Éthique
– Femmes et religions
– Histoire des religions
– Religions du monde (hindouisme, judaïsme, etc.)

Admission (voir p. 21 G)

DEC ou l'équivalent

Endroits de formation (voir p. 390)

	Contingentement	Coop	Cote R
Bishop's	☐	☐	—
Concordia	☐	☐	—
Laval	☐	☐	—
McGill	☐	☐	—
Montréal	☐	☐	—
UQAM	☐	☐	—

Professions reliées

C.N.P.
4217 Animateur de pastorale
4217 Animateur de vie spirituelle et d'engagement communautaire
4141 Professeur en enseignement moral et religieux

Endroits de travail

– Centres hospitaliers
– Écoles primaires
– Médias
– Organismes diocésains

Salaire

Le salaire hebdomadaire moyen est de 754 $ (janvier 2011).

Remarques

– Pour enseigner au secondaire, il faut être titulaire d'un permis ou d'un brevet d'enseignement permanent émis par le ministère de l'Éducation, du Loisir et du Sport.
– Ce diplôme offre un nombre important de mineures augmentant ainsi le nombre de possibilités de professions et d'endroits de travail. Il est recommandé de consulter les répertoires de programmes des établissements d'enseignement pour plus de précision.
– L'Université Laval offre des certificats en Études pastorales, en Sciences des religions et en Théologie. Cet établissement offre également trois microprogrammes en Sciences des religion : Animation spirituelle et engagement communautaire ; Connaissance des religions ; Histoire du christianisme.
– L'Université de Montréal offre un certificat en Science des religions, une majeure en Sciences religieuses et une majeure en Sciences religieuses appliquées, ainsi qu'une mineure en Sciences religieuses.
– L'Université du Québec à Chicoutimi (UQAC) offre un programme court de premier cycle en Intervention spirituelle et symbolique.
– L'Université du Québec à Montréal (UQAM) offre un baccalauréat, une majeure et un certificat en Sciences des religions.

STATISTIQUES D'EMPLOI			
	2007	2009	2011
Nb de personnes diplômées	121	107	99
% en emploi	45,7 %	36,8 %	52,5 %
% à temps plein	68,8 %	66,7 %	71,9 %
% lié à la formation	45,5 %	50 %	52,2 %

SCIENCES HUMAINES

15435 / 15499

Histoire / Histoire, culture et société / Interventions culturelles / History

BAC 6 TRIMESTRES   CUISEP 631-000

Compétences à acquérir

– Faire des recherches sur des périodes ou des aspects de l'activité humaine passée.
– Rédiger des comptes rendus ou des rapports.
– Apprécier l'authenticité et la valeur des renseignements recueillis et présenter le résultat de ses recherches par écrit ou sous d'autres formes.
– Développer ses capacités d'analyse, de synthèse et de transmission des connaissances.
– Acquérir une vision critique des problématiques, des interprétations et des conditions de validation des connaissances historiques.

Éléments du programme

– Analyse critique des sources
– Analyse de textes
– Antiquité
– Culture et société au Moyen Âge
– Initiation à la connaissance historique
– Initiation à la méthode historique
– Interventions culturelles
– Introduction à l'archivistique
– Monde non-occidental
– Période contemporaine
– Période moderne
– Recherche en histoire du Québec et du Canada
– Relations internationales

Admission (voir p. 21 G)

DEC ou l'équivalent.
OU
Laval : DEC ou l'équivalent. *N. B. : Une entente d'arrimage a été conclue avec le Département d'histoire. Le titulaire d'un DEC en Sciences humaines qui a réussi deux cours d'histoire avec une note de 80 % et plus a la possibilité de remplacer un cours obligatoire d'introduction de première année par un cours spécialisé. Ce cours doit être en lien avec le deuxième cours d'histoire fait au cégep. Une lettre signée du professeur avec lequel le deuxième cours a été suivi doit accompagner la demande de modification du cheminement.*
McGill, UQTR : DEC en Sciences humaines.
Montréal : DEC ou l'équivalent **OU** avoir réussi 24 crédits de cours universitaires autres que des crédits obtenus dans le cadre de cours préparatoires aux études universitaires.
Sherbrooke : DEC ou l'équivalent. **Cheminements avec mineure en études anglaises ou en traduction :** DEC ou l'équivalent pour les personnes provenant d'un collège de langue anglaise **OU** avoir atteint, en anglais langue seconde, la formation équivalent à un cours de niveau avancé (0008, 0009 ou 000N, 000P, 01P4) pour les personnes provenant d'un collège de langue française; **Certificats en analyse économique :** DEC en Sciences de la nature, cheminement baccalauréat international **OU** DEC ou l'équivalent et Mathématiques 103 ou NYA (00UN ou 022X ou 01Y1).

Endroits de formation (voir p. 390)

	Contingentement	Coop	Cote R*
Bishop's	☐	☐	—
Concordia	■	☐	28.000
Laval	☐	☐	—
McGill	☐	☐	—

Montréal	☐	☐	—
Sherbrooke	■	☐	—
UQAC	☐	☐	—
UQAM	■	☐	21.000
UQAR	☐	☐	—
UQO	☐	☐	—
UQTR	☐	☐	—

** Le nombre inscrit indique la **Cote R** qui a été utilisée pour l'**admission de l'année 2011 ou 2012** par l'université concernée.*

Professions reliées

C.N.P.
5124   Agent d'information
—   Agent de recherche
5113   Archiviste
2161   Démographe
5212   Guide dans les musées
4169   Historien
4141   Professeur d'histoire

Endroits de travail

– Établissements d'enseignement
– Gouvernements fédéral et provincial
– Médias (journaux, télévision)

Salaire

Le salaire hebdomadaire moyen est de 741 $ (janvier 2011).

Remarques

– Différentes options sont offertes selon les établissements : Géographie; Histoire; Sociologie; etc.
– Pour enseigner au secondaire, il faut être titulaire d'un permis ou d'un brevet d'enseignement permanent émis par le ministère de l'Éducation, du Loisir et du Sport.
– L'Université Concordia offre une mineure en Law and Society.
– L'Université de Montréal offre la majeure et la mineure.
– L'Université du Québec à Chicoutimi (UQAC) offre un baccalauréat en Histoire avec deux profils : profil général et profil Autochtonie, régions et histoire publique; un certificat et une mineure en Histoire; un certificat et une mineure en Gestion des documents et des archives.
– L'Université du Québec à Montréal (UQAM) offre un baccalauréat, une majeure et un certificat en Histoire. Cet établissement offre également un baccalauréat et une majeure en Histoire, culture et société.
– L'Université du Québec à Rimouski (UQAR) offre un baccalauréat à deux volets : une majeure en Histoire et une mineure en Interventions culturelles.
– L'Université du Québec à Trois-Rivières (UQTR) offre un certificat en Histoire.
– L'Université du Québec en Outaouais (UQO) offre un baccalauréat en Sciences sociales, concentration Histoire ainsi qu'une mineure, une majeure et un certificat en Histoire.
– L'Université Laval offre un certificat en Histoire et un certificat en Archivistique. Cet établissement offre également deux microprogrammes en Gestion des documents administratifs et en Gestion des documents numériques.

STATISTIQUES D'EMPLOI			
	2007	**2009**	**2011**
Nb de personnes diplômées	385	385	365
% en emploi	42 %	37,2 %	37,3 %
% à temps plein	78,1 %	77 %	73,2 %
% lié à la formation	36,6 %	34,3 %	25 %

SCIENCES HUMAINES

BAC 6 TRIMESTRES

Compétences à acquérir

– Développer les habiletés essentielles à l'autonomie en milieu naturel selon les exigences et standards des différents domaines d'intervention.
– Mettre en perspective et caractériser les différents domaines d'intervention.
– Se familiariser avec les principaux outils méthodologiques et en faire usage dans les différents domaines d'intervention.
– Acquérir un esprit critique et une capacité d'analyse systémique.
– Résoudre des problèmes réels et complexes selon un processus efficace et créatif.
– Intervenir de manière professionnelle, pertinente et adaptée aux différents domaines d'intervention.
– Développer les habiletés personnelles et interpersonnelles nécessaires à la vie de groupe, au travail d'équipe ainsi qu'à la résolution de conflits.
– Prendre en charge des groupes d'individus en situation de pratique professionnelle.

Éléments du programme

– Autonomie et intervention en milieu maritime
– Autonomie et intervention en milieu montagneux
– Équipements et outils de l'intervenant plein air
– Gestion des risques avancée et survie en région isolée
– Intervention d'urgence en région isolée I et II
– Intervention éducative et thérapeutique par la nature et l'aventure I et II
– Leadership d'expédition et de mission
– Orientation et déplacement en milieu naturel
– Psychologie des groupes restreints
– Tourisme d'aventure et écotourisme
– Vie en milieu naturel et logistique de campement

Admission (voir p. 21 G)

DEC ou l'équivalent.
ET
Fournir une lettre d'intention concernant les motivations à entreprendre des études dans ce domaine; un curriculum vitae faisant état des expériences de travail connexes au domaine d'études et accompagné des attestations pertinentes; deux lettres de recommandation. Une étape finale de sélection sur le terrain est obligatoire pour tous les candidats.

Endroit de formation (voir p. 310)

	Contingentement	Coop	Cote R*
UQAC**	■	☐	20.260

* Le nombre inscrit indique la **Cote R** qui a été utilisée pour l'**admission de l'année 2012 ou 2013** par l'université concernée.
** Cote R prise après le stage de sélection.

Professions reliées

C.N.P.
4167	Conseiller en loisirs
0513	Directeur d'établissement de loisirs
4167	Directeur de camp de vacances
0513	Directeur de centre aquatique
6442	Guide de plein air
4167	Récréologue

Endroits de travail

– À son compte
– Bases de plein air
– Entreprises spécialisées dans le tourisme d'aventure (rafting, escalade, etc.)
– Municipalités
– Parcs nationaux
– Pourvoiries

Salaire

Le salaire hebdomadaire moyen est de 683 $ (janvier 2011).

STATISTIQUES D'EMPLOI	2007	2009	2011
Nb de personnes diplômées	83	117	123
% en emploi	80,4 %	79,7 %	90,8 %
% à temps plein	81,1 %	88,9 %	81,2 %
% lié à la formation	73,3 %	85,7 %	73,2 %

SCIENCES HUMAINES

BAC 6 TRIMESTRES   CUISEP 615/627-000

Compétence à acquérir

Connaître la langue, l'histoire et la culture juives.

Éléments du programme

– Foi et pratique religieuse
– Histoire du peuple juif
– Judaïsme classique, médiéval ou moderne
– Nouveau Testament
– Pensée et organisation sociale juives
– Textes bibliques hébraïques

Admission (voir p. 21 G)

DEC ou l'équivalent.

Endroits de formation (voir p. 390)

	Contingentement	Coop	Cote R
Concordia	☐	☐	—
McGill	☐	☐	—

Professions reliées

C.N.P.
4121   Professeur en études juives
5125   Traducteur

Endroits de travail

– Gouvernements fédéral et provincial
– Organismes internationaux

Salaire

Le salaire hebdomadaire moyen est de 803 $ (janvier 2009).

Remarque

L'Université Laval offre un certificat en Études juives.

SCIENCES HUMAINES

STATISTIQUES D'EMPLOI			
	2007	**2009**	**2011**
Nb de personnes diplômées	54	61	—
% en emploi	45,5 %	48,5 %	—
% à temps plein	73,3 %	93,8 %	—
% lié à la formation	9,1 %	26,7 %	—

BAC 6 TRIMESTRES | CUISEP 583-000

Compétences à acquérir

– Diriger un service de loisirs.
– Planifier et organiser les services et les activités de loisirs.
– Animer les activités.
– Appliquer les processus de l'aménagement des espaces et des équipements de loisirs et en comprendre les problématiques.
– Gérer efficacement les organisations en tenant compte des conditions culturelles, sociologiques et économiques de la clientèle ainsi que des ressources humaines, matérielles et financières de l'organisation.
– Acquérir la capacité de travailler seul ou en équipe.

Éléments du programme

– Gestion des organisations de loisirs
– Loisirs et fonctionnement de groupe
– Mise en marché, publicité et promotion en loisirs
– Opérations financières
– Planification et aménagement des espaces et des équipements
– Utilisation thérapeutique du loisir

Admission (voir p. 21 G)

Concordia : Leisure Science : DEC ou l'équivalent et lettre explicative. **Therapeutic recreation :** DEC ou l'équivalent et Biologie 301, 401, 911 ou 921 ou NYA.
UQTR : DEC ou l'équivalent.

Endroits de formation (voir p. 390)

	Contingentement	Coop	Cote R
Concordia	■	☐	—
UQTR	☐	☐	—

Professions reliées

C.N.P.
4212 Animateur de vie étudiante
4167 Conseiller en loisirs
4167 Coordonnateur de loisirs municipaux
0513 Directeur d'établissement de loisirs
4167 Directeur de camp de vacances
0513 Directeur de programmes de loisirs
0513 Directeur du service des loisirs
3144 Ludothérapeute
4167 Récréologue

Endroits de travail

– À son compte
– Camps de vacances
– Gouvernements fédéral et provincial
– Municipalités
– Organismes communautaires

Salaire

Le salaire hebdomadaire moyen est de 683 $ (janvier 2011).

Remarque

L'Université du Québec à Trois-Rivières (UQTR) offre le baccalauréat en Loisir, culture et tourisme en cheminement régulier ou enrichi pour les étudiants ayant maintenu une moyenne d'au moins 2,8 durant la première année et désireux d'entreprendre des études de 2e cycle.

SCIENCES HUMAINES

STATISTIQUES D'EMPLOI	2007	2009	2011
Nb de personnes diplômées	83	117	123
% en emploi	80,4 %	79,7 %	90,8 %
% à temps plein	81,1 %	88,9 %	81,2 %
% lié à la formation	73,3 %	85,7 %	73,2 %

BAC 6 TRIMESTRES   CUISEP 576-000

Compétences à acquérir

– Comprendre le comportement et les manifestations de l'être humain.
– Appliquer les principes et les méthodes de la psychologie.
– Pratiquer la consultation et l'entrevue.
– Utiliser et interpréter des tests psychométriques standardisés d'intelligence, d'aptitudes et de personnalité afin de faire des évaluations psychologiques.
– Diagnostiquer, traiter et chercher les moyens de prévenir les troubles de la personnalité et les problèmes d'adaptation de la personne à son milieu.

Éléments du programme

– Mesure en psychologie
– Méthodes d'enquête et de recherche
– Méthodes quantitatives
– Neuropsychologie
– Psychologie sociale
– Psychopathologie
– Techniques d'observation
– Théories de la personnalité
– Théories psychanalytiques

Admission (voir p. 21 G)

Bishops: DEC ou l'équivalent et Psychologie 350-102 ou 350-XXX; Biologie 101-901 ou 101-NYA.

Concordia: BA: DEC ou l'équivalent et Mathématique 337 (ou 103) et 307 (ou 201-NYA); Biologie 301, 401, 911 ou 921 ou 101-NYA.

Laval: DEC en Sciences de la nature et Psychologie 101 ou 102 **OU** DEC en Sciences humaines et Méthodes quantitatives 201-300 (ou 201-301-RE ou Statistiques en sciences humaines 952-024) ou Mathématiques 103-RE, 203-RE, 105-RE (ou 022X, 022Y, 022Z) ou Mathématiques 337; Biologie 921 ou 901 ou 022V **OU** DEC en histoire et civilisation ou d'un autre DEC et Méthodes quantitatives 360-300 et 201-300 (ou 201-301-RE ou Statistiques en sciences humaines 952-024) ou Mathématiques 337 ou 103-RE, 203-RE, 105-RE ou 022X, 022Y, 022Z; Psychologie 101 ou 102; Biologie 921 ou 901 ou 022V. *N. B.: Les cours Biologie NYA (ou 301) (objectif 00UK) et 401 (objectif 00XU) ne sont plus acceptés pour le titulaire d'un DEC autre que celui en Sciences de la nature qui désire être admis au baccalauréat en Psychologie. Le titulaire de l'un des DEC techniques suivants est dispensé du cours Psychologie 101 ou 102: Techniques d'éducation à l'enfance, Techniques d'éducation spécialisée, Techniques d'intervention en délinquance, Soins infirmiers et Techniques de travail social. L'étudiant dont la langue d'études au primaire et au secondaire n'est pas le français doit, pour être admissible, faire la preuve d'un niveau minimal de connaissance de la langue française par* un résultat d'au moins 860 sur 990 au Test de français international (TFI). Ce test doit avoir été passé au cours de l'année précédant le dépôt de la demande d'admission, un document officiel attestant du résultat obtenu. À son arrivée à l'Université Laval, l'étudiant ayant obtenu un résultat de 860 ou plus au TFI est invité à passer un test de français écrit. Selon le résultat obtenu à ce test, l'étudiant peut devoir s'inscrire au cours FRN-3003 Français avancé: grammaire et rédaction II.

McGill: DEC en Sciences de la nature ou l'équivalent et Mathématiques NYA, NYB, NYC (00UN, 00UP, 00UQ ou 01Y1, 01Y2, 01Y4); Physique NYA, NYB, NYC (00UR, 00US, 00UT ou 01Y7, 01YF, 01YG); Chimie NYA, NYB (00UL, 00UM ou 01Y6, 01YH); Biologie NYA (00UK ou 01Y5).

Montréal: Neuroscience: DEC en Sciences de la nature et avoir atteint les objectifs Chimie 00XV; Biologie 00XU **OU** DEC ou l'équivalent et Mathématiques 103, 203; Physique 101, 201, 301; Chimie 101, 201, 202; Biologie 301 et 401 ou deux cours de biologie humaine **OU** avoir réussi 24 crédits de cours universitaires autres que des crédits obtenus dans le cadre de cours préparatoires aux études universitaires. **Psychologie:** DEC en Histoire et civilisation et avoir atteint les objectifs de Méthodes quantitatives 022P; Statistiques avancées 022W; Biologie 022V **OU** DEC en Sciences de la nature ou en Sciences humaines et avoir atteint les objectifs suivants: Biologie 022V et Statistiques avancés 022W **OU** DEC ou l'équivalent et Mathématiques 337 ou (360-300 et 201-300) ou (103 et 307); un cours de biologie; Psychologie 102 **OU** avoir réussi 24 crédits de cours universitaires autres que des crédits obtenus dans le cadre de cours préparatoires aux études universitaires.

Sherbrooke: DEC ou l'équivalent et Mathématiques 337 (ou 103 ou 307); Biologie NYA (ou 401 ou 911 ou 921); Psychologie 101 ou 102 **OU** DEC ou l'équivalent et Mathématiques NYA, NYB; Physique NYA, NYB, NYC; Chimie NYA, NYB; Biologie NYA.

UQAC: DEC en Sciences de la nature ou l'équivalent **OU** DEC ou l'équivalent et Mathématiques 022P ou 022W ou 01Y3 ou les cours 360-300-RE ou 201-300-RE ou 201-301-RE ou 337 ou 307; Biologie 022V ou les cours 101-901-RE ou 911 ou 921.

UQAM: DEC en Sciences humaines et Méthodes quantitatives 201-300, 360-300; Biologie 301, 401, 911 ou 921 ou leur équivalent **OU** DEC ou l'équivalent et Méthodes quantitatives 201-300; 360-300; Biologie 301, 401, 911 ou 921 (objectif 01Y5 ou 022V) **OU** DEC en Sciences de la nature.

SUITE

UQO : DEC ou l'équivalent et les objectifs ou les cours suivants : Mathématiques 00UN, 01Y1 ou 022X (103), 00UQ, 01Y4 ou 022Z (105,122 ou 302), 00UP, 01Y2 ou 022Y (203) ou Statistiques 01Y3 ou 022P (337, 307, 300 ou 024); Biologie 00UK, 00XU, 01Y5 ou 022V (301, 401, 911 ou 921).

UQTR : Baccalauréat international **OU** DEC en Arts et lettres **OU** DEC dans la famille des techniques humaines ou de la santé **OU** DEC en Sciences de la nature **OU** DEC dans la famille des sciences humaines ou de la santé et Méthodes quantitatives 201-300 (022W); Biologie humaine 921 (022V) **OU** avoir réussi les cours STT1006 Statistiques I et PSL1015 Élément de physiologie humaine ou l'équivalent.

Endroits de formation (voir p. 390)

	Contingentement	Coop	Cote R*
Bishop's	☐	☐	23.000
Concordia	■	☐	25.000 et 28.000
Laval	■	☐	25.222
McGill	☐	☐	32.500
Montréal	■	☐	25.000
Sherbrooke	■	☐	28.300
UQAC	☐	☐	—
UQAM	■	☐	25.000
UQO	■	☐	26.000
UQTR	☐	☐	25.000

** Le nombre inscrit indique la **Cote R** qui a été utilisée pour l'**admission de l'année 2012 ou 2013** par l'université concernée.*

Professions reliées

C.N.P.

4155	Agent au classement des détenus dans les pénitenciers
4155	Agent de probation
4151	Expert psycho-légal
4151	Neuropsychologue
4151	Psychanalyste
4151	Psychocogniticien
4151	Psychologue
4151	Psychologue clinicien
4151	Psychologue du travail et des organisations
4151	Psychologue scolaire
4151	Psychosociologue
4151	Psychothérapeute

Endroits de travail

– À son compte
– Bureaux de probation
– Centres de réadaptation
– Centres de rééducation
– Centres hospitaliers

– Organismes communautaires
– Secteurs industriels divers
– Services correctionnels

Salaire

Le salaire hebdomadaire moyen est de 716 $ (janvier 201).

Remarques

– Plusieurs champs d'études sont offerts selon les établissements : Neurosciences; Psychologie clinique; Psychologie-conseil; Psychologie expérimentale; Psychologie industrielle; Psychologie scolaire; Ressources humaines. Vérifier auprès de l'établissement.
– Pour porter le titre de psychologue, il faut être membre de l'Ordre des psychologues du Québec.
– Des études de 3e cycle sont nécessaires pour être membre d'un Ordre professionnel.
– L'Université Bishop's offre un certificat en Human Psychology et des majeures en Applied Psychology et Neuroscience.
– L'Université Concordia offre la possibilité de faire un BA ou un BSc en Psychologie. Le programme de BSc offre une option en Neuroscience comportementale.
– L'Université de Montréal offre une majeure et une mineure.
– L'Université du Québec à Chicoutimi (UQAC) offre un certificat et une mineure en Psychologie, ainsi qu'un certificat et une mineure en Psychologie organisationnelle.
– L'Université du Québec à Montréal (UQAM) offre un cheminement continu baccalauréat-doctorat. Cet établissement offre également un certificat en Psychologie.
– L'Université du Québec à Trois-Rivières (UQTR) offre un certificat en Psychologie et un certificat en Gérontologie.
– L'Université du Québec en Outaouais (UQO) offre le doctorat en Psychologie, profil professionnel et profil recherche en collaboration avec l'Université du Québec à Montréal (UQAM). Cet établissement offre également une mineure en Psychologie, ainsi que des certificats en Psychologie et en Animation de groupes.
– L'Université Laval offre des certificats en Psychologie et en Psychologie du développement humain.
– La TÉLUQ offre un diplôme de premier cycle.
– La TÉLUQ et l'Université McGill offrent l'option Psychologie dans le cadre du baccalauréat en Administration.

STATISTIQUES D'EMPLOI			
	2007	**2009**	**2011**
Nb de personnes diplômées	1 109	1 112	1 186
% en emploi	37,2 %	36,6 %	37,1 %
% à temps plein	74,7 %	79,3 %	74,1 %
% lié à la formation	54,8 %	45,5 %	47 %

SCIENCES HUMAINES

Compétences à acquérir

– Étudier la pensée de l'Homme manifestée soit dans ses connaissances, soit dans ses actions.
– Connaître et appliquer les notions de logique, d'éthique, de métaphysique, etc.
– Réfléchir sur les données de l'existence (perceptions, liberté, responsabilité, etc.).
– Réfléchir sur les sciences (psychologie, sociologie, physique, etc.).
– Réfléchir sur des questions sociales (éducation, éthique, politique).
– Réfléchir sur les diverses réalisations humaines (arts, littérature, technologie, etc.).
– Analyser et synthétiser des textes philosophiques, des thématiques ou des problématiques philosophiques.
– Argumenter, critiquer et interpréter la pensée d'un auteur.
– Communiquer ses réflexions sous forme de conférences, publications, entrevues, cours, etc.

Éléments du programme

– Aristote
– Éthique
– Kant
– L'impact de l'esprit technologique
– La pensée utopique
– Les présocratiques
– Logique symbolique
– Philosophie de la connaissance
– Philosophie du droit, de la culture
– Philosophie politique
– Platon

Admission (voir p. 21 G)

DEC ou l'équivalent.
OU
Montréal : DEC ou l'équivalent **OU** avoir réussi 24 crédits de cours universitaires autres que des crédits obtenus dans le cadre de cours préparatoires aux études universitaires.
Sherbrooke : DEC ou l'équivalent. **Cheminement avec mineures en biologie ou en chimie :** DEC ou l'équivalent et Mathématiques NYA, NYB (00UN, 00UP); Physique NYA, NYB, NYC (00UR, 00US, 00UT); Chimie NYA, NYB (00UL, 00UM); Biologie NYA (00UK). *N.B. : Pour les programmes de biologie, biotechnologie, écologie et microbiologie, les standards 00UN ou 022X, 00UP ou 022Y seront acceptés.* **Cheminement avec mineure en économique :** DEC ou l'équivalent et Mathématiques NYA ou 103 (00UN, 022X ou 01Y1). **Cheminement avec mineures en études anglaises ou en traduction :** DEC ou l'équivalent pour les personnes provenant d'un collège de langue anglaise **OU** avoir atteint, en anglais langue seconde, la formation équivalent à un cours de niveau

avancé (0008, 0009 ou 000N, 000P ou 01P4) pour les personnes provenant d'un collège de langue française. **Cheminement avec mineure en mathématiques :** DEC en Sciences informatiques et mathématiques (200.C0) **OU** DEC ou l'équivalent et Mathématiques NYA, NYB, NYC (ou 103, 105, 203 ou 00UN, 00UP, 00UQ ou 022X, 022Y, 022Z ou 01Y1, 01Y2, 01Y4). **Cheminement avec mineure en physique :** DEC ou l'équivalent et Mathématiques NYA, NYB, NYC (00UN, 00UP, 00UQ); Physique NYA, NYB, NYC (00UR, 00US, 00UT); Chimie NYA, NYB (00UL, 00UM); Biologie NYA (ou 00UK).

Endroits de formation (voir p. 390)

	Contingentement	Coop	Cote R
Bishop's	☐	☐	—
Concordia	☐	☐	—
Laval	☐	☐	—
McGill	☐	☐	—
Montréal	☐	☐	—
Sherbrooke	☐	☐	—
UQAM	☐	☐	—
UQTR	☐	☐	—

Professions reliées

C.N.P.
4169   Philosophe
4121   Professeur de philosophie

Endroits de travail

– À son compte
– Établissements d'enseignement

Salaire

Le salaire hebdomadaire moyen est de 748 $ (janvier 2011).

Remarques

– L'Université de Montréal offre une majeure et une mineure en Philosophie.
– L'Université du Québec à Montréal (UQAM) offre un baccalauréat, une majeure et une mineure en Philosophie.
– L'Université Laval offre un certificat en Philosophie, un certificat en Philosophie préparatoire aux études théologiques et un certificat en Philosophie pour les enfants. Cet établissement offre également deux microprogramme : Pensée critique et dialogue et Philosophie pour les enfants.

STATISTIQUES D'EMPLOI	2007	2009	2011
Nb de personnes diplômées	165	150	129
% en emploi	31,5 %	28,6 %	26,3 %
% à temps plein	70,6 %	73,1 %	61,9 %
% lié à la formation	29,2 %	31,6 %	23,1 %

SCIENCES HUMAINES

BAC 6 TRIMESTRES   CUISEP 575-000

Compétences à acquérir

– Travailler à la réadaptation des personnes en difficulté d'adaptation et à la prévention de l'inadaptation sociale.
– Aider la personne inadaptée dans toutes les circonstances de sa vie.
– Aider au développement optimal des possibilités physiques, intellectuelles, morales et sociales de la personne.
– Corriger l'orientation des comportements.
– Concevoir, coordonner, réaliser et évaluer des interventions et des stratégies de rééducation.

Éléments du programme

– Développement cognitif
– Développement socioaffectif
– Instruments de mesure et d'évaluation
– Justice des mineurs
– Milieu familial, adaptation sociale
– Observation et évaluation
– Prévention en milieu scolaire
– Processus d'apprentissage

Admission (voir p. 21 G)

Laval : DEC en Sciences de la nature **OU** DEC en Sciences humaines et Méthodes quantitatives 201-300 (ou 201-30-RE ou Statistiques en sciences humaines 952-024) **OU** DEC en Histoire et civilisation ou tout autre DEC **ET** Méthodes quantitatives en sciences humaines 360-300 et formation complémentaire 201-300 (ou 201-30-RE ou Statistiques en sciences humaines 952-024 ou Mathématiques 337 ou NYA ou 103 et 307).

Montréal : DEC en Sciences humaines, en Sciences de la nature ou en Histoire et civilisation et Méthodes quantitatives 022P **OU** DEC ou l'équivalent et avoir réussi un cours préalable en statistique (lequel peut être suivi à l'université) **OU** avoir réussi 24 crédits de cours universitaires autres que des crédits obtenus dans le cadre de cours préparatoires aux études universitaires.

Sherbrooke : DEC ou l'équivalent.

UQAT : DEC ou l'équivalent, questionnaires et entrevue au besoin.

UQO : DEC en Sciences humaines ou DEC ou l'équivalent **OU** DEC technique en Techniques d'éducation spécialisée, en Techniques de travail social ou dans une discipline connexe ou l'équivalent **ET** test d'admission et entrevue au besoin.

UQTR : DEC en Sciences humaines **OU** DEC ou l'équivalent et Méthodes quantitatives 360-300 ou l'équivalent **ET** entrevues, tests d'admission.

Endroits de formation (voir p. 390)

	Contingentement	Coop	Cote R*
Laval	☐	☐	25.000
Montréal	■	☐	27.400
Sherbrooke	■	☐	26.200
UQAT	☐	☐	—
UQO	■	☐	20.000 à 26.000
UQTR	■	☐	23.500

** Le nombre inscrit indique la **Cote R** qui a été utilisée pour l'**admission de l'année 2012 ou 2013** par l'université concernée.*

Professions reliées

C.N.P.
4153	Conseiller en réadaptation
4166	Conseiller pédagogique
4215	Professeur pour personnes déficientes intellectuelles
4215	Professeur pour personnes handicapées de la vue
4151	Psychoéducateur

Endroits de travail

– À son compte
– Centres de la petite enfance (CPE)
– Centres de réadaptation
– Centres de services sociaux
– Centres hospitaliers
– Centres jeunesse
– Commission de la santé et de la sécurité du travail (CSST)
– Établissements d'enseignement
– Société de l'assurance-automobile du Québec (SAAQ)

Salaire

Le salaire hebdomadaire moyen est de 853 $ (janvier 2011).

Remarques

– Pour enseigner au secondaire, il faut être titulaire d'un permis ou d'un brevet d'enseignement permanent émis par le ministère de l'Éducation, du Loisir et du Sport.
– Pour porter le titre de psychoéducateur, il faut être membre de l'Ordre des psychoéducateurs et psychoéducatrices du Québec.
– L'Université du Québec à Trois-Rivières (UQTR) offre également ce programme au Campus de Québec.
– L'Université du Québec en Outaouais (UQO) offre également ce programme au Campus de Saint-Jérôme.

STATISTIQUES D'EMPLOI	2007	2009	2011
Nb de personnes diplômées	276	281	335
% en emploi	68,6 %	59,6 %	52,4 %
% à temps plein	79,8 %	84,6 %	88,6 %
% lié à la formation	93,2 %	91,8 %	92,3 %

SCIENCES HUMAINES

Sciences de la consommation

BAC 6 TRIMESTRES   CUISEP 625-000

Compétences à acquérir

– Maîtriser un ensemble de concepts, de principes et de méthodologies permettant l'analyse approfondie des divers facteurs affectant les comportements de consommation.
– Développer la capacité d'identifier les attentes et analyser la satisfaction du consommateur.
– Acquérir les compétences liées au marketing relationnel permettant d'analyser la relation entreprise-client.
– Intervenir auprès des entreprises, des administrations publiques et des organismes sans but lucratif, afin d'optimiser les relations de ces établissements avec le consommateur.
– Faire preuve d'éthique professionnelle, d'autonomie et de créativité.
– Démontrer une compétence dans les relations interpersonnelles et organisationnelles.
– Accroître les aptitudes de communication orales et écrites.

Éléments du programme

– Consommation et mode de vie
– Économie de la consommation
– Environnement commercial
– Législation et consommation
– Méthodes quantitatives en consommation
– Comportement du consommateur
– Plan d'intervention en consommation
– Théories et mesure de la satisfaction

Admission (voir p. 21 G)

DEC en Histoire et civilisation et avoir réussi le cours Méthodes quantitatives en sciences humaines 360-300.
OU
DEC en Sciences de la nature et avoir réussi le cours Initiation pratique à la Méthodologie des sciences humaines 300-300.
OU
DEC en Sciences humaines.
OU
Tout autre DEC et avoir réussi les cours initiation pratique à la méthodologie des sciences humaines 300-300 et Méthodes quantitatives en sciences humaines 360-300.

Endroit de formation (voir p. 310)

	Contingentement	Coop	Cote R
Laval	☐	☐	—

Professions reliées

C.N.P.
6233	Acheteur
4164	Conseiller en consommation
6221	Conseiller en consommation d'énergie
6411	Courtier en denrées alimentaires
0114	Directeur du service à la clientèle
4163	Expert-conseil en commercialisation
4164	Intervenant budgétaire

Endroits de travail

– Associations de consommateurs
– Gouvernements fédéral et provincial
– Organismes communautaires

Salaire

Le salaire hebdomadaire moyen est de 803 $ (janvier 2011).

Remarque

L'Université Laval offre un certificat en Sciences de la consommation.

SCIENCES HUMAINES

STATISTIQUES D'EMPLOI			
	2007	2009	2011
Nb de personnes diplômées	26	26	36
% en emploi	82,6 %	85,7 %	89,5 %
% à temps plein	94,7 %	100 %	94,1 %
% lié à la formation	55,6 %	61,1 %	68,8 %

BAC 6 TRIMESTRES   CUISEP 631-000

Compétence à acquérir

Programme multidisciplinaire : archéologie, archivistique, histoire, histoire de l'art et muséologie.

Éléments du programme

– Analyse critique des sources
– Concepts et méthodes archivistiques
– Lecture critique
– Méthodes et théories de l'archéologie
– Patrimoine et rapports au passé
– Recherche de l'information
– Rédaction de documents

Admission (voir p. 21 G)

DEC ou l'équivalent.

Endroit de formation (voir p. 310)

	Contingentement	Coop	Cote R
Laval	☐	☐	—

Professions reliées

C.N.P.
5113   Archiviste
4169   Historien

Endroits de travail

– Établissements d'enseignement
– Gouvernements fédéral et provincial
– Médias (journaux, télévision)

Salaire

Le salaire hebdomadaire moyen est de 741 $ (janvier 2011)

STATISTIQUES D'EMPLOI			
	2007	**2009**	**2011**
Nb de personnes diplômées	385	385	365
% en emploi	42 %	37,2 %	37,3 %
% à temps plein	78,1 %	77 %	73,2 %
% lié à la formation	36,6%	34,3 %	25 %

BAC 6 TRIMESTRES CUISEP 635-000

Compétences à acquérir

– Comprendre les divers phénomènes sociaux dans leurs différents aspects et influences.
– Contribuer à l'étude de solutions pouvant être apportées aux différents problèmes sociaux.
– Intervenir auprès de communautés ou de groupes tels que des organisations publiques, parapubliques, privées, etc. dans le but d'apporter des solutions aux problèmes vécus.
– Intégrer les assises méthodologiques, analytiques et humaines nécessaires à l'intervention.

Éléments du programme

– Changement social
– Démographie
– Droit
– Économie du travail
– Groupes de pression
– Sociologie et politique
– Système social

Admission (voir p. 21 G)

DEC ou l'équivalent.

Endroits de formation (voir p. 390)

	Contingentement	Coop	Cote R
Bishop's	☐	☐	—
UQO	☐	☐	—

Professions reliées

C.N.P.
1228	Agent d'assurance-emploi
4164	Agent de développement communautaire
4164	Agent de recherche et de planification socio-économique
4164	Conseiller en développement régional
1228	Inspecteur de l'immigration

Endroits de travail

– Centres culturels
– Centres de main-d'œuvre
– Commissariats industriels
– Coopératives
– Gouvernements fédéral et provincial
– Médias d'information
– Syndicats

Salaire

Le salaire hebdomadaire moyen est de 875 $ (janvier 2009).

Remarques

– Pour être agent de l'immigration, il faut suivre une formation spécialisée offerte par le gouvernement du Canada.
– L'Université du Québec à Chicoutimi (UQAC) offre un certificat et une mineure en Sociologie et communication appliquée.
– L'Université du Québec à Montréal (UQAM), l'Université du Québec en Abitibi-Témiscamingue (UQAT) et la TÉLUQ offrent un certificat en Sciences sociales.
– L'Université du Québec en Outaouais (UQO) offre les profils : Communication; Histoire; Sciences politique; Sociologie. Cet établissement offre également des certificats en Communication publique, en Développement international, en Histoire, en Médias de l'information et des communications, en Science politique et en Sociologie.
– L'Université Laval offre un certificat en Gérontologie.

STATISTIQUES D'EMPLOI			
	2007	**2009**	**2011**
Nb de personnes diplômées	—	6	—
% en emploi	—	100 %	—
% à temps plein	—	100 %	—
% lié à la formation	—	33,3 %	—

SCIENCES HUMAINES

BAC 6 TRIMESTRES   CUISEP 121-000

Compétences à acquérir

– Analyser et résoudre les problèmes en sécurité inté-
rieure, spécialement les problèmes criminels.
– Proposer des solutions aux problèmes de sécurité.
– Gérer les services de sécurité publique ou privée.
Deux voies de spécialisation sont offertes:
Analyse; Intervention.

Éléments du programme

– Analyse stratégique en criminologie
– Délinquance et facteurs criminogènes
– Droit constitutionnel
– Méthodologie en criminologie
– Organisation de l'enquête
– Résolution de problèmes en sécurité et études policières
– Stage

Admission (voir p. 21 G)

DEC en Sciences humaines **OU** DEC en Sciences de la
nature **OU** DEC en Histoire et civilisation et avoir atteint
l'objectif 022P en méthodes quantitatives **OU** DEC ou
l'équivalent et un cours de statistiques **OU** avoir réussi
24 crédits de cours universitaires autres que des crédits
obtenus dans le cadre de cours préparatoires aux études
universitaires et avoir réussi un cours préalable en
statistique.

Endroit de formation (voir p. 310)

	Contingentement	Coop	Cote R*
Montréal	■	☐	27.000

* Le nombre inscrit indique la **Cote R** qui a été utilisée pour l'**admission de l'année 2012** par l'université concernée.

Profession reliée

C.N.P.
6261   Agent de la protection civile

Endroits de travail

– Agences de sécurité
– Corps policiers municipaux
– Gendarmerie Royale du Canada (GRC) – Fonction
publique
– Gouvernements fédéral et provincial
– Services de sécurité des grandes entreprises

Salaire

Le salaire hebdomadaire moyen est de 1 392 $ (janvier
2011).

STATISTIQUES D'EMPLOI			
	2007	2009	2011
Nb de personnes diplômées	—	—	15
% en emploi	—	—	70 %
% à temps plein	—	—	100 %
% lié à la formation	—	—	71,4 %

SCIENCES HUMAINES

Compétences à acquérir

– Poursuivre une formation fondamentale en puisant, entre autres, à même les sciences sociales, le droit, la psychologie, la gestion, la criminologie, la philosophie et les méthodologies de recherche.
– Enrichir la pratique professionnelle actuelle.
– Acquérir de nouvelles connaissances et développer des habiletés dans différents domaines de la gestion, des enquêtes et de l'intervention policière.
– Développer une capacité de synthèse, d'autonomie et une imputabilité dans la pratique professionnelle.

Deux cheminements sont offerts :
Enquête ; Gestion.

Éléments du programme

– Enquête sur le crime économique
– Enquête sur le crime organisé
– Entrevue filmée d'un suspect
– Investigation d'une scène d'incendie
– Méthodes et techniques d'enquêtes avancées
– Processus d'enquête
– Renseignement criminel

Admission (voir p. 21 G)

DEC technique ou AEC en Techniques policières ou l'équivalent et être à l'emploi d'un corps de police à titre de policier. *N. B. : Le formulaire d'admission est disponible sur le site Internet de l'École nationale de police du Québec.*

Endroit de formation (voir p. 310)

	Contingentement	Coop	Cote R
UQTR	☐	☐	—

Professions reliées

C.N.P.
0641 Directeur des services de polices
6261 Enquêteur
0641 Inspecteur-chef de police
0641 Lieutenant-détective

Endroits de travail

– Corps policiers municipaux
– Gendarmerie Royale du Canada (GRC)
– Sûreté du Québec

Salaire

Donnée non disponible.

Remarques

– Le baccalauréat en Sécurité publique est un programme de perfectionnement qui s'adresse à tous les policiers du Québec.
– À l'Université du Québec à Trois-Rivières (UQTR), ce programme est offert en partenariat avec douze universités.

Statistiques d'emploi

Données non disponibles.

SCIENCES HUMAINES

Compétences à acquérir

– Intervenir auprès de personnes ou de groupes dans le but de solutionner des difficultés, prévenir des problèmes ou faciliter l'adaptation des personnes ou des groupes à leur environnement.
– Intervenir auprès de personnes, couples, familles ou groupes afin de les aider à atteindre un mieux-être.
– Travailler à l'amélioration du bien-être individuel et collectif.
– Améliorer la qualité de vie des enfants et des adolescents aux prises avec des difficultés familiales.
– Aider les personnes en perte d'autonomie, psychiatrisées ou malades à se réadapter.

Éléments du programme

– Analyse des problèmes sociaux
– Droits des personnes
– Éthique
– Études des communautés
– Habiletés en évaluation et en intervention
– Législation et sécurité sociales
– Organisation communautaire
– Politiques sociales
– Situations d'intervention
– Stages

Admission (voir p. 21 G)

DEC ou l'équivalent
ET
McGill : DEC ou l'équivalent et fournir une lettre de recommandation.
OU
Laval : DEC en Sciences humaines **OU** DEC en Sciences de la nature et Psychologie 101 ou 102 **OU** DEC en Histoire et civilisation ou tout autre DEC et Mathématiques 337 ou l'équivalent ou Méthodes quantitatives 360-300; Psychologie 101 ou 102. *N. B. : Le titulaire d'un DEC technique parmi les suivants est dispensé du cours psychologie 101 ou 102 : Techniques d'éducation à l'enfance, Techniques d'éducation spécialisée, Techniques d'intervention en délinquance, Soins infirmiers et Techniques de travail social. L'étudiant dont la langue d'études au primaire et au secondaire n'est pas le français doit, pour être admissible, faire la preuve d'un niveau minimal de connaissance de la langue française par un résultat d'au moins 860 sur 990 au Test de français international (TFI). Ce test doit avoir été passé au cours de l'année précédant le dépôt de la demande d'admission, un document officiel attestant du résultat obtenu. À son arrivée à l'Université Laval, l'étudiant ayant obtenu un résultat de 860 ou plus au TFI est invité à passer un test de français écrit. Selon le résultat obtenu à ce test, l'étudiant peut devoir s'inscrire au cours FRN-3003 Français avancé : grammaire et rédaction II.*

Montréal : DEC en Sciences de la nature ou en Sciences humaines **OU** DEC en Histoire et civilisation et avoir atteint l'objectif 022P **OU** DEC ou l'équivalent et avoir réussi un cours préalable en statistiques **OU** avoir réussi 24 crédits de cours universitaires autres que des crédits obtenus dans le cadre de cours préparatoires aux études universitaires.
UQO : DEC en Sciences humaines ou l'équivalent **OU** DEC en Technique d'éducation spécialisée ou en Techniques de travail social ou dans une discipline connexe **ET** questionnaire et entrevue au besoin.

Endroits de formation (voir p. 390)

	Contingentement	Coop	Cote R*
Laval	■	☐	25.140
McGill	■	☐	24.000
Montréal	■	☐	28.000
Sherbrooke	■	☐	26.900
UQAC	■	☐	24.300
UQAM	■	☐	28.200
UQAR	■	☐	25.297
			à 26.055
UQAT	☐	☐	—
UQO	■	☐	23.000
			ou 26.000**

** Le nombre inscrit indique la **Cote R** qui a été utilisée pour l'admission de l'année 2011 ou 2012 par l'université concernée.*
** Campus de Saint-Jérôme.

Professions reliées

C.N.P.
4155	Agent au classement des détenus dans les pénitenciers
1228	Agent d'assurance-emploi
4212	Agent d'attribution de la sécurité du revenu
1228	Agent de l'immigration
4155	Agent de libération conditionnelle
4155	Agent de probation
4153	Conseiller en toxicomanie
4212	Travailleur de rue
4152	Travailleur social
4152	Travailleur social en service collectif

Endroits de travail

– À son compte
– Bureaux de probation
– Centres d'accueil
– Centres de détention
– Centres de services sociaux
– Centres hospitaliers
– Centres locaux de services communautaires (CLSC)
– Gouvernements fédéral et provincial
– Organismes communautaires
– Services correctionnels

SCIENCES HUMAINES

Salaire

Le salaire hebdomadaire moyen est de 831 $ (janvier 2011).

Remarques

– Pour porter le titre de travailleur social, il faut être membre de l'Ordre professionnel des travailleurs sociaux du Québec.

– Pour être agent de l'immigration, il faut suivre une formation spécialisée offerte par le gouvernement du Canada. Ce programme ne donne pas accès à l'Ordre professionnel des travailleurs sociaux.

– L'Université Concordia offre un baccalauréat avec majeure en Child Studies. Le programme offert par Concordia ne donne pas accès à l'Ordre professionnel des travailleurs sociaux.

– L'Université de Montréal offre les certificats suivants : Action communautaire; Intervention auprès des jeunes; Intervention en déficience intellectuelle; Prévention et réadaptation; Toxicomanie; Violence, victimes et société.

– L'Université du Québec à Chicoutimi (UQAC) offre un certificat en Intervention communautaire, un certificat et une mineure en Intervention jeunesse, un certificat en Toxicomanies et autres dépendances, ainsi que deux programmes courts : Intervention jeunesse autochtone et Prévention des dépendances chez les jeunes des Premières Nations.

– L'Université du Québec à Montréal (UQAM) offre deux concentrations : Intervention auprès des communautés; Intervention auprès des individus, des groupes et des familles.

– L'Université du Québec à Rimouski (UQAR) offre par extension le baccalauréat en Travail social de l'Université du Québec en Abitibi-Témiscamingue (UQAT).

– L'Université du Québec en Outaouais (UQO) offre un certificat en Travail social. Le baccalauréat et le certificat en Travail social sont également offerts au Campus de Saint-Jérôme.

– L'Université Laval offre un certificat en Service social.

STATISTIQUES D'EMPLOI			
	2007	2009	2011
Nb de personnes diplômées	645	688	633
% en emploi	86,5 %	85,7 %	87,3 %
% à temps plein	90,1 %	90,9 %	88,4 %
% lié à la formation	93,9 %	93,1 %	95,4 %

SCIENCES HUMAINES

BAC 6 TRIMESTRES   CUISEP 577-000

Compétences à acquérir

– Informer, faire de la prévention et de l'éducation sur tous les aspects de la sexualité.
– Recevoir des personnes ou des couples en consultation.
– Donner des conseils sur l'éducation sexuelle.
– Évaluer, diagnostiquer et traiter des problèmes affectifs et relationnels, des dysfonctions sexuelles, des déviances, des problèmes d'orientation et d'identité sexuelles.

Éléments du programme

– Histoire de la pensée sexologique
– Langage non verbal et messages érotiques
– Religion et sexualité
– Réponse sexuelle humaine
– Sexologie et condition féminine
– Sexualité et contrôle social
– Variations de la fonction et de l'orientation sexuelle

Admission (voir p. 21 G)

DEC ou l'équivalent.

Endroit de formation (voir p. 310)

	Contingentement	Coop	Cote R*
UQAM	■	☐	25.000

* Le nombre inscrit indique la **Cote R** qui a été utilisée pour l'**admission de l'année 2012** par l'université concernée.

Profession reliée

C.N.P.
4153   Sexologue

Endroits de travail

– À son compte
– Clinique de planification des naissances
– Établissements d'enseignement
– Médias d'information
– Organismes communautaires

Salaire

Le salaire hebdomadaire moyen est de 662 $ (janvier 2011).

Remarques

– Le diplôme de maîtrise est exigé pour faire de la consultation clinique ou thérapeutique ainsi que pour travailler en recherche.
– L'Université du Québec à Montréal (UQAM) est la seule université en Amérique du Nord à offrir un baccalauréat en Sexologie.
– L'Université Laval offre un microprogramme en Sexualité humaine – études sur les abus sexuels.

SCIENCES HUMAINES

STATISTIQUES D'EMPLOI	2007	2009	2011
Nb de personnes diplômées	74	67	84
% en emploi	66 %	57,1 %	60,9 %
% à temps plein	74,3 %	87,5 %	79,5 %
% lié à la formation	65,4 %	60,7 %	58,1 %

BAC 6 TRIMESTRES   CUISEP 581-000

Compétences à acquérir

– Étudier l'impact du sport et de l'exercice dans la société.
– Explorer les aspects social, biologique, politique, économique du sport.

Éléments du programme

– Athlètes et société
– Laboratoires en Science de l'exercice
– Marketing du sport
– Méthodes de recherche
– Psychologie sociale du sport et de l'exercice
– Sociologie du sport
– Sport et psychologie
– Techniques de recherche empirique
– Travail et loisirs

Admission (voir p. 21 G)

DEC ou l'équivalent.

Endroit de formation (voir p. 310)

	Contingentement	Coop	Cote R*
Bishop's	☐	☐	23.000

*Le nombre inscrit indique la **Cote R** qui a été utilisée pour l'**admission de l'année 2012 ou 2013** par l'université concernée.*

Professions reliées

Données non disponibles

Endroits de travail

– Journaux et magasines
– Multinationales
– Organismes à but non lucratif
– Organisations sportives

Salaire

Donnée non disponible.

Remarques

– Ce programme prépare l'étudiant à la poursuite des études dans les domaines du loisir, de la gestion d'athlètes et du journalisme sportif.
– L'Université Bishop's offre également une mineure en Health and Sport Studies.

Statistiques d'emploi

Données non disponibles.

SCIENCES HUMAINES

Disciplines

	PAGE
Biologie, microbiologie, biochimie	242
Mathématiques, statistiques, actuariat	251
Sciences physiques	256

BIOLOGIE, MICROBIOLOGIE, BIOCHIMIE

PROGRAMMES D'ÉTUDES	PAGE
Anatomy and Cell Biology	243
Biochimie / Biochimie de la santé / Biochimie et biotechnologie / Biochimie et médecine moléculaire / Biochemistry	244
Biologie / Biologie en apprentissage par problèmes / Biologie moléculaire et cellulaire / Écologie / Sciences biologiques / Sciences biologiques et écologiques / Biology / Cell and Molecular Biology / Ecology	246
Biophysique	248
Immunologie / Microbiologie / Microbiologie et immunologie / Immunology / Microbiology and Immunology	249
Sciences biopharmaceutiques	250

BAC 6 TRIMESTRES   CUISEP 353-611

Compétences à acquérir

– Étudier le développement et l'évolution de l'anatomie.
– Effectuer des recherches au niveau des sciences biomédicales et médicales.

Éléments du programme

– Biologie cellulaire
– Embryologie
– Histologie
– Neuroanatomie

Admission (voir p. 21 G)

DEC en Sciences de la nature ou l'équivalent et Mathématiques NYA, NYB, NYC (00UN, 00UP, 00UQ ou 01Y1, 01Y2, 01Y4); Physique NYA, NYB, NYC (00UR, 00US, 00UT ou 01Y7, 01YF, 01YG); Chimie NYA, NYB (00UL, 00UM ou 01Y6, 01YH); Biologie NYA (00UK ou 01Y5).

Endroit de formation (voir p. 310)

	Contingentement	Coop	Cote R*
McGill	☐	☐	28.000

** Le nombre inscrit indique la **Cote R** qui a été utilisée pour l'**admission de l'année 2012 ou 2013** par l'université concernée.*

Profession reliée

C.N.P.
2121   Anatomiste

Endroits de travail

– Centres de recherche
– Établissements d'enseignement universitaire
– Gouvernements fédéral et provincial
– Laboratoires médicaux

Salaire

Le salaire hebdomadaire moyen est de 721 $ (janvier 2009).

Remarque

Un diplôme de maîtrise ou de doctorat peut être nécessaire pour certains emplois.

STATISTIQUES D'EMPLOI	2007	2009	2011
Nb de personnes diplômées	226	302	—
% en emploi	23,6 %	23,4 %	—
% à temps plein	82,4 %	87,2 %	—
% lié à la formation	67,9 %	52,9 %	—

SCIENCES PURES

Biochimie / Biochimie de la santé / Biochimie et biotechnologie / Biochimie et médecine moléculaire / Biochemistry

BAC 6 TRIMESTRES

CUISEP 411-000

Compétences à acquérir

– Appliquer les différentes techniques de laboratoire.
– Utiliser l'appareillage courant en recherche de pointe.
– Mettre au point des pesticides, des hormones végétales et animales, des insecticides, des antibiotiques et divers produits pharmaceutiques.
– Étudier les réactions biochimiques et la nature des constituants chimiques des êtres vivants et des substances qu'ils produisent.
– Faire des recherches sur la culture de tissus humains en laboratoire.
– Faire des recherches sur les mécanismes biologiques comme le sommeil, la division cellulaire et l'hérédité.
– Produire des rapports de travaux, d'expertises ou d'analyses.
– Déterminer la composition et la qualité de biens produits, de matériaux, de procédés et d'appareils en vue d'assurer le contrôle de la qualité ou d'établir un diagnostic.

Éléments du programme

– Biochimie
– Biologie cellulaire
– Chimie organique
– Enzymologie
– Éthique scientifique
– Immunologie
– Microbiologie
– Normes environnementales
– Stage

Admission (voir p. 21 G)

Bishop's: DEC ou l'équivalent et Mathématiques 201-NYA, 201-NYB; Physique 203-NYA, 203-NYB; Chimie 202-NYA, 202-NYB; Biologie 101-NYA ou 101 BCF (fortement recommandé).

Concordia: DEC ou l'équivalent et Mathématiques 103, 203 (NYA, NYB); Physique 101, 201, 301 (NYA, NYB, NYC); Chimie 101, 201 (NYA, NYB); Biologie 301 (NYA).

Laval: DEC en Sciences de la nature **OU** DEC ou l'équivalent et Mathématiques NYA, NYB (ou 00UN, 00UP ou 103-77, 203-77 ou 103-RE, 203-RE ou 022X, 022Y); Physique NYA, NYB (ou 01 et 201 ou 00UR, 00US); Chimie NYA, NYB (ou 101, 201 ou 00UL, 00UM); Biologie NYA (ou 301 ou 00UK). *N. B.: Pour connaître les passerelles entre un DEC technique et ce programme, contacter la Faculté des sciences et de génie.*

McGill: DEC en Sciences de la nature ou l'équivalent et Mathématiques NYA, NYB, NYC (00UN, 00UP, 00UQ ou 01Y1, 01Y2, 01Y4); Physique NYA, NYB, NYC (00UR, 00US, 00UT ou 01Y7, 01YF, 01YG); Chimie NYA, NYB (00UL, 00UM ou 01Y6, 01YH); Biologie NYA (00UK ou 01Y5).

Montréal: DEC en Sciences de la nature et avoir atteint les objectifs suivants: Chimie 00XV; Biologie 00XU **OU** DEC technique en Techniques de laboratoire, spécialisation *Biotechnologies* **OU** DEC ou l'équivalent et Mathématiques 103, 203; Physique 101, 201, 301; Chimie 101, 201, 202; Biologie 301, 401 ou deux cours de biologie humaine **OU** avoir réussi 24 crédits de niveau universitaire autres que des crédits obtenus dans le cadre de cours préparatoires aux études universitaires.

Sherbrooke: DEC ou l'équivalent et Mathématiques NYA, NYB (00UN, 00UP); Physique NYA, NYB, NYC (00UR, 00US, 00UT); Chimie NYA, NYB (00UL, 00UM); Biologie NYA (00UK) **OU** DEC en techniques biologiques ou en techniques physiques ou l'équivalent et Mathématiques NYA, NYB (00UN, 00UP); Chimie NYA, NYB (00UL, 00UM); Biologie NYA (00UK) et un cours de physique parmi 00UR, 00US ou 00UT **OU** DEC techniques parmi les suivants: Techniques d'analyses biomédicales (140.B0) et Mathématiques NYA; Techniques d'inhalothérapie (141.A0) et Mathématiques NYA et Chimie NYB; Techniques de bioécologie (145.C0) et Mathématiques NYA et Chimie NYA (00UL); Techniques de diététique (120.A0) ou Technique de santé animale (145.A0) et Mathématiques NYA et Chimie NYA, NYB; Environnement, hygiène et sécurité au travail (260.B0) ou Techniques de laboratoire, spécialisation *Biotechnologies* (210.AA) ou *Chimie analytique* (210.AB) ou Technologie des pâtes et papiers (232.A0) ou Techniques en inventaire et recherche en biologie (145.02) et Biologie NYA (00UK).

UQAM: DEC en Sciences de la nature et Chimie 202 **OU** DEC ou l'équivalent et Mathématiques 103, 203; Physique 101, 201, 301; Chimie 101, 201; Biologie 301 **OU** DEC technique en Techniques de laboratoire, spécialisation *Biotechnologies* (210.AA) ou DEC dans la famille des techniques biologiques ou physiques ou l'équivalent et avoir atteint les objectifs suivants: Mathématiques 103, 203; Physique 101, 201, 301; Chimie 101, 201, 301; Biologie 301.

UQTR: DEC en Sciences de la nature **OU** DEC ou l'équivalent et Mathématiques 103, 203 (00UN, 00UP); Physique 101, 201, 301 (00UR, 00US, 00UT); Chimie 101, 201 (00UL, 00UM); Biologie 301 (00UK) **OU** DEC technique en Techniques de laboratoire, spécialisation *Biotechnologies* (210.AA) ou *Chimie analytique* (210.AB) ou l'équivalent et Mathématiques 103 (00UN).

SCIENCES PURES

Endroits de formation (voir p. 390)

	Contingentement	Coop	Cote R*
Bishop's	☐	☐	—
Concordia	☐	■	20.000 et 28.000
Laval	☐	☐	—
McGill	☐	☐	28.000
Montréal	☐	☐	26.004
Sherbrooke	■	■	—
UQAM	☐	☐	—
UQTR**	☐	☐	—

** Le nombre inscrit indique la **Cote R** qui a été utilisée pour l'**admission de l'année 2012 ou 2013** par l'université concernée.*
** Contingenté à 20 places.

Professions reliées

C.N.P.

2112	Biochimiste
2112	Biochimiste clinique
2121	Biologiste moléculaire
—	Contrôleur de la qualité
2121	Généticien
2121	Immunologue
—	Représentant
2112	Scientifique en produits alimentaires
2121	Virologiste

Endroits de travail

– Centres de recherche
– Centres hospitaliers universitaires
– Établissements d'enseignement universitaire
– Gouvernements fédéral et provincial
– Industrie alimentaire
– Industrie de produits chimiques
– Industrie pharmaceutique
– Laboratoires médicaux
– Municipalités (services des eaux)

Salaire

Le salaire hebdomadaire moyen est de 755 $ (janvier 2011).

Remarques

– Pour exercer la profession et porter le titre de biochimiste, il faut être membre de l'Ordre des chimistes du Québec.
– Pour exercer et porter le titre de biochimiste clinique, il faut être titulaire d'un certificat de spécialiste émis par l'Ordre des chimistes du Québec.
– Des études de 2e cycle sont nécessaires pour exercer les professions suivantes : biologiste moléculaire, généticien et virologiste.
– Des études de 3e cycle sont nécessaires pour exercer la profession de biochimiste clinique.
– L'Université de Montréal offre trois orientations : Biochimie; Génétique et génomique humaine; Médecine moléculaire.
– L'Université Laval offre trois concentrations : Biochimie cellulaire et moléculaire; Biochimie professionnelle; Biochimie structurale et biophysique.

SCIENCES PURES

STATISTIQUES D'EMPLOI	2007	2009	2011
Nb de personnes diplômées	294	267	263
% en emploi	38,7 %	30,5 %	37,9 %
% à temps plein	88,9 %	98,1 %	82 %
% lié à la formation	60,9 %	66 %	52 %

15200

Biologie / Biologie en apprentissage par problèmes / Biologie moléculaire et cellulaire / Écologie / Sciences biologiques / Sciences biologiques et écologiques / Biology / Cell and Molecular Biology / Ecology

BAC 6 TRIMESTRES   CUISEP 313-000/110

Compétences à acquérir

– Étudier des phénomènes de la vie végétale ou animale (structures, fonctions, réactions et comportements) et procéder à l'analyse des données recueillies.
– Étudier les relations entre les êtres vivants et leur milieu.
– Travailler à la protection de l'environnement ainsi qu'à l'utilisation et à la conservation des ressources naturelles.
– Travailler à l'aménagement des lieux et de la faune.

Éléments du programme

– Biotechnologie
– Écologie générale et végétale
– Génétique
– Gestion de la faune
– Méthodes quantitatives
– Mycologie
– Phycologie
– Physiologie animale et végétale
– Structure et fonctions des végétaux
– Toxicologie environnementale

Admission (voir p. 21 G)

Bishop's : DEC ou l'équivalent et Mathématiques 201-NYA, 201-NYB; Physique 203-NYA, 203-NYB; Chimie 202-NYA, 202-NYB; Biologie 101-NYA ou 101 BCF (fortement recommandé).

Concordia : DEC ou l'équivalent et Mathématiques 103, 203 (NYA, NYB); Physique 101, 201, 301 (NYA, NYB, NYC); Chimie 101, 201 (NYA, NYB); Biologie 301 (NYA).

Laval : DEC en Sciences de la nature **OU** DEC ou l'équivalent et Mathématiques NYA, NYB (103-77, 203-77); Physique NYA, NYB (101, 201); Chimie NYA, NYB (101, 201); Biologie NYA (301). N. B.: Pour connaître les passerelles entre un DEC technique et ce programme, contacter la Faculté des sciences et de génie.

McGill : DEC en Sciences de la nature ou l'équivalent et Mathématiques NYA, NYB, NYC (00UN, 00UP, 00UQ ou 01Y1, 01Y2, 01Y4); Physique NYA, NYB, NYC (00UR, 00US, 00UT ou 01Y7, 01YF, 01YG); Chimie NYA, NYB (00UL, 00UM ou 01Y6, 01YH); Biologie NYA (00UK ou 01Y5).

Montréal : DEC en Sciences de la nature et avoir atteint les objectifs suivants : Chimie 00XV; Biologie 00XU **OU** DEC ou l'équivalent et un cours de mathématiques, deux cours de chimie dont un cours de chimie organique et deux cours de biologie **OU** avoir réussi 24 crédits de cours universitaires autres que des crédits obtenus dans le cadre de cours préparatoires aux études universitaires.

Sherbrooke : DEC ou l'équivalent et Mathématiques NYA, NYB (00UN, 00UP); Physique NYA, NYB, NYC (00UR, 00US, 00UT); Chimie NYA, NYB (00UL, 00UM); Biologie NYA (00UK) **OU** DEC en techniques biologiques ou l'équivalent et Mathématiques NYA, NYB (00UN, 00UP ou 022X, 022Y); Chimie NYA, NYB (00UL, 00UM). N. B.: Pour les programmes de Biologie, Biologie moléculaire et cellulaire et Écologie, les standards 00UN ou 022X, 00UP ou 022Y seront acceptés. L'admission peut également se faire à partir d'un DEC technique. Consultez les conditions d'admission du programme qui vous intéresse à partir de la page Web suivante : www.usherbrooke.ca/fac/sciences/programmes-d-etudes/premier_cycle.

UQAC : DEC en Sciences de la nature **OU** DEC ou l'équivalent et Mathématiques NYA, NYB; Chimie NYA, NYB; Biologie NYA.

UQAM : DEC en Sciences de la nature **OU** DEC ou l'équivalent et Mathématiques 103 ou 337; Chimie 101; Biologie 301.

UQAR : DEC en Sciences de la nature **OU** DEC ou l'équivalent et Mathématiques 103, 203 (00UN, 00UP); Physique 101, 201, 301 (00UR, 00US, 00UT); Chimie 101, 201 (00UL, 00UM); Biologie 301 (00UK) **OU** DEC technique parmi les suivants : Techniques d'aménagement cynégétique et halieutique, Techniques de bioécologie, Techniques du milieu naturel **ET** un cours de mathématiques, un cours de chimie et un cours de biologie **OU** DEC technique et un cours de chimie et deux cours de biologie.

UQTR : DEC en Sciences de la nature **OU** DEC ou l'équivalent et Mathématiques 103, 203 (00UN, 00UP); Physique 101, 201, 301 (00UR, 00US, 00UT); Chimie 101, 201 (00UL, 00UM); Biologie 301 (00UK) **OU** DEC technique ou l'équivalent et un cours de chimie; deux cours de biologie.

Endroits de formation (voir p. 390)

	Contingentement	Coop	Cote R*
Bishop's	☐	☐	—
Concordia	☐	☐	20.000 et 28.000
Laval	☐	☐	—
McGill	☐	☐	28.000
Montréal	☑	☐	26.041
Sherbrooke	☑	☑	—
UQAC	☐	☐	—
UQAM	☐	☐	—
UQAR	☐	☐	—
UQTR	☐	☐	—

* Le nombre inscrit indique la **Cote R** qui a été utilisée pour l'**admission de l'année 2012 ou 2013** par l'université concernée.

SCIENCES PURES

15200	**Biologie / Biologie en apprentissage par problèmes / Biologie moléculaire et cellulaire / Écologie / Sciences biologiques / Sciences biologiques et écologiques / Biology / Cell and Molecular Biology / Ecology**

SUITE

Professions reliées

C.N.P.

2121	Bactériologiste
2121	Bactériologiste de produits alimentaires
2121	Bactériologiste des sols
2121	Biologiste
2121	Biologiste de l'environnement
2121	Biologiste de la vie aquatique
2121	Biologiste en parasitologie
2121	Biologiste moléculaire
2121	Botaniste
2121	Écologiste
2121	Entomologiste
2121	Entomologiste agricole
2111	Exobiologiste
2121	Généticien
2121	Herpétologiste
2121	Ichtyologiste
2224	Interprète de l'environnement
2224	Interprète de l'environnement naturel et biologique
2123	Malherbologiste
2121	Microbiologiste
2121	Mycologue
2113	Océanographe
2121	Ornithologue
2121	Phytobiologiste
2121	Phytopathologiste
2121	Virologiste
2121	Zoologiste

Endroits de travail

– Centres d'interprétation de la nature
– Centres de recherche
– Établissements d'enseignement universitaire
– Firmes d'experts-conseils
– Gouvernements fédéral et provincial
– Industrie pharmaceutique
– Jardins botaniques
– Laboratoires

Salaire

Le salaire hebdomadaire moyen est de 724 $ (janvier 2011).

Remarques

– Des études de 2e cycle sont nécessaires pour exercer les professions suivantes : bactériologiste, bactériologiste des sols, biologiste de la vie aquatique, biologiste en parasitologie, biologiste moléculaire, entomologiste, exobiologiste, généticien, herpétologiste, ichtyologiste, malherbologiste, océanographe, ornithologue, phytopathologiste, virologiste.

– L'Université Bishop's offre trois concentrations : Environmental Biology and Diversity; Form and Function; Health Science. Cet établissement offre également un certificat en Discoveries of Science.

– L'Université de Montréal offre une majeure et une mineure.

– L'Université de Sherbrooke offre les baccalauréats en Biologie, en Biologie moléculaire et cellulaire et en Écologie.

– L'Université du Québec à Chicoutimi (UQAC) offre quatre options : Biologie médicale; Écologie; Monde animal; Monde végétal. Cet établissement offre également un certificat et une mineure en Sciences de l'environnement.

– L'Université du Québec à Montréal (UQAM) offre un programme unique en Apprentissage par problèmes avec les spécialisations suivantes : Biologie moléculaire et biotechnologie; Écologie; Toxicologie et santé environnementale. Cet établissement offre également un certificat en Écologie.

– L'Université du Québec à Rimouski (UQAR) offre un cheminement en Biologie générale et cinq concentration : Biogéochimie environnementale; Écologie; Faune et habitats; Physiologie et biochimie environnementales; Sciences marines.

– L'Université Laval offre un certificat en Biotechnologie.

STATISTIQUES D'EMPLOI			
	2007	2009	2011
Nb de personnes diplômées	631	586	570
% en emploi	36,2 %	33,9 %	29,5 %
% à temps plein	87,8 %	84 %	83,2 %
% lié à la formation	62 %	54,5 %	51,7 %

SCIENCES PURES

Compétences à acquérir

– Étudier les aspects physiques et les processus biologiques.
– Observer et analyser le comportement des cellules et des organismes.
– Concevoir des techniques d'analyse.
– Comprendre et expliquer la structure et le fonctionnement des cellules.

Éléments du programme

– Bio-ingénierie cellulaire
– Biochimie
– Biologie cellulaire
– Biophysique
– Chimie analytique
– Électrométrie
– Mathématiques appliquées
– Optique
– Physique statistique

Admission (voir p. 21 G)

UQAR : DEC ou l'équivalent et Mathématiques 103, 105, 203 (00UN, 00UR, 00UP); Physique 101, 201, 301-78 (00UR, 00US, 00UT); Chimie 101, 201 (00UL, 00UM); Biologie 301 (00UK).

UQTR : DEC en Sciences de la nature **OU** DEC technique en Techniques de laboratoire, spécialisations *Biotechnologies* (210.AA) ou *Chimie analytique* (210.AB) et Mathématiques 103, 203 (00UN, 00UP); Physique 101, 201, 301 (00UR, 00US, 00UT); Chimie 101, 201 (00UL, 00UM); Biologie 301-78 (00UK) **OU** DEC ou l'équivalent et Mathématiques 103, 105, 203 (00UN, 00UP, 00UQ); Physique 101, 201, 301 (00UR, 00US, 00UT); Chimie 101, 201 (00UL, 00UM); Biologie 301 (00UK).

Endroits de formation (voir p. 390)

	Contingentement	Coop	Cote R
UQAR	☐	☐	—
UQTR	☐	☐	—

Profession reliée

C.N.P.
2111   Biophysicien

Endroits de travail

– Bio-industrie
– Centres de recherche
– Centres hospitaliers
– Établissements d'enseignement universitaire
– Gouvernements fédéral et provincial
– Industrie pharmaceutique
– Laboratoires

Salaire

Donnée non disponible.

Remarque

Des études de 2e ou 3e cycle peuvent être exigées pour travailler dans certains milieux, particulièrement dans le domaine de la recherche scientifique.

STATISTIQUES D'EMPLOI			
	2007	**2009**	**2011**
Nb de personnes diplômées	5	—	—
% en emploi	20 %	—	—
% à temps plein	100 %	—	—
% lié à la formation	0 %	—	—

SCIENCES PURES

Immunologie / Microbiologie / Microbiologie et immunologie / Immunology / Microbiology and Immunology

BAC 6 TRIMESTRES

CUISEP 313-400

Compétences à acquérir

– Faire des recherches sur les micro-organismes (virus, bactéries, etc.), étudier leurs formes, leurs structures, leurs moyens de reproduction, etc.
– Mettre au point des vaccins ou des médicaments.
– Procéder à divers examens de substances ou d'êtres vivants exposés à des contaminations.
– Chercher les causes d'épidémies ou d'empoisonnements alimentaires et les moyens de les contrer.
– Travailler à la prévention et au traitement des maladies.

Éléments du programme

– Écologie microbienne
– Génétique
– Microbiologie et bioéthique
– Microbiologie générale
– Physiologie microbienne
– Virologie

Admission (voir p. 21 G)

Laval : DEC en Sciences de la nature **OU** tout autre DEC et Mathématiques NYA, NYB (ou 103-77, 203-77); Physique NYA, NYB (ou 101, 201); Chimie NYA, NYB (ou 101, 201); Biologie NYA (ou 301). *N. B. : Pour connaître les passerelles entre un DEC technique et ce programme, contacter la Faculté des sciences et de génie.*

McGill : DEC en Sciences de la nature ou l'équivalent et Mathématiques NYA, NYB, NYC (00UN, 00UP, 00UQ ou 01Y1, 01Y2, 01Y4); Physique NYA, NYB, NYC (00UR, 00US, 00UT ou 01Y7, 01YF, 01YG); Chimie NYA, NYB (00UL, 00UM ou 01Y6, 01YH); Biologie NYA (00UK ou 01Y5).

Montréal : DEC en Sciences de la nature et avoir atteint les objectifs suivants : Chimie 00XV; Biologie 00XU **OU** DEC ou l'équivalent **OU** avoir réussi 24 crédits de cours universitaires autres que des crédits obtenus dans le cadre de cours préparatoires aux études universitaires **ET** un cours de mathématiques; deux cours de chimie dont un de chimie organique; deux cours de biologie.

Sherbrooke : DEC ou l'équivalent et Mathématiques NYA, NYB (00UN, 00UP); Physique NYA, NYB, NYC (00UR, 00US, 00UT); Chimie NYA, NYB (00UL, 00UM); Biologie NYA (00UK). *N. B. :* **OU** DEC en techniques biologiques ou l'équivalent et Mathématiques NYA, NYB (00UN, 00UP ou 022X ou 022Y); Chimie NYA, NYB (00UL, 00UM) ou leur équivalent. *N. B. : Pour les programmes de biologie, biotechnologie, écologie et microbiologie, les standards 00UN ou 022X, 00UP ou 022Y seront acceptés. L'admission peut également se faire à partir d'un DEC technique. Consultez les conditions d'admission du programme au www.usherbrooke.ca/programmes/fac/sciences/1ercycle.*

Endroits de formation (voir p. 390)

	Contingentement	Coop	Cote R*
Laval	☐	☐	—
McGill	■	■	28.000
Montréal	■	☐	—
Sherbrooke	☐	■	—

** Le nombre inscrit indique la **Cote R** qui a été utilisée pour l'**admission de l'année 2012** par l'université concernée.*

Professions reliées

C.N.P.

2121	Bactériologiste
2121	Bactériologiste de produits alimentaires
2121	Bactériologiste des sols
2121	Biologiste en parasitologie
2121	Immunologue
2121	Microbiologiste
2121	Microbiologiste industriel
3111	Microbiologiste médical
2121	Physiologiste
2121	Phytopathologiste
2121	Toxicologiste
2121	Virologiste

Endroits de travail

– Centres de recherche
– Centres hospitaliers
– Établissements d'enseignement universitaire
– Firmes spécialisées dans la décontamination
– Gouvernements fédéral et provincial
– Industrie pharmaceutique
– Municipalités

Salaire

Le salaire hebdomadaire moyen est de 645 $ (janvier 2011).

Remarques

– Des études de 2e cycle sont nécessaires pour exercer les professions suivantes : bactériologiste, bactériologiste des sols, biologiste en parasitologie, généticien, microbiologiste médical, phytopathologiste, virologiste.
– L'Université de Montréal offre les orientations Microbiologie environnementale; Microbiologie et immunologie moléculaires. Cet établissement offre également l'orientation Microbiologie et immunologie dans le cadre du baccalauréat en Sciences biologiques.

SCIENCES PURES

STATISTIQUES D'EMPLOI			
	2007	**2009**	**2011**
Nb de personnes diplômées	169	189	158
% en emploi	27 %	29,7 %	20 %
% à temps plein	90 %	80,5 %	86,4 %
% lié à la formation	70,4 %	51,5 %	63,2 %

BAC 6 TRIMESTRES

Compétences à acquérir

– Développer des compétences en sciences pharmaceutiques, en sciences pharmacologiques, en sciences biomédicales afin de développer des médicaments.
– Acquérir des connaissances de base et une compréhension générale des processus de découverte, de développement préclinique et clinique et de fabrication du médicament.
– Çonnaître, de manière générale, les approches scientifiques propres à chacune des phases cliniques du développement du médicament.
– Avoir une vue d'ensemble des activités associées au médicament et de son environnement juridique, politique, économique et social.

Éléments du programme

– Biochimie
– Biologie cellulaire
– Biostatistiques
– Chimie appliquée à l'analyse et au contrôle de la qualité des médicaments
– Physiologie
– Pharmacologie

Admission (voir p. 21 G)

DEC en Sciences de la nature et avoir atteint les objectifs suivants : Chimie 00XV, Biologie 00XU.
OU
DEC ou l'équivalent et avoir réussi Mathématiques 103, 203; Physique 101, 201, 301; Chimie 101, 201, 202; Biologie 301, 401 ou deux cours de Biologie humaine.
ET
Se présenter à une entrevue à la demande de la Faculté.

Endroit de formation (voir p. 310)

	Contingentement	Coop	Cote R*
Montréal	■	☐	27.908

*Le nombre inscrit indique la **Cote R** qui a été utilisée pour l'**admission de l'année 2012** par l'université concernée.*

Profession reliée

C.N.P.
2121   Biologiste médical

Endroits de travail

– Centres de recherche hospitalo-universitaire
– Entreprises de recherche préclinique et clinique
– Industrie pharmaceutique
– Laboratoires de recherche
– Organismes gouvernementaux

Salaire

Le salaire hebdomadaire moyen est de 1 701 $ (janvier 2011).

Remarque

Ce programme ne mène pas à la profession de pharmacien.

STATISTIQUES D'EMPLOI			
	2007	**2009**	**2011**
Nb de personnes diplômées	334	317	368
% en emploi	80,2 %	75,7 %	81 %
% à temps plein	94,3 %	99,3 %	94,6 %
% lié à la formation	98,8 %	98 %	97,9 %

MATHÉMATIQUES, STATISTIQUES, ACTUARIAT

PROGRAMMES D'ÉTUDES   PAGE

Actuariat / Actuarial Mathematics / Actuarial Mathematics-Finance **252**

Mathématiques / Mathématiques appliquées / Mathematics / Pure and Applied Mathematics . . **253**

Statistiques / Probability and Statistics / Statistics **255**

Actuariat / Actuarial Mathematics / Actuarial Mathematics-Finance

BAC 6 TRIMESTRES   CUISEP 151-000

Compétences à acquérir

– Déterminer le taux des primes d'assurance, les contributions et les prestations aux régimes publics.
– Déterminer les passifs d'une compagnie d'assurances et évaluer leur concordance avec les actifs.
– Déterminer la valeur des régimes de retraite et le montant des cotisations nécessaires à leur application.
– Analyser des statistiques et préparer des dossiers sur les taux de mortalité, de maladie, d'accident, d'invalidité, de mise à la retraite, de feux, de vol et de responsabilité civile.
– Utiliser les tables de probabilités servant à calculer le taux des primes et le niveau de financement requis pour les régimes d'avantages sociaux.
– Conseiller les employeurs en ce qui concerne les avantages sociaux offerts à leurs employés.

Éléments du programme

– Actuariat et législation
– Algèbre linéaire
– Économie
– Mathématiques actuarielles
– Mathématiques financières
– Méthodes numériques
– Probabilités
– Théorie du risque

Admission (voir p. 21 G)

Concordia : BA : DEC ou l'équivalent et Mathématiques 103, 105, 203 (ou NYA, NYB, NYC). **BSc :** DEC ou l'équivalent et Mathématiques 103, 203, 105 (ou NYA, NYB, NYC) ; Physique 101, 201, 301 (ou NYA, NYB, NYC) ; Chimie 101, 201 (ou NYA, NYB) ; Biologie 301 (ou NYA). *N. B. : Une cote R de 31.0 est exigée pour le régime coopératif.*
Laval : DEC en sciences de la nature ou en Sciences informatiques et mathématiques **OU** DEC ou l'équivalent et Mathématiques NYA, NYB, NYC (ou 103-77, 105-77, 203-77) ; Physique NYA (ou 101) et un cours parmi les suivants : Mathématiques 303, 307 ou 337 ; Physique NYB, NYC (ou 201, 301). *N. B. : Pour connaître les passerelles entre un DEC technique et ce programme, contacter la Faculté des sciences et de génie.*
Montréal : DEC en sciences de la nature ou en Sciences informatiques et mathématiques **OU** DEC ou l'équivalent et Mathématiques 103, 105 et 203.
UQAM : DEC ou l'équivalent et Mathématiques 103, 105, 203 (NYA, NYB, NYC).

Endroits de formation (voir p. 390)

	Contingentement	Coop	Cote R*
Concordia	■	■	30.000
Laval	☐	☐	—
Montréal	☐	■	—
UQAM	☐	☐	—

** Le nombre inscrit indique la **Cote R** qui a été utilisée pour l'admission de l'année 2012 ou 2013 par l'université concernée.*

Professions reliées

C.N.P.
2161   Actuaire
0012   Administrateur
2161   Mathématicien en finance
2161   Statisticien

Endroits de travail

– Bureaux d'actuaires
– Compagnies d'assurances
– Établissements d'enseignement universitaire
– Gouvernements fédéral et provincial
– Institutions financières

Salaire

Le salaire hebdomadaire moyen est de 1 064 $ (janvier 2011).

Remarques

– Certaines universités offrent le programme Actuariat dans le cadre du programme Mathématiques.
– La certification « Fellow » de l'Institut canadien des actuaires est généralement exigée par les employeurs, de même que la réussite des examens de Fellowship de la Society of Actuaries ou de la Casualty Actuarial Society.
– L'Université Concordia offre également un programme en Actuarial Mathematics/Finances.
– L'Université de Montréal offre le programme Mathématiques, orientation Actuariat.
– L'Université du Québec à Montréal (UQAM) offre un baccalauréat spécialisé en Actuariat, d'une durée de trois ans.

STATISTIQUES D'EMPLOI			
	2007	**2009**	**2011**
Nb de personnes diplômées	63	136	162
% en emploi	100 %	91 %	89,9 %
% à temps plein	90,9 %	100 %	98 %
% lié à la formation	96,7 %	91,4 %	90,6 %

SCIENCES PURES

15230	**Mathématiques / Mathématiques appliquées / Mathematics / Pure and Applied Mathematics**

BAC 6 TRIMESTRES CUISEP 155-000

Compétences à acquérir

– Ordonner et analyser des modèles mathématiques provenant des sciences humaines ou expérimentales.
– Étudier les nombres, la logique, la géométrie et le calcul.
– Créer des modèles mathématiques.
– Appliquer les principes et les techniques mathématiques en vue de résoudre des problèmes.
– Faire des calculs et des analyses numériques.

Éléments du programme

– Algèbre linéaire
– Analyse complexe
– Équations différentielles
– Géométrie différentielle et mécanique analytique
– Méthodes de manipulation symbolique
– Probabilités
– Statistiques

Admission (voir p. 21 G)

Bishop's : DEC ou l'équivalent et Mathématiques 201-NYA, 201- NYB; Physique 203-NYA, 203-NYB.
Concordia : BA : DEC ou l'équivalent et Mathématiques 103, 105, 203 (ou NYA, NYB, NYC). BSc : DEC ou l'équivalent et Mathématiques 103, 203, 105 (ou NYA, NYB, NYC); Physique 101, 201, 301 (ou NYA, NYB, NYC); Chimie 101, 201 (ou NYA, NYB); Biologie 301 (ou NYA). *N. B.: Une cote R de 28.0 est exigée pour le régime coopératif.*
Laval : DEC en Sciences de la nature ou en Sciences informatiques et mathématiques **OU** DEC ou l'équivalent et Mathématiques NYA, NYB, NYC (ou 103-77, 105-77, 203-77). La réussite des cours Mathématiques 303 et Physique NYA (ou 101) est cependant recommandée. *N. B.: Pour connaître les passerelles entre un DEC technique et ce programme, contacter la Faculté des sciences et de génie.*
McGill : DEC en Sciences de la nature ou l'équivalent et Mathématiques NYA, NYB, NYC (00UN, 00UP, 00UQ ou 01Y1, 01Y2, 01Y4); Physique NYA, NYB, NYC (00UR, 00US, 00UT ou 01Y7, 01YF, 01YG); Chimie NYA, NYB (00UL, 00UM ou 01Y6, 01YH); Biologie NYA (00UK ou 01Y5).
Montréal : DEC en Sciences de la nature ou en Sciences informatiques (200.C0) et mathématiques **OU** DEC et Mathématiques 103, 105, 203 ou leur équivalent **OU** avoir réussi 24 crédits de cours universitaires autres que des crédits obtenus dans le cadre de cours préparatoires aux études universitaires.
Sherbrooke : DEC en Sciences informatiques et mathématiques (200.C0) **OU** DEC ou l'équivalent et Mathématiques NYA, NYB, NYC (103, 105, 203 ou 00UN, 00UP, 00UQ ou 022X, 022Y, 022Z ou 01Y1, 01Y2, 01Y4).

UQAC, UQAM : DEC ou l'équivalent et Mathématiques NYA, NYB, NYC.
UQTR : DEC ou l'équivalent et Mathématiques 00UN, 00UQ, 00UP ou 01Y1, 01Y4, 01Y2 ou 022X, 022Z, 022Y.

Endroits de formation (voir p. 390)

	Contingentement	Coop	Cote R*
Bishop's	☐	☐	—
Concordia	☐	☑	22.000
Laval	☐	☐	—
McGill	☐	☐	26.500
Montréal	☐	☑	—
Sherbrooke	☐	☑	—
UQAC	☐	☐	—
UQAM	☐	☐	—
UQTR	☐	☐	—

** Le nombre inscrit indique la **Cote R** qui a été utilisée pour l'admission de l'année 2012 ou 2013 par l'université concernée.*

Professions reliées

C.N.P.
2161   Démographe
2161   Mathématicien de mathématiques appliquées
2161   Mathématicien de recherche

Endroits de travail

– Centres de recherche
– Établissements d'enseignement
– Gouvernements fédéral et provincial

Salaire

Le salaire hebdomadaire moyen est de 931 $ (janvier 2011).

SCIENCES PURES

Remarques

– Différentes options sont offertes selon les établissements : Actuariat; Mathématiques appliquées; Météorologie; Recherche opérationnelle; Statistiques; etc.
– L'Université de Montréal offre six orientations : Actuariat COOP; Mathématiques appliquées; Mathématiques pures; Sciences mathématiques; Statistiques; Statistiques COOP. Cet établissement offre également un cheminement intensif.
– L'Université du Québec à Chicoutimi (UQAC) offre un baccalauréat avec majeure en Mathématique avec options en Génie, en Informatique et en Mathématique, ainsi qu'un certificat et une mineure en Mathématique.
– L'Université du Québec à Montréal (UQAM) offre trois concentrations : Informatique; Mathématiques et autres cheminements; Statistique. Cet établissement offre également un certificat en Méthodes quantitatives.
– L'Université du Québec à Trois-Rivières (UQTR) offre trois spécialisations : Enseignement; Informatique; Statistique. Cet établissement offre également le double baccalauréat Mathématiques et Enseignement secondaire d'une durée de cinq ans ainsi que le double baccalauréat en Mathématiques et Informatique d'une durée de quatre ans.

SCIENCES PURES

STATISTIQUES D'EMPLOI	2007	2009	2011
Nb de personnes diplômées	223	171	155
% en emploi	66,4 %	56,1 %	59,8 %
% à temps plein	89,9 %	95 %	93,4 %
% lié à la formation	77,5 %	86 %	73,7 %

BAC 6 TRIMESTRES   CUISEP 155-000

Compétences à acquérir

– Faire le choix de la méthode statistique appropriée à l'étude d'un phénomène particulier.
– Recueillir, analyser et interpréter des données numériques.
– Évaluer les conséquences des résultats des analyses et de l'interprétation des données.

Éléments du programme

– Algèbre linéaire
– Analyse
– Analyse de données
– Échantillonnage
– Probabilités
– Processus aléatoires
– Statistique mathématique

Admission (voir p. 21 G)

Concordia : **BA :** DEC ou l'équivalent et Mathématiques 103, 105, 203 (ou NYA, NYB, NYC). **BSc :** DEC ou l'équivalent et mathématiques 103, 203, 105 (ou NYA, NYB, NYC); Physique 101, 201, 301 (ou NYA, NYB, NYC); Chimie 101, 201 (ou NYA, NYB); Biologie 301 (ou NYA). *N. B.: Une cote R de 28.0 est exigée pour le régime coopératif.*
Laval : DEC en Sciences de la nature ou en Sciences informatiques et mathématiques **OU** DEC et Mathématiques NYA, NYB, NYC (ou 103-77, 105-77, 203-77). *N. B.: Pour connaître les passerelles entre un DEC technique et ce programme, contacter la Faculté des sciences et de génie.*
McGill : DEC en Sciences de la nature ou l'équivalent et Mathématiques NYA, NYB, NYC (00UN, 00UP, 00UQ ou 01Y1, 01Y2, 01Y4); Physique NYA, NYB, NYC (00UR, 00US, 00UT ou 01Y7, 01YF, 01YG); Chimie NYA, NYB (00UL, 00UM ou 01Y6, 01YH); Biologie NYA (00UK ou 01Y5).
Montréal : DEC en Sciences de la nature ou en Sciences informatiques et mathématiques **OU** DEC ou l'équivalent et Mathématiques 103, 105, 203 **OU** avoir réussi 24 crédits de cours universitaires autres que des crédits obtenus dans le cadre de cours préparatoires aux études universitaires.
UQAM : DEC ou l'équivalent et Mathématiques NYA, NYB, NYC.

Endroits de formation (voir p. 390)

	Contingentement	Coop	Cote R*
Concordia	☐	■	22.000
Laval	☐	☐	—
McGill	☐	☐	—
Montréal	☐	☐	—
UQAM	☐	☐	—

** Le nombre inscrit indique la **Cote R** qui a été utilisée pour l'**admission de l'année 2012 ou 2013** par l'université concernée.*

Professions reliées

C.N.P.
2161   Mathématicien de mathématiques appliquées
2161   Statisticien
2161   Statisticien de la statistique appliquée
2161   Statisticien-mathématicien

Endroits de travail

– Compagnies d'assurances
– Établissements d'enseignement universitaire
– Firmes de sondages
– Gouvernements fédéral et provincial
– Institutions financières
– Sociétés de fiducie

Salaire

Le salaire hebdomadaire moyen est de 750 $ (janvier 2011).

Remarques

– Des études de 2e ou 3e cycle sont exigées pour travailler dans le domaine de la recherche scientifique.
– L'Université de Montréal offre le programme Mathématique, orientation statistique.
– L'Université du Québec à Montréal (UQAM), à l'instar d'autres établissements, offre le programme Statistiques dans le cadre du programme Mathématiques.
– L'Université Laval offre un certificat en Statistique.

SCIENCES PURES

STATISTIQUES D'EMPLOI			
	2007	**2009**	**2011**
Nb de personnes diplômées	32	29	23
% en emploi	52,6 %	60 %	71,4 %
% à temps plein	100 %	100 %	90 %
% lié à la formation	50 %	66,7 %	44,4 %

SCIENCES PHYSIQUES

PROGRAMMES D'ÉTUDES   PAGE

Chimie / Chimie analytique / Chimie biopharmaceutique / Chimie cosméceutique /
  Chimie – Criminalistique / Chimie de l'environnement / Chimie de l'environnement et
  des bioressources / Chimie des matériaux / Chimie des produits naturels /
  Chimie pharmaceutique / Chemistry   257

Chimie des produits naturels.   259

Environnement marin / Géographie physique / Gestion du milieu naturel /
  Earth System Sciences / Environmental Geography / Geography   260

Géologie / Sciences de la terre et de l'atmosphère /
  Earth and Planetary Sciences / Earth, Atmosphere and Ocean Sciences /
  Earth Sciences / Planetary Sciences   261

Météorologie / Atmospheric Science / Atmospheric Science and Physics / Meteorology.   263

Physique / Physics.   264

Chimie / Chimie analytique / Chimie biopharmaceutique / Chimie cosméceutique* / Chimie – Criminalistique / Chimie de l'environnement / Chimie de l'environnement et des bioressources / Chimie des matériaux / Chimie des produits naturels / Chimie pharmaceutique / Chemistry

BAC 6 TRIMESTRES | CUISEP 413/414-000

Compétences à acquérir

– Veiller à la qualité des aliments, des médicaments, des drogues, des matériaux et d'autres produits offerts sur le marché.
– Travailler à l'élimination des sources de pollution.
– Concevoir de nouveaux procédés industriels et de nouvelles techniques pour préparer, séparer, identifier et purifier des composés chimiques.

Éléments du programme

– Chimie analytique instrumentale
– Chimie organique, minérale, analytique
– Électrochimie
– Éthique scientifique
– Mathématiques appliquées
– Normes environnementales
– Stage
– Traitement des données chimiques

Admission (voir p. 21 G)

Bishop's : DEC ou l'équivalent et Mathématiques 201-NYA, 201-NYB, 201-NYC; Physique 203-NYA, 203-NYB, 203-NYC; Chimie 202-NYA, 202-NYB; Biologie 101-NYA.
Concordia : DEC ou l'équivalent et Mathématiques 103, 203 (ou NYA, NYB); Physique 101, 201, 301 (ou NYA, NYB, NYC); Chimie 101, 201 (ou NYA, NYB); Biologie 301 (ou NYC). *N. B.: Une cote R de 28.0 est exigée pour le régime coopératif.*
Laval : DEC en Sciences de la nature **OU** DEC ou l'équivalent et Mathématiques NYA, NYB (ou 103-77, 203-77 ou 103-RE, 203-RE); Physique NYA, NYB (ou 101, 201); Chimie NYA, NYB (ou 101, 201); Biologie NYA (ou 301). *N. B.: Pour connaître les passerelles entre un DEC technique et ce programme, contacter la Faculté des sciences et de génie.*
McGill : DEC en Sciences de la nature ou l'équivalent et Mathématiques NYA, NYB, NYC (00UN, 00UP, 00UQ ou 01Y1, 01Y2, 01Y4); Physique NYA, NYB, NYC (00UR, 00US, 00UT ou 01Y7, 01YF, 01YG); Chimie NYA, NYB (00UL, 00UM ou 01Y6, 01YH); Biologie NYA (00UK ou 01Y5).
Montréal : DEC en Sciences de la nature et avoir atteint l'objectif Chimie 00XV **OU** DEC technique en Techniques de laboratoire, spécialisation *Chimie analytique* (210.AA) **OU** DEC ou l'équivalent et Mathématiques 103, 105, 203; Physique 101, 201, 301; Chimie 101, 201, 202 **OU** avoir réussi 24 crédits de niveau universitaire autre que des crédits obtenus dans le cadre de cours préparatoires aux études universitaires.

Sherbrooke : DEC technique en Techniques de laboratoire (210.A0) **OU** DEC ou l'équivalent et Mathématiques NYA, NYB (00UN, 00UP); Physique NYA, NYB, NYC (00UR, 00US, 00UT); Chimie NYA, NYB (00UL, 00UM); Biologie NYA (00UK) **OU** DEC technique et Mathématiques NYA, NYB (00UN, 00UP); Chimie NYA, NYB (00UL, 00UM) et deux cours de Physique parmi 00UR, 00US ou 00UT.
UQAC : DEC en Sciences de la nature ou l'équivalent **OU** DEC ou l'équivalent et Mathématiques NYA, NYB; Physique NYA, NYB, NYC; Chimie NYA, NYB; Biologie NYA.
UQAM : DEC en Sciences de la nature et Chimie 202 **OU** DEC technique en Techniques de laboratoire (210.A0) et Mathématiques NYA, NYB **OU** DEC dans la famille des techniques biologiques ou physiques et Mathématiques 103, 203; Physique 101, 201, 301; Chimie 101, 201; Biologie 301 **OU** DEC ou l'équivalent et Mathématiques 103, 203; Physique 101, 201, 301; Chimie 101, 201; Biologie 301 **OU** DEC en technique ou l'équivalent et Mathématiques 103, 203; deux cours de physique; Chimie 101, 201.
UQAR : DEC en Sciences de la nature **OU** DEC technique parmi les suivants : Techniques de génie chimique (210.C0), Techniques de laboratoire, spécialisation *Biotechnologies* (210.AA) ou *Chimie analytique* (210.AB), Techniques de chimie-biologie (210.03); Techniques de transformation des matières plastiques (241.12); Technologie physique (244.A0) **OU** DEC ou l'équivalent et Mathématiques NYA, NYB (ou 103, 203); Physique NYA, NYB, NYC (ou 101, 201, 301); Chimie NYA, NYB (ou 101, 201); Biologie NYA (ou 301) **OU** DEC comportant une spécialisation en génie, en sciences, en environnement et avoir réussi deux cours de niveau collégial en chimie.
UQTR : DEC ou l'équivalent et Mathématiques 103, 203 (00UN, 00UP); Physique 101, 201, 301-78 (00UL, 00US, 00UT); Chimie 101, 201 (00UL, 00UM); Biologie 301 (00UK) **OU** DEC en Sciences de la nature ou l'équivalent **OU** DEC technique en Chimie analytique (210.01) ou en Techniques de laboratoire, spécialisations en *Biotechnologies* (210.AA) ou *Chimie analytique* (210.AB) **OU** DEC technique dans un programme autre que mentionné et Mathématiques 103, 203 (00UN, 00UP); Physique 101, 201, 301-78 (00UR, 00US, 00UT); Chimie 101, 201 (00UL, 00UM).

* Programme offert à Laval sous réserve de l'approbation du MÉLS.

SCIENCES PURES

Chimie / Chimie analytique / Chimie biopharmaceutique / Chimie cosméceutique / Chimie – Criminalistique / Chimie de l'environnement / Chimie de l'environnement et des bioressources / Chimie des matériaux / Chimie des produits naturels / Chimie pharmaceutique / Chemistry

SUITE

Endroits de formation (voir p. 390)

	Contingentement	Coop	Cote R*
Bishop's	☐	☐	—
Concordia	☐	◼	20.000 et 28.000
Laval	☐	☐	—
McGill	☐	☐	24.000
Montréal	☐	☐	—
Sherbrooke	☐	◼	—
UQAC	☐	☐	—
UQAM	☐	☐	—
UQAR	☐	☐	—
UQTR**	◼	☐	28.960

** Le nombre inscrit indique la **Cote R** qui a été utilisée pour l'**admission de l'année 2012 ou 2013** par l'université concernée.*
** Contingenté à 20 places.

Professions reliées

C.N.P.

2112	Chimiste
2112	Chimiste spécialiste du contrôle de la qualité
2211	Contrôleur de produits pharmaceutiques
6221	Représentant de produits pharmaceutiques
2112	Scientifique en produits alimentaires

Endroits de travail

– Établissements d'enseignement universitaire
– Gouvernements fédéral et provincial
– Industrie de produits chimiques
– Industrie de produits cosmétiques
– Industrie des pâtes et papiers
– Industrie des produits alimentaires
– Industrie du pétrole
– Industrie du plastique
– Industrie pharmaceutique
– Laboratoires
– Municipalités (aqueduc)
– Usines d'épuration des eaux usées

Salaire

Le salaire hebdomadaire moyen est de 765 $ (janvier 2011).

Remarques

– Pour exercer la profession et porter le titre de chimiste, il faut être membre de l'Ordre des chimistes du Québec.
– L'Université de Montréal offre le programme de Chimie avec cinq orientations : Chimie assistée par ordinateur; Chimie bioanalytique et environnementale; Chimie des matériaux et biomatériaux; Chimie pharmaceutique et bio-organique; Orientation générale. Cet établissement offre également une majeure et une mineure en Chimie.
– L'Université de Sherbrooke offre le baccalauréat en Chimie avec ou sans concentration en Chimie de l'environnement et le baccalauréat en Chimie pharmaceutique avec trois cheminements possibles : Chimie médicinale, Général, Synthèse organique. Ces programmes sont offerts au régime régulier à temps complet ou partiel et au régime coopératif à temps complet.
– L'Université du Québec à Chicoutimi (UQAC) offre le baccalauréat en Chimie des produits naturels, un programme unique au Canada et reconnu par l'Ordre des chimistes du Québec.
– L'Université du Québec à Montréal (UQAM) offre le baccalauréat en Chimie et le certificat en Analyse chimique.
– L'Université du Québec à Rimouski (UQAR) offre le baccalauréat en Chimie de l'environnement et des bioressources au campus de Rimouski seulement.
– L'Université du Québec à Trois-Rivières (UQTR) offre le baccalauréat en Chimie avec un profil en criminalistique unique au Québec.
– L'Université Laval offre cinq cheminements : Chimie; Chimie – biopharmaceutique; Chimie – cosméceutique; Chimie – environnement; Chimie – matériaux.

SCIENCES PURES

STATISTIQUES D'EMPLOI	2007	2009	2011
Nb de personnes diplômées	150	151	152
% en emploi	34,3 %	34,4 %	47,5 %
% à temps plein	100 %	97 %	89,4 %
% lié à la formation	74,3 %	75 %	64,3 %

Compétences à acquérir

– Acquérir des connaissances fondamentales en chimie, en biologie végétale et en pharmacognosie.
– Appliquer ces connaissances au domaine des produits naturels et des produits de santé naturels.
– Se familiariser avec les applications thérapeutiques des produits naturels.

Éléments du programme

– Anatomie et morphologie végétales
– Botanique
– Chimie organique, analytique et physique
– Gestion de la qualité et règlementation
– Macromolécules
– Pharmacologie
– Pharmacognosie I et II
– Physiologie végétale

Admission (voir p. 21 G)

UQAC : DEC en Sciences de la nature **OU** DEC ou l'équivalent et Mathématiques NYA, NYB; Physique NYA, NYB, NYC; Chimie NYA, NYB; Biologie NYA.

Endroit de formation (voir p. 310)

	Contingentement	Coop	Cote R
UQAC	☐	☐	—

Professions reliées

C.N.P.
2112	Chercheur en laboratoire
2112	Chimiste
0212	Gestionnaire de laboratoire
4011	Professeur
6221	Représentant de produits pharmaceutiques

Endroits de travail

– Entreprises de produits de santé naturels (recherche et développement)
– Gouvernements fédéral et provincial
– Industrie pharmaceutique
– Maisons d'enseignement

Salaire

Le salaire hebdomadaire moyen est de 765 $ (janvier 2011).

Remarque

Pour exercer la profession et porter le titre de chimiste, il faut être membre de l'Ordre des chimistes du Québec.

STATISTIQUES D'EMPLOI			
	2007	**2009**	**2011**
Nb de personnes diplômées	150	151	152
% en emploi	34,3 %	34,4 %	47,5 %
% à temps plein	100 %	97 %	89,4 %
% lié à la formation	74,3 %	75 %	64,3 %

SCIENCES PURES

Environnement marin / Géographie physique / Gestion du milieu naturel / Earth System Sciences / Environmental Geography / Geography

BAC 6 TRIMESTRES   CUISEP 434-000

Compétences à acquérir

– Observer, mesurer et analyser les caractéristiques des régions.
– Faire des représentations cartographiques des caractéristiques physiques recueillies.
– Faire l'évaluation de l'espace physique lié aux terres et forêts, aux richesses naturelles et à l'industrie de la construction.
– Faire des recherches et des travaux de cartographie et d'évaluation de l'espace en fonction des climats, des micro-climats, de la pollution, etc.
– Faire des recherches sur la faune et la flore au niveau des grandes unités écologiques et évaluer les relations entre le modèle et la végétation, les sols, etc.

Éléments du programme

– Biogéographie
– Climatologie
– Géomorphologie
– Hydrogéologie
– Paléontologie
– Physique et atmosphère
– Principes de cartographie intégrée
– Stages
– Télédétection

Admission (voir p. 21 G)

Bishop's, **UQAR** : DEC ou l'équivalent.
Concordia : DEC ou l'équivalent et Mathématiques 103, 203 (ou NYA, NYB); Physique 101, 201, 301 (ou NYA, NYB, NYC); Chimie 101, 201 (ou NYA, NYB); Biologie 301 (ou NYA).
McGill : DEC en Sciences de la nature ou l'équivalent et Mathématiques NYA, NYB, NYC (00UN, 00UP, 00UQ ou 01Y1, 01Y2, 01Y4); Physique NYA, NYB, NYC (00UR, 00US, 00UT ou 01Y7, 01YF, 01YG); Chimie NYA, NYB (00UL, 00UM ou 01Y6, 01YH); Biologie NYA (00UK ou 01Y5).

Endroits de formation (voir p. 390)

	Contingentement	Coop	Cote R*
Bishop's	☐	☐	—
Concordia	☐	☐	—
McGill	☐	☐	27.000
UQAR	☐	☐	

** Le nombre inscrit Indique la **Cote R** qui a été utilisée pour l'**admission de l'année 2012** par l'université concernée.*

Professions reliées

C.N.P.
4169   Cartographe
4169   Géographe (géographie physique)

Endroits de travail

Gouvernements fédéral et provincial

Salaire

Donnée non disponible.

Remarques

– L'Université du Québec à Montréal (UQAM) offre un certificat en Planification territoriale et gestion des risques.
– L'Université du Québec à Rimouski (UQAR) offre la maîtrise et le doctorat en Océanographie.

Statistiques d'emploi

Données non disponibles.

Géologie / Sciences de la terre et de l'atmosphère / Earth and Planetary Sciences / Earth, atmosphere and Ocean Sciences / Earth Sciences / Planetary Sciences

BAC 6 TRIMESTRES   CUISEP 433-000

Compétences à acquérir

– Faire l'évaluation d'un terrain géologique donné pour en établir l'âge, la structure et la genèse.
– Faire le lien entre les observations concernant la composition et la structure des roches et les processus qui ont formé les gîtes minéraux.
– Élaborer une carte géologique pour une région donnée.
– Prospecter et assurer la conservation des gisements métallifères et pétrolifères ainsi que des ressources hydriques.
– Étudier et tenter de prévoir les phénomènes naturels.
– Effectuer des études environnementales.
– Évaluer et corriger les effets de l'intervention de l'homme sur l'environnement.

Éléments du programme

– Activités de terrain
– Calculs
– Environnement
– Géochimie générale
– Gîtes minéraux
– Paléontologie
– Pétrographie sédimentaire
– Probabilités et statistiques

Admission (voir p. 21 G)

Laval : DEC en Sciences de la nature **OU** DEC ou l'équivalent et Mathématiques NYA, NYB, NYC (00UN, 00UP, 00UQ); Physique NYA, NYB, NYC (00UR, 00US, 00UT ou 01Y7, 01YF, 01YG); Chimie NYA, NYB (00UL, 00UM); Biologie NYA (00UK ou 01Y5). *N. B.: Pour connaître les passerelles entre un DEC technique et ce programme, contacter la Faculté des sciences et de génie.*
McGill : DEC en Sciences de la nature ou l'équivalent et Mathématiques NYA, NYB, NYC (00UN, 00UP, 00UQ ou 01Y1, 01Y2, 01Y4); Physique NYA, NYB, NYC (00UR, 00US, 00UT ou 01Y7, 01YF, 01YG); Chimie NYA, NYB (00UL, 00UM ou 01Y6, 01YH); Biologie NYA (00UK ou 01Y5).
UQAC : DEC en Sciences de la nature **OU** DEC ou l'équivalent et Mathématiques NYA, NYB, NYC; Physique NYA, NYB, NYC; Chimie NYA, NYB; Biologie NYA **OU** DEC dans la famille des techniques physiques ou l'équivalent et Mathématique NYA, NYB, NYC; Physique NYA, NYB, NYC; un cours de chimie; un cours de géologie ou Physique NYC.

UQAM : DEC dans la famille des techniques géologiques ou physiques ou en Technologie minérale et Mathématiques NYA, NYB, NYC; Physique NYA, NYB, NYC; Chimie NYA, NYB; Biologie NYA **OU** DEC ou l'équivalent et connaissances suffisantes en mathématique, en physique, en chimie et en biologie.

Endroits de formation (voir p. 390)

	Contingentement	Coop	Cote R*
Laval	☐	☐	—
McGill	☐	☐	27.000
UQAC	☐	☐	—
UQAM	☐	☐	—

** Le nombre inscrit indique la **Cote R** qui a été utilisée pour l'**admission de l'année 2012** par l'université concernée.*

Professions reliées

C.N.P.
2113   Écogéologue
2113   Géochimiste
2113   Géologue
2113   Géologue pétrolier
2113   Géophysicien
2113   Géophysicien-prospecteur
2144   Hydrogéologue
2113   Hydrographe
2113   Hydrologue
2113   Minéralogiste
2113   Paléontologue
2113   Séismologue

Endroits de travail

– À son compte
– Gouvernements fédéral et provincial
– Industrie minière
– Industrie pétrolière
– Municipalités

Salaire

Le salaire hebdomadaire moyen est de 1 479 $ (janvier 2011).

15244

Géologie / Sciences de la terre et de l'atmosphère / Earth and Planetary Sciences / Earth, atmosphere and Ocean Sciences / Earth Sciences / Planetary Sciences

SUITE

Remarques

– Des études de 2e cycle sont nécessaires pour exercer les professions suivantes : géophysicien, géophysicien-prospecteur et sismologue.

– Pour porter le titre de géologue, il faut être membre de l'Ordre des géologues du Québec.

– L'Université du Québec à Chicoutimi (UQAC) offre une concentration en Géologie économique, en Géologie environnementale ainsi qu'en Géomatique.

– L'Université du Québec à Montréal (UQAM) offre une concentration en Géologie et une concentration en Météorologie dans le cadre du baccalauréat en Sciences de la Terre et de l'atmosphère. Cet établissement offre également une majeure en Géologie qui, combinée à une mineure ou un certificat dans un domaine d'études approprié, mène à des emplois semblables à ceux auxquels peuvent aspirer les diplômés du baccalauréat. Cet établissement offre également un certificat en Géologie appliquée.

– L'Université du Québec en Abitibi-Témiscamingue (UQAT) offre la première année du programme de l'Université du Québec à Chicoutimi (UQAC).

– L'Université Laval offre deux concentrations : Géologie de l'environnement hydrologique; Géologie des ressources minérales.

SCIENCES PURES

STATISTIQUES D'EMPLOI			
	2007	2009	2011
Nb de personnes diplômées	42	38	32
% en emploi	40 %	45 %	43,8 %
% à temps plein	90 %	100 %	100 %
% lié à la formation	100 %	88,9 %	85,7 %

BAC 6 TRIMESTRES　　　　　　　　　　　　　　　　　　　　　　CUISEP 441-300

Compétences à acquérir

– Observer, enregistrer et interpréter les données recueillies sur les conditions atmosphériques.
– Tenter d'établir les prévisions du temps.
– Étudier les données provenant des stations météorologiques (pression, température, humidité, vitesse des vents, précipitations, etc.).

Éléments du programme

– Climat et système
– Dynamique de l'atmosphère et des océans
– Introduction à la physique atmosphérique

Admission (voir p. 21 G)

UQAM : DEC dans la famille des techniques géologiques et physiques ou en Technologie minérale et Mathématiques NYA, NYB, NYC; Physique NYA, NYB, NYC; Chimie NYA, NYB; Biologie NYA **OU** DEC ou l'équivalent et connaissances suffisantes en mathématique, en physique, en chimie et en biologie.

McGill : DEC en Sciences de la nature ou l'équivalent et Mathématiques NYA, NYB, NYC (00UN, 00UP, 00UQ ou 01Y1, 01Y2, 01Y4); Physique NYA, NYB, NYC (00UR, 00US, 00UT ou 01Y7, 01YF, 01YG); Chimie NYA, NYB (00UL, 00UM ou 01Y6, 01YH); Biologie NYA (00UK ou 01Y5).

Endroits de formation (voir p. 390)

	Contingentement	Coop	Cote R*
McGill	☐	☐	26.500
UQAM	☐	☐	—

** Le nombre inscrit indique la **Cote R** qui a été utilisée pour l'admission de l'année 2012 ou 2013 par l'université concernée.*

Professions reliées

C.N.P.
2114　Climatologiste
2114　Météorologiste

Endroits de travail

– Compagnies aériennes
– Forces armées canadiennes
– Gouvernements fédéral et provincial
– Télédiffuseurs

Salaire

Le salaire hebdomadaire moyen est de 796 $ (janvier 2009).

Remarques

– Voir aussi la fiche du programme Physique (page 264).
– Un stage de neuf mois au ministère de l'Environnement est exigé pour devenir météorologue professionnel.
– Après le baccalauréat, un stage de formation d'environ six mois au ministère de l'Environnement est exigé pour devenir météorologiste au sein du Service de l'environnement atmosphérique. Ce stage n'est pas requis ailleurs.
– L'Université du Québec à Montréal (UQAM) est la seule université francophone à offrir la concentration Météorologie dans le cadre du baccalauréat en Sciences de la Terre et de l'atmosphère.

SCIENCES PURES

STATISTIQUES D'EMPLOI			
	2007	2009	2011
Nb de personnes diplômées	9	8	—
% en emploi	44,4 %	66,7 %	—
% à temps plein	100 %	100 %	—
% lié à la formation	75 %	75 %	—

BAC 6 TRIMESTRES

CUISEP 451-000

Compétences à acquérir

– Comprendre et formuler des lois scientifiques universelles qui régissent les phénomènes physiques.
– Étudier divers phénomènes et lois de la nature comme la force, l'énergie et la structure de la matière et leurs interventions à l'échelle micro et macroscopique.
– Analyser et vérifier des théories existantes.
– Travailler aux applications industrielles des théories de la physique en collaboration avec d'autres professionnels.
– Faire des expériences en laboratoire.
– Appliquer les connaissances des lois de la physique au contrôle et à l'analyse de nouveaux produits.

Éléments du programme

– Astrophysique
– Mécanique quantique
– Physique atomique et moléculaire
– Physique expérimentale
– Physique mathématique
– Physique nucléaire
– Sciences de l'espace
– Thermodynamique

Admission (voir p. 21 G)

Bishop's : DEC ou l'équivalent et Mathématiques 201-NYA, 201-NYB; Physique 203-NYA, 203-NYB, 203-NYC; Chimie 202-NYA, 202-NYB; Biologie 101-NYA.

Concordia : *N.B.: Une cote R de 27.0 est exigée pour le régime coopératif.*

Laval : DEC en Sciences de la nature ou en Sciences informatiques et mathématiques **OU** DEC ou l'équivalent et Mathématiques NYA, NYB, NYC (ou 103-77, 105-77, 203-77); Physique NYA, NYB, NYC (ou 101, 201, 301); Chimie NYA (ou 101); Biologie NYA (ou 301). *N. B.: Pour connaître les passerelles entre un DEC technique et ce programme, contacter la Faculté des sciences et de génie.*

McGill : DEC en Sciences de la nature ou l'équivalent et Mathématiques NYA, NYB, NYC (00UN, 00UP, 00UQ ou 01Y1, 01Y2, 01Y4); Physique NYA, NYB, NYC (00UR, 00US, 00UT ou 01Y7, 01YF, 01YG); Chimie NYA, NYB (00UL, 00UM ou 01Y6, 01YH); Biologie NYA (00UK ou 01Y5).

Montréal : DEC en Sciences de la nature **OU** DEC ou l'équivalent et Mathématiques 103, 105 et 203; deux cours de physique; un cours de chimie; un cours de biologie **OU** avoir réussi 24 crédits de cours universitaires autres que des crédits obtenus dans le cadre de cours préparatoires aux études universitaires.

Sherbrooke : DEC ou l'équivalent et Mathématiques NYA, NYB, NYC (00UN, 00UP, 00UQ); Physique NYA, NYB, NYC (00UR, 00US, 00UT); Chimie NYA, NYB (00UL, 00UM); Biologie NYA (00UK) **OU** DEC technique ou l'équivalent et Mathématiques NYA, NYB, NYC (00UN, 00UP, 00UQ), Physique NYA, NYB, NYC (00UR, 00US, 00UT).

UQTR : DEC en Sciences de la nature ou l'équivalent **OU** DEC ou l'équivalent et Mathématiques 103, 105, 203 (00UN, 00UQ, 00UP); Physique 101, 203, 301-78 (00UR, 00US, 00UT); Chimie 101, 201 (00UL, 00UM, 00UT); Biologie 301(00UK) **OU** DEC techniques en Technologie physique ou l'équivalent **OU** DEC technique et Mathématiques 103, 203 (00UN, 00UP); Physique 101, 201, 301 (00UR, 00US, 00UT); Chimie 101 (00UL).

Endroits de formation (voir p. 390)

	Contingentement	Coop	Cote R*
Bishop's	☐	☐	—
Concordia	☐	■	28.000
Laval	☐	☐	—
McGill	☐	☐	27.000
Montréal	☐	☐	—
Sherbrooke	■	■	—
UQTR	☐	☐	—

** Le nombre inscrit indique la **Cote R** qui a été utilisée pour l'**admission de l'année 2012** par l'université concernée.*

Professions reliées

C.N.P.
2111 Astronome
2111 Astrophysicien
2111 Physicien
2111 Physicien médical
2111 Physicien nucléaire
4141 Professeur de physique
2111 Spécialiste en photonique

Endroits de travail

– Entreprises du domaine de l'optique et de la photonique
– Établissements d'enseignement
– Firmes d'ingénieurs
– Gouvernements fédéral et provincial
– Industrie de l'aéronautique
– Laboratoires

Salaire

Le salaire hebdomadaire moyen est de 792 $ (janvier 2011).

SCIENCES PURES

Remarques

– Pour enseigner au secondaire, il faut être titulaire d'un permis ou d'un brevet d'enseignement permanent émis par le ministère de l'Éducation, du Loisir et du Sport.

– Pour exercer la profession et porter le titre d'ingénieur, il faut être membre de l'Ordre des ingénieurs du Québec.

– Des études de 2e cycle sont nécessaires pour exercer les professions suivantes : ingénieur en aérospatiale, ingénieur en sciences nucléaires, océanographe, physicien nucléaire.

– Des études de 3e cycle sont nécessaires pour exercer la profession suivante : astronome.

– L'Université Concordia offre deux options : Biophysics; Pure/Computational.

– L'Université de Montréal offre cinq concentrations : Astronomie et astrophysique; Physique des matériaux; Physique du vivant; Physique générale; Physique subatomique.

– L'Université de Sherbrooke offre des cheminements pouvant inclure l'un des modules suivants : Calcul scientifique; Nanotechnologies et nanosciences; Physique médicale.

STATISTIQUES D'EMPLOI	2007	2009	2011
Nb de personnes diplômées	114	100	85
% en emploi	17,1 %	16,9 %	10,3 %
% à temps plein	78,6 %	83,3 %	50 %
% lié à la formation	81,8 %	60 %	33,3 %

SCIENCES PURES

DOMAINE D'ÉTUDES

ÉTUDES PLURISECTORIELLES

Discipline

PAGE

Études plurisectorielles 275

ÉTUDES PLURISECTORIELLES

PROGRAMMES D'ÉTUDES	PAGE

Arts **268**

Bio-informatique **269**

Communication (marketing) **270**

Économie et mathématiques / Mathématiques et économie **271**

Environnements naturels et aménagés / Études de l'environnement /
  Sciences de l'environnement / Sciences naturelles appliquées à l'environnement /
  Environment / Environmental Science / Environmental Studies / Human Environment **272**

Études des femmes / Études féministes / Western Society and Culture / Women Studies **274**

Études internationales / Études internationales et langues modernes /
  Relations internationales et droit international / International Studies **275**

Histoire et études classiques **276**

Lettres et sciences humaines **277**

Linguistique et psychologie **278**

Littérature comparée et philosophie / Littérature de langue française et philosophie /
  Littératures et philosophie **279**

Mathématiques et informatique / Mathematics and Computer Science **280**

Mathématiques et physique **281**

Philosophie et études classiques **282**

Philosophie et science politique / Science politique et philosophie **283**

Physique et informatique / Physics and Computer Science **284**

Psychoéducation et psychologie **285**

Sciences **286**

Compétences à acquérir

– Développer ses connaissances dans plusieurs disciplines et les utiliser de façon méthodique.
– Intervenir efficacement dans un milieu professionnel.
– Interagir avec divers spécialistes.

Éléments du programme

– Écriture de communication
– Histoire des communications
– Langues
– Méthodologie de la recherche sociale
– Psychologie du travail et des organisations
– Sciences, techniques et civilisations
– Sociétés
– Théories de l'organisation

Admission (voir p. 21 G)

DEC ou l'équivalent.
OU
Avoir réussi, au moment de la demande d'admission, des cours universitaires témoignant d'une préparation jugée satisfaisante par le comité d'admission.
ET
Maîtrise du français.

Endroit de formation (voir p. 310)

	Contingentement	Coop	Cote R
TÉLUQ	☐	☐	—

Professions reliées

Données non disponibles.

Endroits de travail

Données non disponibles.

Salaire

Donnée non disponible.

Remarques

– La structure du programme donne une latitude à la personne qui désire obtenir une formation de type multidisciplinaire ou plus spécialisée.
– Ce programme est offert à distance, à temps plein et à temps partiel.
– Un certificat est également offert.
– L'Université du Québec à Montréal (UQAM) offre le baccalauréat ès arts par cumul de certificats ou de mineures.

STATISTIQUES D'EMPLOI			
	2007	2009	2011
Nb de personnes diplômées	—	15	—
% en emploi	—	44,4 %	—
% à temps plein	—	25 %	—
% lié à la formation	—	100 %	—

BAC 6 TRIMESTRES   CUISEP 18000

Compétence à acquérir

Maîtriser et intégrer des connaissances de base en sciences biologiques, en informatique, en mathématiques et en statistiques.
N. B.: Plusieurs concentrations sont offertes selon l'université.

Éléments du programme

– Éthique
– Génétique
– Probabilités et statistiques
– Programmation
– Protéines
– Stage
– Systèmes informatiques

Admission (voir p. 21 G)

Laval: DEC en Sciences de la nature **OU** tout autre DEC et avoir réussi les cours de Mathématiques NYA, NYB, NYC (ou 103-77, 203-77. 105-77); Physique NYA, NYB, NYC (ou 101, 201, 301); Chimie NYA (ou 101); Biologie NYA (ou 301). *N. B.: Pour connaître les passerelles entre un DEC technique et ce programme, contacter la Faculté des sciences et de génie.*

Montréal: DEC en Sciences de la nature et avoir atteint les objectifs suivant: Chimie 00XV; Biologie 00XU **OU** DEC ou l'équivalent et Mathématiques 103,105, 203; Physique 101, 201, 301; Chimie 101, 201; Biologie 301 et deux cours parmi les suivants: un 2e cours de biologie; un 3e cours de chimie; un cours de programmation informatique; un 4e cours de mathématiques; un 5e cours de mathématiques **OU** avoir réussi 24 crédits de niveau universitaire autres que des crédits obtenus dans le cadre de cours préparatoires aux études universitaires.

Endroits de formation (voir p. 390)

	Contingentement	Coop	Cote R*
Laval	☐	☐	—
Montréal	☐	☐	25.105

** Le nombre inscrit indique la **Cote R** qui a été utilisée pour l'**admission de l'année 2012** par l'université concernée.*

Profession reliée

C.N.P.
2112   Bio-informaticien

Endroits de travail

– Centres de recherche
– Établissements d'enseignement
– Industrie de la biotechnologie

Salaire

Le salaire hebdomadaire moyen est de 1025 $ (janvier 2011).

Remarque

L'Université Laval offre la concentration en Bio-informatique dans le cadre du baccalauréat en Informatique.

STATISTIQUES D'EMPLOI			
	2007	**2009**	**2011**
Nb de personnes diplômées	1 004	1 173	1 137
% en emploi	65 %	65,4 %	68,4 %
% à temps plein	90,7 %	87,5 %	87,6 %
% lié à la formation	72 %	72,5 %	72,3 %

ÉTUDES PLURISECTORIELLES

BAC 6 TRIMESTRES | CUISEP 111-700

Compétences à acquérir

- Acquérir et approfondir des connaissances relatives aux différents aspects de la communication marketing.
- Développer des habiletés et s'initier à la recherche dans le domaine de la communication marketing.
- Acquérir des connaissances relatives à l'environnement organisationnel des entreprises et du contexte dans lequel elles évoluent.
- Développer une réflexion éthique et critique face aux pratiques de la communication marketing.
- Élaborer des stratégies de communication marketing originales selon une approche intégrée et critique.
- Concevoir, réaliser et gérer les communications internes et externes d'une entreprise en tenant compte des caractéristiques de son environnement organisationnel.

Éléments du programme

- Commerce électronique
- Communication financière
- Communication orale et écrite
- Éthique
- Gestion de la marque
- Marketing
- Plan de communication
- Publicité
- Stage
- Technologies de communication

Admission (voir p. 21 G)

DEC ou l'équivalent et cours d'appoint en mathématiques si nécessaire.

Endroits de formation (voir p. 390)

	Contingentement	Coop	Cote R*
Sherbrooke	■	■	28.900
UQAM	■	☐	28.600

** Le nombre inscrit indique la **Cote R** qui a été utilisée pour l'**admission de l'année 2012 ou 2013** par l'université concernée.*

Professions reliées

C.N.P.
5124	Agent de communication marketing
4163	Consultant en marketing
0611	Directeur de la publicité
0611	Directeur des communications ventes et marketing
0611	Directeur du marketing
0015	Directeur général des ventes et de la publicité
4163	Expert-conseil en commercialisation

Endroits de travail

- À son compte
- Agences de publicité
- Entreprises publiques
- Firmes de communications
- Grandes entreprises
- Médias
- Organismes sans but lucratif
- Petites et moyennes entreprises
- Syndicats

Salaire

Le salaire hebdomadaire moyen est de 1 025 $ (janvier 2011).

Remarques

- Ce programme donne également accès à des études de deuxième cycle en gestion ou en communication.
- L'Université de Sherbrooke offre un baccalauréat-maîtrise en Communication-Marketing.

STATISTIQUES D'EMPLOI			
	2007	2009	2011
Nb de personnes diplômées	1 004	1 173	1 137
% en emploi	65 %	65,4 %	68,4 %
% à temps plein	90,7 %	87,5 %	87,6 %
% lié à la formation	72 %	72,5 %	72,3 %

ÉTUDES PLURISECTORIELLES

BAC 6 TRIMESTRES   CUISEP 150-000

Compétences à acquérir

– Ce programme est bidisciplinaire.
– Consulter les fiches des programmes Mathématiques
  (page 253) et Économie (page 219).

Éléments du programme

– Consulter les fiches des programmes Mathématiques
  (page 253) et Économie (page 219).

Admission (voir p. 21 G)

Laval : DEC ou l'équivalent et Mathématiques NYA, NYB,
NYC (ou 103-77, 105-77, 203-77 ou 00UN, 00UP, 00UQ).
*N. B. : L'étudiant ayant réussi les Mathématiques 103-RE,
105-RE, 203-RE (objectifs : 022X, 022Y, 022Z) sera admissible au programme sous réserve de réussir une formation
d'appoint en calcul intégral.*
Montréal : DEC en Sciences de la nature ou DEC en
Sciences informatiques et mathématiques **OU** DEC ou
l'équivalent et Mathématiques 103, 105, 203 **OU** avoir
réussi 24 crédits de cours universitaires autres que des
crédits obtenus dans le cadre de cours préparatoires aux
études universitaires.

Endroits de formation (voir p. 390)

	Contingentement	Coop	Cote R
Laval	☐	☐	—
Montréal	☐	☐	—

Professions reliées

Consulter les fiches des programmes Mathématiques
(page 253) et Économie (page 219).

Endroits de travail

Consulter les fiches des programmes Mathématiques
(page 253) et Économie (page 219).

Salaire

Le salaire hebdomadaire moyen est de 1 025 $ (janvier
2011).

STATISTIQUES D'EMPLOI			
	2007	**2009**	**2011**
Nb de personnes diplômées	1 004	1 173	1 137
% en emploi	65 %	65,4 %	68,4 %
% à temps plein	90,7 %	87,5 %	87,6 %
% lié à la formation	72 %	72,5 %	72,3 %

ÉTUDES PLURISECTORIELLES

18076

Environnements naturels et aménagés / Études de l'environnement / Sciences de l'environnement / Sciences naturelles appliquées à l'environnement / Environment / Environmental Science / Environmental Studies / Human Environment

BAC 6 TRIMESTRES   CUISEP 620/630-000

Compétences à acquérir

– Acquérir une compréhension de base des systèmes de l'environnement et de l'interaction entre ces derniers et la société.
– Analyser les impacts de l'activité humaine sur l'environnement.
– Collaborer à la conception et à la mise en œuvre de solutions pertinentes pour prévenir ou réduire les impacts néfastes des activités humaines sur l'environnement.
– Communiquer en tenant compte des personnes, des communautés et des instances concernées.
– Travailler en équipe afin d'atteindre les objectifs fixés.

Éléments du programme

– Biodiversité et écologie
– Biostatistique
– Communication
– Dynamique de la surface de la terre
– Écologie générale
– Écosystèmes
– Environnement et société
– Environnements naturels
– Éthique et sciences biologiques
– Évaluation environnementale
– Principes d'aménagement durable
– Système d'information géographique

Admission (voir p. 21 G)

Bishop's: DEC ou l'équivalent.
Concordia : B.Sc. : DEC en Sciences de la nature ou l'équivalent **OU** BA : DEC ou l'équivalent **OU DEC techniques parmi les suivants :** Techniques d'écologie appliquée, Techniques d'inventaire de recherche en biologie, Techniques de bioécologie et Mathématiques NYA **OU** DEC ou l'équivalent et Mathématiques NYA, NYB; Physique NYA, NYB, NYC; Chimie NYA, NYB; Biologie NYA.
Laval : DEC en sciences de la nature **OU DEC technique parmi les suivants :** Techniques d'écologie appliquée, Techniques d'inventaire de recherche en biologie, Techniques de bioécologie et Mathématiques NYA (00UN) **OU** DEC ou l'équivalent et Mathématiques NYA (00UN); Physique NYA (00UR); Chimie NYA, NYB (00UL, 00UM); Biologie NYA (00UK).
McGill : DEC en Sciences de la nature ou l'équivalent **OU** DEC ou l'équivalent et Mathématiques NYA, NYB (00UN, 00UP) et un minimum de quatre de cours parmi les suivants : Physique NYA, NYB, NYC (00UR, 00US, 00UT); Chimie NYA, NYB (00UL, 00UM); Biologie NYA; Biologie générale II (00UK, 00XU).

Sherbrooke : DEC en Histoire et civilisation **OU** DEC en Sciences informatiques et mathématiques **OU** DEC ou l'équivalent et Mathématiques NYA, NYB; Physique NYA, NYB, NYC; Chimie NYA, NYB; Biologie NYA. *N. B. : L'admission peut également se faire à partir d'un DEC technique. Consultez les conditions d'admission du programme au www.usherbrooke.ca/programmes/centre-universitaire-de-formation-en-environnement/premier-cycle/.*
UQAM : DEC en Sciences de la nature.

Endroits de formation (voir p. 390)

	Contingentement	Coop	Cote R*
Bishop's	☐	☐	—
Concordia	☐	☐	—
Laval	☐	☐	—
McGill**	☐	☐	20.400 à 24.000
Sherbrooke	■	■	20.400 à 24.000

** Le nombre inscrit indique la **Cote R** qui a été utilisée pour l'**admission de l'année 2012 ou 2013** par l'université concernée.*
** 20.400 pour Sciences de la nature et 24.000 pour Sciences humaines.

Profession reliée

C.N.P.
2121   Écologiste

Endroits de travail

– Centre de recherche
– Entreprises forestières
– Firmes d'experts-conseils en environnement
– Gouvernements fédéral et provincial
– Organismes gouvernementaux

Salaire

Le salaire hebdomadaire moyen est de 745 $ (janvier 2011).

Environnements naturels et aménagés / Études de l'environnement / Sciences de l'environnement / Sciences naturelles appliquées à l'environnement / Environment / Environmental Science / Environmental Studies / Human Environment

SUITE

Remarques

– L'Université Concordia offre trois spécialisations : Ecology, Geoscience, Hydrosphere.

– L'Université du Québec à Chicoutimi (UQAC) offre un certificat et une mineure en Sciences de l'environnement.

– L'Université du Québec à Montréal (UQAM) offre des spécialisations dans les domaines de l'eau, de l'énergie, de l'environnement terrestre ou du climat pour le baccalauréat en Sciences naturelles appliquées à l'environnement. Cet établissement offre également un certificat en Sciences de l'environnement.

– À l'Université Laval, le baccalauréat intégré en Environnements naturels et aménagés est axé sur la conservation et la gestion durable des écosystèmes. Ce baccalauréat offre six concentrations : Aspects socio-politiques de la conservation de l'environnement; Conservation des agro-écosystèmes aquatiques; Conservation des écosystèmes; Conservation des écosystèmes forestiers; Conservation des écosystèmes nordiques; Dimension internationale de la conservation de l'environnement. Cet établissement offre également un certificat en Développement durable.

ÉTUDES PLURISECTORIELLES

STATISTIQUES D'EMPLOI			
	2007	**2009**	**2011**
Nb de personnes diplômées	68	61	71
% en emploi	34,2 %	45,2 %	30,2 %
% à temps plein	84,6 %	92,9 %	76,9 %
% lié à la formation	72,7 %	38,5 %	60 %

Études des femmes / Études féministes / Western Society and Culture / Women Studies

BAC 2 À 4 TRIMESTRES

CUISEP 635-000

Compétence à acquérir

Ce programme est conçu pour les étudiants qui désirent allier les études de la femme à des études en sociologie, en psychologie, en histoire, en science politique, en littérature ou en religion de même que pour ceux qui désirent se spécialiser dans les études de la femme. Il comporte la collecte et l'évaluation des nombreux documents qu'on redécouvre sur la femme et sur sa situation depuis les temps anciens.

Éléments du programme

Données non disponibles.

Admission (voir p. 21 G)

DEC ou l'équivalent, entrevue et lettre de motivation.

Endroits de formation (voir p. 390)

	Contingentement	Coop	Cote R
Concordia	☐	☐	—
McGill	☐	☐	—
UQAM	☐	☐	—

Profession reliée

C.N.P.
4169   Sociologue

Endroit de travail

Gouvernements fédéral et provincial

Salaire

Le salaire hebdomadaire moyen est de 1 025 $ (janvier 2011).

Remarques

– L'Université Bishop's offre également une mineure.
– L'Université du Québec à Montréal (UQAM) offre un certificat et une concentration de 1er cycle en Études féministes.

STATISTIQUES D'EMPLOI	2007	2009	2011
Nb de personnes diplômées	1 004	1 173	1 137
% en emploi	65 %	65,4 %	68,4 %
% à temps plein	90,7 %	87,5 %	87,6 %
% lié à la formation	72 %	72,5 %	72,3 %

Études internationales / Études internationales et langues modernes / Relations internationales et droit international / International Studies

BAC 6 TRIMESTRES | **CUISEP 18000**

Compétences à acquérir

– Comprendre et analyser des phénomènes internationaux (régimes politiques, politiques étrangères, etc.).
– Décoder les structures de fonctionnement des autres sociétés.
– Maîtriser les concepts utilisés en droit, en histoire, en politique et en économique.

Éléments du programme

– Commerce international
– Développement économique
– Droit constitutionnel
– Droit international
– Finance internationale
– Mondialisation
– Relations économiques
– Stage
– Systèmes politique et juridique

Admission (voir p. 21 G)

DEC ou l'équivalent.
OU
Laval : DEC ou l'équivalent **ET Anglais langue seconde :** avoir atteint en anglais des compétences de niveau avancé II supérieur (un résultat d'au moins 850 sera exigé au test TOEIC) **OU Espagnol :** avoir atteint des compétences de niveau intermédiaire II **OU Allemand :** l'étudiant qui souhaite choisir l'allemand comme deuxième langue peut le faire même s'il ne possède pas de connaissance préalable de cette langue **ET** test d'équivalence obligatoire à l'admission.
Montréal : DEC ou l'équivalent **OU** avoir réussi 24 crédits de cours universitaires autres que des crédits obtenus dans le cadre de cours préparatoires aux études universitaires.

Endroits de formation (voir p. 390)

	Contingentement	Coop	Cote R*
Bishop's	☐	☐	—
Laval	☐	☐	—
McGill	☐	☐	—
Montréal	■	☐	28.500
UQAM	■	☐	28.800

** Le nombre inscrit indique la **Cote R** qui a été utilisée pour l'**admission de l'année 2012 ou 2013** par l'université concernée.*

Professions reliées

C.N.P.

4164	Agent de développement international
4168	Attaché politique
4164	Conseiller en affaires internationales
4168	Diplomate
4169	Lobbyiste
4168	Spécialiste en relations internationales

Endroits de travail

– Gouvernements fédéral et provincial
– Grandes entreprises
– Organisations internationales (ONU, etc.)

Salaire

Le salaire hebdomadaire moyen est de 769 $ (janvier 2011).

Remarques

– Ce programme donne accès aux études supérieures en Science politique.
– L'Université Bishop's offre deux concentrations : Culture mondiale et Gouvernance mondiale. Cet établissement offre également une mineure en International Studies.
– L'Université de Montréal offre cinq orientations : Développement international ; Droit ; Économie-Administration ; Histoire ; Science politique. Cet établissement offre également un certificat en Coopération internationale.
– L'Université du Québec à Montréal (UQAM) offre quatre concentrations ou profils : Économie, développement et mondialisation ; Formation pratique et activité de synthèse ; Politiques étrangères et sécurité internationale ; Systèmes politiques et juridiques comparés.

STATISTIQUES D'EMPLOI			
	2007	**2009**	**2011**
Nb de personnes diplômées	764	852	902
% en emploi	43,5 %	42,7 %	45,7 %
% à temps plein	88,5 %	88,5 %	87,3 %
% lié à la formation	36,7 %	31 %	34,8 %

ÉTUDES PLURISECTORIELLES

BAC 6 TRIMESTRES

ÉTUDES PLURISECTORIELLES

Compétences à acquérir

– S'approprier des outils méthodologiques et acquérir une pensée critique.
– Comprendre les racines de notre civilisation.

Éléments du programme

– Grèce antique
– Histoire de la littérature latine
– Histoire du Moyen Âge
– Initiation à l'archéologie gréco-romaine
– Langue grecque et latine
– Méthodes de recherche en antiquité
– Stage en archéologie

Admission (voir p. 21 G)

DEC ou l'équivalent.

Endroit de formation (voir p. 310)

	Contingentement	Coop	Cote R
Montréal	☐	☐	—

Profession reliée

C.N.P.
— Agent de recherche

Endroits de travail

– Firmes d'archéologues
– Gouvernements
– Grandes entreprises
– Médias
– Musées
– Universités

Salaire

Le salaire hebdomadaire moyen est de 1 025 $ (janvier 2011). Consulter également les fiches des programmes Histoire (page 225) et Études classiques (page 58).

STATISTIQUES D'EMPLOI			
	2007	2009	2011
Nb de personnes diplômées	—	—	1 137
% en emploi	—	—	68,4 %
% à temps plein	—	—	87,6 %
% lié à la formation	—	—	72,3 %

Compétences à acquérir

– S'intégrer à des situations en constante évolution.
– Être familier avec chacune des grandes époques de l'histoire sous l'angle d'une discipline particulière, mais en intégrant les éléments et les méthodes des autres approches disciplinaires.

Cinq orientations sont offertes:
Études françaises; Histoire; Histoire de l'art; Littérature comparée; Philosophie.

Éléments du programme

– Avènement du monde contemporain
– Études de textes
– Europe à la Renaissance
– Invention de l'homme moderne
– Littérature et théories de la culture
– Monde Antique
– Moyen Âge
– Philosophie politique contemporaine
– Programme de lectures critiques
– Programme individuel de lecture
– Théories et méthodes critiques

Admission (voir p. 21 G)

DEC ou l'équivalent.
OU
Avoir réussi 24 crédits de cours universitaires autres que des crédits obtenus dans le cadre de cours préparatoires aux études universitaires.
ET
Excellence du dossier scolaire.

Endroit de formation (voir p. 310)

	Contingentement	Coop	Cote R*
Montréal	■	☐	21.756

** Le nombre inscrit indique la **Cote R** qui a été utilisée pour l'**admission de l'année 2012** par l'université concernée.*

Professions reliées

Données non disponibles.

Endroits de travail

Données non disponibles.

Salaire

Le salaire hebdomadaire moyen est de 1 025 $ (janvier 2011).

Remarque

Ce programme forme des diplômés très polyvalents capables de répondre aux exigences du marché du travail qui demande des individus aptes à s'intégrer à des situations en constante évolution. Le diplômé pourra poursuivre des études de maîtrise dans la discipline choisie lors de la troisième année.

STATISTIQUES D'EMPLOI			
	2007	**2009**	**2011**
Nb de personnes diplômées	1 004	1 173	1 137
% en emploi	65 %	65,4 %	68,4 %
% à temps plein	90,7 %	87,5 %	87,6 %
% lié à la formation	72 %	72,5 %	72,3 %

ÉTUDES PLURISECTORIELLES

Linguistique et psychologie

BAC 6 TRIMESTRES CUISEP 253/576-000

Compétence à acquérir

Étudier et comprendre le fonctionnement du cerveau et la structuration du langage.

Éléments du programme

– Lexicologie, sémantique et morphologie
– Neuropsychologie humaine
– Phonologie du français
– Processus cognitifs
– Processus d'apprentissage
– Psychologie, physiologie
– Psychopathologie

Admission (voir p. 21 G)

DEC ou l'équivalent et avoir réussi, avant l'entrée dans le programme : Mathématiques 337 (360-300 et 201-300 ou 103 et 307); un cours de biologie; Psychologie 102.
OU
DEC en Histoire et civilisation et avoir atteint les objectifs suivants : Biologie 022V, Méthodes quantitatives 022P et Statistiques avancées 022W.
OU
DEC en Sciences de la nature.
OU
DEC en Sciences humaines et avoir atteint les objectifs suivants : Biologie 022V et Statistiques avancées 022W.

Endroit de formation (voir p. 310)

	Contingentement	Coop	Cote R*
Montréal	■	☐	24.000

** Le nombre inscrit indique la **Cote R** qui a été utilisée pour l'**admission de l'année 2012** par l'université concernée.*

Profession reliée

C.N.P.
3141   Orthophoniste

Endroits de travail

– Centres hospitaliers
– Universités

Salaire

Le salaire hebdomadaire moyen est de 1 025 $ (janvier 2011). Consulter également les fiches des programmes Linguistique (page 65) et Psychologie (page 230).

Remarques

– Ce baccalauréat donne accès à la maîtrise en Orthophonie aux universités Laval et McGill.
– L'Université de Montréal offre une majeure et une mineure en Linguistique.

STATISTIQUES D'EMPLOI			
	2007	2009	2011
Nb de personnes diplômées	1 004	1 173	1 137
% en emploi	65 %	65,4 %	68,4 %
% à temps plein	90,7 %	87,5 %	87,6 %
% lié à la formation	72 %	72,5 %	72,3 %

ÉTUDES PLURISECTORIELLES

Littérature comparée et philosophie / Littérature de langue française et philosophie / Littératures et philosophie

BAC 6 TRIMESTRES · **CUISEP 251-000**

Compétences à acquérir

– Comprendre les liens entre la philosophie et la littérature, de façon à développer une intelligence synthétique de la tradition philosophique et de l'histoire des littératures.
– Développer les capacités de lecture et de rédaction en lien avec les différents types de discours de la philosophie et de la littérature.
– Acquérir des méthodes d'analyse et de critique des discours littéraires et philosophiques.
– Acquérir une solide formation dans les humanités et s'initier aux principaux axes historiques de la constitution des discours littéraires et philosophiques, de l'Antiquité à aujourd'hui.

Éléments du programme

– Descartes et le rationalisme
– Littérature française
– Littérature québécoise
– Méthodes critiques
– Mythologie gréco-romaine
– Philosophie politique contemporaine
– Philosophie sociale et politique

Admission (voir p. 21 G)

DEC ou l'équivalent.

Endroits de formation (voir p. 390)

	Contingentement	Coop	Cote R
Laval	☐	☐	—
Montréal	☐	☐	—

Professions reliées

C.N.P.
5123 Critique littéraire
4121 Professeur de littérature
4121 Professeur de philosophie
5121 Rédacteur

Endroits de travail

– Établissements d'enseignement collégiaux
– Maisons d'édition
– Médias
– Organismes culturels

Salaire

Le salaire hebdomadaire moyen est de 1 025 $ (janvier 2011).

Remarques

– Ce programme est bidisciplinaire.
– L'Université de Montréal offre une majeure et une mineure en Littérature de langue française.

ÉTUDES PLURISECTORIELLES

STATISTIQUES D'EMPLOI	2007	2009	2011
Nb de personnes diplômées	1 004	1 173	1 137
% en emploi	65 %	65,4 %	68,4 %
% à temps plein	90,7 %	87,5 %	87,6 %
% lié à la formation	72 %	72,5 %	72,3 %

BAC 6 TRIMESTRES   CUISEP 153-500

Compétences à acquérir

– Utiliser des méthodes et des techniques de la mathématique et de l'informatique pour apporter une solution à des problèmes relevant de divers domaines d'application de la mathématique tels que l'ingénierie, la physique, la chimie, la biologie et les sciences sociales.
– Analyser, évaluer, créer des algorithmes, des logiciels, des modèles ou des systèmes informatiques à vocation industrielle ou scientifique en s'appuyant sur l'outil mathématique.

Éléments du programme

– Algèbre linéaire
– Algorithme et programmation
– Circuits logiques
– Génie logiciel
– Intelligence artificielle
– Langages de programmation
– Structure interne des ordinateurs

Admission (voir p. 21 G)

Laval : DEC en Sciences de la nature ou en Sciences informatiques et mathématiques **OU** DEC et Mathématiques NYA, NYB, NYC (ou 103-77, 105-77, 203-77). *N.B. : La réussite des cours de Mathématiques 303 et de Physique NYA (ou 101) est recommandée. Pour connaître les passerelles entre un DEC technique et ce programme, contacter la Faculté des sciences et de génie.*
McGill : DEC en Sciences de la nature ou l'équivalent et Mathématiques NYA, NYB, NYC (00UN, 00UP, 00UQ ou 01Y1, 01Y2, 01Y4); Physique NYA, NYB, NYC (00UR, 00US, 00UT ou 01Y7, 01YF, 01YG); Chimie NYA, NYB (00UL, 00UM ou 01Y6, 01YH); Biologie NYA (00UK ou 01Y5).
Montréal : DEC en Sciences de la nature ou en Sciences informatiques et mathématiques **OU** DEC ou l'équivalent et Mathématiques 103, 105, 203 **OU** avoir réussi 24 crédits de cours universitaires autres que des crédits dans le cadre de cours préparatoires aux études universitaires.
UQAM : DEC en Sciences de la nature **OU** DEC ou l'équivalent et Mathématiques NYA, NYB, NYC.
UQTR : DEC ou l'équivalent et Mathématiques 00UN, 01Y1 ou 022X; 00UP, 01Y2 ou 022Y; 00UQ, 01Y4 ou 022Z.

Endroits de formation (voir p. 390)

	Contingentement	Coop	Cote R*
Laval	☐	☐	—
McGill	☐	☐	—
Montréal	■	☐	25.109
UQAM	☐	☐	—
UQTR	☐	☐	—

** Le nombre inscrit indique la **Cote R** qui a été utilisée pour l'**admission de l'année 2012 ou 2013** par l'université concernée.*

Professions reliées

C.N.P.
2171   Analyste en informatique
2161   Spécialiste de la recherche opérationnelle

Endroits de travail

Données non disponibles.

Salaire

Le salaire hebdomadaire moyen est de 1 025 $ (janvier 2011).

Remarques

– À l'Université du Québec à Montréal (UQAM), il s'agit d'une concentration du baccalauréat en Mathématiques.
– L'Université du Québec à Trois-Rivières (UQTR) offre un double baccalauréat en Mathématique-informatique d'une durée de quatre ans.

ÉTUDES PLURISECTORIELLES

STATISTIQUES D'EMPLOI	2007	2009	2011
Nb de personnes diplômées	1 004	1 173	1 137
% en emploi	65 %	65,4 %	68,4 %
% à temps plein	90,7 %	87,5 %	87,6 %
% lié à la formation	72 %	72,5 %	72,3 %

Compétences à acquérir

– Ce programme est bidisciplinaire.
– Consulter les fiches des programmes Mathématiques (page 253) et Physique (page 264).

Éléments du programme

Consulter les fiches des programmes Mathématiques (page 253) et Physique (page 264).

Admission (voir p. 21 G)

DEC en Sciences de la nature **OU** DEC en Sciences informatiques et mathématiques **OU** DEC ou l'équivalent **ET** Mathématiques 103, 105, 203

Endroit de formation (voir p. 310)

	Contingentement	Coop	Cote R
Montréal	☐	☐	—

Profession reliée

Consulter les fiches des programmes Mathématiques (page 253) et Physique (page 264).

Endroits de travail

Consulter les fiches des programmes Mathématiques (page 253) et Physique (page 264).

Salaire

Le salaire hebdomadaire moyen est de 1 025 $ (janvier 2011). Consulter les fiches des programmes Mathématiques (page 253) et Physique (page 264).

STATISTIQUES D'EMPLOI	2007	2009	2011
Nb de personnes diplômées	1 004	1 173	1 137
% en emploi	65 %	65,4 %	68,4 %
% à temps plein	90,7 %	87,5 %	87,6 %
% lié à la formation	72 %	72,5 %	72,3 %

ÉTUDES PLURISECTORIELLES

BAC 6 TRIMESTRES

Compétences à acquérir

– Analyser clairement les problèmes.
– Raisonner de manière articulée.
– Réfléchir de façon critique.

Éléments du programme

– Éthique et politique
– Histoire de la littérature latine
– Langues anciennes
– Méthodes de recherche en Antiquité
– Philosophie grecque
– Philosophie moderne

Admission (voir p. 21 G)

DEC ou l'équivalent.

Endroit de formation (voir p. 310)

	Contingentement	Coop	Cote R
Montréal	☐	☐	—

Profession reliée

C.N.P.
4169   Philosophe

Endroits de travail

– Firmes d'archéologues
– Gouvernements
– Grandes entreprises
– Musées

Salaire

Le salaire hebdomadaire moyen est de 1 025 $ (janvier 2011). Consulter également les fiches des programmes Philosophie (page 231) et Études classiques (page 58).

ÉTUDES PLURISECTORIELLES

STATISTIQUES D'EMPLOI			
	2007	**2009**	**2011**
Nb de personnes diplômées	1 004	1 173	1 137
% en emploi	65 %	65,4 %	68,4 %
% à temps plein	90,7 %	87,5 %	87,6 %
% lié à la formation	72 %	72,5 %	72,3 %

Philosophie et science politique / Science politique et philosophie

BAC 6 TRIMESTRES   CUISEP 18000

Compétences à acquérir

– Ce programme est bidisciplinaire.
– Consulter les fiches des programmes Science politique
  (page 223) et Philosophie (page 231).

Éléments du programme

Consulter les fiches des programmes Science politique
(page 223) et Philosophie (page 231).

Admission (voir p. 21 G)

Laval : DEC ou l'équivalent.
Montréal : DEC ou l'équivalent **OU** avoir réussi 24 crédits
de cours universitaires autres que des crédits obtenus
dans le cadre de cours préparatoires aux études universitaires.

Endroits de formation (voir p. 390)

	Contingentement	Coop	Cote R*
Laval	☐	☐	—
Montréal	☑	☐	22.000

** Le nombre inscrit indique la **Cote R** qui a été utilisée pour l'**admission de l'année 2012** par l'université concernée.*

Professions reliées

Consulter les fiches des programmes Science politique
(page 223) et Philosophie (page 233).

Endroits de travail

Consulter les fiches des programmes Science politique
(page 223) et Philosophie (page 231).

Salaire

Le salaire hebdomadaire moyen est de 1 025 $ (janvier
2011). Consulter également les fiches des programmes
Science politique (page 223) et Philosophie (page 231).

ÉTUDES PLURISECTORIELLES

STATISTIQUES D'EMPLOI	2007	2009	2011
Nb de personnes diplômées	1 004	1 173	1 137
% en emploi	65 %	65,4 %	68,4 %
% à temps plein	90,7 %	87,5 %	87,6 %
% lié à la formation	72 %	72,5 %	72,3 %

Compétences à acquérir

– Ce programme est bidisciplinaire.
– Consulter les fiches des programmes Physique (page 264)
   et Informatique (page 116).

Éléments du programme

Consulter les fiches des programmes Physique (page 264) et
Informatique (page 116).

Admission (voir p. 21 G)

McGill : DEC en Sciences de la nature ou l'équivalent et
Mathématiques NYA, NYB, NYC (00UN, 00UP, 00UQ ou
01Y1, 01Y2, 01Y4); Physique NYA, NYB, NYC (00UR,
00US, 00UT ou 01Y7, 01YF, 01YG); Chimie NYA, NYB
(00UL, 00UM ou 01Y6, 01YH); Biologie NYA (00UK ou
01Y5).

Montréal : DEC en Sciences de la nature **OU** DEC ou
l'équivalent et Mathématiques 103, 105; 203; deux cours
de physique; un cours de chimie; un cours de biologie **OU**
avoir réussi 24 crédits de cours universitaires autres que
des crédits obtenus dans le cadre de cours préparatoires
aux études universitaires.

UQTR : DEC ou l'équivalent et Mathématiques 103, 105,
203 (00UN, 00UP, 00UQ); Physique 101, 201, 301-78
(00UR, 00US, 00UT); Chimie 101, 201 (00UL, 00UM);
Biologie 301 (00UK) **OU** DEC en Sciences de la nature **OU**
DEC technique en Technologie physique **OU** DEC technique et Mathématiques 103, 203 (00UN, 00UP); Chimie
101 (00UK); Physique 101, 201, 301-78 (00UR, 00US,
00UT).

Endroits de formation (voir p. 390)

	Contingentement	Coop	Cote R*
McGill	☐	☐	—
Montréal	■	☐	25.000
UQTR	☐	☐	—

** Le nombre inscrit indique la **Cote R** qui a été utilisée pour l'**admission de l'année 2012 ou 2013** par l'université concernée.*

Professions reliées

Consulter les fiches des programmes Physique (page 264) et
Informatique (page 116).

Endroits de travail

Consulter les fiches des programmes Physique (page 264) et
Informatique (page 116).

Salaire

Le salaire hebdomadaire moyen est de 1 025 $ (janvier
2011). Consulter les fiches des programmes Physique (page
264) et Informatique (page 116).

STATISTIQUES D'EMPLOI			
	2007	2009	2011
Nb de personnes diplômées	1 004	1 173	1 137
% en emploi	65 %	65,4 %	68,4 %
% à temps plein	90,7 %	87,5 %	87,6 %
% lié à la formation	72 %	72,5 %	72,3 %

ÉTUDES PLURISECTORIELLES

BAC 6 TRIMESTRES CUISEP 575-000

Compétences à acquérir

– Ce programme est bidisciplinaire.
– Consulter les fiches des programmes Psychoéducation
(page 232) et Psychologie (page 230).

Éléments du programme

Consulter les fiches des programmes Psychoéducation (page
232) et Psychologie (page 230).

Admission (voir p. 21 G)

DEC en Sciences de la nature.
OU
DEC en Sciences humaines et avoir atteint les objectifs sui-
vants : Biologie 022V et Statistiques avancées 022W.
OU
DEC en Histoire et civilisation et avoir atteint les objectifs
suivants : Biologie 022V, Méthodes quantitatives 022P,
Statistiques avancées 022W.
OU
DEC ou l'équivalent et Mathématiques 337 (360-300 et
201-300 ou 103 et 307); un cours de biologie; Psychologie
102.
OU
Avoir réussi 24 crédits de cours universitaires autres que
des crédits obtenus dans le cadre de cours préparatoires
aux études universitaires.

Endroit de formation (voir p. 310)

	Contingentement	Coop	Cote R*
Montréal	■	□	27.390

** Le nombre inscrit indique la **Cote R** qui a été utilisée pour l'admission de l'année 2012 par l'université concernée.*

Professions reliées

Consulter les fiches des programmes Psychoéducation (page
232) et Psychologie (page 230).

Endroits de travail

Consulter les fiches des programmes Psychoéducation (page
232) et Psychologie (page 230).

Salaire

Le salaire hebdomadaire moyen est de 1 025 $ (janvier
2011). Consulter les fiches des programmes Psychoéducation (page 232) et Psychologie (page 230).

ÉTUDES PLURISECTORIELLES

STATISTIQUES D'EMPLOI			
	2007	2009	2011
Nb de personnes diplômées	1 004	1 173	1 137
% en emploi	65 %	65,4 %	68,4 %
% à temps plein	90,7 %	87,5 %	87,6 %
% lié à la formation	72 %	72,5 %	72,3 %

BAC 6 TRIMESTRES   CUISEP 18000

Compétences à acquérir

– Développer des capacités d'analyse et de synthèse.
– Développer des connaissances dans diverses disciplines scientifiques (biologie, informatique, physique, etc.) et les utiliser de façon méthodique.
– Comprendre et résoudre des problèmes.

Éléments du programme

– Activités multidisciplinaires
– Méthode de recherche scientifique
– Projet
– Rédaction scientifique et technique
– Sciences, techniques et civilisations
– Stage
– Statistiques

Admission (voir p. 21 G)

DEC ou l'équivalent.
OU
Avoir, au moment de la demande d'admission, réussi des cours universitaires témoignant d'une préparation jugée suffisante par le comité d'admission.
ET
Connaissance des mathématiques du collégial **OU** suivre un cours d'appoint **OU** réussite du test de mathématiques.
ET
Maîtrise du français.

Endroit de formation (voir p. 310)

	Contingentement	Coop	Cote R
TÉLUQ	☐	☐	—

Professions reliées

C.N.P.
5121   Rédacteur scientifique
—   Représentant

Endroits de travail

– Centres de recherche (publics ou privés)
– Entreprises de haute technologie

Salaire

Le salaire hebdomadaire moyen est de 1 025 $ (janvier 2011).

Remarques

– Ce programme est offert à distance, à temps plein et à temps partiel.
– Un certificat en Science et technologie est également offert.
– L'Université du Québec à Montréal (UQAM) offre le baccalauréat ès sciences et le baccalauréat ès sciences appliquées par cumul de mineures ou de certificats.

STATISTIQUES D'EMPLOI	2007	2009	2011
Nb de personnes diplômées	1 004	1 173	1 137
% en emploi	65 %	65,4 %	68,4 %
% à temps plein	90,7 %	87,5 %	87,6 %
% lié à la formation	72 %	72,5 %	72,3 %

ÉTUDES PLURISECTORIELLES

DOSSIERS

**LA COTE
DE RENDEMENT**

au collégial......... Page **291**

**ÉTUDIER
AILLEURS**

dans le monde ..... Page **299**

LA COTE DE RENDEMENT
au collégial

Ce qu'est la cote « R »

La cote de rendement au collégial, aussi appelée « cote R », est une méthode d'analyse du dossier scolaire utilisée par la plupart des universités québécoises en vue de gérer l'admission dans certains programmes (la plupart du temps pour les programmes contingentés). Chaque cours possède sa cote R et l'ensemble des cours suivis donne une cote R « générale ». Il importe donc de prendre les études collégiales au sérieux dès le début de la première session.

Pendant plusieurs années, les universités ont eu recours à la cote Z pour comparer les notes des diplômés des collèges. Cette unité de mesure empruntée à la statistique permettait de classer les élèves par rapport à l'ensemble des élèves. On a cependant constaté que les élèves inscrits dans des groupes forts avaient du mal à obtenir une bonne cote Z et que les classements effectués étaient équitables à la condition que les classes comparées soient de même calibre. C'est pour corriger cet effet indésirable que la cote de rendement au collégial, la cote R, a été implantée. La méthode consiste à pondérer la cote Z au moyen d'un indicateur de correction qui, en tenant compte de la force du groupe au collégial, permet de situer équitablement les résultats de l'élève, quels que soient les caractéristiques du collège fréquenté, le programme suivi ou le mode de regroupement des élèves. On a vu, par ailleurs, que l'effet réel des résultats du secondaire sur le calcul de la cote de rendement individuel est très minimal. Aucun élève ne « traîne » donc ses notes du secondaire jusqu'aux portes de l'université.

En ajoutant un indicateur de la force du groupe (IFG) à la cote Z, la cote de rendement au collégial se révèle, en définitive, un instrument de classement juste et équitable. Elle permet d'assurer que le dossier scolaire des diplômés du collégial qui font une demande d'admission à l'université sera évalué le plus équitablement possible, indépendamment du collège d'origine. Elle donne ainsi aux meilleurs élèves de tous les collèges des chances égales d'accès aux programmes universitaires les plus contingentés.

Au départ, la cote de rendement au collégial n'était utilisée que dans le cas d'une admission dans un programme contingenté, mais on lui a récemment trouvé plusieurs autres applications. Elle est maintenant utilisée pour des fins de sélection lors de l'admission dans des programmes de sciences, pour l'octroi de bourses d'études ou encore pour attribuer des équivalences de cours.

L'excellence du dossier scolaire est parfois le seul élément considéré lors du choix des candidats et constitue, de ce fait, la seule et unique étape du processus d'admission dans certains programmes. Le nombre de places disponibles détermine le nombre de personnes à qui une offre d'admission sera faite. Il s'agit habituellement des élèves dont la cote de rendement est la plus élevée. Les variables telles la personnalité du candidat, ses qualités et ses aptitudes ainsi que sa motivation à être admis dans ce programme ne seront pas pris en compte dans l'étude du dossier, d'où l'importance de saisir l'enjeu du rendement scolaire.

La réussite ou l'échec de chaque cours est important. Un échec ou un abandon non motivé ne peut être effacé du dossier scolaire. Par conséquent, cela a un impact sur la cote R « globale ou moyenne » servant à l'admission dans les universités. Pour les programmes contingentés, c'est la CRC moyenne du dernier programme conduisant à l'obtention du DEC qui sera utilisée ou la CRC globale de tous les programmes, si celle-ci est plus élevée.

Pour d'autres programmes, l'analyse du dossier scolaire sera suivie d'un processus de sélection pouvant comprendre une ou plusieurs étapes. Les candidats pourront être invités à passer un test, à remplir un questionnaire, à passer une entrevue ou une audition, à écrire une lettre d'intention ou une lettre autobiographique, à présenter un portfolio de travaux personnels, à rédiger un essai ou encore à participer à une appréciation par simulation (APS). Les objectifs poursuivis par le processus de sélection déterminent les critères qui seront utilisés pour évaluer les canditats.

Pour plus d'information concernant la cote de rendement au collégial, vous pouvez consulter le site Web de la CREPUQ (www.crepuq.ca) à la rubrique Publication – Admission et dossier étudiant – Admission aux programmes d'études.

Le calcul de la cote de rendement au collégial

L'analyse du dossier au moyen de la cote de rendement au collégial (CRC) exige, pour chaque cours **échoué ou réussi**, le calcul d'une cote Z qui permet d'exprimer la position relative d'un élève dans son groupe et le calcul d'un facteur de correction (IFG), qui permet d'estimer la force relative du groupe par rapport à celle des autres groupes. Ces calculs sont effectués par le **ministère de l'Éducation, du Loisir et du Sport** pour chacune des notes inscrites au bulletin, à l'exception des notes des cours d'appoint ou d'éducation physique suivi avant l'automne 2007.

La formule de calcul de la cote de rendement au collégial (CRC) est la suivante :

$$CRC = (Z + IFG + 5) \times 5^*$$

Ce qu'il faut retenir, c'est que l'utilisation de cette formule vise à :
– déterminer à quelle fréquence les résultats d'un élève sont au-dessus ou en dessous de la moyenne du groupe en calculant la « moyenne de ses écarts à la moyenne », soit la cote Z;
– tenir compte du degré de difficulté qu'implique le fait d'être au-dessus de la moyenne en calculant l'IFG, l'indicateur de la force du groupe. Plus l'ensemble du groupe est fort, plus il sera difficile d'obtenir des notes au-dessus de la moyenne.

*Le chiffre 5 est une valeur constante et invariable.
Note : Pour calculer une CRC, on doit disposer d'un minimun de six étudiants ayant des notes supérieures ou égale à 50.

Où peut-on obtenir sa cote de rendement au collégial?

Dans les collèges, la CRC est accessible sur Omnivox et mise à jour quatre fois l'an : en octobre, pour inclure les cours de la session d'été; en janvier, pour inclure les résultats provisoires de la session d'automne; en février, pour inclure la session d'automne en vue de l'admission à l'université à l'automne suivant; en juin, pour inclure les cours de la session d'hiver en vue de l'admission définitive à l'université.

Une cote qui situe l'élève par rapport à la moyenne du groupe

La plupart des cotes de rendement pour l'ensemble d'un dossier collégial se situent entre 15 et 35. Voici un cadre de référence illustrant cet ordre de grandeur :

– entre 32 et 35 (85 % à 90 %) :   notes très supérieures à la moyenne
– entre 29,5 et 31,9 (80 % à 85 %) :   notes supérieures à la moyenne
– entre 26 et 29,4 (75 % à 80 %) :   notes au-dessus de la moyenne
– entre 20 et 25,9 (65 % à 75 %) :   notes dans la moyenne

Les risques associés à une mauvaise compréhension de la cote R

À cause de l'enjeu que représente la cote de rendement au collégial pour leur avenir, nombre d'élèves tentent de mettre au point des stratégies qui leur assureront de bien se positionner par rapport aux autres candidats. Certaines de ces stratégies consistent à tenter de trouver un « laissez-passer » pour l'université, un arrangement de conditions qui leur assurera une cote de rendement à toute épreuve.

Ces solutions comportent des risques pour le cheminement scolaire et l'avenir professionnel des élèves qui les utilisent. Cette tentative d'annuler l'effet de la cote R peut prendre diverses formes à différents moments du cheminement de l'étudiant. Nous allons donc explorer les risques associés à une mauvaise compréhension de ce qu'est la cote de rendement et de ses effets sur le cheminement scolaire à l'étape de l'élaboration d'un projet professionnel, puis à l'étape de la réalisation d'un tel projet.

La cote R et l'élaboration de son projet professionnel

Même si la cote de rendement n'est utilisée qu'à l'étape de la demande d'admission à l'université, plusieurs élèves en tiennent compte dans leurs choix de cours dès le secondaire, alors qu'ils en sont encore à définir leur projet professionnel. Ils agissent comme si l'obtention d'une cote de rendement élevée devenait un objectif professionnel en soi. Cette confusion entre objectif et contrainte peut interférer dans leur choix de carrière et avoir des conséquences aussi importantes que s'ils ne se souciaient aucunement de leur rendement scolaire.

La cote R et le passage du secondaire au collégial

Voici trois exemples de stratégies à risque parfois adoptées par des élèves de 5e secondaire qui ont pour projet de s'inscrire éventuellement à un programme contingenté à l'université.

1.   Choisir un programme en fonction d'une meilleure cote de rendement

Une des règles du grand jeu de la cote R consiste à accorder une légère majoration de leur cote aux élèves qui ont réussi certains programmes où la compétition est forte. À la lueur de cette information, certains élèves du secondaire, qui avaient déjà choisi le programme dans lequel ils comptaient s'inscrire, modifient leur choix dans le but de se prévaloir de cette bonification.

Aucun programme ne garantit l'obtention d'une cote de rendement élevée. Peu importe le « bonus » qui pourra être accordé pour un programme, c'est l'« écart à la moyenne » qui aura le plus d'impact sur la cote de rendement finale. Si une majoration de la cote R est accordée pour un programme, c'est parce que ce programme regroupe habituellement des élèves obtenant de très fortes notes.

Avant de s'inscrire dans un programme où la compétition est très forte, l'élève devrait se demander comment il vivra le fait d'être comparé au quotidien à des élèves très forts et d'avoir à bûcher pour tenir le cap. Laquelle des situations suivantes est la plus susceptible de le stimuler à donner le meilleur de lui-même : être le dernier d'un groupe très fort ou être le premier d'un groupe moins fort?

Le meilleur gage de succès pour un élève est de trouver un programme qui correspond exactement à ce qui l'attire, le fascine et le stimule dans l'immédiat. À quoi servira le « bonus » si, au départ, ses résultats scolaires souffrent du manque d'intérêt et de motivation?

2. Choisir un établissement en fonction d'une meilleure cote de rendement

Une deuxième stratégie à risque consiste à choisir un établissement d'enseignement collégial qui garantira une cote de rendement élevée. Les personnes qui adoptent une telle ligne de conduite se comportent comme si l'abréviation CRC signifiait « cote de rendement d'un collège ». Aussi complexe que soit la formule pour le calcul de la cote de rendement, si nombreux qu'en soient les paramètres, le nom du collège n'est pas une variable dans la formule! Bien que le calcul de la cote de rendement au collégial (CRC) inclue un indicateur de force du groupe (IFG), rien de semblable à un « indicateur de force du collège » n'apparaît dans cette formule.

Si vous avez bien compris les principes de calcul de la cote R, vous savez que le facteur le plus important est d'abord la position que vous obtenez à chacun des cours par rapport au groupe auquel vous appartenez, et ce, peu importe le collège.

Le choix d'un collège mérite du temps et de la réflexion. Là aussi, toutefois, il ne faut pas se méprendre. Le « meilleur » collège n'est-il pas celui qui offre un environnement dans lequel l'élève évoluera comme un poisson dans l'eau, où il sera stimulé à donner le meilleur de lui-même? Bien que les services d'encadrement des études offerts dans un collège soient importants à prendre en compte, ce n'est certainement pas le seul élément à considérer. Il est primordial pour l'élève de prendre le temps d'évaluer le milieu de vie dans lequel il évoluera. Le milieu de vie, cela veut dire les personnes et les éléments qui le composent : les amis, les autres étudiants, les enseignants, le quartier dans lequel le collège est situé, le décor intérieur et extérieur, les loisirs et, surtout, l'atmosphère qui se dégage de tout cela et les valeurs qui transpirent de cet heureux mélange.

Le sentiment d'appartenance à un groupe, à un milieu, à un contexte favorise les chances de réussite scolaire de plusieurs façons :

– en stimulant l'intérêt et la motivation, condition essentielle pour s'engager à fond dans les études;
– en offrant des conditions propices à la persévérance scolaire et à la continuité dans l'effort afin d'éviter les résultats scolaires en « dents de scie »;
– en fournissant une forme « d'assurance-déprime » grâce à un réseau de soutien comprenant notamment les amis et le personnel des services de consultation auxquels l'élève peut recourir en cas de coups durs ou de passages à vide.

3. Choisir un style de vie en fonction d'une meilleure cote de rendement

Parce qu'être admis dans le programme de leur choix est un enjeu très important, parce qu'ils sont habitués à donner le meilleur d'eux-mêmes, parce qu'ils sont sérieux dans leur démarche, certains élèves sont prêts à d'énormes sacrifices pour obtenir la meilleure cote de rendement possible. Dans la foulée des sacrifices, ils oublient qu'un équilibre dans leur vie ne peut qu'être bénéfique à leur succès scolaire.

Chaque personne est la seule à connaître ce qu'il lui faut pour se sentir bien avec elle-même : sommeil, nourriture, exercice physique, amitié, amour, travail, sécurité, douce folie, créativité, loisirs, famille, etc. La liste n'a pas de fin. Chacun a sa propre liste, courte ou longue, composée d'incontournables qui feront en sorte que la vie prend son sens.

Il est fortement recommandé aux élèves d'évaluer les constantes dans leur vie, les éléments qui, jusqu'à maintenant, les ont aidés à recouvrer leur équilibre dans des moments où ils se sentaient un peu perdus, les activités ou les personnes auxquelles ils ont eu recours pour maintenir un sentiment de bien-être ou pour faire face aux coups durs. Identifier ces « valeurs sûres » est très certainement aussi fondamental que le fait de rechercher la meilleure cote R, surtout si cela risque de les éloigner de ce qui les fait vibrer.

Les éléments à ne pas confondre avec la cote R

Parce que le calcul de la cote de rendement est complexe, parce que beaucoup de personnes ont toutes sortes d'opinions contraires, il y a beaucoup de confusion autour de la signification réelle de ce qu'est la cote de rendement au collégial.

Il ne faut jamais oublier que la cote R peut refléter beaucoup de choses, sauf ce que chacun vaut comme personne. Une cote R élevée donne des indications sur l'énergie et le temps que la personne consacre à ses études, sur l'importance qu'elle leur accorde ou encore sur la facilité avec laquelle elle réussit dans un contexte scolaire.

De la même façon, une cote R faible ne signifie pas qu'un étudiant est « nul ». Deux personnes peuvent obtenir la même cote dans des contextes variés et des conditions différentes. Même s'il y a autant de significations qu'il y a de personnes, aucune n'est en lien avec la valeur individuelle. La cote R peut refléter, entre autres, le fait qu'au cours des derniers mois ou des dernières années la réussite ne figurait pas en tête des priorités de l'élève ou qu'à cette étape-ci de sa vie, la participation à des activités extrascolaires, le bénévolat, les amis, les responsabilités familiales, les loisirs ont pris plus d'importance à ses yeux ou accaparé plus de son temps et de son énergie que ses résultats scolaires.

Il est également possible que cet élève appartienne à une catégorie de « bûcheurs » dont les efforts, l'énergie et le temps consacrés à étudier, à se faire expliquer encore et encore la matière ne transparaissent pas dans leurs résultats scolaires. De toute façon, un bûcheur n'est jamais perdant, car il a peut-être développé sa persévérance, sa ténacité, son sens de la discipline et de l'effort, sa capacité à essuyer un échec sans se décourager et à se retrousser les manches pour recommencer. Ces qualités personnelles et ces attitudes sont des atouts précieux pour réussir dans plusieurs métiers et professions dont l'accès n'est pas restreint par un contingentement. Ce qui rend la situation beaucoup moins tragique qu'il n'y paraît à première vue.

Finalement, il est possible qu'en dépit de tous les efforts consacrés à la réussite, d'autres facteurs viennent contrecarrer un projet d'admission dans un programme. Il faut savoir, en effet, que la cote R peut diminuer les probabilités qu'un candidat puisse être admis dans un programme contingenté quand l'établissement universitaire visé n'utilise pas cette méthode d'évaluation du dossier scolaire.

La cote R et la réalisation du projet professionnel

Au moment d'élaborer son projet professionnel, l'élève ne peut qu'anticiper l'effet de la cote R sur la réalisation de ses aspirations. Au moment de passer à l'étape de la réalisation, par contre, l'application de la cote R apparaît comme une réalité dont il doit tenir compte. Que ce soit lors d'un refus dans un programme contingenté ou lors d'une demande de changement de programme, diverses stratégies peuvent être mises de l'avant afin de minimiser les effets d'un refus et de maximiser ses chances de se réaliser dans un autre programme de formation.

Réagir à un refus à la suite d'une demande d'admission dans un programme contingenté

Il est souhaitable que chaque élève détermine un ou des choix de rechange, même lorsque ses résultats lui permettent de croire qu'il a de bonnes chances d'être admis dans son premier choix.

Lors d'un refus, l'étudiant a la possibilité de présenter une nouvelle demande d'admission dans le programme choisi et de s'inscrire dans un autre programme pour éventuellement accéder au programme désiré. Dans ce dernier cas, il serait prudent de s'assurer que le programme sélectionné comme voie d'accès au programme convoité l'intéresse vraiment et qu'il sera heureux de s'y retrouver s'il devait essuyer un autre refus. Suivre un programme « en attendant » est rarement gage de succès et de motivation. Il a également la possibilité d'aller en appel de la décision. Pour ce faire, l'étudiant devra consulter son conseiller ou sa conseillère en orientation ou en information scolaire et professionnelle avant de s'adresser à l'agent ou l'agente d'admission de l'université.

Accéder à un programme contingenté par un changement de programme

À l'université, tout comme au cégep, certains candidats tentent de déjouer le système en utilisant la procédure de changement de programme pour accéder enfin à un programme contingenté dans lequel ils avaient précédemment été refusés.

Cette façon de procéder est tout à fait normale et de nombreux étudiants accèdent chaque année au programme convoité après avoir fait une ou plusieurs années d'études universitaires dans un autre programme. Il faut cependant savoir que cette procédure comporte des règles et qu'il importe de les connaître avant de choisir un « programme transitoire » devant mener à une deuxième demande dans un programme contingenté.

Au moment d'étudier les demandes de changement de programme, les universités peuvent utiliser une « cote de rendement universitaire ». Dans certains cas, cette cote inclut un « indicateur de force par discipline » et dans d'autres cas, on effectue une correction de la cote universitaire en fonction du programme d'où provient le candidat.

Ces ajustements corrigent la cote de rendement universitaire à la hausse ou à la baisse. Dans la plupart des cas, le fait de provenir d'un programme contingenté ou d'un programme de sciences augmente la cote de rendement ainsi que la probabilité d'une admission par un changement de programme.

Il se peut aussi que la cote de rendement au collégial continue d'influencer l'analyse du dossier. Par exemple, il est possible que seul le dossier collégial soit pris en considération lorsque le dossier universitaire comporte moins de 15 crédits. Ce poids du dossier collégial diminue ensuite graduellement jusqu'à disparaître complètement au-delà de 50 crédits obtenus à l'université.

Chaque établissement universitaire a ses propres politiques et procédures à ce sujet. Lorsqu'un étudiant projette d'effectuer un changement de programme à l'université, il sera de première importance de consulter les publications de l'établissement concerné afin d'en connaître davantage au sujet de la cote de rendement universitaire. On trouve habituellement des renseignements à ce sujet dans les guides d'admission et les annuaires généraux publiés annuellement par les universités.

Les commentaires concernant la cote de rendement au collégial s'appliquent également à la cote de rendement universitaire. Une bonne stratégie s'appuie d'abord sur une connaissance approfondie de soi et de ses véritables aspirations.

La condition d'admission incontournable

La première condition pour accéder à des études universitaires, dans un programme contingenté ou non, consiste à réussir un programme d'études collégiales. Il en est de même pour ceux qui utilisent la stratégie d'un changement de programme. Il faut d'abord et avant tout bien réussir là où l'on se trouve pour pouvoir espérer aller plus loin.

Vouloir obtenir une cote de rendement à toute épreuve risque de placer un candidat dans une situation de décrochage potentiel. Non seulement risque-t-il de manquer son pari d'augmenter sa cote de rendement, mais il met en péril, du moins temporairement, l'obtention de son diplôme d'études collégiales dans les délais fixés.

Les stratégies qui visent à avoir plus de prise sur la cote de rendement donnent l'illusion de pouvoir contrôler ce qui ne l'est pas alors que le calcul de la cote de rendement est constitué d'impondérables.

ÉTUDIER AILLEURS
dans le monde

Avez-vous déjà envisagé d'effectuer une partie de vos études en France, en Allemagne, au Mexique ou même au Japon?

Les universités québécoises, résolument ouvertes sur le monde, offrent à leurs étudiants des trois cycles universitaires (baccalauréat, maîtrise et doctorat) la possibilité de réaliser une partie de leur programme d'études dans un établissement situé hors du Québec.

Les programmes d'études universitaires à l'étranger

Les initiatives visant l'internationalisation des études, telles que les programmes d'échanges d'étudiants, font maintenant partie intégrante de la culture des universités québécoises. Les échanges peuvent s'inscrire dans le cadre de programmes multilatéraux qui lient des établissements universitaires du Québec et de l'étranger. Ces programmes sont administrés par des règles communes prévues par des organismes spécifiques.

Voici deux exemples de programmes multilatéraux adoptés par les universités québécoises :

1. Les programmes d'échanges d'étudiants de la CREPUQ (Conférence des recteurs et des principaux des universités du Québec) permettent à des étudiants, principalement de 1er et de 2e cycle, d'étudier pendant un ou deux trimestres dans l'un des 461 établissements universitaires partenaires localisés dans 25 pays.

2. Des bourses sont attribuées par l'Agence universitaire de la Francophonie (AUF) pour favoriser la mobilité internationale des étudiants. Ces mobilités doivent relier deux universités ou établissements membres de l'AUF de pays différents dont au moins l'un du Sud ou de l'Est. L'offre de mobilité visant les étudiants s'articule autour de trois principales catégories : les Bourses de formation initiale, les Bourses de stage professionnel qui s'adressent aux étudiants de deuxième et troisième cycles et les Bourses de formation à la recherche qui sont réservées aux étudiants de troisième cycle.

Il existe également des programmes d'échanges issus d'ententes bilatérales convenues entre un établissement universitaire québécois et un établissement universitaire étranger, et même, dans certains cas, entre des départements ou des facultés. Ces programmes élaborés sur mesure répondent à des objectifs propres à chacun des partenaires et sont négociés à la pièce.

Les modalités de fonctionnement

Les étudiants qui participent à un programme d'échanges restent liés en tout temps à leur établissement d'attache. Cela signifie que les étudiants :

– demeurent inscrits à temps plein à leur établissement d'attache durant leur séjour d'études à l'étranger (pour une durée allant de un à deux trimestres);
– acquittent leurs frais de scolarité à leur établissement d'attache;
– bénéficient des crédits obtenus à l'établissement d'accueil pour l'obtention de leur diplôme à l'établissement d'attache. Les crédits ainsi transférés à l'université d'attache apparaîtront avec la mention EQV (équivalent) sur le relevé de notes;
– recevront le diplôme émis par leur établissement d'attache.

Par ailleurs, il arrive que certaines ententes bilatérales prévoient la remise de deux diplômes (diplôme émis par l'université d'attache et diplôme émis par l'université d'accueil), comme c'est le cas pour les programmes de cotutelle de thèse ou de diplômes avec deux mentions.

Les avantages d'un séjour d'études à l'étranger

Étudier à l'étranger offre aux participants l'occasion exceptionnelle d'acquérir des connaissances sur la réalité culturelle, économique, politique et sociale du pays d'accueil et peut ouvrir la voie vers un emploi dans une entreprise oeuvrant sur la scène internationale. Le fait d'être en contact avec d'autres valeurs et d'autres méthodes pédagogiques et scientifiques encourage le développement du sens critique, suscite des remises en question et favorise une plus grande ouverture d'esprit. De plus, les personnes qui vivent une telle expérience se créent un réseau de relations qui leur sera profitable tant dans leur vie professionnelle que personnelle.

En plus de l'acquisition d'une deuxième ou d'une troisième langue, un séjour d'études à l'étranger favorise chez les participants la connaissance de soi, la débrouillardise, la capacité d'adaptation, la gestion du stress ainsi que le développement de leurs champs d'intérêt et de leur potentiel. Tous ces acquis auront un impact significatif sur le parcours universitaire, personnel et professionnel de l'étudiant, lui permettant d'améliorer son profil et de se distinguer auprès d'éventuels employeurs.

Les conditions de participation

Voici les conditions de participation aux programmes d'échanges d'étudiants de la CREPUQ.

– Être inscrit à temps plein dans un programme de baccalauréat, de maîtrise ou de doctorat.
– Avoir complété l'équivalent d'au moins une année d'études à temps plein dans un même programme et demeurer inscrit à temps plein à ce même programme pendant son séjour d'études dans l'établissement d'accueil.
– Posséder un excellent dossier scolaire.
– Obtenir auprès de son université (établissement d'attache) l'approbation du programme des cours à réaliser dans l'établissement d'accueil.
– Maîtriser la langue d'enseignement de l'établissement d'accueil au moment du dépôt du dossier (et non au moment du départ). Certains tests linguistiques peuvent être exigés. Le test d'anglais fréquemment utilisé par les universités anglophones est le TOEFL (Test of English as a Foreign Language). Plusieurs universités francophones ont choisi le Test de français international (TFI) de la firme Educational Testing Service Canada inc. (ETS).
– Disposer de ressources financières suffisantes pour assumer les frais de transport, d'alimentation, d'hébergement, d'assurance-maladie et les autres frais exigés par l'établissement d'accueil.
– Satisfaire aux exigences particulières imposées par l'établissement d'attache et par l'établissement d'accueil.

Pour connaître les conditions de participation relatives à d'autres programmes, veuillez consulter la personne responsable des services aux étudiants de l'établissement universitaire que vous fréquentez.

Les destinations

La liste des établissements participant aux programmes d'échanges d'étudiants de la CREPUQ peut être consultée à l'adresse suivante : http://echanges-etudiants.crepuq.qc.ca (à titre indicatif, voir La carte des pays participants à la page 302).

Pour les autres programmes, veuillez consulter la personne responsable de la mobilité internationale de l'établissement que vous fréquentez.

Les modalités d'inscription

L'admissibilité et les modalités d'inscription à un programme d'échanges d'étudiants devront être vérifiées auprès de la personne responsable de la mobilité internationale de chacun des établissements où la candidature est déposée. À titre indicatif, voici les modalités propres aux programmes de la CREPUQ :

– Le formulaire de demande de participation doit être complété et soumis en ligne. Il faut d'abord obtenir un code d'accès auprès du responsable des ententes CREPUQ de l'établissement d'attache.
– Le dossier de candidature complet, incluant une copie du formulaire électronique dûment rempli et signé, doit être remis au responsable de l'établissement d'attache au plus tard à la mi-février ou à la date fixée par l'établissement.
– Pièces à joindre au formulaire de demande de participation pour compléter le dossier de candidature :

1. Une copie de la fiche individuelle d'état civil ou de tout autre document officiel attestant de l'identité du candidat.

2. Une copie du relevé de notes attestant les cours universitaires complétés et la liste des cours auxquels le candidat est présentement inscrit à l'établissement d'attache.

3. Une lettre, rédigée dans la langue de l'établissement d'accueil, présentant les objectifs de formation poursuivis en participant au programme d'échanges.

4. La liste des cours (sigle et titre) que le candidat projette d'effectuer.

5. Une approbation de la liste des cours projetés émise par le doyen, le directeur des études ou l'instance appropriée de l'établissement d'attache.

6. Une lettre personnalisée de recommandation émise par le doyen, le directeur des études ou l'instance appropriée de l'établissement d'attache.

7. Une lettre émise par le doyen, le directeur des études ou l'instance appropriée attestant la maîtrise de la langue d'enseignement de l'établissement d'accueil, excepté si le programme d'études projeté porte sur l'étude de cette langue.

La carte des pays participants

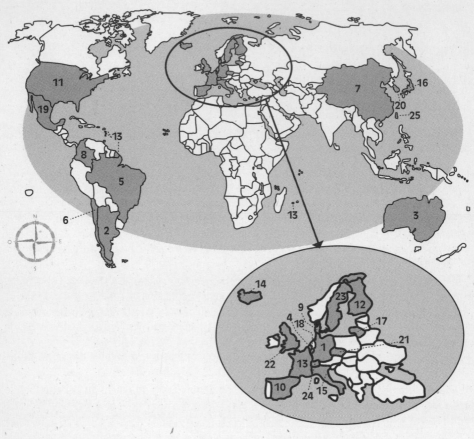

Pays partenaires de la CREPUQ :

1. Allemagne
2. Argentine
3. Australie
4. Belgique
5. Brésil
6. Chili
7. Chine
8. Colombie
9. Danemark
10. Espagne
11. États-Unis
12. Finlande
13. France (incluant l'Île de la Réunion, la Guadeloupe, la Guyane et la Martinique)
14. Islande
15. Italie
16. Japon
17. Lituanie
18. Luxembourg
19. Mexique
20. République de Corée
21. République Tchèque
22. Royaume-Uni
23. Suède
24. Suisse
25. Taïwan

PARTIR UN TRIMESTRE OU UNE ANNÉE?

Il est suggéré de privilégier une formule d'échanges étalée sur une année plutôt que de partir pour un trimestre seulement. Compte tenu du temps requis pour s'intégrer à une nouvelle culture et à un système d'enseignement différent, un séjour d'études d'une année permet de tirer le maximum d'avantages de cette expérience unique. Il faut aussi considérer le calendrier universitaire qui diffère souvent du nôtre et le fait que plusieurs universités – en Europe, par exemple – offrent uniquement des cours sur une base annuelle.

Les coûts et l'aide financière

LES COÛTS

Dans le cadre d'un échange étudiant, aucun frais de scolarité additionnel n'est exigé par l'établissement d'accueil puisque l'étudiant demeure inscrit à temps complet dans son établissement d'attache où il y acquitte ses frais de scolarité. Les coûts du séjour à l'étranger concernent donc les frais de subsistance dans le pays visité. Ces derniers varient en fonction de la durée du séjour et de la destination choisie puisque le coût de la vie dans la ville d'accueil constitue un facteur déterminant.

L'AIDE FINANCIÈRE

Tous les étudiants qui poursuivent des études à l'étranger dans le cadre d'un programme d'échanges conservent leur droit au programme de prêts et bourses du gouvernement du Québec et aux programmes de bourses des organismes subventionnaires (FQRNT, CRSH, CRSNG, etc.) durant toute la durée de leur séjour, à la condition de conserver le statut d'étudiant à temps complet. Plusieurs autres sources de financement sont à explorer telles que les bourses d'excellence et de mobilité internationale offertes par les établissements universitaires et par les donateurs privés (Bourses J.-Armand Bombardier, bourses de la fondation Rotary International, etc.). Voici quelques exemples de programmes d'aide financière mis en avant par le gouvernement du Québec:

– Programme de bourses pour de courts séjours d'études universitaires à l'extérieur du Québec (PBCSE). Ce programme permet un maximum de deux séjours variant de deux à quatre mois chacun, pour une durée totale maximale de huit mois. Le montant maximal varie de 750 $ à 1 000 $ par mois selon le pays de destination.
– Programme Poursuite d'études collégiales et universitaires en France (PÉCUF). Ce programme offre un soutien financier et logistique aux étudiants qui veulent étudier en France.

SITES À CONSULTER

Les sites www.bourses.gc.ca et www.boursetudes.com constituent d'excellents outils pour vous aider à identifier les opportunités de bourses et de subventions auxquelles sont admissibles les étudiants de niveau postsecondaire.

Les adresses utiles

AUF – Agence universitaire de la francophonie . . . . www.auf.org/membres

Échanges Canada . . . . www.exchanges.gc.ca

Conseil des ministres de l'Éducation (Canada) . . . . www.cmec.ca/olp

BCEI – Bureau canadien de l'éducation internationale . . . . www.cbie.ca

CFQCU – Conseil franco-québécois de coopération universitaire . . . . www.cfqcu.org

CNOUS – Centre national des œuvres universitaires et scolaires . . . . www.cnous.fr

CREPUQ – Conférence des recteurs et des principaux . . . . www.crepuq.qc.ca
des universités du Québec   http://echanges-etudiants.crepuq.qc.ca

ÉGIDE – Opérateur de mobilité international – (CIES) . . . . www.egide.asso.fr

Montréal international . . . . www.bei.umontreal.ca/maisoninternationale/index.htm

OFQJ – Office franco-québécois pour la jeunesse . . . . www.ofqj.gouv.qc.ca

OQAJ – Office Québec-Amérique pour la jeunesse . . . . www.oqaj.gouv.qc.ca

OQWBJ – Office Québec-Wallonie-Bruxelles pour la jeunesse . . . . www.oqwbj.org

PLO – Programmes des langues officielles (Accent/Odyssée) . . . . www.cmec.ca/olp

L'**Index alphabétique des établissements d'enseignement universitaire** et leurs coordonnées apparaissent aux pages 310 et 311.

RESPONSABLES QUÉBÉCOIS

La liste des noms et les coordonnées des responsables québécois des programmes d'échanges de la CREPUQ peut être consultée à l'adresse électronique suivante : **http://echanges-etudiants.crepuq.qc.ca**

Pour les autres programmes d'échanges d'étudiants, veuillez vous adresser directement au responsable de la mobilité internationale de votre établissement. Voir l'Index alphabétique des établissements d'enseignement universitaire aux pages 310 et 311.

L'APPEL
à l'étranger

Par Marlène Lebreux

Découvrir une autre culture, visiter des endroits inconnus, communiquer dans une autre langue et apprendre dans un contexte totalement différent sont autant de raisons pour lesquelles des étudiants décident de partir à l'étranger. Émily Perrier-Gosselin, Mahira Doumengeux, Annie-Sara Lemieux-McClure, Marie-Laure Vachon et Audrey Paquin nous racontent leur expérience unique passée dans un autre coin du globe.

De l'Amérique du Sud à l'Afrique en passant par l'Europe, elles ont plié bagages pour aller vivre une ou deux saisons en terre étrangère. Certaines y ont effectué une partie de leurs études, alors que d'autres y ont réalisé un stage en milieu de travail. Elles sont revenues enthousiastes avec un regard nouveau sur le monde, un carnet de voyage rempli de paysages et de rencontres passionnantes et, surtout, un parcours enrichi de qualités humaines : confiance en soi, autonomie, sens de l'initiative et ouverture aux autres !

France : une belle leçon de vie

« Quand des représentants de notre conseil étudiant sont venus nous parler de la possibilité de voyager tout en étudiant, ce fut une certitude pour moi que je voulais vivre cette expérience », se souvient **Émily Perrier-Gosselin**. Le projet de cette étudiante au Bac en Animation et recherche culturelles à l'Université du Québec à Montréal (UQAM) est devenu réalité, à l'hiver 2011, lorsqu'elle s'est envolée vers Strasbourg, en France, pour s'y établir le temps d'une session.

Le cœur emballé par l'aventure, elle a quand même eu un petit choc pendant ses premiers jours à plusieurs kilomètres du Québec : « J'étais habituée à avoir une vie sociale animée. À l'Université de Strasbourg, je passais incognito. Il s'est passé un mois avant que je me fasse un cercle d'amis. Et même si on parle la même langue, il y a une adaptation linguistique qui doit se faire. Les expressions et l'utilisation des mots diffèrent... Et les Français sont très exigeants ! »

Émily réalise aujourd'hui tout ce que cette expérience lui a apporté tant sur le plan professionnel que personnel. « Quand tu te retrouves dans un autre pays, tu apprends sur l'autre culture, mais également sur toi-même. On te pose des questions sur ta propre culture auxquelles tu n'aurais jamais pensé. C'est super formateur ! »

Au rythme du Brésil

Mahira Doumengeux a également répondu à l'appel de l'étranger en passant six mois à Salvador, au Brésil, quand elle était étudiante au Bac en musique à l'Université de Montréal. « Je voulais comprendre comment on enseigne la musique dans un autre pays », affirme-t-elle. De plus, ses racines étant brésiliennes, c'était une occasion pour elle d'aller à la rencontre de ses origines et de pratiquer le portugais.

Elle n'a eu aucune difficulté à réussir ses études. Mais, surtout, le Brésil a été un milieu inspirant qui lui a permis d'explorer de nouveaux horizons musicaux : « La musique fait partie de la vie quotidienne des Brésiliens. Leur approche est différente de la nôtre. Ici, la musique est plus rationnelle et structurée. Là-bas, elle est davantage ressentie. Ce sont les émotions qui priment. Sans compter que j'ai énormément fait de scène là-bas. Cela m'a donné l'assurance et l'inspiration pour écrire mes propres compositions », raconte la jeune artiste, qui est aujourd'hui auteure-compositrice et interprète.

Argentine : enseignement et multiculturalisme

Annie-Sara Lemieux-McClure, étudiante en enseignement primaire à l'Université McGill, a également voulu savoir comment c'était d'étudier ailleurs. Elle était accompagnée de son copain quand elle a passé l'hiver 2008 à Buenos Aires, en Argentine.

Ils sont littéralement tombés en amour avec l'endroit, dit-elle : « Je voulais perfectionner mon espagnol et découvrir l'Amérique du Sud. J'ai saisi l'opportunité de voyager sans avoir à interrompre mon programme d'études. Habiter dans une ville étrangère et m'imprégner d'une autre routine a été une expérience exceptionnelle. »

Aujourd'hui, enseignante au primaire à la Commission scolaire de Montréal, elle apprécie à chaque jour l'esprit d'ouverture que lui a transmis son séjour à l'étranger : « À Montréal, il y a énormément de diversités culturelles. Dans ma classe, sur 28 élèves, seulement cinq ont des parents québécois. Maintenant, je sais davantage ce qu'implique faire preuve de tolérance. Je suis en mesure de mieux comprendre les moments bouleversants que peuvent vivre les immigrants quand ils arrivent dans leur pays d'accueil. »

Expérience humaine au cœur du Sénégal

Étudiante au Bac en pratique sage-femme à l'Université du Québec à Trois-Rivières (UQTR), **Marie-Laure Vachon** s'est installée, de janvier à avril 2013, avec sa petite famille au Sénégal, en Afrique. « Je suis partie avec mon conjoint et mes deux enfants. Nous habitions dans un appartement loué par une grand-mère sénégalaise. Nous étions quotidiennement en contact avec les membres de sa famille. C'était culturellement très enrichissant. »

Plongée dans les us et coutumes africaines, elle se souvient que ses premiers jours ont été très dépaysants : « Les sages-femmes sénégalaises ne sont pas douces comme celles du Québec. Au début, j'étais choquée par leur approche. Mais j'ai appris à mieux les comprendre… Elles disposent de peu de ressources. Pour sauver la mère et le bébé, l'accouchement est la seule option. Il n'y a aucun médicament pour contrer la douleur. Au Québec, on peut faire jusqu'à 40 suivis par année, si on travaille à temps plein. Là-bas, on parle davantage de 70 accouchements par semaine ! Et, il n'y a qu'un seul médecin dans l'hôpital ! »

« Dans l'hôpital où j'étais, poursuit-elle, il n'y avait pas de gants, pas de savons désinfectants, pas d'aiguilles… Les tiroirs étaient vides. Au Sénégal, ce sont les patients qui achètent le matériel pour se faire soigner. Il faut toujours penser en termes d'économie. J'ai donc appris à faire le maximum avec peu. Je suis revenue au Québec avec plus de confiance en moi et l'assurance que je suis une meilleure sage-femme pour accompagner les futures mamans. »

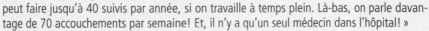

Belgique : communication et recherche à l'international

En 2010, **Audrey Paquin** était au Bac en sciences biomédicales à l'Université de Montréal quand elle a choisi Bruxelles, en Belgique, pour son stage de quatre mois. Celle qui étudie aujourd'hui en médecine considère son séjour à l'étranger comme une valeur ajoutée à son parcours. « J'ai fait un stage de recherche sur des tests de dépistage. J'ai voulu vivre la découverte d'un autre milieu et savoir comment on s'y adapte. De plus, je voulais comprendre de quelle façon des équipes de recherches internationales interagissent et travaillent ensemble. »

Audrey affirme que l'évaluation des projets de stages est plus sévère en Europe. « J'ai expérimenté d'autres technologies. J'ai appris à évoluer dans une structure hiérarchique plus rigide. Je suis vraiment sortie de ma zone de confort. À l'extérieur de son pays, on vit des moments de doutes qui nous confrontent à nos propres valeurs. On en sort humainement grandie ! Cela vaut largement les notes que j'ai peut-être eues en moins. »

Prêt pour l'embarquement?

Vivre quelques temps à l'étranger est sans conteste une expérience unique qui apporte de multiples bénéfices. Mais, avant de partir pour l'aventure, nos cinq jeunes globetrotters confirment qu'il faut être prêt à investir de l'énergie dans toutes les étapes du processus : dépôt du dossier de candidature, entrevue, recherche d'une université dans le pays convoité, demande du visa, location d'un appartement, achat des billets d'avion, etc.

Plusieurs organismes peuvent prêter main-forte aux jeunes dans leurs démarches. À chaque année, de nombreux étudiants bénéficient du Programme d'échanges étudiants de la Conférence des recteurs et des principaux des universités du Québec (CRÉPUQ). Cet organisme possède des ententes avec plus de 400 établissements ou consortiums d'établissements à travers le monde.

Certaines universités établissent également des ententes à l'international. C'est le cas de l'UQTR qui a une centaine d'ententes avec des établissements provenant d'une quarantaine de pays. « La mobilité des étudiants est très encouragée, mentionne Sylvain Benoît, directeur du Bureau des relations internationales à l'UQTR. Aller voir ailleurs, c'est s'ouvrir aux autres, se construire un réseau de contacts à l'extérieur du pays, se familiariser avec une nouvelle pédagogie et s'offrir une vision plus internationale sur son domaine d'études. C'est de toute évidence un plus dans le CV de toute personne. »

Et les coûts? « L'étudiant paie les mêmes droits de scolarité que s'il étudiait au Québec, répond M. Benoît. Pour les autres frais, il y a plein d'organismes d'aide qui octroient de l'aide financière aux étudiants. Évidemment, on peut les orienter vers les bonnes ressources. »

Les démarches peuvent être remplies de surprises, mais il ne faut pas se décourager. Comme le raconte Annie-Sara : « On ne s'en va pas étudier à l'étranger sur un coup de tête. Je suis moi-même passée par toutes sortes d'émotions avant de quitter pour l'Argentine. La première semaine de décembre, soit quelques semaines avant mon départ, j'ai appris que mon université d'accueil ne prenait plus d'étudiants étrangers! C'était la catastrophe! J'ai dû me trouver rapidement une autre université. J'ai finalement été acceptée ailleurs. Bref, les démarches ne sont pas toujours faciles, mais ça vaut tellement la peine d'aller jusqu'au bout du processus pour se donner la chance de vivre une telle expérience! »

INDEX ALPHABÉTIQUE
des établissements d'enseignement universitaire

École de technologie supérieure (ÉTS)
1100, rue Notre-Dame Ouest
Montréal (Québec) H3C 1K3
Bureau du registraire : 514 396-8888
Sans frais : 1 888 394-7888
Téléc. : 514 396-8831
admission@etsmtl.ca
www.etsmtl.ca

HEC Montréal
3000, ch. de la Côte-Sainte-Catherine
Montréal (Québec) H3T 2A7
Bureau du registraire : 514 340-6151
Téléc. : 514 340-6411
registraire.info@hec.ca
www.hec.ca

Polytechnique Montréal
C.P. 6079, succ. Centre-Ville
Montréal (Québec) H3C 3A7
Information scolaire : 514 340-4711, 4928
Renseignements généraux : 514 340-4711
Téléc. : 514 340-5735
monavenir@polymtl.ca
www.polymtl.ca/futur

Télé-Université (TÉLUQ)
455, rue du Parvis
Québec (Québec) G1K 9H6
Tél. : 418 657-3695
Sans frais : 1 888 843-4333
Téléc. : 418 657-2094
info@teluq.ca
www.teluq.ca

Université Bishop's
2600, rue Collège
Sherbrooke (Québec) J1M 1Z7
Bureau de recrutement : 819 822-9600
Sans frais : 1 877 822-8200
Téléc. : 819 822-9661
recruitment@ubishops.ca
www.ubishops.ca ou www.gobishops.ca

Université Concordia
1455, boul. de Maisonneuve Ouest
Montréal (Québec) H3G 1M8
Renseignements généraux : 514 848-2424
Bureau des admissions : 514 848-2668
Téléc. : 514 848-2621
www.concordia.ca

Université de Montréal
Service de l'admission et du recrutement
Pavillon J.A. De Sève, 3e étage
2332, boul. Édouard-Montpetit
Montréal (Québec) H3T 1J4
Bureau des admissions : 514 343-7076
Sans frais : 1 866 977-7076
Téléc. : 514 343-5788
admissions@regis.umontreal.ca
www.umontreal.ca

Université de Sherbrooke
2500, boul. de l'Université
Sherbrooke (Québec) J1K 2R1
Information sur les programmes : 819 821-7686
Service de l'admission : 819 821-7688
Sans frais : 1 800 267-UdeS (8337)
www.USherbrooke.ca/information

Université du Québec à Chicoutimi (UQAC)
555, boul. de l'Université
Chicoutimi (Québec) G7H 2B1
Bureau du registraire et admissions : 418 545-5005
Recrutement et promotion
des programmes : 418 545-5030
Sans frais : 1 800 463-9880
Téléc. : 418 545-5012
www.uqac.ca

Université du Québec à Montréal (UQAM)
Registrariat
320, rue Sainte-Catherine Est
C.P. 6190, succ. Centre-ville
Montréal (Québec) H3C 4N6
Tél. : 514 987-3132
Téléc. : 514 987-8932
admission@uqam.ca
www.etudier.uqam.ca

Université du Québec à Rimouski (UQAR)
300, allée des Ursulines
Rimouski (Québec) G5L 3A1
Numéro général : 418 723-1986
Bureau des admissions : 418 724-1433
Information sur les programmes : 1 800 511-3382
Téléc. : 418 724-1525
admission@uqar.ca
www.uqar.ca

....

Université du Québec à Trois-Rivières (UQTR)
3351, boul. des Forges, C.P. 500
Trois-Rivières (Québec) G9A 5H7
Bur. du registraire et des admissions : 819 376-5045
Sans frais : 1 800 365-0922
Téléc. : 819 376-5210
registraire@uqtr.qc.ca
www.uqtr.ca

....

Université du Québec en Abitibi-Témiscamingue (UQAT)
445, boul. de l'Université
Rouyn-Noranda (Québec) J9X 5E4
Bureau du registraire : 819 762-0971, poste 2210
Sans frais : 1 877 870-8728
Téléc. : 819 797-4727
registraire@uqat.ca
www.uqat.ca

....

Université du Québec en Outaouais (UQO)
101, rue Saint-Jean-Bosco
C.P. 1250, succ. Hull
Gatineau (Québec) J8X 3X7
Numéro général : 819 595-3900
Bureau du registraire : 819 773-1850
Sans frais : 1 800 567-1283
Téléc. : 819 773-1835
questions@uqo.ca
www.uqo.ca/futurs-etudiants

....

Université Laval
Bureau du recrutement
Vice-rectorat aux études et aux activités internationales
Pavillon Alphonse-Desjardins, bur. 3577
2325, rue de l'Université
Québec (Québec) G1V 0A6
Renseignements sur les programmes : 418 656-2764
Canada et États-Unis : 1 877 785-2825
Téléc. : 418 656-5216
info@ulaval.ca
www.ulaval.ca

....

Université McGill
Point de service
3415, rueMcTavish
Montréal (Québec) H3A 1Y1
Tél. : 514 398-7878
admissions@mcgill.ca
www.mcgill.ca

Universités hors Québec

Université d'Ottawa
550, rue Cumberland, local 221
Ottawa (Ontario) K1N 6N5
Tél. : 613 562-5315
Sans frais : 1 877 uOttawa (868-8292)
Téléc. : 613 562-5790
liaison@uOttawa.ca
www.admission.uottawa.ca

....

Choisi l'Université d'Ottawa!

Une éducation en français à ton image,
une expérience étudiante bilingue,
des programmes spécialisés reconnus
et des occasions de travail pratique
qui te serviront de tremplin vers
tes projets d'avenir.

uOttawa.ca/admission
613-562-5315 ou1-877-uOttawa (868-8292)

Bourses d'études

Viens chercher ta part des **millions** de dollars attribués en bourses d'études !

Moyenne d'admission	Bourse d'admission renouvelable*
95 à 100 %	nombre illimité, 4 000 $ par année
90 à 94,9 %	nombre illimité, 3 000 $ par année
85 à 89,9 %	nombre illimité, 2 000 $ par année
80 à 84,9 %	nombre illimité, 1 000 $ par année

Bourse du recteur

6 bourses de 30 000 $
(7 500 $ par année)

2e, 3e et 4e places
Les finalistes recevront une bourse de 1 500 $ (non renouvelable).

Date limite : 1er mars 2014

Bourse de la chancelière

6 bourses de 26 000 $
(6 500 $ par année)

2e, 3e et 4e places
Les finalistes recevront une bourse de 1 500 $ (non renouvelable).

Date limite : 1er mars 2014

Bourse d'accès aux études en français*

Nombre illimité de bourses de 4 000 $
(1 000 $ par année)

Plusieurs autres bourses d'admission sont offertes, consultez le site Web pour tous les détails :

uOttawa.ca/pretsetbourses

Des critères d'admissibilité ou de renouvellement s'appliquent à toutes les bourses.

*Aucune demande n'est requise pour ces bourses; elles sont accordées automatiquement à tous les étudiants répondants aux critères d'admissibilité au moment de l'admission.

Le Service de l'aide financière et des bourses se réserve le droit de modifier les renseignements et les exigences du programme de bourses sans préavis.

Étudier à l'Université d'Ottawa, c'est...

- choisir parmi plus de 380 programmes dans plus de 100 disciplines.

- suivre des cours en français ou en anglais ou les deux à la fois : c'est toi qui décides.

- vivre au quotidien en plein cœur d'Ottawa et tirer avantage des multiples occasions de réseautage afin d'avoir une carrière des plus dynamiques.

- acquérir de l'expérience et gagner de 1 800 $ à 3 400 $ par mois pendant tes stages de travail grâce au régime optionnel d'enseignement coopératif offert dans plus de 60 disciplines.

- partir à la découverte du monde en participant à un échange international et profiter d'une bourse de mobilité étudiante de 1 000 $ par session d'études.

Admission

À partir du cégep

Tu dois avoir terminé un minimum de 12 cours dans un programme de cégep (excluant les cours d'éducation physique et les cours de mise à niveau), incluant les préalables au programme. Une moyenne générale minimale de 70 % est exigée, mais ne garantit pas l'admission. Nous ne prenons pas en considération la cote de rendement (cote R), bien que cette politique puisse changer pour le programme de droit civil. Tu es admissible à une place en résidence*, aux bourses d'études et au régime d'enseignement coopératif.

Équivalences accordées après plus d'un an de cégep

Si tu réussis 12 cours dans un programme de cégep, tu peux obtenir des équivalences spécifiques, jusqu'à concurrence de 15 crédits universitaires. Si tu réussis plus de 12 cours, tu peux également obtenir des équivalences, jusqu'à concurrence d'une année d'études. Les équivalences accordées dépendent des cours suivis, de la moyenne obtenue et du programme choisi.

Après la 5e secondaire

Ton diplôme d'études secondaires du Québec doit inclure cinq cours de 5e secondaire, y compris les préalables au programme. Une moyenne minimale de 84 % est exigée, mais ne garantit pas l'admission. Tu es admissible à une place en résidence*, aux bourses d'études et au régime d'enseignement coopératif. Ta moyenne d'admission sert à déterminer la valeur de ta bourse d'admission automatique.

* Des restrictions peuvent s'appliquer

Les disciplines offertes à l'Univers...

Faculté des arts

Anglais langue seconde
Arts (général)
Arts visuels
Celtic Studies
C Communication
C Communication et lettres françaises
C Communication et philosophie
C Communication et science politique
C Communication et sociologie
Didactique des langues secondes (ESL ou FLS)
Écriture et style
C *English*
Espagnol
Éthique et société /
Éthique appliquée
Études anciennes
Études asiatiques
Études autochtones
Études cinématographiques
C Études de l'environnement (programme bilingue)
C Études de l'environnement et géographie (programme bilingue)
Études des francophonies
Études juives canadiennes
Études latino-américaines
Études médiévales et de la Renaissance
Français langue seconde
French Studies (programme pour les non-francophones uniquement)
C Géographie
C Géographie et sociologie
Géomatique et analyse spatiale
C Histoire
C Histoire et science politique
Histoire et théorie de l'art
Langue et culture allemandes
Langue et culture arabes
Langue et culture italiennes
Langue et culture russes
Latin and English Studies
Lettres classiques
Lettres classiques et philosophie
C Lettres françaises
Lettres françaises et éducation
Linguistique
Musique (B.A., B.Mus.)
Musique/Sciences (B.Mus./B.Sc.)
Pédagogie du piano
Philosophie
Philosophie et science politique
Psychologie et linguistique
Rédaction professionnelle et édition
Relations publiques et communications
Sciences des religions
Théâtre
C Traduction

Faculté de droit

C Droit civil
C Droit civil et développement international et mondialisation
Juris Doctor (J.D.)
Programme de droit canadien (J.D.-LL.L.)
Programme national (droit civil et J.D.)
Science politique et Juris Doctor

Faculté d'éducation

Formation à l'enseignement
Lettres françaises et éducation
Sciences et éducation

Faculté de génie

C Biotechnologie (génie chimique et biochimie)
C Génie chimique
C Génie civil
C Génie électrique
C Génie informatique
C Génie logiciel
C Génie mécanique
C Génie mécanique biomédical
C Informatique
C Informatique et mathématiques

École de gestion Telfer

Administration
C Affaires électroniques
C Comptabilité
C Entrepreneuriat
C Finance
C Gestion des ressources humaines
C Gestion internationale
C Management
C Marketing
C Sciences commerciales
C Systèmes d'information de gestion

Faculté de médecine

Médecine (MD)

Faculté des sciences

C Biochimie
C Biologie
C Biotechnologie (génie chimique et biochimie)
C Chimie
C Géologie
C Géologie-physique
C Mathématiques et statistique
C Mathématiques et informatique
C Mathématiques financières et économie
C Mathématiques et science économique
C Physique
C Physique-mathématiques
C Sciences biomédicales
C Sciences biopharmaceutiques

Sciences de la vie
C Sciences environnementales
Sciences et éducation
Technologie médicale en ophtalmologie

Faculté des sciences de la santé

Sciences de la nutrition (offer... français aux étudiants bilingu...
Sciences de la santé
Sciences de l'activité physiqu... (B.S.A.P et B.Sc.S.A.P.)
Sciences du loisir
Sciences infirmières

Faculté des sciences sociales

C Administration publique
C Administration publique et science politique
C Anthropologie
C Anthropologie et sociologie
C Communication et science politique
C Communication et sociologie
Criminologie
Criminologie et études des fem...
C Développement international et mondialisation
C Droit civil et développement international et mondialisatio...
C Économie et politiques public...
C Économie internationale et développement
C Études des conflits et droits hum...
Études des femmes
Études des femmes et science politique
Études des femmes et sociolo...
Études en mondialisation
Études états-uniennes
Études internationales et lang... modernes
C Géographie et sociologie
Gérontologie
C Histoire et science politique
C Mathématiques et science économique
Philosophie et science politiqu...
Psychologie (B.A.)
Psychologie (B.Sc.)
C Science économique
C Science économique et scienc... politique
C Science politique
Science politique et Juris Doct...
Sciences sociales (général)
Sciences sociales de la santé
Service social
C Sociologie

C = **Enseignement coopératif**